KONTO
NUMEROWANE

W serii

Kolekcja sensacji

ukażą się m.in.:

FREDERICK FORSYTH

Czwarty Protokół

Czysta robota

Fałszerz

Negocjator

HUMPHREY HAWKSLEY

Misterium niewinności

Ultimatum

CHRISTOPHER REICH

Bankier diabła

Kodeks zdrady

Konto numerowane

Polowanie

CHRISTOPHER
REICH

KONTO NUMEROWANE

Przekład
JERZY KOZŁOWSKI

Tytuł oryginału
Numbered Account

Korekta
Anna Tenerowicz

Druk
DRUK-INTRO SA, Inowrocław

Copyright © 1998 by Christopher Reich
All rights reserved.

For the Polish edition
Copyright © 2009 by Wydawnictwo Amber Sp. z o.o.

Serię przygotowało Wydawnictwo Amber
na zlecenie Polskie Media Amer.Com SA

ISBN 978-83-241-3464-9

Warszawa 2009

Prolog

Światła. Bajeczne światła.

Martin Becker zatrzymał się przed zejściem ze schodów banku i podziwiał wspaniały widok. Całą Bahnhofstrasse przybrano sznurami bożonarodzeniowych lampek. Wydawało się, że z nieba pada ciepły, elektryczny deszcz żółtych żarówek. Zerknął na zegarek. Do odjazdu ostatniego pociągu w góry zostało tylko dwadzieścia minut.

A miał jeszcze coś do załatwienia. Będzie musiał się pospieszyć.

Ściskając teczkę, Becker wtopił się w gęsty tłum. Szedł raźnym krokiem, nawet szybkim, jak na jednego ze śmiertelnie poważnych, sumiennych urzędników bankowych, którzy nazywali Zurych swoim domem. Dwukrotnie zatrzymał się i obejrzał za siebie. Był pewien, że nikt go nie śledzi, ale nie mógł się powstrzymać. Odruch związany raczej z poczuciem winy niż realnym zagrożeniem. Wypatrywał w tłumie jakiegoś zamieszania – strażnika wołającego, żeby się zatrzymał, zaaferowanej twarzy – czegoś nadzwyczajnego. Nic nie zauważył.

Zrobił to i teraz był wolny. Ale jego entuzjazm już zaczął przygasać, a chwilowe poczucie triumfu zastąpiła obawa o przyszłość.

Dotarł do srebrzystych drzwi Cartiera w chwili, gdy kierowniczka już zamykała sklep. Marszcząc żartobliwie brwi, atrakcyjna kobieta wpuściła go do środka. Jeszcze jeden zapracowany bankier kupujący uczucie żony. Becker szybkim krokiem podszedł do lady. Prezent już na niego czekał, więc odebrał elegancko zapakowane pudełko, nie wypuszczając teczki z ręki. Diamentowa broszka była dość ekstrawaganckim podarunkiem. Lśniącym dowodem gorącej miłości, który przypominał mu o dniu, gdy postanowił pójść za głosem serca.

Wsunął pudełko do kieszeni, podziękował i wyszedł ze sklepu. Zaczął padać drobny śnieg. Becker ruszył w stronę dworca wolniejszym krokiem. Przeszedł na drugą stronę Bahnhofstrasse i minął salony Chanel i Bally'ego, dwie z niezliczonych w tym mieście świątyń bogactwa. Ulica była pełna ludzi, którzy tak jak on zostawili świąteczne zakupy na ostatnią chwilę – dobrze ubranych mężczyzn i kobiet spieszących do domów z prezentami dla swoich bliskich. Próbował wyobrazić sobie minę żony, kiedy wyjmie broszkę. W myślach widział jej zaciśnięte usta i podejrzliwe spojrzenia podczas rozpakowywania prezentu. Wybąka coś o kosztach i oszczędzaniu na edukację dzieci. A on się roześmieje, obejmie ją i powie, żeby się nie martwiła. Dopiero wtedy przypnie broszkę. Lecz wcześniej czy później zapyta: Marty, skąd taki drogi prezent? I będzie musiał jej powiedzieć. Ale czy zdoła wyjawić rozmiary swojej zdrady?

Zastanawiał się nad tym, kiedy czyjaś ręka pchnęła go mocno. Poleciał kilka kroków do przodu i stracił równowagę. W ostatniej chwili przytrzymał się ulicznej lampy. W tym samym momencie pół metra przed jego nosem przemknął tramwaj. Wiatr zmierzwił mu włosy i sypnął piaskiem w oczy.

Becker wciągnął w płuca zimne powietrze, próbując ochłonąć i odwrócił się, żeby znaleźć sprawcę. Był pewien, że zobaczy skruszoną twarz i wyciągniętą do pomocy rękę albo roześmianego wariata gotowego wepchnąć go pod następny tramwaj. Ale jego oczekiwania się nie spełniły. Atrakcyjna kobieta idąca w przeciwnym kierunku uśmiechnęła się do niego. Mężczyzna w średnim wieku w płaszczu przeciwdeszczowym i kapeluszu współczująco skinął głową i poszedł dalej.

Wyprostowawszy się, Becker przesunął ręką po płaszczu i poczuł wybrzuszenie – prezent dla żony. Spojrzał w dół na śliski chodnik, potem na buty ze skórzanymi podeszwami. Odetchnął z ulgą. Po prostu się poślizgnął. Nikt nie próbował wepchnąć go pod tramwaj. Więc czemu wciąż czuł na plecach odcisk czyjejś dłoni?

Przyjrzał się rzece przechodniów. Niecierpliwie wodził wzrokiem po ich twarzach. Nie wiedział, czego lub kogo szuka, ale wewnętrzny głos podpowiadał mu, że ktoś go śledzi. Po minucie ruszył dalej. Niczego nie zobaczył, ale niepokój go nie opuszczał.

Po drodze przekonywał samego siebie, że nikt nie mógł wykryć kradzieży. Przynajmniej na razie. W końcu zrobił wszystko, żeby uniknąć wpadki. Skorzystał z kodu dostępu swojego przełożonego. Na wszelki wypadek poczekał, aż ten apodyktyczny człowieczek opuści biuro, i skorzystał z jego komputera. Po dokonanym bez upoważnienia zleceniu nie mógł pozostać żaden ślad. Wybrał też najspokojniejszy dzień w roku, Wigilię Bożego Narodzenia. Jeśli ktoś nie szusował jeszcze po górskich stokach z rodziną, to wyszedł z budynku przed czwartą. Był sam przez parę godzin. Nikt nie widział, jak drukuje dokumenty w biurze szefa. Na pewno!

Becker włożył teczkę pod pachę i wydłużył krok. Kilkadziesiąt metrów dalej dostrzegł sporą grupkę ludzi na przystanku. Właśnie nadjeżdżał tramwaj. Ruszył w stronę przystanku, skuszony obietnicą anonimowości. Przyspieszył i zaczął biec. Nie miał pojęcia, skąd ta desperacja, wiedział tylko, że całkowicie nim zawładnęła. Nie miał wyboru – musiał słuchać jej rozkazów. Szybko pokonał ostatnie kilka metrów w sprinterskim tempie i dotarł na przystanek, gdy tramwaj zatrzymywał się ze zgrzytem.

Syknęło powietrze, otworzyły się drzwi i spod podwozia wysunęły się schodki. Kilku pasażerów wysiadło. Zadowolony ze ścisku, wtopił się w tłum. Tętno mu zwolniło, oddech się uspokoił. Bezpieczny w tłumie, pozwolił sobie na krótki zduszony śmiech. Niepotrzebnie się martwił. Zdąży na ostatni pociąg. Przed dziesiątą będzie w Davos i cały następny tydzień spędzi na łonie rodziny.

Pasażerowie jeden za drugim wchodzili do tramwaju. W końcu przyszła kolej na niego. Postawił prawą stopę na stopniu, pochylił się do przodu i chwycił żelazną poręcz. Nagle poczuł na barku mocny uchwyt, który zatrzymał go w miejscu. Próbował się wyrwać i dostać do środka, ale druga ręka chwyciła go za włosy i odchyliła mu głowę do tyłu. Coś chłodnego przeszyło mu szyję. Otworzył usta, żeby zaprotestować, ale nie wydobył z siebie żadnego dźwięku. Zabrakło mu powietrza. Z gardła tryskała krew, opryskując pasażerów dookoła. Jakaś kobieta krzyknęła, potem druga. Cofnął się chwiejnie. Jedną rękę podniósł do okaleczonego gardła, w drugiej kurczowo ściskał teczkę. Zdrętwiały mu nogi i osunął się na kolana. Wszystko działo się tak powoli. Poczuł, że ktoś próbuje wyrwać mu teczkę. Chciał krzyknąć: Zostaw! Dostrzegł błysk srebra i poczuł ukłucie w brzuchu, coś dźgnęło go w żebro. Stracił czucie w rękach i wypuścił teczkę. Upadł.

Martin Becker leżał nieruchomo na zimnym chodniku. Oczy zaszły mu mgłą. Nie mógł oddychać. Na policzku poczuł strumień gorącej krwi. Teczka leżała kilkadziesiąt centymetrów dalej. Rozpaczliwie pragnął ją odzyskać, ale nie mógł ruszyć ręką.

Wtedy go zobaczył. Mężczyznę w płaszczu przeciwdeszczowym, który szedł tuż za nim, kiedy się poślizgnął. To on go popchnął! Mężczyzna pochylił się i podniósł teczkę. Przez sekundę ich spojrzenia się spotkały. Nieznajomy uśmiechnął się i odszedł.

Stój, jęknął Becker. Ale wiedział, że jest już za późno. Uniósł głowę i spojrzał w górę. Światła były takie piękne. Naprawdę bajeczne.

Rozdział 1

Dawno nie było tak srogiej zimy. Po raz pierwszy od 1962 roku zanosiło się na to, że Jezioro Zuryskie całkowicie zamarznie. Na brzegach już powstały grube tafle błękitnego lodu, a dalej tworzyła się na wodzie przeźroczysta lodowa powłoka. Majestatyczne parowce, które regularnie odwiedzały Zurych i jego okolice, schroniły się na zimę w Kilchbergu. Na przystaniach wokół jeziora płonęły czerwone światła; oznaczały niebezpieczeństwo i trudne warunki atmosferyczne.

Ostatni śnieg spadł zaledwie dwa dni wcześniej, ale ulice Zurychu wyglądały nieskazitelnie. Błotniste zaspy mogły zalegać na chodnikach innych miast, ale tutaj zostały usunięte. Zmieciono nawet sól i żwir, które rozsypano, żeby śnieg szybciej stopniał.

Każdego innego roku seria rekordowo niskich temperatur i niekończące się opady śniegu stałyby się tematem gorących dyskusji. Wiele kolumn w gazetach poświęcono by ostrej zimie i szczegółowemu omówieniu gospodarczych zysków i strat dla kraju. Pisano by o stratach w rolnictwie i hodowli – w nisko położonych oborach zamarzło tysiące krów; i o zyskach licznych alpejskich miejscowości turystycznych – najwyższy czas po kilku sezonach mizernych opadów śniegu. Na tych warunkach pogodowych skorzystały też wody gruntowe – ich poziom podniósł się po dekadzie stopniowego wyczerpywania się zasobów wodnych. Brukowce mogłyby ogłosić na swych łamach, że siejący strach „efekt cieplarniany" nie żyje i został pochowany.

Ale nie tego roku. W pierwszy poniedziałek stycznia na czołowych stronach „Neue Zurcher Zeitung", „Tages Anzeiger", a nawet potwornie nudnego „Zurcher Tagblatt" nie wspominano o pogodzie. Państwo borykało się z czymś dużo rzadszym od ataku ostrej zimy – z kryzysem sumienia.

Trudno było nie zauważyć oznak wzburzenia. Nicholas Neumann, wysiadając z tramwaju numer trzynaście przy Paradeplatz, natychmiast dostrzegł najbardziej widoczną z nich. Po wschodniej stronie Bahnhofstrasse, przed szarym czteropiętrowym budynkiem – siedzibą United Swiss Bank, do którego zmierzał – stała grupa ludzi. Część z nich trzymało transparenty. Widniejące na nich napisy Nick – lubił, żeby go tak nazywano – mógł odczytać nawet z tej odległości. „Oczyścić szwajcarską pralnię, Pieniądze z narkotyków są splamione krwią, Bankierzy Hitlera". Reszta manifestantów maszerowała nieprzerwanie w jedną i drugą stronę.

W zeszłym roku ujawniono żenujące fakty dotyczące szwajcarskich banków. Handel bronią dla Trzeciej Rzeszy; gromadzenie funduszy należących do więźniów hitlerowskich obozów koncentracyjnych; ukrywanie nielegalnych dochodów zdeponowanych przez południowoamerykańskie kartele narkotykowe – to były główne zarzuty. Miejscowa prasa nazwała banki „bezdusznym instrumentem finansowych malwersacji" i „chętnymi współuczestnikami śmiercionośnej działalności baronów narkotykowych". Opinia publiczna została powiadomiona. Teraz należało ukarać winnych.

Rozpętywały się i mijały już gorsze burze, doszedł do wniosku Nick, ruszając w stronę banku. Nie podzielał oskarżycielskich nastrojów panujących w kraju. Nie sądził też, by szwajcarskie banki były jedynymi winowajcami. Ale na tym kończyło się jego zainteresowanie. Tego ranka miał na głowie coś innego: sprawę, która nękała najciemniejsze zakamarki jego duszy, odkąd tylko pamiętał.

Nick z łatwością przebił się przez tłum. Był postawny, miał szerokie barki i ponad metr osiemdziesiąt wzrostu. Szedł pewnym, mimo lekkiego utykania, krokiem. Weterani defilad zauważyliby dłoń ułożoną na szwie spodni i ramiona odchylone do tyłu odrobinę bardziej, niż było to wygodne. Natychmiast rozpoznaliby w nim jednego ze swoich.

Miał twarz o poważnym wyrazie i krótko obcięte czarne włosy. Wydatny nos wskazywał na europejskie korzenie. Linia szczęki świadczyła raczej o stanowczości niż o uporze. Ale uwagę przykuwały oczy. Bladoniebieskie, otoczone siatką cieniutkich zmarszczek, których nie oczekuje się u ludzi w jego wieku. Rzucały prowokujące spojrzenie. Narzeczona Nicka stwierdziła kiedyś, że to oczy innego człowieka, starszego i bardziej zmęczonego niż dwudziestoośmioletni mężczyzna. Oczy kogoś obcego. Następnego dnia odeszła od niego.

Nick pokonał krótką odległość do banku w niespełna pięć minut. Zaczęła padać marznąca mżawka, którą przywiał silny wiatr znad jeziora. Płatki śniegu moczyły mu płaszcz, a deszcz zacinał w twarz. Nie zwracał na to uwagi. Przeciskając się przez tłum demonstrantów, nie spuszczał wzroku z podwójnych obrotowych drzwi, na szczycie szerokich granitowych schodów.

United Swiss Bank.

Czterdzieści lat temu jego ojciec zaczynał tutaj pracę. Mając lat szesnaście, był praktykantem, dwadzieścia pięć – specjalistą od inwestycji, a trzydzieści trzy – wiceprezydentem. Alexander Neumann szybko piął się na szczyt. Wiceprezydent wykonawczy. Zarząd. Wszystko było możliwe. I wiązano z nim wielkie nadzieje.

Nick zerknął na zegarek, wspiął się po schodach i wszedł do bankowego holu. Gdzieś niedaleko kościelny dzwon wybił godzinę. Dziewiąta. Jak gdyby w odpowiedzi na to wezwanie poczuł ucisk w żołądku. Rozpoznał niepokój, taki jak dawniej przed akcją. Uśmiechnął się w duchu, pozdrawiając dobrze znane uczucie, i poszedł po marmurowej posadzce w stronę kontuaru oznaczonego złotym napisem „Recepocja".

– Jestem umówiony z panem Cerrutim – oznajmił portierowi. – Zaczynam dzisiaj pracę.

– Pańskie papiery? – zażądał portier, starszy mężczyzna w eleganckim granatowym uniformie ze srebrnymi epoletami.

Nick podał przez kontuar kopertę z wytłoczonym logo banku.

Portier wyjął potwierdzenie przyjęcia do pracy i obejrzał je.

– Dokument tożsamości?

Nick pokazał dwa paszporty: jeden granatowy ze złotym orłem na okładce, a drugi czerwony z białym krzyżem. Portier obejrzał oba i zwrócił je.

– Zapowiem pana. Proszę usiąść. O tam. – Wskazał skórzane fotele.

Nick nie skorzystał z propozycji. Przeszedł powoli przez wielki hol. Obserwował eleganckich klientów w kolejce do ulubionych kasjerów i szarych pracowników śmigających po lśniącej posadzce. Słuchał urywków przyciszonych rozmów i szumu komputerów. Myślami wracał do lotu z Nowego Jorku sprzed dwóch dni, i jeszcze dalej – do Cambridge, do Quantico, do Kalifornii. Od lat było mu pisane tu trafić, choć o tym nie wiedział.

Za kontuarem zabrzęczał telefon. Portier przyłożył słuchawkę do ucha i kiwał głową przy każdej mrukliwej odpowiedzi. Chwilę później zaprowadził Nicka na drugą stronę holu do rzędu starych wind. Szedł idealnie odmierzonymi krokami, jak gdyby chciał obliczyć dokładną odległość dzielącą go od windy. Zamaszyście otworzył drzwi z przyciemnionego szkła.

– Drugie piętro – powiedział sucho. – Ktoś będzie na pana czekał.

Nick podziękował i wszedł do windy. Była mała, z brązowym dywanem na podłodze, drewnianą boazerią i wypolerowaną mosiężną poręczą. Natychmiast wyłowił mieszankę znajomych zapachów: zwietrzały ślad dymu z cygara, ostra woń wypastowanych butów i bardzo wyraźna, pokrzepiająca nuta słodkiej i zarazem świeżej Kölnisches Wasser, ulubionej wody kolońskiej ojca. Jego zmysły zaatakowały męskie zapachy, przywołując wspomnienie ojca: krótkie czarne włosy, niebieskie oczy pod krzaczastymi brwiami, wąskie usta zastygłe w grymasie dezaprobaty.

Portier zniecierpliwił się.

– Musi pan wjechać na drugie piętro. Drugie piętro – powtórzył, po angielsku. – Czekają tam na pana. Proszę.

Ale Nick nie słyszał ani słowa. Stał odwrócony plecami do otwartych drzwi, wpatrzony przed siebie. Usiłował poskładać pojedyncze kawałki, stworzyć z nich skończony portret. Przypomniał sobie podziw, dumę i strach, które odczuwał w obecności ojca, ale nic więcej. Wspomnienia pozostały niepełne, fragmentaryczne, pozbawione niezbędnego spoiwa.

– Dobrze się pan czuje, młody człowieku? – zapytał portier.

Nick odwrócił się, odpędzając niepokojące obrazy.

– Wszystko w porządku – rzekł. – W porządku.

Portier postawił stopę w windzie.

– Na pewno jest pan gotów dzisiaj zacząć pracę?

Nick podniósł głowę i wytrzymał natarczywy wzrok portiera.

– Tak – odpowiedział poważnie, lekko kiwając głową. – Jestem gotów od bardzo dawna.

Posłał portierowi przepraszający uśmiech, poczekał, aż drzwi windy się zamkną, i nacisnął przycisk drugiego piętra.

– Marco Cerruti jest chory. Dopadł go jakiś wirus, nie wiadomo co – wyjaśnił wysoki jasnowłosy urzędnik pod czterdziestkę. Czekał na Nicka na podeście drugiego piętra. – Pewnie ta koszmarna woda w tamtej części świata. Bliski Wschód. Kraje Żyznego Półksiężyca – oto nasze terytorium. Wierz mi lub nie, ale to nie bankierzy wymyślili tę nazwę.

Nick wyszedł z windy i przedstawił się z przylepionym do ust uśmiechem.

– Oczywiście, że Neumann. Na kogo innego bym czekał? – Jasnowłosy urzędnik wyciągnął rękę i energicznie uścisnął mu dłoń. – Peter Sprecher. Niech cię nie zmyli mój akcent. Jestem Szwajcarem jak Wilhelm Tell. Kończyłem szkoły w Anglii. Ciągle pamiętam słowa *God Save the Queen*. – Obciągnął rękawy drogiego garnituru i mrugnął. – Staruszek Cerruti wrócił właśnie ze świątecznego objazdu, który ja nazywam jego coroczną krucjatą. Kair, Rijad, Dubaj i parę nieznanych miejsc – pewnie jakiś słoneczny port, gdzie może pracować nad swoją opalenizną, podczas gdy my tutaj w centrali marniejemy. Chyba w tym roku jego plany wzięły w łeb. Chodzą słuchy, że nie będzie go co najmniej tydzień. Zła wiadomość to ta, że przydzielono cię do mnie.

Nick słuchał tego potoku słów, starając się wychwycić istotne informacje.

– A dobra? – spytał.

Peter Sprecher już znikł w wąskim korytarzu.

– Ach tak, dobra wiadomość! – zawołał przez ramię. – Mamy mnóstwo roboty do zrobienia. Brakuje nam rąk do pracy, więc nie będzie czasu na zbijanie bąków i przeglądanie rocznych raportów. Od razu wysyłamy cię w morze.

– W morze?

Sprecher zatrzymał się przed zamkniętymi drzwiami po lewej stronie korytarza.

– Do klientów, kolego. Musimy postawić kogoś wystarczająco zielonego przed naszymi ufnymi klientami. Wyglądasz na uczciwego. Masz wszystkie zęby? Więc nadasz się, żeby ich nabierać.

– Dzisiaj? – spytał zaniepokojony Nick.

– Nie, nie dzisiaj – odparł Sprecher, szczerząc zęby. – Najpierw czeka cię szkolenie. Potrwa co najmniej miesiąc. – Nacisnął klamkę i otworzył drzwi. Wszedł do małej sali konferencyjnej i rzucił na stół szarą kopertę, którą cały czas miał przy sobie. – Siadaj – powiedział, zapadając się w jeden z pikowanych skórzanych foteli. – Rozgość się.

Nick wysunął krzesło i usiadł po drugiej stronie stołu przed swoim nowym szefem. Chwilowa panika minęła, ustępując miejsca niejasnej obawie i niedowierzaniu, że w końcu tu jest.

Jesteś na miejscu, myślał. Trzymaj buzię na kłódkę, a oczy miej szeroko otwarte. Stań się jednym z nich.

Sprecher wyciągnął z koperty plik papierów.

– Twoje życie w czterech linijkach z pojedynczym odstępem. Widzę, że jesteś z Los Angeles.

– Dorastałem tam, ale potem mieszkałem gdzie indziej.

– Los Angeles, współczesna Gomora. Kocham to miasto. – Sprecher wysunął z paczki marlboro i poczęstował Nicka, który odmówił. – Tak myślałem, że nie jesteś amatorem tytoniu. Wyglądasz, jakbyś mógł przebiec cholerny maraton. Chcesz mojej rady? Wykazuj się, chłopcze. Jesteś w Szwajcarii. Nasze motto brzmi: powoli i spokojnie. Zapamiętaj to sobie.

– Postaram się.

– Kłamczuch – roześmiał się Sprecher. – Przecież widzę, że jesteś maniakiem. I siedzisz jakbyś kij połknął. Ale to problem Cerrutiego, nie mój. – Pochylił głowę i zaciągnął się dymem, studiując papiery nowego pracownika. – Piechota morska? Oficer. To wszystko wyjaśnia.

– Cztery lata – powiedział Nick. Starał się przybrać swobodniejszą pozycję, opuścić ramiona, zgarbić się trochę. Nie było to łatwe.

– Co tam robiłeś?

– Dowodziłem plutonem zwiadowczym. Najpierw szkolenie, a potem pływaliśmy po Pacyfiku i czekaliśmy, aż wybuchnie jakiś konflikt i będziemy mogli zastosować naszą wiedzę w praktyce. Ale nie doczekaliśmy się. – To była oficjalna wersja, której miał się trzymać.

– Biedak – mruknął Sprecher bez zainteresowania. Znów zaciągnął się głęboko i popukał palcem w linijkę. – Widzę, że pracowałeś w Nowym Jorku. Tylko cztery miesiące. Dlaczego?

Nick wiedział, że kiedy się kłamie, najlepiej nie odbiegać zbyt daleko od prawdy.

– Oczekiwałem czegoś innego – rzekł. – Nie czułem się swobodnie ani w pracy, ani w tym mieście.

– Postanowiłeś więc poszukać szczęścia za granicą?

– Mieszkałem w Stanach przez całe życie. Pewnego dnia zdałem sobie sprawę, że najwyższa pora coś zmienić. A kiedy już podjąłem decyzję, wyjechałem stamtąd jak najszybciej.

– Chciałbym mieć odwagę zrobić coś takiego. Niestety, dla mnie jest już za późno. – Sprecher wypuścił chmurę dymu w stronę sufitu. Przyglądał się Nickowi jeszcze przez chwilę i wsunął papiery z powrotem do koperty. – Byłeś tu kiedyś?

– W banku?

– W Szwajcarii. Ktoś z twojej rodziny jest Szwajcarem, prawda? Inaczej trudno byłoby zdobyć paszport.

– Byłem tu przed laty. – Nick celowo unikał szczegółów. Był w Szwajcarii siedemnaście lat temu, jako jedenastoletni chłopiec. Ojciec przyprowadził go do tego samego budynku. To była towarzyska wizyta. Wielki Alex Neumann zaglądał do gabinetów byłych kolegów i przedstawiał im małego Nicholasa, jak gdyby syn był egzotycznym trofeum z dalekiego lądu. – Paszport zdobyłem dzięki ojcu. W domu mówiliśmy po niemiecku.

– Naprawdę? Ciekawe. – Sprecher zgasił papierosa i z głębokim westchnieniem przysunął fotel bliżej stołu. – Wystarczy tych pogaduszek. Witamy w United Swiss Bank, panie Neumann. Przydzielono pana do Finanz Kunden Beratung, Abteilung 4., sekcji czwartej Działu Obsługi Klienta. Nasza mała rodzina zajmuje się klientami prywatnymi z Bliskiego Wschodu i z południowej Europy, to znaczy z Włoch, Grecji i Turcji. W tej chwili prowadzimy około siedmiuset rachunków z kapitałem w wysokości ponad dwóch miliardów dolarów. Dolar to jedyna waluta, która coś znaczy.

– Większość naszych klientów – ciągnął dalej – to osoby fizyczne, które założyły w banku konta numerowane. Ich nazwiska napisano ołówkiem w aktach. Ołówkiem, pamiętaj. Można je wymazać. Oficjalnie klienci pozostają anonimowi. W biurze nie trzymamy danych o ich tożsamości. Te informacje znajdują się w DZ, Dokumentation Zentrale. Nazywamy ją stalagiem numer siedemnaście. – Sprecher pogroził Nickowi długim palcem. – Ważniejsi klienci są znani tylko ścisłemu kierownictwu banku. I tak ma zostać. Lepiej więc wybij sobie z głowy jakiekolwiek fantazje o poznaniu ich osobiście. Zrozumiano?

– Zrozumiano – potwierdził Nick. – Służba nie miesza się z gośćmi.

– A oto procedura: klient dzwoni, podaje numer rachunku i zwykle chce poznać stan konta lub wartość akcji w swoim portfelu. Zanim podasz jakąkolwiek informację, potwierdzasz jego lub jej tożsamość. Wszyscy nasi klienci mają hasła identyfikacyjne. Poproś o nie. Możesz też zapytać o datę urodzenia. Ale na tym się kończy twoja ciekawość. Jeśli klient zechce przelewać pięćdziesiąt tysięcy dolarów tygodniowo na konto w Palermo, mówisz: *Prego, signor. Con gusto*. Jeśli postanowi wysyłać co miesiąc przekazy kilkunastu Janom Kowalskim do kilkunastu różnych banków w Waszyngtonie, mówisz: „Naturalnie, szanowny panie. Z przyjemnością". Skąd nasi klienci mają pieniądze i co chcą z nimi zrobić, to wyłącznie ich sprawa.

Nick zachował dla siebie wszelkie kąśliwe komentarze, skupiał się na rejestrowaniu podawanych mu informacji.

Sprecher wstał z fotela i podszedł do okna wychodzącego na Bahnhofstrasse.

– Słyszysz werble? – zapytał i skinął głową w stronę paradujących przed bankiem demonstrantów. – Nie? No to wstań i podejdź tu. Popatrz.

Nick podniósł się z krzesła i stanął przy Sprecherze, skąd miał widok na uczestników protestu.

– Barbarzyńcy u bram – skomentował Sprecher. – Rodacy zaczynają się niepokoić.

– Już przed paroma laty domagano się większej jawności w działalności banków – powiedział Nick. – I zwrotu kapitału należącego do klientów, którzy zginęli podczas drugiej wojny światowej. Banki poradziły sobie z tym.

– Uszczuplając narodowe rezerwy złota i tworząc fundusz dla ocalałych. Kosztowało nas to siedem miliardów franków! I mimo wszystko nie zezwoliliśmy na bezpośredni dostęp do naszych akt. Jednego możesz być pewien: szwajcarskie banki trzeba budować z twardego granitu, a nie z kruchego piaskowca. – Sprecher zerknął na zegarek. – No dobrze, starczy tej paplaniny. Pójdziesz teraz do kadr, gdzie czeka na ciebie doktor Schon. Wyrobi ci identyfikator, wręczy regulamin i zajmie się wszystkimi szczegółami, które czynią naszą ukochaną instytucję tak cudownym miejscem pracy. Przepisy, panie Neumann. Przepisy.

Nick spytał, jak dojść do biura szefa kadr. Przepisy, powtórzył w myślach. Wrócił pamięcią do pierwszego dnia w szkole wojskowej. Głosy były cichsze, a koszary ładniejsze, ale w sumie było tak samo. Nowa organizacja, nowy regulamin i nie ma miejsca na fuszerkę.

– Jeszcze jedno – dodał Sprecher. – Doktor Schon może zachowywać się nieco oschle. Nie przepada za Amerykanami. Im mniej słów, tym lepiej.

Wolfgang Kaiser wyglądał przez okno swojego gabinetu na czwartym piętrze. Obserwował demonstrantów zebranych przed bankiem. Pracował w USB od czterdziestu lat, a przez ostatnich siedemnaście był jego prezesem. Przypominał sobie tylko jedną demonstrację: protest przeciw inwestycjom banku w RPA. Jemu też nie podobały się praktyki apartheidu, ale polityka nie miała wpływu na decyzje związane z interesami. Afrykanerzy byli cholernie dobrymi klientami. Spłacali kredyty w terminie. Trzymali na lokatach przyzwoite sumy. Bóg jeden wie, że mieli złota pod dostatkiem.

Kaiser przygładził wąsy i odszedł od okna. Choć był średniego wzrostu, wyglądał imponująco. Ubrany w szyty na zamówienie granatowy garnitur z czesankowej wełny, mógł się podawać za arystokratę. Ale szerokie ramiona, plecy oracza i silne nogi świadczyły o pospolitych korzeniach. O mało arystokratycznym rodowodzie stale przypominało mu bezwładne lewe ramię, uszkodzone przy porodzie kleszczami nadgorliwej pijanej akuszerki – sparaliżowany dodatek do reszty ciała. Usilne ćwiczenia nie powstrzymały atrofii i lewa ręka pozostała dwa centymetry krótsza od prawej.

Kaiser obszedł biurko, wpatrując się w telefon. Czekał, aż zadzwoni. Czekał na krótką wiadomość, która przeniesie przeszłość w teraźniejszość. Na słowo zamykające koło czasu. Wciąż miał przed oczami napis na jednym z transparentów: „Dzieciobójcy". Nie bardzo wiedział, do czego dokładnie odnosił się ten napis, ale i tak było mu przykro. Cholerna prasa! Sępy nie posiadały się z radości, że mają taki łatwy cel. Niedobrzy bankierzy aż się palą do usługiwania potworom tego świata. Bzdury! Jeśli nie my, zrobi to ktoś inny. Austria, Luksemburg, Kajmany. Konkurencja depcze nam po piętach.

Telefon zadzwonił. Kaiser przyskoczył do niego trzema szybkimi krokami.

– Kaiser.

– *Guten morgen, Herr Direktor*. Mówi Brunner.

– Tak?

– Przyjechał – oznajmił portier. – Zjawił się punktualnie o dziewiątej.

– Jak wygląda? – Kaiser widział jego zdjęcia robione na przestrzeni lat. Ostatnio obejrzał nawet kasetę wideo z jego rozmowy kwalifikacyjnej. Mimo to nie mógł się powstrzymać i zapytał: – Jest podobny do ojca?

– Ma kilka kilogramów więcej, ale poza tym wykapany ojciec. Wysłałem go do pana Sprechera.

– Tak, już mnie poinformowano. Dziękuję, Hugo.

Kaiser odłożył słuchawkę i usiadł za biurkiem. Myślał o młodym mężczyźnie dwa pietra niżej.

– Witamy w Szwajcarii, Nicholasie Aleksandrze Neumannie – wyszeptał z uśmiechem. – Długo się nie widzieliśmy. Bardzo, bardzo długo.

Rozdział 2

Biuro szefa kadr mieściło się na końcu korytarza na pierwszym piętrze. Nick zatrzymał się przed otwartymi drzwiami i dwa razy zapukał, zanim wszedł. Nad biurkiem pochylała się szczupła kobieta, porządkując rozrzucone kartki. Miała na sobie bluzkę koloru kości słoniowej i granatową spódnicę, która kończyła się lekko poniżej kolan. Odgarnęła z twarzy falę włosów, wyszła zza biurka i popatrzyła na gościa.

– W czym mogę panu pomóc? – zapytała.

– Chcę się zobaczyć z doktorem Schonem – powiedział Nick. – Dziś rano zaczynam pracę i...

– Pana godność? Dzisiaj zaczyna sześciu nowych pracowników. Pierwszy poniedziałek miesiąca.

Jej surowy głos sprawił, że miał ochotę wypiąć pierś, zasalutować i wykrzyczeć nazwisko, stopień i numer. Przestraszyłby ją tylko. Przedstawił się, i pomny uwag Sprechera, postarał się trochę rozluźnić.

– Nasz Amerykanin – powiedziała. – Proszę wejść. – Zmierzyła go wzrokiem, jak gdyby sprawdzała, co bank dostał za swoje pieniądze. Zadowolona z oględzin, zapytała życzliwszym głosem, czy miał przyjemny lot.

– Niezły – odparł Nick, odwzajemniając taksujące spojrzenie. – Po kilku godzinach drętwieje to i owo, ale wszystko poszło gładko.

Była od niego niższa o głowę, miała inteligentne brązowe oczy i gęste blond włosy opadające ukośnie na czoło. Szpiczasty podbródek i lekko zadarty nos nadawały jej nieco zarozumiały wygląd. Kazała mu chwilę zaczekać, i weszła przez otwarte drzwi do sąsiedniego gabinetu.

Nick wyjął ręce z kieszeni i wytarł dłonie o tył spodni. Kiedyś znał kobietę taką jak ona. Pewną siebie, stanowczą, nieco zbyt profesjonalną. Kobietę, która wierzyła, że doskonały ubiór poprawi niedociągnięcia natury. O mało się z nią nie ożenił.

– Proszę wejść, panie Neumann.

Rozpoznał surowy głos. Za szerokim biurkiem siedziała ta sama kobieta o inteligentnych brązowych oczach. Oschła, ostrzegł go Sprecher, i nie przepada za Amerykanami. Zdążyła odgarnąć jasne włosy za uszy i włożyć dopasowany kolorystycznie do spódnicy blezer. Na nosie miała okulary w rogowych oprawkach.

– Przepraszam – powiedział szczerze zmieszany Nick. – Nie wiedziałem...

– Sylvia Schon – przedstawiła się. Wstała i wyciągnęła rękę nad biurkiem. – Miło mi pana poznać. Nieczęsto się zdarza, żeby prezes polecał świeżo upieczonego absolwenta do pracy u nas.

– Był przyjacielem mojego ojca. Razem pracowali. – Nick pokręcił głową, jakby chciał wyprzeć się znajomości. – To było dawno temu.

– Wiem. Ale bank nie zapomina o swoich pracownikach. Tutaj bardzo ceni się lojalność. – Ruchem ręki wskazała mu krzesło, a kiedy usiadł, też opadła na fotel. – Chciałam zadać panu kilka pytań. Staram się poznać wszystkich pracowników tego działu. Zazwyczaj kandydat przechodzi serię rozmów kwalifikacyjnych.

– Jestem wdzięczny za wszelkie wyjątki, które dla mnie zrobiono. Prawdę mówiąc, w Nowym Jorku miałem już rozmowę z doktorem Ottem.

– Przypuszczam, że była dość pobieżna.

– Omówiliśmy z doktorem Ottem wiele spraw. Nie potraktował mnie ulgowo, jeśli to ma pani na myśli. – Nick rozpoznał w jej głosie nutkę irytacji. Miała za złe Kaiserowi, że nie skonsultował się z nią przed zaproponowaniem mu pracy.

Sylvia Schon uniosła brwi i zadarła głowę, jakby chciała powiedzieć: „Dobra, dobra, panie Neumann, oboje wiemy, że jest pan gówno wart". Oczywiście miała rację. Jego spotkanie z wiceprezesem banku przypominało raczej towarzyską pogawędkę. Ott był niskim, grubym, poklepującym po plecach obłudnikiem. Nick odniósł wrażenie, że kazano mu odmalować przed nim sielankowy obraz życia w Zurychu i kariery w United Swiss Bank.

– Czternaście miesięcy – powiedziała Schon. – Tyle najdłużej wytrzymał u nas amerykański pracownik. Przyjeżdżacie do Europy jak na wakacje. Pojeździcie trochę na nartach, pozwiedzacie i po roku już was nie ma. Wybieracie cieplejszy klimat.

– Skoro były jakieś problemy, czemu sama nie przeprowadza pani rozmów kwalifikacyjnych? – zapytał ze słodyczą, która kontrastowała z jej bojowym tonem. – Jestem przekonany, że nie miałaby pani problemów z wyeliminowaniem słabszych kandydatów.

Doktor Schon zmrużyła oczy, jakby zastanawiała się, czy Neumann jest tylko pochlebcą, czy wyjątkowo bystrym osobnikiem.

– Interesujące pytanie. Proszę zadać je doktorowi Ottowi przy następnym spotkaniu. Rozmowy z kandydatami z zagranicy należą do jego obowiązków. Ale póki co skoncentrujmy się na panu, dobrze? Na naszym uchodźcy z Wall Street. Nie wydaje mi się, żeby taka firma jak Morgan Stanley często traciła najlepszych praktykantów po zaledwie czterech miesiącach.

– Doszedłem do wniosku, że nie chcę robić kariery w Nowym Jorku. Nigdy nie miałem okazji pracować za granicą. Zdałem sobie sprawę, że jeśli chcę się przenieść, im wcześniej to zrobię, tym lepiej.

– Więc odszedł pan ot tak sobie? – Pstryknęła palcami.

Nicka zaczął irytować jej agresywny ton.

– Najpierw rozmawiałem z Herr Kaiserem. W czerwcu, kiedy kończyłem studia, skontaktował się ze mną i wspomniał, że widziałby mnie w swoim banku.

– Nie brał pan pod uwagę innych miejsc? Londynu? Hongkongu? Tokio? Skoro zaproponowano panu pracę w Morgan Stanley, na pewno kilka innych firm odeszło z kwitkiem. Co pana skłoniło, aby wybrać Zurych?

– Chciałbym specjalizować się w bankowości prywatnej, a Zurych jest do tego idealnym miejscem. No i żaden bank nie ma lepszej reputacji od USB.

– Więc zadecydowała nasza reputacja?

Nick się uśmiechnął.

– Tak.

Kłamiesz, mówiły jej oczy. Przyjechałbyś, nawet gdyby zakopano nas w gnoju i złamano ostatnią łopatę.

– Proszę pamiętać, że tutaj zmiany następują bardzo powoli. W najbliższym czasie proszę się nie spodziewać przyjęcia do zarządu. U nas nie awansuje się tak szybko, jak u was w Stanach.

– Po minimum czternastu miesiącach – rzekł Nick. – Do tego czasu powinienem się tu zadomowić. Poznać teren. – Uśmiechnął się szeroko, dając jej do zrozumienia, że go nie zniechęciła i powinna zacząć się do niego przyzwyczajać. Ale za tym uśmiechem kryła się determinacja.

Zostanę, obiecywał sobie w duchu. Czternaście miesięcy lub czternaście lat. Tyle, ile trzeba, żeby się dowiedzieć, dlaczego zamordowano mojego ojca w holu domu jego bliskiego przyjaciela.

Sylvia Schon przysunęła krzesło bliżej biurka i przejrzała kilka dokumentów. W pokoju zapadła cisza. Napięcie towarzyszące pierwszym minutom spotkania opadło. W końcu podniosła wzrok i uśmiechnęła się.

– Rozumiem, że poznał już pan pana Sprechera? Jest pan ze wszystkiego zadowolony?

– Tak.

– Na pewno wyjaśnił panu, że mamy w naszym dziale pewne niedobory personalne.

– Powiedział, że pan Cerruti jest chory. I że wróci w przyszłym tygodniu.

– Mamy nadzieję. Powiedział coś jeszcze?

Nick przyjrzał jej się uważnie. Nie uśmiechała się już. O co jej chodziło?

– Nie. Tyle tylko, że Cerruti złapał jakiegoś wirusa podczas podróży służbowej.

Doktor Schon zdjęła okulary i ścisnęła nos dwoma palcami.

– Przykro mi, że wspominam o tym pierwszego dnia, ale chyba będzie najlepiej, jeśli dowie się pan od razu. Pewnie nie słyszał pan o niejakim Beckerze. On też pracował w FKB4. Siedem lat. Zginął w Wigilię. Pchnięto go nożem niedaleko stąd. Wciąż nie możemy się otrząsnąć. Potworna tragedia.

– To ten, którego zamordowano na Bahnhofstrasse? – Nick nie pamiętał nazwiska, ale skojarzył fakty z artykułem w jakiejś szwajcarskiej gazecie, którą czytał podczas lotu. Brutalny charakter morderstwa sprawił, że historia trafiła na pierwsze strony. Podobno ofiara miała przy sobie drogą biżuterię. Policja nie zatrzymała jeszcze podejrzanego, ale w artykule wyraźnie podkreślono motyw rabunkowy. Nazwa USB jakimś cudem nie pojawiła się w gazecie.

– Tak. Coś strasznego. Jak mówię, wciąż jesteśmy w szoku.

– Przykro mi – wyszeptał Nick.

– Nie, nie. To mnie jest przykro. Nikt nie zasługuje na tak potworną wiadomość pierwszego dnia pracy. – Doktor Schon wstała i obeszła biurko. Sygnał, że spotkanie dobiegło końca. Rozciągnęła usta w wymuszonym uśmiechu. – Mam nadzieję, że pan Sprecher nie zarazi pana swymi fatalnymi nawykami. Zostanie pan przy nim tylko kilka dni. Tymczasem musi pan załatwić parę formalności. Naturalnie potrzebne nam będą pańskie zdjęcia i odciski palców. Wszystko zrobi pan na tym korytarzu, trzecie drzwi po prawej. O, byłabym zapomniała. Muszę dać panu regulamin banku. – Minęła go i podeszła do regału przy ścianie. Otworzyła szufladę, wyjęła z niej niebieską broszurę i podała Nickowi.

– Czy mam tutaj zaczekać na wyrobienie identyfikatora? – Nick wpatrywał się w regulamin. Był wielkości połowy książki telefonicznej i dwa razy grubszy. Przepisy, usłyszał w myślach głos Sprechera.

– To nie będzie konieczne – zadudnił głęboki męski głos. Nick podniósł głowę i spojrzał prosto w rozpromienioną twarz Wolfganga Kaisera. Cofnął się o krok, chociaż nie wiedział, czy z zaskoczenia, czy ze strachu. Milczał. Kaiser był szarą eminencją jego rodziny: obserwował ich niewidoczny gdzieś z oddali. Po tak długim czasie Nick nie wiedział, jak ma się z nim przywitać. Jak z człowiekiem, który uczestniczył w pogrzebie jego ojca, a potem towarzyszył zwłokom w drodze do Szwajcarii, gdzie zostały pochowane? Jak z odległym dobroczyńcą, który przez wszystkie te lata dawał o sobie znać, przesyłając depesze gratulacyjne z okazji ukończenia liceum i studiów, a prawdopodobnie też i czeki w sytuacjach, kiedy matka wprowadzała ich na wyjątkowo niebezpieczne mielizny finansowe? Czy wreszcie jak z potentatem międzynarodowego biznesu, bohaterem tysiąca artykułów prasowych i wywiadów telewizyjnych? Najpopularniejszą postacią szwajcarskiego establishmentu bankowego.

Kaiser rozwiązał dylemat Nicka. Otoczył go prawym ramieniem i przycisnął do siebie w niedźwiedzim uścisku. Szepnął mu coś do ucha o czasie, który zleciał, i jak bardzo jest podobny do ojca. Wreszcie go puścił, ale dopiero po cmoknięciu w policzek.

– Na pogrzebie ojca powiedziałeś mi, że kiedyś wrócisz i zajmiesz jego miejsce. Pamiętasz?

– Nie – odparł z zażenowaniem Nick. Zauważył, że Sylvia Schon przygląda mu się badawczo. Przez jej usta przemknął ironiczny uśmieszek. Przez chwilę miał wrażenie, że widzi w nim nie praktykanta, ale rywala.

– No oczywiście – rzekł Kaiser. – Ile miałeś wtedy? Dziesięć, może jedenaście lat. Byłeś dzieckiem. Ale ja nie zapomniałem. Nigdy. A teraz proszę, jesteś tutaj.

Nick uścisnął wyciągniętą rękę prezesa. Poczuł się jakby włożył dłoń w imadło.

– Bardzo dziękuję, że znalazł pan dla mnie posadę. Zdaję sobie sprawę, że powinienem był uprzedzić wcześniej.

– Nonsens. Kiedy składam komuś ofertę, zawsze jest aktualna. Cieszę się, że mogliśmy cię wyrwać z rąk naszych amerykańskich kolegów. – Kaiser puścił jego dłoń. – Doktor Schon prowadzi egzamin? Widzieliśmy w twoim podaniu, że mówisz naszym dialektem. Ucieszyło mnie to, bo przecież poparłem twoją kandydaturę. *Sprechen Sie gerne Schweizer-Deutsch*?

– *Natürlich* – odpowiedział Nick. – *Leider han-i fascht nie Möglichkeit dazu, weisch*? – Ciężko mu się wypowiadało niemieckie słowa. Zupełnie inaczej niż podczas niezliczonych cichych prób, które miały go przygotować do tej chwili. Zauważył konsternację na ożywionym obliczu Kaisera. Spojrzał na doktor Schon i dostrzegł, że kąciki jej ust podnoszą się w słabym uśmiechu. Co takiego powiedział, do cholery?

Kaiser przeszedł na angielski.

– Kilka tygodni i wszystko sobie przypomnisz. Ott mi powiedział, że prowadziłeś jakieś badania naukowe dotyczące bankowości. Był pod wrażeniem.

– Moja praca magisterska – wyjaśnił Nick, zadowolony, że znowu znalazł się na twardym gruncie. – O rosnącym znaczeniu szwajcarskich banków na międzynarodowym rynku obrotu akcjami.

– Tak? Pamiętaj, że przede wszystkim jesteśmy szwajcarskim bankiem. Służymy naszej społeczności i naszemu państwu od ponad stu dwudziestu pięciu lat. Przed zjednoczeniem Niemiec nasza siedziba już stała w tym miejscu. Przed ukończeniem Kanału Sueskiego, a nawet przed wybudowaniem tunelu pod Alpami, my już działaliśmy. Od tego czasu świat ogromnie się zmienił, a my nadal działamy. Ciągłość, Nicholas. Oto, co reprezentujemy.

Nick powiedział, że rozumie.

– Przydzieliliśmy cię do FKB4, jednego z naszych ważniejszych działów. Będziesz sprawował pieczę nad ogromnymi sumami. Mam nadzieję, że Cerruti wkrótce wróci. Pracował pod okiem twojego ojca i bardzo się ucieszył na wieść, że dołączasz do nas. A na razie wykonuj polecenia Sprechera.

Znowu uścisnęli sobie dłonie. Nick odniósł wrażenie, że nie zobaczą się w najbliższym czasie.

– Jesteś zdany wyłącznie na siebie – powiedział Kaiser. – Twoja kariera jest w twoich rękach. Pracuj sumiennie, a odniesiesz sukces. I pamiętaj, bank ponad wszystko.

Pożegnał się z Sylvią Schon i wyszedł z gabinetu.

Nick odwrócił się do doktor Schon.

– Mam pytanie – rzekł. – Co ja właściwie powiedziałem prezesowi?

Stała swobodnie z rękami skrzyżowanymi na piersiach.

– Nie chodzi o to, co pan powiedział, tylko jak. Zwrócił się pan do prezesa jednego z największych banków w Szwajcarii, jakby był pańskim kumplem od kieliszka. Był trochę zdziwiony, to wszystko. Nieczęsto słyszy takie rzeczy. Proszę wziąć sobie do serca jego radę i popracować nad językiem. Nie takich umiejętności językowych oczekiwaliśmy.

Nick usłyszał w jej głosie ton nagany i poczuł wstyd za swoje niedociągnięcia. Nie mógł sobie darować, że obraził Kaisera. Zapytał doktor Schon o identyfikator.

– To potrwa parę minut, może kwadrans. Tyle, ile zajmie panu usunięcie atramentu z palców. – Wyprostowała się i wyciągnęła rękę. Kiedy się znowu odezwała, jej głos był swobodniejszy, a nawet życzliwy. – Nie będzie panu łatwo spełnić wszystkie oczekiwania. Wielu ludzi interesuje, jak pan sobie poradzi. Co do mnie, mam nadzieję, że zostanie pan u nas na dłużej.

– Dziękuję. Jestem wdzięczny.

– Proszę mnie źle nie zrozumieć, panie Neumann. Chciałabym, żeby dział finansowy miał najniższą w banku fluktuację kadr. Nic więcej. Niech pan to zaliczy do moich noworocznych postanowień.

Nick spojrzał jej w oczy.

– Nie rozczaruję pani – zapewnił. – Zostanę.

Uścisnęła mocno jego dłoń.

– Za kilka dni odwiedzę pana, żeby zobaczyć, jak pan sobie radzi.

Po zrobieniu zdjęć – jak do policyjnej kartoteki: en face i z obu profilów – i zdjęciu odcisków palców Nick wrócił do windy. Nacisnął przycisk i rozejrzał się dookoła. Na końcu korytarza, którym właśnie przyszedł, dostrzegł oszklone drzwi. Widniał na nich napis wymalowany dużymi drukowanymi literami Logistik und Administration. Nick zdziwił się, że nie zauważył tych drzwi wcześniej. Wydawały mu się dziwnie znajome. Wyszedł z windy, przemierzył korytarz i przyłożył palce do mlecznej szyby. Już kiedyś widział te drzwi. Przeszedł przez nie z ojcem przed laty. Przypomniał sobie: pokój 103. Weszli do pokoju 103, odwiedzić starego przyjaciela ojca.

Nick ujrzał siebie ubranego w szare spodnie i niebieski sweter, z krótkimi jak ojciec włosami. Nawet wtedy, klucząc po niekończących się korytarzach, wyglądał jak mały żołnierzyk. Blade światło, piegowate linoleum na podłogach i stęchły zaduch zamkniętych pomieszczeń – wszystko to sprawiało, że miał duszę na ramieniu. Wciąż pamiętał, jak przyciskał nos do ogromnego widokowego okna i wyglądał na ruchliwą ulicę. Wydawało mu się, że zaraz pofrunie. „To jest mój dom", powiedział wtedy ojciec, a jemu wydawało się niepojęte, że ojciec mieszkał kiedyś poza Los Angeles.

Nick zerknął na zegarek. Nie oczekiwano go o żadnej konkretnej porze, a Sprecher nie sprawiał wrażenia despoty. Może by tak zajrzeć do pokoju 103? Wątpił, by nadal pracował tam ten sam człowiek, ale był to jego jedyny punkt odniesienia. Otworzył oszklone drzwi i ruszył długim korytarzem. Co kilka kroków mijał jakiś gabinet. Na drzwiach widniały tabliczki z nierdzewnej stali. Na każdej był numer pokoju, a pod nim skrót nazwy działu i kilka dwu- lub trzyliterowych oznaczeń, bez wątpienia inicjały pracowników. Wszystkie drzwi były zamknięte. Na zewnątrz nie wydobywały się żadne dźwięki mogące zdradzić, co się za nimi dzieje.

Nick przyspieszył. Korytarz kończył się dziesięć metrów dalej. Drzwi z lewej strony były nieoznaczone. Bez numeru, bez skrótu działu. Nacisnął klamkę – zamknięte na klucz. Ruszył dalej. Ostatnie drzwi na lewo miały numer 103. Pod numerem wydrukowano litery „DZ". „Dokumentation Zentrale". Archiwum. Stąd raczej nie było wspaniałych widoków z okna. Nick już chciał wejść do środka, ale rozmyślił się. Jaką sprawę mógłby mieć tutaj do załatwienia praktykant pierwszego dnia pracy?

Znajomy głos precyzyjnie wyraził jego myśli.

– Co u diabła, tutaj robisz? – zażądał wyjaśnień Peter Sprecher. Niósł pod pachą spory plik dokumentów. – Chyba wyraziłem się jasno. Powiedziałem, że masz się trzymać żółtej drogi.

Nick poczuł, że jego ciało napina się odruchowo. Sprecher rzeczywiście powiedział, by trzymał się żółtej wykładziny – od windy do biura Schon i z powrotem. Jak wytłumaczy swoją obecność na progu bankowego archiwum? Przecież nie powie Sprecherowi, że gonił za wspomnieniami. Wziął głęboki wdech, żeby się uspokoić.

– Musiałem źle skręcić. Już zaczynałem się martwić, że nie znajdę drogi powrotnej.

– Gdybym wiedział, że tak doskonale orientujesz się w terenie, kazałbym ci zanieść za mnie tę stertę papierzysk. – Sprecher wskazał brodą dokumenty pod pachą. – Portfele klientów do niszczarki. Rusz się. Pierwsze biuro za rogiem na lewo.

Zmiana tematu ucieszyła Nicka.

– Może pomogę to nieść? – zaproponował.

– Lepiej nie. Trzymaj się tylko mnie i regulaminu. To wystarczająco dużo pracy. Osobiście odprowadzę cię na górę. Kto to słyszał, żeby praktykanci kręcili się po bankowych zakamarkach?

Peter Sprecher zaprowadził Nicka na drugie piętro do kompleksu biur usytuowanych wzdłuż wewnętrznego przejścia.

– Twój nowy dom – powiedział. – Nazywamy go Akwarium.

Po obu stronach szerokiego korytarza ciągnęły się biura oddzielone od siebie szklanymi ściankami. W kilku z nich siedzieli urzędnicy zajęci rozmowami telefonicznymi lub pochyleni nad stertami dokumentów. Nick krytycznym okiem spoglądał na beżową wykładzinę, żółte meble i szarą tapetę. Nie było ani jednego okna, przez które można by wyjrzeć na świat.

Sprecher położył mu rękę na ramieniu.

– Nie jest to pałac, ale spełnia swoje zadanie.

– Którym jest?

– Dyskrecja. Poufność. Nasze święte śluby.

Nick uśmiechnął się i skinął głową w stronę biurowego ula.

– Które należy do pana?

– Powinieneś raczej zapytać, które należy do ciebie. Chodź. Pokażę ci.

Sprecher przypalił papierosa i ruszył powoli środkowym korytarzem.

– Większość naszych klientów – wyjaśniał – powierzyła nam dyskrecjonalną kontrolę nad swoimi pieniędzmi. Możemy nimi dysponować, jak nam się żywnie podoba. Wiesz, na czym polega prowadzenie rachunków dyskrecjonalnych?

– Klienci, którzy życzą sobie, by ich rachunkami zarządzano na zasadzie dyskrecjonalnej, przenoszą na bank całą odpowiedzialność i upoważniają go do inwestowania wszystkich środków – mówił Nick, jednocześnie rozglądając się po nowym otoczeniu. — Bank inwestuje pieniądze według wskazówek klienta, który określa swoje preferencje co do akcji, obligacji i metali szlachetnych, a także precyzuje, jakiego rodzaju inwestycje mu nie odpowiadają.

– Świetnie – rzekł Sprecher, jak gdyby udawał podziw po obejrzeniu prostej sztuczki. – Pracowałeś tu wcześniej czy może uczą tego na Harvardzie? Pozwól mi dodać, że pieniądze klientów są inwestowane zgodnie z wytycznymi ustalonymi przez komitet inwestycyjny banku. Jeśli dowiedziałeś się poufnie od kogoś o następnej intratnej ofercie publicznej na giełdzie w Nowym Jorku, zachowaj to dla siebie. Naszym zadaniem jest właściwe zarządzanie portfelami klientów. Choć nazywają nas specjalistami od inwestycji, od dziewiętnastu lat samodzielnie nie wybraliśmy ani jednego portfela. Nasz największy dylemat to czy zainwestować w Forda, czy w General Motors, w Daimlera-Benza czy w BMW. Zajmujemy się tutaj administrowaniem. I robimy to najlepiej na całym bożym świecie. Jasne?

– Jak słońce – odparł Nick. Miał wrażenie, że właśnie usłyszał oficjalne kredo szwajcarskiego bankiera.

Minęli puste biuro.

– Tutaj pracował pan Becker – wyjaśnił Sprecher. – Przypuszczam, że doktor Schon powiedziała ci, co się stało.

– Był pana bliskim przyjacielem?

– Dość bliskim. Dołączył do FKB4 dwa lata temu. Umrzeć w taki sposób, coś strasznego. Do tego w Wigilię. W każdym razie przejmiesz jego biuro po zakończeniu szkolenia. Mam nadzieję, że nie masz nic przeciwko?

– Ależ skąd – odparł Nick.

Dotarli do ostatniego biura po lewej stronie korytarza. Było większe od innych. Nick zauważył, że stoją tam dwa biurka. Sprecher wszedł do środka przez otwarte drzwi i usiadł za większym z biurek.

– Witam w moim zamku. Oto gdzie wylądowałem po dwunastu latach harówki. Siadaj. Zostaniesz tutaj do końca praktyki.

Zadzwonił telefon. Sprecher natychmiast odebrał i podał, zgodnie z tutejszym zwyczajem, swoje nazwisko. Po chwili jego wzrok zatrzymał się na Nicku. Opuścił słuchawkę i zakrył ją dłonią.

– Bądź tak miły i skocz po kawę. Tam. – Machnął ręką w stronę korytarza. – Jeśli nie będziesz mógł znaleźć, zapytaj kogoś. Każdy chętnie wskaże ci drogę. Dziękuję.

Nick zrozumiał aluzję i wyszedł z biura. Nie po to przenosił się cztery tysiące mil przez ocean, ale co mu szkodzi? W każdej pracy trzeba ponieść jakieś ofiary, żeby do czegoś dojść. Miałby szczęście, gdyby tutaj ograniczały się one tylko do robienia kawy. W połowie drogi uświadomił sobie, że zapomniał zapytać, jaką kawę pije. Jako sumienny adiutant pokonał z powrotem krótki dystans i wsunął głowę do biura przełożonego.

Sprecher siedział z głową wspartą na dłoni i wpatrywał się w podłogę.

– Mówiłem ci, George, moje przejście będzie was kosztowało pięćdziesiąt tysięcy więcej. Nie odejdę, jeśli dostanę choćby grosz mniej. Nazwij to premią za ryzyko. Jesteście zieloni w te klocki. Za taką cenę jestem prawdziwą okazją.

Gdy Nick zapukał w szklaną ścianę, Sprecher gwałtownie podniósł głowę.

– Co jest? – spytał.

– Jaką kawę pan pije? Czarną? Z cukrem?

Sprecher odsunął słuchawkę od ucha. Widać było, że próbuje oszacować, ile Nick zdążył podsłuchać.

– George, zadzwonię do ciebie później. Muszę kończyć. – Odłożył słuchawkę i wskazał na krzesło przed swoim biurkiem. – Siadaj.

Nick wykonał polecenie.

Sprecher przez kilka sekund bębnił palcami o blat.

– Jesteś jednym z tych gości, którzy zawsze zjawiają się tam, gdzie nie powinni. Najpierw znajduję cię, jak spacerujesz po pierwszym piętrze i kręcisz się przed DZ jak zagubiony szczeniak. A teraz ni stąd, ni zowąd wracasz i wtykasz nos w moje sprawy.

– Niczego nie słyszałem.

– Słyszałeś sporo, i dobrze o tym wiem. – Sprecher potarł sobie kark i westchnął. – Chodzi o to, kolego, że przez jakiś czas będziemy na siebie skazani. Ja ufam tobie. Ty ufasz mnie. Rozumiesz reguły tej gry? Tutaj nie ma miejsca na zabawę w skarżypytę. Wszyscy jesteśmy dorośli.

– Rozumiem – rzekł Nick. – Proszę mi wybaczyć, przerwałem panu prywatną rozmowę. Nie musi się pan martwić, że usłyszałem coś, czego nie powinienem był usłyszeć. Bo nie usłyszałem. Więc proszę o tym zapomnieć. Dobrze?

Sprecher uśmiechnął się chytrze.

– A nawet jeśli usłyszałeś, to nic nie usłyszałeś, zgadza się, przyjacielu?

Nick nie pozwolił sobie na poufałość.

– Dokładnie – odpowiedział poważnym tonem.

Sprecher odchylił głowę do tyłu i roześmiał się.

– Niezły jesteś jak na jankesa. Całkiem niezły. A teraz wynoś się stąd i przynieś mi tę kawę. Czarna i dwie kostki cukru.

Rozdział 3

Telefon zadzwonił o trzeciej po południu, tak jak obiecał Peter Sprecher. Jedna z grubych ryb, najważniejszy klient Marca Cerrutiego. Człowiek znany jedynie z numeru konta i przydomku: Pasza. Dzwonił w każdy poniedziałek i czwartek dokładnie o piętnastej. Nigdy nie zawodził. Był bardziej punktualny od Boga. A nawet od Szwajcarów.

Telefon zadzwonił po raz drugi.

Peter Sprecher podniósł palec do ust.

– Siedź cicho i słuchaj – rozkazał. – Twoje szkolenie właśnie się rozpoczyna.

Nick był ciekaw, co wprawiło szefa w takie poruszenie.

Sprecher podniósł słuchawkę i przyłożył ją do ucha.

– United Swiss Bank. Dzień dobry. – Przerwał i wyprostował się. – Pan Cerruti jest chwilowo nieobecny.

Znowu przerwał, słuchając swego rozmówcy. Skrzywił się raz i drugi.

– Przepraszam pana, ale nie mogę wyjawić powodu jego nieobecności. Tak, szanowny panie, z przyjemnością podam panu moje dane, ale najpierw poproszę o numer pańskiego konta.

Zapisał numer na czystej kartce papieru.

– Potwierdzam, że pański numer to 549.617 RR – wpisał serię numerów i komend do komputera na biurku. – Pańskie hasło?

Wbił wzrok w monitor komputera. Kwaśny uśmiech wskazywał, że odpowiedź go zadowoliła.

– Czym mogę dzisiaj panu służyć? Nazywam się Pe-ter Spre-cher – przesylabizował nazwisko. – Jestem asystentem pana Cerrutiego. – Zmarszczył brwi. – Mój symbol identyfikacyjny? Tak, proszę pana, mój trzyliterowy symbol brzmi S-P-C. – Kolejna przerwa. – Pan Cerruti jest chory. Jestem pewien, że w przyszłym tygodniu do nas wróci. Mam mu przekazać jakąś wiadomość?

Długopis Sprechera śmigał po papierze.

– Tak, przekażę. Czy my moglibyśmy coś dla pana zrobić?

Słuchał. Wpisał komendę do komputera. Chwilę później przekazał klientowi informację.

– Stan pańskiego konta wynosi dwadzieścia sześć milionów dolarów. Dwadzieścia sześć.

Nick powtórzył w myślach usłyszaną sumę i zakręciło mu się w głowie. Dwadzieścia sześć milionów dolarów. Nieźle. Odkąd pamiętał, nigdy nie opływał w dostatki. Po śmierci ojca w domu się nie przelewało. Podczas studiów musiał pracować, stypendium nie starczało na wszystkie wydatki.

Zatrudniał się więc na pół etatu w barach szybkiej obsługi. Pierwsze porządne pieniądze zarabiał dopiero, gdy wstąpił do wojska, ale po wysłaniu trzystu dolarów miesięcznie matce starczało mu tylko na wynajęcie małego mieszkanka poza bazą, kupno używanego pikapa i na parę piw w weekendy. Próbował sobie wyobrazić, jak to jest mieć dwadzieścia sześć milionów dolarów na koncie. Nie potrafił.

Sprecher słuchał w skupieniu Paszy. Kilka razy kiwnął głową, stukając długopisem o udo. Potem ze słuchawką zaciśniętą pod brodą odjechał w fotelu do szafki. Grzebiąc w niej, klął pod nosem. Wyciągnął pomarańczową teczkę i położył ją na biurku. Nadal niezadowolony z rezultatów poszukiwań, pochylił głowę i wsunął dłoń do drugiej szuflady. Ha! Wreszcie zwycięstwo. Odnalazł skarb, zielonkawy formularz z napisem „przelew pieniężny". Zamachał nim triumfująco nad głową, jakby został właśnie mistrzem olimpijskim.

Przyłożył słuchawkę do ust i wziął głęboki wdech, zanim się odezwał.

– Potwierdzam, że chciałby pan przelać cały bieżący wkład na rachunku, czyli dwadzieścia sześć milionów dolarów amerykańskich, do banków z listy numer trzy.

Otworzył pomarańczową teczkę i wpisał pięciocyfrowy kod operacyjny do komputera. Wpatrywał się w ekran, jakby właśnie odkrył słynny kamień z Rosetty.

– Na liście są dwadzieścia dwa banki. Odnotuję, że przelew jest pilny. Pieniądze mają być wysłane jeszcze dzisiaj. Bezzwłocznie. Tak jest, zdaję sobie sprawę, że ma pan mój symbol identyfikacyjny. Może być pan spokojny. Dziękuję panu. Do widzenia panu.

Sprecher z westchnieniem odłożył słuchawkę na widełki.

– Pasza przemówił. Jego woli stanie się zadość.

– Sprawia wrażenie wymagającego.

– Wymagającego? To prawdziwy tyran. Wiesz, jaką wiadomość kazał przekazać Cerrutiemu? „Wracaj do roboty". Gość jak znalazł dla ciebie. – Sprecher roześmiał się, jakby nie mógł uwierzyć w tupet klienta, ale chwilę później twarz mu stężała. – To nie jego maniery mnie wkurzają. To głos. Cholernie zimny, pozbawiony emocji. Jak człowiek bez cienia. Ale to jeden z najlepszych klientów. Jego rozkazy są dla nas święte.

Nick pomyślał, że nie chce mieć nic wspólnego z tak trudnym klientem. Niech Cerruti się nim zajmuje. Ale przypomniał sobie słowa podsłuchanej wcześniej rozmowy Sprechera. „Moje przejście będzie was kosztowało pięćdziesiąt tysięcy więcej. Nie odejdę, jeśli dostanę choćby grosz mniej. Nazwij to premią za ryzyko. Jesteście zieloni w te klocki". Jeśli Sprecher mówił o odejściu z banku, być może Nickowi przyjdzie obsługiwać Paszę pod nieobecność Cerrutiego. Myśl ta sprawiła, że zesztywniał w fotelu.

– Zwróciłeś uwagę, jaką procedurę zastosowałem? – zapytał Sprecher.

– Owszem. Klientowi nie udziela się żadnych informacji, dopóki nie poda numeru konta i nie potwierdzi tożsamości.

– Brawo. To krok numer jeden i – można dodać – krok najważniejszy. Krok drugi wyjąć z szafy teczkę klienta.

Obróciwszy się w krześle, przesunął palcem po teczkach widocznych w otwartej szufladzie.

– Są ułożone w porządku numerycznym. Żadnych nazwisk, pamiętaj. W środku masz dokładne instrukcje dotyczące przelewów. Pasza traktuje ten rachunek jak tymczasową stację przekaźnikową. Pieniądze wpływają o dziesiątej lub o jedenastej rano. O trzeciej dzwoni, żeby sprawdzić, czy są i każe nam pozbyć się ich do piątej.

– Nie trzyma tu żadnych lokat?

– Cerruti bąknął coś o ponad dwustu milionach w akcjach i gotówce. Naszukałem się tego jak diabli, ale Cerber nie uchylił nawet rąbka tajemnicy, prawda? – Sprecher poklepał szary monitor komputera. – Wujaszek Peter nie ma odpowiednich pełnomocnictw.

– Cerber? – zainteresował się Nick.

– Nasz system komputerowy. Strzeże informacji finansowych klientów jak trzygłowy pies u bram Hadesu. Każdy pracownik ma dostęp tylko do tych rachunków, do których musi mieć wgląd z tytułu wykonywanej pracy. Ja mogę obejrzeć rachunki w FKB4, ale żadne inne. Pasza zgromadził dwieście milionów dolarów, ale ktoś – wskazał kciukiem sufit, czyli czwarte piętro, gdzie urzędowali szefowie banku – nie chce, żebym o tym wiedział.

– Czy przelewy Paszy zawsze opiewają na tak ogromne sumy? – Ciekawość Nicka podsyciło prawdopodobieństwo, że kiedyś on będzie prowadził z nim rozmowy.

– Składa identyczne polecenia dwa razy w tygodniu. Kwoty się różnią, ale nigdy nie spadają poniżej dziesięciu milionów. Najwyższa wyniosła trzydzieści trzy miliony. Przesuń się tu, razem obejrzyjmy jego konto. Pasza dostarczył siedem list, z których każda określa procentowo, jakie sumy mamy wysłać i do jakich instytucji. Spójrz tutaj: lista numer trzy. – Sprecher podsunął Nickowi pomarańczową teczkę i przerzucił kartki, zatrzymując się na różowej. – Każdą listę drukujemy na innym kolorze, żeby łatwiej je było rozróżnić. Pierwsza jest żółta, druga niebieska, trzecia różowa. Cerber o wszystkim pamięta, ale my zawsze sprawdzamy z wydrukiem. Procedura.

Nick przesunął palcem po nazwach banków: Kredit Anstalt, Wiedeń; Bank of Luxembourg; Commerz Bank, Frankfurt; Norske Bank, Oslo. Obok każdego banku umieszczono numer rachunku. Nazwiska klienta nigdzie nie było.

– Jak widać, dużo podróżuje – skomentował.

– A już na pewno jego pieniądze. Pasza za każdym razem wybiera inną listę i nigdy w tej samej kolejności. Przeskakuje od jednej do drugiej. Ale zawsze wydaje takie same polecenia. Potwierdzić stan konta. Przelać całą sumę na rachunki w dwudziestu dwóch lub trzydziestu trzech instytucjach finansowych na całym świecie.

– Chyba nie powinienem pytać, kim jest i dlaczego przeciąga pieniądze przez taki labirynt banków.

– Zgadłeś. Nie wyrabiaj sobie złych nawyków. Nie potrzebujemy jeszcze jednego... – Sprecher westchnął. – Nieważne.

– Czego? – Nick ugryzł się w język sekundę za późno.

– Niczego – odparł krótko Sprecher. – Wykonuj polecenia i zapamiętaj jedno: jesteśmy bankierami, nie policjantami.

– „Nie do nas należy zadawanie pytań" – zacytował Nick z przekąsem. To był żart, ale w tym biurze zabrzmiał całkiem serio.

Sprecher klepnął go po plecach.

– Szybko się uczysz. Naprawdę.

– Mam nadzieję. – Trzymaj buzię na kłódkę, a oczy miej szeroko otwarte, przypomniał mu surowy głos ojca. Stań się jednym z nich.

Sprecher znowu zajął się formularzem przelewu. Szybko wpisał konieczne informacje. Kiedy wszystko było gotowe, zerknął na zegarek, zapisał godzinę na blankiecie i wreszcie złożył swój podpis.

– Pasza wymaga od nas błyskawicznych działań. Dlatego mamy w zwyczaju osobiście dostarczać formularz Pietrowi, urzędnikowi odpowiedzialnemu za przelewy międzynarodowe. Kiedy Pasza mówi: „pilne", to znaczy, że pilne. Chodź, pokażę ci, gdzie będziesz chodził w każdy poniedziałek i czwartek kwadrans po trzeciej.

Po pracy Peter Sprecher zaprosił Nicka na piwo do pubu James Joyce. Było to popularne miejsce spotkań bankierów i agentów ubezpieczeniowych, prowadzone przez jednego z rywali USB, potężny Union Bank of Switzerland. Niskie wnętrze pubu było mroczne – oświetlały je tylko imitacje lamp naftowych – i udekorowane mosiężnymi ozdobami. Na ścianach wisiały obrazy przedstawiające Zurych na przełomie wieków.

Usiedli przy stoliku w rogu. Gdy wypili po piwie, Sprecher uraczył Nicka opowieścią o swej dwunastoletniej pracy w banku. Zaczynał jako praktykant świeżo po skończeniu studiów, całkiem jak Nick. Najpierw wysłano go na parkiet. Nie znosił tej pracy od pierwszego dnia. Odpowiadał za zyski i straty w księdze inwestycyjnej, którą prowadził, czy chodziło o kurs franka szwajcarskiego do dolara, o ceny wieprzowiny z Iowa, czy o umowy terminowe na dostawę platyny z Afryki Południowej. Uznał, że to nie dla niego. Jego przeznaczeniem była bankowość prywatna. Tutaj prawie nie odczuwało się presji. O sukcesie decydowała umiejętność zadowolenia klienta, przekonania go, że nie może narzekać na czteroprocentowy roczny zysk, a złe inwestycje to wina banku. Prawdziwy raj!

– Cały sekret polega na tym – tłumaczył Sprecher – żeby dobrze poznać swoich klientów, grube ryby. Dbać o nich, a wszystko samo się ułoży.

Podniósł kufel, nie spuszczając oka z Nicka.

– Zdrowie. Za twoją przyszłość w USB!

Nick wyszedł po trzecim piwie, tłumacząc, że jest zmęczony po piątkowym locie i zmianie strefy czasowej. Dotarł do Paradeplatz piętnaście po siódmej. Ulice już pustoszały. Sklepy były pozamykane, w witrynach paliły się przyciemnione światła. Czekając na tramwaj, miał wrażenie, jakby zapomniał o godzinie policyjnej albo był ostatnim człowiekiem, który przeżył jakąś straszną epidemię. Trząsł się z zimna w zbyt lekkim płaszczu. Samotna postać na obcej ziemi.

Zaledwie miesiąc wcześniej był stażystą w firmie Morgan Stanley. Jednym z trzydziestu szczęśliwców – wyselekcjonowanych spośród dwóch tysięcy kandydatów – którzy uznali, że roczna pensja wynosząca dziewięćdziesiąt tysięcy dolarów, premia za podpisanie umowy w wysokości siedmiu tysięcy dolarów i obiecująca przyszłość to odpowiednia rekompensata za codzienny kilkunastogodzinny wysiłek. Nie był przeciętnym stażystą, lecz jednym z najlepszych. Zaproponowano mu dwa intratne stanowiska: asystenta szefa handlu akcjami zwykłymi albo członka zespołu zajmującego się międzynarodowymi fuzjami i przejęciami. Za każde jego koledzy byliby gotowi zabić, okaleczyć lub poćwiartować.

W środę dwudziestego listopada zadzwoniła do Nicka ciotka Evelyn z Missouri. Zerknął na zegarek, gdy tylko usłyszał jej skrzekliwy głos. Było pięć po drugiej. Od razu wiedział, co ma mu do powiedzenia. Zmarła jego matka. Niewydolność serca. Słuchał, gdy snuła posępną opowieść o pogarszającym się stopniowo w ciągu ostatnich lat zdrowiu matki. Zbeształa go, że jej nie odwiedzał. Powiedział, że mu przykro, potem zapytał o datę pogrzebu i odłożył słuchawkę.

Przyjął wiadomość ze stoickim spokojem. Pamiętał, że pocierał rękami o chłodne skórzane poręcze fotela, kiedy usiłował wykrzesać z siebie oczekiwane w tej sytuacji smutek i zaskoczenie. Ale w rzeczywistości odczuwał ulgę, jakby zrzucił z ramion przysłowiowy ciężar. Matka miała pięćdziesiąt osiem lat i była alkoholiczką. Minęło sześć lat, odkąd po raz ostatni z nią rozmawiał. W chwili trzeźwości i przypływie dobrych intencji zadzwoniła do niego z wiadomością, że przeprowadziła się z Kalifornii do rodzinnego miasteczka Hannibal w Missouri. Nowy początek, powiedziała. Kolejny, skomentował w duchu.

Nazajutrz poleciał do St. Louis, wypożyczył samochód i pojechał do Hannibal. Przybył w pojednawczym nastroju. Chciał zobaczyć pogrzeb matki. Chciał wybaczyć jej potknięcia w roli rodzica i szanującego się dorosłego człowieka – choćby po to, żeby odsunąć w cień niedobre wspomnienia.

Jego dzieciństwo składało się z serii nagłych rozczarowań, z których śmierć ojca była pierwszym i oczywiście największym. Ale wkrótce nastąpiły kolejne, i to z regularnością zmieniających się pór roku. Pamiętał wszystkie; ciężkie chwile nastoletniego życia przemykały mu przed oczami jak sceny ze starego zniszczonego filmu. Powtórne małżeństwo matki z nieuczciwym agentem nieruchomości; który najpierw roztrwonił pieniądze z polisy, potem finansowo dobił rodzinę, sprzedając wymarzony dom Aleksa Neumanna przy Alpine Drive 805, aby spłacić grożącego sądem inwestora. Wreszcie nastąpił długotrwały rozwód.

Potem było jeszcze gorzej: ciągłe przeprowadzki do coraz uboższych zakątków południowej Kalifornii: Redondo Beach, El Segundo, Hawthorne. Kolejne małżeństwo matki trwało krócej i mniej kosztowało – nie było już czego dzielić i o co się kłócić. W wieku siedemnastu lat Nick wyjechał z Kalifornii. Było to rozstanie z matką i jego własny „nowy początek".

Dzień po pogrzebie poszedł do szopy, w której matka trzymała pamiątki z przeszłości. Kartonowe pudła wypełnione pozostałościami po banalnym i nieudanym życiu. Wyszczerbiona porcelana, w której rozpoznał prezent babci dla nowożeńców, szara koperta ze świadectwem z podstawówki i pudło z płytami, zawierające takie perełki jak *Burl Ives śpiewa kolędy*, *Piosenki o miłości* Deana Martina i *Beethoven* pod batutą von Karajana – trzeszcząca ścieżka dźwiękowa jego dzieciństwa.

Na koniec Nick znalazł dwa mocne kartony oklejone brązową taśmą i oznaczone napisem „A. Neumann. USB-LA". W środku były rzeczy ojca zabrane z jego biura w Los Angeles jakiś czas po jego śmierci: kilka przycisków do papieru, pojemnik na wizytówki, kalendarz ze szwajcarskimi pejzażami i dwa terminarze w skórzanych okładkach na lata 1978 i 1979. Połowa kartek była poplamiona na brązowo – powódź dwa razy docierała do komórki z falistej blachy, gdy rzeka Missisipi występowała z brzegów. Ale druga połowa kartek nie uległa zniszczeniu. Pochyłe litery ojca pozostały czytelne po prawie dwudziestu latach od ich zapisania.

Nick wpatrywał się przez chwilę w terminarze. Otworzył jeden i przejrzał zapiski. Poczuł przepływający przez ciało dreszcz. Ręce, które radziły sobie z odrzutem obrzyna, trzęsły się jak dłonie chłopca podczas Pierwszej Komunii. Na jedną krótką chwilę jego ojciec ożył. Siedzieli w pokoju na dole, ogień palił się w kominku, a listopadowy deszcz stukał o szyby. Nick płakał, jak zawsze, gdy słyszał kłótnie rodziców, a ojciec wziął go na stronę i pocieszał. Położył głowę na piersi ojca, czuł, jak szybko bije mu serce. Wiedział, że on też jest zdenerwowany. Ojciec przytulił go mocno i przesunął ręką po jego włosach. „Nicholas – powiedział ledwo słyszalnym szeptem – obiecaj mi, że będziesz o mnie pamiętał do końca życia".

Nick stał nieruchomo w wilgotnej komórce. Jeszcze przez chwilę w uszach dźwięczały mu słowa ojca, mógłby przysiąc, że widzi jego zimne niebieskie oczy. Zamrugał i zjawa, jeśli w ogóle tam była, znikła.

Kiedyś to wspomnienie było dla niego bardzo ważne. Przez rok po śmierci ojca przywoływał je bez końca, godzina po godzinie, dzień po dniu, usiłując przypisać tym słowom jakieś głębsze znaczenie. Dręczony niezaspokojoną ciekawością doszedł do wniosku, że ojciec prosił go o pomoc, a on w jakiś sposób go zawiódł i tym samym był odpowiedzialny za jego śmierć. W końcu wspomnienie zatarło się i odeszło w niepamięć. Ale nigdy do końca nie pozbył się poczucia winy.

Od śmierci ojca minęło wiele lat. Nick już prawie go nie pamiętał. I już dawno pogodził się z tym, że nigdy lepiej go nie pozna. Nie mógł więc uwierzyć, że teraz nadarzała się taka okazja. Schowane w szopie papiery były jak nieoczekiwany podarunek.

Ale radość Nicka nie trwała długo. Za okładką jednego z oprawionych w skórę terminarzy znalazł kwit, dowód odebrania rzeczy ojca podpisany „pani V. Neumann". Więc matka wiedziała o terminarzach. Celowo schowała je przed synem.

Podczas lotu do Nowego Jorku Nick zapoznawał się z zapiskami ojca. Najpierw pobieżnie przejrzał codzienne wpisy, a potem uważnie przeczytał każdą stronę. Znalazł wzmianki o pewnym podejrzanym kliencie, który groził ojcu, ale z którym mimo wszystko ojciec musiał współpracować; o miejscowej firmie, którą zainteresowała się centrala w Zurychu; i co najciekawsze, sporządzoną miesiąc przed śmiercią notatkę z telefonem i adresem biura terenowego FBI w Los Angeles. Poszczególne wpisy nie dawały powodów do zaniepokojenia. Ale rozpatrywane w kontekście tajemniczej śmierci ojca, rozpaliły w nim ogień wątpliwości, którego płomienie rzucały cień na działalność United Swiss Bank i jego klientów.

Nick wrócił do pracy następnego dnia po pogrzebie matki. Od ósmej do dwunastej miał szkolenie. Godzinę po rozpoczęciu pierwszego wykładu – nudnego bełkotu o zaniżaniu cen ofert publicznych na giełdzie – przestał słuchać i zaczął przyglądać się zebranym. Tak jak on byli absolwentami najlepszych w Ameryce wyższych szkół biznesu. Tak jak on zostali poddani obróbce i wciśnięci w drogie garnitury i wypolerowane skórzane buty. Wszyscy przyjmowali nieco nonszalanckie pozy, zapisując każde wypowiedziane przez lektora słowo. Uważali się za wybrańców i rzeczywiście nimi byli. Finansowi centurionowie na nowe milenium.

Dlaczego tak bardzo ich nienawidził?

Po południu wrócił na parkiet. Zajął miejsce u boku Jenningsa Maitlanda, giełdowego guru i niepoprawnego obgryzacza paznokci. „Siadaj na tyłku, zamknij japę i słuchaj", brzmiało codzienne pozdrowienie Maitlanda. Nick, jak zwykle wykonywał polecenie i przez następne cztery godziny pochłaniały go wydarzenia na parkiecie. Śledził rozmowy Maitlanda z klientami. Uważnie obserwował ruchy cen i cieszył się, gdy szef sprzedał New York Housing Authority dziesięć milionów obligacji z niebotycznym zyskiem. Ale gdzieś w środku czuł irytację.

Pięć dni wcześniej triumf Maitlanda dostarczyłby Nickowi niekłamanej satysfakcji, jak gdyby jego obecność w jakiś niewytłumaczalny sposób przyczyniła się do sprzedaży. Ale teraz spoglądał na giełdę krytycznym okiem i pragnął się odciąć nie tylko od transakcji szefa („pieprzone psy", cytując Maitlanda, „wszystko pożarły"), ale od całej giełdowej działalności.

Wstał, jakby chciał się przeciągnąć, i rozejrzał się. Rzędy monitorów ustawionych po trzy, jeden na drugim, ciągnęły się na długość boiska piłkarskiego w każdym kierunku. Jeszcze tydzień temu delektował się tym widokiem, wydawało mu się, że tak wygląda współczesne pole bitwy. Cieszył się, że może uczestniczyć w boju. Teraz odnosił wrażenie, że ma przed sobą technologiczne pole minowe, i chciał jak najszybciej się stąd wydostać. Niech Pan zlituje się nad robotami, które spędzają życie przyklejone do emitujących mikrofale lamp elektronopromieniowych.

Wracając do domu, Nick wmawiał sobie, że to chwilowe załamanie i następnego dnia odzyska chęć do pracy. Ale pięć minut po wejściu do mieszkania już siedział przy biurku, przeglądał terminarze ojca i wiedział, że okłamywał sam siebie. Świat, a przynajmniej jego widzenie świata się zmieniło.

Nadal chodził do pracy, udawało mu się nawet zachowywać raźną minę, koncentrować podczas zajęć i wybuchać śmiechem w odpowiednich momentach. Ale w głowie zaczynał mu świtać nowy plan. Poleci do Szwajcarii i przyjmie propozycję Wolfganga Kaisera.

W piątkowy wieczór przedstawił swoje plany narzeczonej. Anna Fontaine, studentka ostatniego roku na Harvardzie, była ciemnowłosą bostonką z bogatej rodziny o ciętym języku i najłagodniejszych oczach, jakie kiedykolwiek widział. Poznał ją miesiąc po rozpoczęciu studiów. Po miesiącu byli już nierozłączni. Oświadczył jej się przed przeprowadzką na Manhattan. Zgodziła się bez wahania. „Tak, Nicholas, chcę być twoją żoną" – powiedziała.

Anna słuchała w milczeniu jego argumentów. Wyjaśnił, że musi wyjechać do Szwajcarii, bo chce się dowiedzieć, w co był zamieszany jego ojciec, i dlaczego został zamordowany. Nie wiedział, na jak długo wyjedzie – miesiąc, rok, może dłużej – wiedział tylko, że musi rozwikłać tę sprawę. Dał jej terminarze do przeczytania, a gdy skończyła, poprosił, żeby z nim wyjechała.

Odmówiła. Potem powiedziała, dlaczego on też nie powinien wyjeżdżać. Przede wszystkim praca. Po co harował przez całe życie? Nikt nie rezygnuje z posady w Morgan Stanley. Jeden do siedemdziesięciu. Takie są szanse na zdobycie stanowiska praktykanta w tej firmie.

– Tobie się udało – rzekła z dumą w głosie.

– A co z moją rodziną? – pytała, splatając swoje delikatne palce z jego palcami. Ojciec Anny traktował Nicka jak syna. Matka codziennie dopytywała się o niego i wychwalała jego ostatnie sukcesy. Byliby zrozpaczeni, gdyby wyjechał.

– Jesteś częścią nas, Nick. Nie możesz wyjechać.

Lecz Nick wiedział, że nie stanie się częścią nowej rodziny, dopóki nie rozwiąże zagadki własnego ojca.

– Co będzie z nami? – zapytała w końcu Anna. Wiedział, jak bardzo wzdragała się przed użyciem tego argumentu. Przypomniała mu o wszystkim, co sobie powiedzieli: że traktują ten związek poważnie; że naprawdę się kochają; że pozostaną razem do końca życia. I że razem zdobędą Manhattan. Wierzył, że tak się stanie. I wiedział, że oboje mówili szczerze.

Ale to było, zanim umarła jego matka. Zanim odnalazł terminarze.

Anna nie potrafiła go zrozumieć. Albo nie chciała. Tydzień później zerwała zaręczyny i od tamtej pory nie rozmawiali ze sobą.

Nick zrezygnował z pracy. Zwrócił nawet siedem tysięcy – premię za podpisanie umowy. Rozstał się z narzeczoną, jedyną kobietą, którą naprawdę kochał. Zostawił cały swój dotychczasowy świat, żeby odnaleźć widmo ukrywające się od prawie dwudziestu lat. Po co?

Teraz po raz pierwszy uświadomił sobie w pełni konsekwencje tej decyzji. Spadło to na niego jak niespodziewany cios.

Tramwaj numer trzynaście wjechał na Paradeplatz, metalowe koła zajęczały pod hamulcem. Nick wszedł do pustego wagonu. Wybrał miejsce z tyłu. Gdy tramwaj ruszył, Nicholas znów powrócił do wydarzeń minionego dnia. Przypomniał sobie chwilę paniki, gdy przez sekundę naprawdę wierzył, że Peter Sprecher za kilka godzin pośle go między klientów; nieoczekiwane spotkanie z nowym szefem przed Dokumentation Zentrale, gdzie rzekomo się zgubił; i wreszcie, niewybaczalne faux pas, kiedy z niestosowną poufałością zwrócił się do Wolfganga Kaisera w szwajcarskim dialekcie.

Przycisnął policzek do szyby i przyglądał się ponurym szarym budynkom wyrastającym po obu stronach Stockerstrasse. Zurych nie był przyjaznym miastem. Ciągle pamiętał, że jest tutaj obcy. Wstrząsy tramwaju, pusty wagon, nieznane otoczenie – wszystko to potęgowało niepewność i poczucie osamotnienia. Czego oczekiwał, zostawiając za sobą tak wiele i przyjeżdżając tutaj, żeby gonić za mrzonką?

Tramwaj zwolnił i Nick usłyszał chrapliwy głos motorniczego, zapowiadający następny przystanek. Utobrücke. Oderwał policzek od szyby i wstał, przytrzymując się poręczy nad głową. Wysiadł, zadowolony, że znów znalazł się w chłodnych objęciach nocy. Ale wciąż czuł ucisk w gardle i skurcze w żołądku. Znał to uczucie. Strach.

Strach towarzyszył mu, kiedy szedł na pierwszą szkolną zabawę w wieku trzynastu lat. Bał się, że kiedy wejdzie na salę, wszystkie oczy zwrócą się na niego, a on będzie musiał poprosić jakąś dziewczynę do tańca i modlić się, żeby nie odmówiła.

Strach towarzyszył mu, gdy przybył do szkoły wojskowej w Quantico w stanie Wirginia. Po zakończeniu wstępnych formalności i badaniach lekarskich rekrutów zebrano w dużej sali. Wszyscy stali w milczeniu, żaden się nawet nie poruszył. Wiedzieli, że za stalowymi drzwiami czeka dziesięciu surowych instruktorów, i że za trzy miesiące albo zostaną podporucznikami w korpusie piechoty morskiej, albo wylądują gdzieś na rogu ulicy z paroma dolarami w kieszeni i piętnem, którego nigdy nie zdołają zetrzeć.

Nick patrzył, jak tramwaj znika w ciemnościach. Wciągnął w płuca czyste powietrze i trochę się odprężył. Już nieraz się bał, ale wiele w życiu dokonał. Wciąż piął się do góry: nauka w Cal State Northridge, korpus piechoty morskiej, Harvard. Odkąd pamiętał, zawsze pragnął wyrwać się z bagna, do którego został wepchnięty. Przysiągł sobie, że odzyska spuściznę po ojcu, na którą ten tak ciężko pracował.

Przez siedemnaście lat była to jego latarnia morska. Teraz, gdy stanął przed nowym wyzwaniem, widział jej światło wyraźniej niż kiedykolwiek przedtem.

Rozdział 4

Minął tydzień, ale Marco Cerruti nie wrócił za swoje biurko w Akwarium. O stanie jego zdrowia nie wspominano ani słowem. Nadeszła tylko notatka służbowa od Sylvii Schon, aby nie kontaktować się telefonicznie z chorym; wydano też decyzję, że Peter Sprecher podejmie obowiązki przełożonego, łącznie z udziałem w codwutygodniowym spotkaniu, na którym omawiano podział inwestycji. Sprecher właśnie z niego wrócił.

Na spotkaniu nie padło ani jedno słowo na temat Cerrutiego. Uczestnicy narady, tak jak wszyscy inni pracownicy banku, mówili tylko o jednym: o szokującej informacji, że Adler Bank – ich konkurent, z siedzibą mieszczącą się kilkadziesiąt metrów dalej przy Bahnhofstrasse – kupił pięć procent udziałów USB na giełdzie.

W United Swiss Bank wrzało.

Nick przeczytał na głos wiadomość z biuletynu finansowego Reutera wyświetloną na ekranie komputera.

– Klaus Konig, prezes Adler Bank, zawiadomił dzisiaj o nabyciu pięciu procent udziałów United Swiss Bank. Powołując się na „rażąco niski wskaźnik rentowności majątku", Konig oświadczył, że przejmie kontrolę nad zarządem i zmusi bank do bardziej dochodowej działalności. Wartość transakcji szacuje się na ponad dwieście miliardów franków szwajcarskich. Akcje USB poszły w górę o dziesięć procent.

– „Rażąco niski wskaźnik" – powtórzył z oburzeniem Sprecher, waląc pięścią w stół. – Chyba zwariował. Przecież w zeszłym roku odnotowaliśmy rekordowe dochody, wzrost zysku netto o dwadzieścia jeden procent.

Nick zerknął na niego przez ramię.

– Konig nie twierdzi, że coś jest nie tak z naszymi zyskami. Zarzuca nam, że nie inwestujemy dostatecznie agresywnie.

– Jesteśmy konserwatywnym szwajcarskim bankiem – warknął Sprecher. – Nie oczekuje się od nas agresywności. Konigowi wydaje się chyba, że jest w Ameryce. Wezwanie do sprzedaży akcji w Szwajcarii. Tego jeszcze nie było. Odbiło mu, czy co?

– Prawo nie zabrania wrogiego przejęcia – rzekł Nick, z przyjemnością odgrywając rolę adwokata diabła. – Zastanawiam się tylko, skąd weźmie pieniądze. Będzie potrzebował cztery lub pięć miliardów franków. Adler Bank nie ma tyle gotówki.

– To niezupełnie tak. Konigowi wystarczy trzydzieści trzy procent akcji USB, żeby uzyskał trzy miejsca w zarządzie. W tym kraju to decydujący udział. Wszelkie decyzje zarządu muszą uzyskać poparcie dwóch trzecich głosujących. Nie znasz Koniga. To szczwany lis. Wykorzysta swoje miejsca, żeby wywołać rebelię. Rozpali wszystkich do czerwoności, wychwalając fantastyczne wyniki Adler Bank.

– To nie będzie trudne. Zyski Adler Bank rosły w tempie około czterdziestu procent rocznie od jego założenia. W ubiegłym roku bank Koniga zarobił ponad trzysta milionów franków na czysto. Ma czym zaimponować.

Sprecher obrzucił Nicka nienawistnym spojrzeniem.
– A ty co? Chodząca encyklopedia finansowa?
Nick wzruszył ramionami.
– Pisałem pracę magisterską z bankowości szwajcarskiej. Adler Bank wniósł nową jakość. Zajmuje się głównie transakcjami na giełdzie. Wykorzystuje własny kapitał do obrotu akcjami, obligacjami, opcjami, wszystkim, czego cena może pójść w górę lub spaść.
– Nic dziwnego, że Konig chce USB. Kiedyś u nas pracował, wiele lat temu. To hazardzista. I do tego przebiegły. „Bardziej dochodowa działalność". Dobrze wiem, co przez to rozumie. Stawianie kapitału banku na wynik następnego spotkania szczytu OPEC lub przewidywanie kolejnych posunięć Rezerwy Federalnej USA. Ryzyko wypisane wielkimi literami. Konig chce położyć łapę na naszych aktywach, żeby Adler Bank mógł stawiać większe sumy.
Nick wpatrywał się w sufit, jakby rozwiązywał skomplikowane równanie.
– Pod względem strategicznym to rozsądne posunięcie. Ale nie będzie mu łatwo. Żaden szwajcarski bank nie sfinansuje ataku na jednego ze swoich. Nie wpuszcza się diabła do domu bożego, chyba że jest się księdzem. Konig musiałby ściągnąć prywatnych inwestorów, rozdrobnić własność. Na razie ma tylko pięć procent naszych akcji. Może tylko głośno krzyczeć podczas walnego zgromadzenia.
Od drzwi dobiegł ich sarkastyczny głos:
– Dwa największe umysły banku decydują o jego losach. Jakież to pocieszające.
Do Akwarium wkroczył Armin Schweitzer, kierownik banku do spraw poufności. Zatrzymał się przed biurkiem Nicka.
– No proszę, nasz najnowszy nabytek. Jeszcze jeden Amerykanin. Pojawiają się i znikają, jak epidemia grypy. Rezerwacja na lot powrotny już zrobiona? – Schweitzer, łysiejący, przygarbiony sześćdziesięciolatek był ubrany w garnitur z szarej flaneli. Miał ciemne, nieruchome oczy i zaciśnięte w bolesnym grymasie usta.
– Planuję zostać w Zurychu na dłużej – odparł Nick, kiedy już wstał i przedstawił się. – Postaram się, aby zmienił pan opinię o jakości pracy Amerykanów.
Schweitzer przesunął ręką po krótkich włosach.
– Złą opinię o jakości pracy Amerykanów wyrobiłem sobie już dawno, kiedy jako młody człowiek popełniłem niewybaczalny błąd i kupiłem corvaira. – Wymierzył wskazujący palec w Petera Sprechera. – Mam wiadomość o twoim szacownym przełożonym. Na osobności, jeśli łaska.
Sprecher wstał i wyszedł za Schweitzerem z biura.

Pięć minut później wrócił sam do Akwarium.

– Chodzi o Cerrutiego – poinformował Nicka. – Nie będzie go do odwołania. Załamanie nerwowe.

– Z jakiej przyczyny?

– Sam zadaję sobie to pytanie. Owszem, Marco jest nerwowy, ale u niego to cecha wrodzona. Tak jak u Schweitzera kretynizm.

– Jak długo go nie będzie?

– Kto wie? Chcą, żebyśmy sami kierowali działem. Bez zastępcy za Cerrutiego. Ograniczenie kosztów: pierwszy efekt posunięć dobrego pana Koniga. – Sprecher usiadł za biurkiem i sięgnął po paczkę marlboro, jego ostatnią deskę ratunku. – Jezu, najpierw Becker, teraz Cerruti.

Ciekawe, kiedy przyjdzie kolej na ciebie, pomyślał Nick.

Sprecher przypalił papierosa, i wymierzył żarzącą się końcówkę w kolegę.

– Jest jakiś powód, dla którego Schweitzer cię nie lubi? To znaczy oprócz tego, że jesteś zarozumiałym Amerykaninem.

Nick uśmiechnął się blado. Pytanie nie spodobało mu się.

– Nie.

– Spotkałeś go kiedyś?

– Nie – powtórzył głośniej Nick. – A czemu pytasz?

– Powiedział, żeby cię pilnować. I mówił poważnie.

– Co takiego?

– Słyszałeś. Powiem ci coś: lepiej nie mieć Schweitzera na karku. Nie da ci spokoju.

– Dlaczego Schweitzer chce, żebyś mnie pilnował? Czyżby stał za tym Kaiser?

– Może dlatego, że jest upierdliwym bęcwałem. Nie widzę innego powodu.

Nick pochylił się w fotelu, gotów dorzucić swoje trzy grosze. Na jego biurku zadzwonił telefon. Podniósł słuchawkę po pierwszym sygnale, zadowolony, że nie musi wypowiadać obraźliwych uwag o kierowniku do spraw poufności.

– Neumann – przedstawił się.

– Dzień dobry. Mówi Sylvia Schon.

– Dzień dobry, doktor Schon. Jak się pani miewa?

– Dziękuję, dobrze – odparła sucho, jakby chciała mu przypomnieć, że: praktykanci nie mają prawa urządzać sobie pogaduszek z przełożonymi. Ale po chwili jej głos złagodniał. – Pański szwajcarski niemiecki już brzmi lepiej.

– Potrzebuję jeszcze trochę czasu, żeby go podszlifować, ale dziękuję. – Zdziwił się, że komplement sprawił mu tyle przyjemności. Co wieczór spędzał godzinę, czytając na głos i rozmawiając z samym sobą, lecz jak na razie nikt nie zwrócił uwagi na jego postępy.

– Jak praca? – zapytała. – Pan Sprecher jest dobrym przewodnikiem?

Nick spojrzał na stertę teczek piętrzących się na biurku. Miał sprawdzić, czy inwestycje w każdym portfelu odpowiadają rozbiciu ustalonemu przez komitet podziału inwestycji: trzydzieści procent w akcjach, czterdzieści w obligacjach, reszta w gotówce.

– O tak, mam bardzo dużo pracy. Pan Sprecher nie pozwala mi się nudzić.

Sprecher zachichotał za swoim biurkiem.

– Pewnie słyszał pan już o panu Cerrutim. Bardzo mi przykro.

– Dowiedziałem się kilka minut temu. Poinformował nas Armin Schweitzer.

– Chciałabym umówić się z panem na spotkanie. Jestem ciekawa, jak się pan u nas czuje. Mówiliśmy o czternastu miesiącach i trzymam pana za słowo. – Nick miał wrażenie, że w jej głosie zabrzmiała wesołość. – Proponuję kolację, coś mniej oficjalnego niż zwykle. Powiedzmy szóstego lutego w Emilio's.

– Szóstego lutego w Emilio's – powtórzył Nick. Poprosił, żeby chwilkę zaczekała, zakrył słuchawkę dłonią i udawał, że sprawdza coś w kalendarzu. – Dobrze. Tak, pasuje idealnie.

– A więc jesteśmy umówieni. Szósty lutego o siódmej. Przedtem jednak chciałabym zobaczyć pana w moim biurze. Musimy omówić kilka spraw związanych z wymogami dyskrecji bankowej. Myśli pan, że Sprecher zwolni pana jutro rano około dziesiątej?

Nick zerknął na szefa, który odwzajemnił spojrzenie. Jego twarz wykrzywiał zaciekawiony uśmieszek.

– Tak, jestem pewien, że pan Sprecher poradzi sobie beze mnie przez kilka minut jutro rano.

– Świetnie. W takim razie do zobaczenia. – Przerwała połączenie.

Nick odłożył słuchawkę.

– Co jest? – zapytał Sprechera.

Sprecher zaśmiał się.

– W Emilio's, tak? Nie przypominam sobie, żebym widział tam jakieś akta. Ale mają cholernie dobre żarcie i wysokie ceny.

– To rutynowe spotkanie. Chce sprawdzić, czy nie za bardzo przejmuję się Cerrutim.

– Do rutynowych spotkań, mój drogi, mamy bufet. Trzecie piętro, korytarzem w lewo. Sznycel po wiedeńsku i pudding czekoladowy. Doktor Schon ma dla ciebie w zanadrzu coś innego. Przecież wie, że jesteś oczkiem w głowie naszego dostojnego prezesa. Chce dopilnować, żebyś był najedzony i zadowolony. Nie może sobie pozwolić na utratę takiego pracownika, prawda?

– Widzę, że wszystko już wiesz.

– Są rzeczy, których nawet wujek Peter może się sam domyślić.

Nick pokręcił głową, śmiejąc się. Sięgnął po terminarz i na odpowiedniej stronie wpisał jej nazwisko. Notatka o randce – poprawka: o spotkaniu – z Sylvią Schon była pierwszym zapisem w terminarzu. Podniósł wzrok i zauważył, że Sprecher pisze list na komputerze. Nadal miał na twarzy złośliwy uśmieszek. „Ma dla ciebie w zanadrzu coś innego" – powiedział.

Nick wałkował w myślach te słowa. Co dokładnie Sprecher miał na myśli? Gdy zastanawiał się nad znaczeniem komentarza kolegi, jego niepohamowana wyobraźnia zapuściła się na pierwsze piętro i zakradła do przytulnego biura doktor Schon. Widział, jak pilnie pracuje za zawalonym papierami biurkiem. Okulary miała zsunięte na czoło, a bluzkę rozpiętą nieco bardziej, niż nakazywała przyzwoitość. Drobne palce bawiły się łańcuszkiem, który zwisał z szyi i ocierał się o pełne piersi.

Jak gdyby czytając w jego myślach, Sprecher rzekł:

– Uważaj, Nick. One są od nas sprytniejsze.

Nick podniósł wzrok, zaskoczony.

– Kto?

– Kobiety. – Sprecher mrugnął okiem.

Nick odwrócił wzrok. Erotyczny charakter jego fantazji zaskoczył go. Wiedział, dokąd by go zawiodły, gdyby nie wtrącił się Sprecher. Nawet teraz miał trudności z oczyszczeniem myśli z tych intymnych i ponętnych obrazów.

Zaledwie dwa miesiące temu był gotów związać się na całe życie z inną kobietą. Kochał ją, szanował i darzył pełnym zaufaniem. Z jednej strony nadal nie chciał uwierzyć w odejście Anny. Ale tak wyraziste fantazje wskazywały, że już pogodził się z jej utratą i był gotowy do zawarcia nowych znajomości. Jedno było pewne: związku z Sylvią Schon nie powinien brać pod uwagę.

Wrócił do sprawdzania, czy inwestycji środków klientów dokonano zgodnie z wytycznymi. Była to żmudna praca i właściwie nigdy się nie kończyła, bo bank zmieniał rozkład inwestycji mniej więcej co sześćdziesiąt dni, a tyle właśnie czasu potrzebował Nick, by przebrnąć przez portfele wszystkich siedmiuset dyskrecjonalnych klientów swojego działu.

Kolejne dni pracy w banku upływały według stałego rozkładu. Wstawał o szóstej i brał lodowaty prysznic (stary zwyczaj z wojska). Wychodził ze swojego jednopokojowego mieszkania za dziesięć siódma, wsiadał do tramwaju minutę po siódmej i w biurze był najpóźniej o wpół do ósmej.

Zjawiał się w pracy jako jeden z pierwszych. Rozpoczynał od wyszukiwania w portfelach klientów słabo stojących akcji lub obligacji o zbliżającej się dacie wykupu. Potem wypisywał polecenia sprzedaży, które Sprecher akceptował bez wyjątku.

– Pamiętaj, kolego – mawiał – dochód jest najważniejszy. Od niego zależy prowizja. To jedyny wskaźnik naszej pracowitości.

Działania Nicka nie ograniczały się do zadań wyznaczonych mu przez Petera Sprechera. Codziennie znajdował czas na dociekania o bardziej prywatnym charakterze. Szukał sposobów zbadania przeszłości banku, śladów pracy ojca sprzed wielu lat. Już w pierwszą środę po rozpoczęciu pracy, wybrał się do bankowej biblioteki WIDO – Wirtschafts Dokumentation. Przejrzał stare raporty i dokumenty sporządzone przed wejściem banku na giełdę w 1980 roku. Znalazł kilka wzmianek o ojcu, ale były to tylko zdawkowe notatki. Nic, co mogłoby rzucić światło na jego codzienną działalność.

Innym razem przestudiował bankową książkę telefoniczną w poszukiwaniu nazwisk urzędników, które brzmiałyby znajomo – bez rezultatów. Jednocześnie sprawdził, kto mógł pracować w banku w tym samym czasie co ojciec. Uznał jednak, że kontaktowanie się ze wszystkimi pracownikami w wieku ponad pięćdziesięciu pięciu lat i wypytywanie ich o ojca mogłoby się skończyć wykryciem jego misji.

Nick dwukrotnie wracał do Dokumentation Zentrale. Stawał przy drzwiach i myślał o kilometrach przechowywanych w archiwum dokumentów. Wiedział, że jeśli śmierć ojca miała jakiś związek z jego działalnością w imieniu banku, jedyne wskazówki odnajdzie właśnie tam.

Telefon zadzwonił o trzeciej po południu, tak jak w każdy poniedziałek i czwartek od osiemnastu miesięcy. Nick zastanawiał się, ile pieniędzy Pasza przeleje tym razem. Piętnaście milionów dolarów? Dwadzieścia milionów? Więcej? W zeszły czwartek przelał szesnaście milionów ze swojego rachunku do banków z listy numer pięć. Mniej niż dwadzieścia sześć milionów, które przelał w miniony poniedziałek, ale wciąż była to ładna sumka.

Nick uważał za dziwne i niepraktyczne, że aby sprawdzić stan rachunku 549.617 RR, musi czekać na telefon Paszy. Regulamin zabraniał samowolnego przeglądania rachunków klientów. Dlaczego Pasza nie zostawi stałego zlecenia, aby w każdy poniedziałek i czwartek przelewano wszystkie środki zgromadzone na jego koncie? Po co czekać do trzeciej na jego telefon, po co całe to zamieszanie, by zdążyć wykonać zlecenie przed zamknięciem banku?

– Dwadzieścia siedem milionów czterysta tysięcy dolarów – powiedział do słuchawki Peter Sprecher. – Pilny przelew według listy numer siedem. – Mówił, jak to określał, obojętnym tonem doświadczonego urzędnika.

Nick podał mu pomarańczową teczkę, otworzył na liście numer siedem i po cichu przeczytał nazwy banków: Hong Kong and Shanghai Bank; Singapore Trade Development Bank; Daiwa Bank. Były też banki europejskie: Credit Lyonnais; Banco Lavorro; nawet Moskiewski Narodny Bank. W sumie trzydzieści szanowanych na świecie instytucji finansowych.

Później, gdy niósł wypełniony formularz do Pietra z działu przelewów międzynarodowych, myślał o siedmiostronicowej instrukcji w teczce Paszy i o setkach banków wymienionych na kolejnych listach.

Czy istniał na świecie bank, w którym Pasza nie założył sobie konta?

Nazajutrz rano punktualnie o dziesiątej Nick stawił się przed drzwiami biura doktor Sylvii Schon. Zapukał raz i wszedł. Najwyraźniej jej asystent był chory lub na urlopie, bo tak jak poprzednio sekretariat był pusty. Wchodząc, starał się szurać butami, żeby go usłyszała.

– Zgłasza się Neumann. Spotkanie o dziesiątej z doktor Schon.

Odpowiedziała natychmiast.

– Niech pan wejdzie, panie Neumann. Proszę usiąść. Cieszę się, że jest pan punktualny.

– Dzięki temu zawsze zdążam na czas.

Nie uśmiechnęła się. Gdy tylko usiadł, zaczęła mówić.

– Za kilka tygodni rozpocznie pan spotkania z klientami. Będzie pan ich zapoznawał z zawartością portfeli inwestycyjnych, pomagał w kwestiach administracyjnych. Niewykluczone, że będzie pan stanowił ich jedyny kontakt z bankiem. Będzie pan naszą ludzką twarzą. Jestem pewna, że pan Sprecher uczy pana, jak sobie radzić w tego typu sytuacjach. Moim zadaniem jest dopilnować, żeby zdawał pan sobie sprawę z naszych zobowiązań do zachowania dyskrecji.

Drugiego dnia pracy Peter Sprecher wręczył Nickowi broszurę na temat szwajcarskiego ustawodawstwa dotyczącego tajemnicy bankowej – *Das Bank Geheimnis*. Kazał mu ją przeczytać i podpisać oświadczenie, że rozumie przepisy i będzie ich przestrzegał.

– Są jeszcze jakieś papiery, które muszę podpisać? – zapytał Nick.

– Nie. Chcę tylko przedstawić pewne ogólne zasady, dzięki którym nie wyrobi pan sobie złych nawyków.

– Słucham. – Po raz drugi ostrzegano go przed złymi nawykami.

Sylvia Schon splotła dłonie i oparła je na biurku.

– Nie wolno panu omawiać spraw naszych klientów, z nikim z wyjątkiem przełożonego – powiedziała. – Nie wolno panu omawiać spraw naszych klientów po wyjściu z tego budynku. Bez wyjątków. Nawet przy drinku z panem Sprecherem.

Nick był ciekaw, czy zasada omawiania spraw klientów tylko z przełożonym nie kłóci się z zakazem „rozmów przy kieliszku", ale postanowił się nie odzywać.

– Niedopuszczalne jest omawianie spraw związanych z bankiem i jego klientami podczas prywatnych rozmów telefonicznych oraz zabieranie do domu poufnych dokumentów. Ponadto...

Nick poruszył się na krześle i rozejrzał po gabinecie. Wypatrywał jakiegoś osobistego akcentu, który dałby mu wyobrażenie o niej jako o człowieku. Nie widział żadnych fotografii ani pamiątek na biurku. Żadnego wazonu z kwiatami dla ozdoby. Na podłodze obok szafki za biurkiem stała jedynie butelka czerwonego wina. Pełen profesjonalizm.

– ...nie wolno robić notatek na użytek prywatny. Nigdy nie wiadomo, kto może je przeczytać.

Nick znowu się skoncentrował. Po kilku minutach miał ochotę wtrącić „Halo, halo, tu nocny jastrząb" albo „Cii, szkopy mogą podsłuchiwać". Wyglądało to trochę groteskowo.

Jakby wyczuwając jego psychiczny opór, Sylvia Schon wstała nagle z krzesła i obeszła biurko.

– Wydaje się panu, panie Neumann, że to zabawne? Typowo amerykańska reakcja – lekceważący stosunek do zakazów. W końcu zakazy są po to, żeby je łamać, czyż nie? Tak pan uważa?

Nick usiadł sztywno na krześle. Jej wybuch zaskoczył go.

– Nie, ależ skąd.

Sylvia Schon przysiadła na rogu biurka.

– Nie dalej jak w zeszłym roku urzędnik z konkurencyjnego banku trafił do więzienia za złamanie prawa o tajemnicy bankowej. Niech pan zapyta, co takiego zrobił.

– Co takiego zrobił?

– Niewiele, ale wystarczyło. Podczas Fastnacht – to dzień rozpoczęcia karnawału – w Bazylei wyłącza się światła w mieście do trzeciej nad ranem. Ludzie zbierają się na ulicach i świętują. Są zespoły, przebierańcy. Niezłe widowisko. A kiedy światła zostają włączone, mieszkańcy miasta obrzucają świętujących konfetti.

Nick nie spuszczał z niej wzroku. Dowcipniś, który w nim drzemał, siedział skulony w kącie i czekał na nową reprymendę.

– Pewien bankier – ciągnęła Sylvia – zabrał do domu wydruki z rachunków swych klientów, oczywiście przepuszczone przez niszczarkę, żeby zrobić z nich konfetti. O trzeciej wyrzucił je przez okno. Rano uliczni sprzątacze znaleźli paski wydruków i przekazali je policji. Odtworzono kilka nazwisk i numerów kont.

– Chce pani powiedzieć, że aresztowali gościa za wykorzystanie zniszczonych wydruków bankowych jako konfetti? – Przypomniał sobie historię o irańskich tkaczach, którzy żmudnie odtworzyli tysiące dokumentów przepuszczonych przez niszczarkę w ambasadzie amerykańskiej w Teheranie tuż po upadku szacha. Ale to była rewolucja islamskich fundamentalistów. W jakim kraju uliczni sprzątacze zajmują się przeglądaniem śmieci? I co gorsza, biegną na policję, żeby poinformować o swoich znaleziskach?

– Co to był za skandal! Fakt, że dokumenty były nieczytelne, zszedł na dalszy plan. Najważniejsze, że wyszkolony bankier nadużył zaufania klientów. Trafił do więzienia na sześć miesięcy. I stracił pracę.

– Sześć miesięcy – powtórzył posępnie Nick. W kraju, w którym uchylanie się od płacenia podatków nie jest traktowane jako przestępstwo, pół roku za wyrzucenie przez okno zniszczonych papierów wydawało się surowym wyrokiem.

Sylvia Schon położyła ręce na oparciu krzesła Nicka i zbliżyła do niego twarz.

– Mówię o tym dla pańskiego dobra. My tutaj poważnie traktujemy nasze prawa i tradycje. Musi się pan do tego przystosować.

– Zdaję sobie sprawę z wagi tajemnicy bankowej. Przepraszam, jeśli sprawiałem wrażenie zniecierpliwionego, ale wymienione przez panią zasady wydały mi się oczywiste.

– Brawo, panie Neumann. Właśnie takie są. Ale niestety w dzisiejszych czasach sprawy oczywiste nie dla wszystkich są oczywiste.

– To prawda.

– Przynajmniej w tej jednej kwestii się zgadzamy.

Doktor Schon wróciła do swojego krzesła i usiadła.

– To wszystko, panie Neumann – rzekła chłodno. – Czas wracać do pracy.

Rozdział 5

W śnieżny piątkowy wieczór, trzy tygodnie po rozpoczęciu pracy w United Swiss Bank, Nick przemierzał wąskie uliczki zuryskiej starówki. Szedł na spotkanie z Peterem Sprecherem.

– Bądź w Keller Stubli punkt siódma – powiedział Sprecher, gdy zadzwonił o czwartej po południu, kilka godzin po zakończeniu przerwy na lunch, z której nie wrócił. – Róg Hirschgasse i Niederdorf. Rozpadający się stary szyld. Na pewno trafisz, kolego.

Hirschgasse, wąska uliczka z nierównym brukiem, biegła wzdłuż rzeki Limmat do Niederdorfstrasse, głównego traktu spacerowego Starego Miasta. Na końcu uliczki paliły się światła kilku kawiarni i restauracji. Nick kierował się w ich stronę. Po kilku krokach zauważył coś ciemnego nad głową. Ze ściany odrapanego budynku wystawał wygięty szyld z kutego żelaza. Łuszcząca się złota farba przypominała mech na wierzbie. Pod szyldem były drewniane drzwi z okrągłą kołatką i żelazną kratą w okienku. Na ukrytej w bukszpanie tabliczce widniał napis: „Nunc est bibendum". Nick uśmiechnął się. „Czas na picie". Lokal zdecydowanie w typie Sprechera.

Otworzył ciężkie drzwi i wszedł do ciemnego, obitego boazerią pomieszczenia, w którym cuchnęło stęchłym dymem i piwem. Sala była prawie pusta, ale podrzędny wystrój podpowiadał mu, że wkrótce się zapełni. Z głośników płynęła smętna muzyka.

– Cieszę się, że przyszedłeś! – zawołał Peter Sprecher z drugiego końca sosnowego baru.

Nick poczekał z odpowiedzią, aż dojdzie do baru.

– Musiałem poprzekładać spotkania – rzekł kwaśno. Nie miał w Zurychu przyjaciół i Peter wiedział o tym. – Co się z tobą działo po południu?

Sprecher otworzył ramiona.

– Spotkanie najwyższej wagi. Rozmowa kwalifikacyjna. A nawet propozycja.

Nick dostrzegł, że Sprecher jest podchmielony.

– Propozycja? – zapytał.

– Przyjąłem ją. Jako człowiek pozbawiony skrupułów i nieskończenie chciwy, nie miałem trudności z podjęciem decyzji.

Nick zabębnił palcami o blat, przetrawiając usłyszaną wiadomość. Przypomniał sobie fragment rozmowy podsłuchanej pierwszego dnia pracy. A więc Sprecher dostał dodatkowe pięćdziesiąt tysięcy. Pytanie tylko od kogo.

– Czekam na szczegóły.

– Najpierw musisz się napić.

Sprecher opróżnił swoją szklankę i zamówił dwa piwa. Kiedy je przyniesiono, Nick pociągnął porządny łyk i odstawił szklankę na bar.

– Jestem gotów.

– Adler Bank – rzekł Sprecher. – Otwierają dział bankowości prywatnej. Potrzebują personelu i zainteresowali się moją skromną osobą. Oferują pensję wyższą o trzydzieści procent, gwarantowaną piętnastoprocentową premię, a za dwa lata prawo kupna akcji po niższej cenie.

Nick nie potrafił ukryć zaskoczenia.

– Po dwunastu latach pracy w USB przechodzisz do Adler Bank? Przecież to nasz wróg. Jeszcze w zeszłym tygodniu nazwałeś Klausa Koniga hazardzistą i draniem. Peter, w tym roku czeka cię awans na pierwszego wiceprezydenta. Adler Bank? Chyba nie mówisz poważnie?

– Jak najpoważniej. Już podjąłem decyzję. A nawiasem mówiąc, nazwałem Koniga przebiegłym hazardzistą. Przebiegły, czyli dobry w swoim fachu. Przebiegły, czyli bogaty, kurewsko nadziany. Jeśli chcesz, szepnę słówko o tobie. Po co rozbijać dobry zespół?

– Dziękuję za propozycję, ale nie skorzystam.

Nickowi trudno było oceniać krok kolegi inaczej niż w kategoriach zdrady. Ale potem przyszła refleksja. Co takiego zdradził? Kogo? Bank? A może mnie? Zbeształ się za egoizm. Podczas ich krótkiej znajomości Sprecher przyjął rolę niepoprawnego starszego brata, sypiącego radami w sprawach prywatnych i zawodowych. Jego swobodne żarty i cyniczne uwagi były znakomitym antidotum na bezduszną biurokrację środowiska bankowego. Spotykali się też po pracy. Sprecher oprowadzał Nicka po barach: Pacifico, Babaloo, Kaufleuten. A teraz miał odejść z banku i porzucić rolę przewodnika.

– Więc zostawisz Paszę na mojej głowie? – spytał Nick i w tej samej chwili przypomniał sobie pouczenie Sylvii Schon na temat tajemnicy bankowej. Zachował się nieostrożnie, tak jak się obawiała. Typowy Amerykanin.

– Pasza! – Sprecher dopił piwo i odstawił szklankę na blat. – To dopiero dziwak. Pieniądze chyba go parzą, bo nie może zostawić ich w jednym miejscu dłużej niż godzinę.

– Nie oskarżaj go zbyt pochopnie – sprzeciwił się odruchowo Nick. – Regularne wpłaty należności klientów, szybkie spłaty dostawców. Może prowadzić jedną z tysięcy firm. Najzupełniej legalnie.

– Dostawcy we wszystkich zakątkach świata? – Sprecher skwitował tę sugestię machnięciem ręki. – Czarne, białe, szare, nie mówmy o legalności. Na tym świecie wszystko jest legalne, dopóki cię nie złapią. Nie zrozum mnie źle, młodzieńcze, ja nie osądzam naszego przyjaciela. Ale jako biznesmena ciekawi mnie jego działalność. Czy plądruje skarbiec Narodów Zjednoczonych? Jest nieuczciwym urzędnikiem wypychającym sobie kieszenie złotem? Może drobnym dyktatorem, który wysysa tygodniową daninę z funduszu dla wdów i sierot? A może handluje koką w Rosji? Parę miesięcy temu posłaliśmy ładną sumkę do Kazachstanu. Do cholernej Ałma Aty, Nick. To nie jest centrum światowego biznesu. Kota można obedrzeć ze skóry na tysiąc sposobów. Założę się, że nasz Pasza opanował do perfekcji jeden z nich.

– Przyznaję, że jego transakcje są intrygujące, ale nie stają się przez to nielegalne.

– Jakbym słyszał prawdziwego szwajcarskiego bankiera. Pasza – oświadczył Sprecher, udając, że czyta tytuł w gazecie – intrygujący klient robi intrygujące przelewy intrygujących sum. Daleko zajdziesz w życiu, Neumann.

– Sam mówiłeś, że nie powinno nas obchodzić, co robi. Że nie należy wścibiać nosów w sprawy klientów. Jesteśmy bankierami, nie policjantami. To twoje słowa.

– Rzeczywiście. Można by pomyśleć, że powinienem już się tego nauczyć.

– Co chcesz przez to powiedzieć?

Sprecher zapalił papierosa.

– Ujmę to w ten sposób – rzekł. – Do zmiany banku skłoniły mnie nie tylko większe zarobki. Twój przyjaciel Peter ma instynkt samozachowawczy. Cerruti dostał załamania nerwowego i może już nigdy nie wróci. Martwy Becker – zimny trup, on nie wróci na pewno.

Nick już dawno zastanawiał się, czy to przypadek, że dwóch ludzi tego samego działu zostało wyeliminowanych z pracy prawie jednocześnie. Morderstwo jego ojca też oficjalnie nie miało żadnego związku z pracą w banku. Mimo to traktował chorobę Cerrutiego jako rezultat przemęczenia i nigdy nie kwestionował faktu, że śmierć Beckera nastąpiła w wyniku napadu rabunkowego.

– To, co się z nimi stało, nie miało nic wspólnego z ich pracą. – Zawahał się przez chwilę. – Prawda?

– Oczywiście, że nie miało – zapewnił gorliwie Sprecher. – Cerruti od dawna był nerwowy, a Becker miał po prostu pecha. Ale ja mam pietra. A może tylko wypiłem o jedno piwo za dużo. – Trącił Nicka łokciem. – Mniejsza z tym. Chcesz mojej rady?

Nick przysunął się bliżej.

– Tak, słucham?

– Kiedy odejdę, nie wpakuj się w kłopoty. Jesteś tu od miesiąca, wciąż zachowujesz się, jakby to był twój pierwszy dzień. Coś knujesz. Wujka Petera nie oszukasz.

Nick spojrzał na Sprechera z udanym zdumieniem.

– Możesz wierzyć lub nie, ale podoba mi się tu. Niczego nie knuję.

Sprecher wzruszył ramionami z rezygnacją.

– Skoro tak mówisz. Wykonuj tylko polecenia i nie pozwól Schweitzerowi wejść sobie na głowę. Znasz jego historię?

– Schweitzera?

Sprecher kiwnął głową i otworzył szerzej oczy w udawanym przerażeniu.

– Nie znasz historii londyńskiego lowelasa?

– Nie, nie znam.

– Pod koniec lat siedemdziesiątych Schweitzer handlował euroobligacjami w Londynie – rzekł Sprecher. – Eurodolary, europaliwo, eurojeny. To był prawdziwy raj. Wszyscy się bogacili. Od świtu do nocy dopingował pracowników, żeby wyciągali maksimum z ofert publicznych. A od nocy do świtu odwiedzał najbardziej ekskluzywne kluby Londynu, ciągnąc dawnych i przyszłych klientów od Annabel do Tramp. Jeśli do trzeciej nad ranem nie zbierzesz oferty marki niemieckiej serii AA, nie opróżnisz dwóch butelek Tullamore Dew i nie przelecisz paru dziwek, nie nadajesz się do tej branży. Tak brzmiało kredo Schweitzera. Dzięki temu USB zaszedł na szczyt.

Sprecher roześmiał się i dopił resztki ze szklanki.

– Pewnego pięknego wiosennego popołudnia – ciągnął dalej – Schweitzer wrócił późno do swojego apartamentu w Savoyu. Zarząd wynajął mu go na stałe. Przekonał ich, że potrzebuje odpowiedniej scenerii do spotkań z klientami. Biuro było zbyt małe, zbyt hałaśliwe. Wchodzi więc do pokoju i zastaje swoją ostatnią kochankę, młodą tygrysicę z Cincinnati w Ohio, i żonę podczas ostrej kłótni.

Nick pomyślał, że wszystko to brzmi jak scenariusz kiepskiej telenoweli.

– I co się stało?

Sprecher zamówił kolejne piwo i kontynuował opowieść.

– Do końca nie wiadomo. Według oficjalnej wersji podczas sprzeczki poczciwa Frau Schweitzer, matka dwóch córek, skarbnik klubu Zollikon i od piętnastu lat żona znanego kobieciarza, wyciągnęła z torebki rewolwer i zastrzeliła kochankę męża. Jeden strzał prosto w serce. Przerażona tym, co zrobiła, przyłożyła lufę do skroni i pociągnęła za spust. Śmierć na miejscu. Niewinnego męża przeniesiono z powrotem do centrali w Zurychu, gdzie przyznano mu dosyć ważne stanowisko, choć śmiem twierdzić, nieco mniej eksponowane. Trafił do komórki w podziemiach. Zajmuje się kwestiami zachowania poufności.

– A wersja nieoficjalna? – zapytał Nick.

– Mistrzem w opowiadaniu wersji nieoficjalnej jest Yogi Bauer, ówczas zastępca Schweitzera. Od paru lat jest na emeryturze, ale można go spotkać w różnych obskurnych spelunkach Zurychu, do których należy Gottfried Keller Stubli, o czym z dumą cię informuję. Przesiaduje tu całe dnie.

Sprecher obejrzał się przez lewe ramię i gwizdnął głośno.

– Hej, Yogi! – krzyknął, unosząc nad głowę pełną szklankę. – Za Frau Schweitzer!

Ciemnowłosy mężczyzna pochylony nad stołem w najmroczniejszym kącie baru wzniósł w odpowiedzi swoją szklankę.

– Kurwa, nie do wiary! – zawołał. – Jedyna gospodyni domowa w Europie, która zdołała przeszmuglować naładowany rewolwer przez dwa międzynarodowe lotniska. Dziewczyna w moim typie! Oby nam się!

– Oby nam się! – odpowiedział Sprecher i pociągnął długi łyk piwa. – Yogi jest nieoficjalnym historykiem banku. Zarabia na chleb, snując opowieści o naszej chlubnej przeszłości.

– Ile jest w tym prawdy? – zapytał Nick.

– Dziewiętnasty kwietnia siedemdziesiątego ósmego. Sprawdź w gazetach. Rozpisywano się na ten temat. I lepiej schodź z drogi Schweitzerowi. Ma uraz do Amerykanów. Praktykanci zza oceanu nie wytrzymują długo między innymi dlatego, że Schweitzer od pierwszego dnia uprzykrza im życie. Yogi twierdzi, że to amerykańska kochanka zadzwoniła do żony Schweitzera i powiedziała jej, że mąż zażąda rozwodu, bo zamierza ożenić się z nią. Od tamtej pory Armin nie jest fanem Amerykanów.

Nick wyciągnął ręce przed siebie, jakby prosił kolegę, żeby zwolnił.

– Mówimy o tym samym Arminie Schweitzerze? Zwalistym gościu z bandziochem wiszącym nad paskiem? Chcesz mi powiedzieć, że to prawdziwy Casanova?

– Mówimy o frajerze, który oznajmił ci wczoraj rano, że woli jeździć trabantem niż fordem. To on. Jedyny i niepowtarzalny.

Nick próbował się uśmiechnąć, ale bezskutecznie. Niejasne podejrzenia Sprechera zmieniły jego nastawienie do banku. Becker zamordowany; Cerruti – niezdolny do działania psychol; a teraz Schweitzer – seksualny maniak. Czego jeszcze się dowie?

Nagle nawiedziło go wspomnienie kłótni rodziców. Jednej z niezliczonych sprzeczek, które zatruwały atmosferę w domu owej zimy przed śmiercią ojca. Władczy baryton ojca niósł się przez korytarz i po schodach do pokoju, gdzie Nick siedział skulony w piżamie i słuchał. Pamiętał każde słowo.

– „Nie zostawił mi żadnego wyboru, Vivien. Powtarzam ci, że nie chodzi o urażoną dumę. Gdyby mi kazano, myłbym podłogi.

– Ale nawet nie wiesz, czy ten człowiek jest oszustem. Sam to powiedziałeś. Proszę, Alex, przestań się opierać. Nie bądź dla siebie taki surowy. Po prostu zrób, co ci każą.

– Nie będę z nim pracował. Bank może sobie robić interesy z przestępcami. Ale ja nie".

Jakich przestępców ojciec miał na myśli?

– Dlatego ci o tym wszystkim mówię – ciągnął Sprecher. – Nie wpakuj się w kłopoty. Wykonuj polecenia, a Schweitzer odczepi się od ciebie. Jeśli plotki o współpracy z organami ścigania okażą się prawdziwe, jego zadaniem będzie przypilnowanie wszystkich specjalistów od inwestycji. Odpowiada za zachowanie poufności.

Nick wyprostował się na stołku, jego myśli błyskawicznie wróciły do teraźniejszości.

– O czym ty mówisz? Jakie plotki?

– To nic oficjalnego – powiedział cicho Sprecher. – Dowiemy się we wtorek rano. Zdaje się, że ostatnio wokół naszej działalności zrobiło się za dużo szumu. Banki doszły do wniosku, że wolą współpracować dobrowolnie, niż mieć do czynienia z jakąś formą przymusu. Nie znam wszystkich szczegółów, ale wiem, że przynajmniej przez jakiś czas mamy pomagać władzom w zbieraniu pewnych informacji o naszych klientach. Nie o wszystkich, rzecz jasna. Prokurator federalny obejrzy przedstawione mu dowody i zdecyduje, które konta numerowane można zbadać.

– Jezus Maria. To mi wygląda jak polowanie na czarownice.

– Właśnie – zgodził się Sprecher. – Szukają pod każdym kamieniem nowego Pabla Escobara.

Nick przechwycił spojrzenie przyjaciela i wiedział od razu, że myślą o tym samym. Szukają Paszy.

– Niech Bóg ma w swojej opiece tego, kto go ukrywa – powiedział.

– I tego, kto go wyda. – Sprecher przywołał barmana. – *Noch zwei bier, bitte.*

– Amen – rzekł Nick. Ale nie myślał o piwie.

Rozdział 6

W następny wtorek o ósmej trzydzieści na czwartym piętrze odbyło się zebranie specjalistów od inwestycji. Tematem narady były coraz silniejsze naciski wywierane na bank. Domagano się nawiązania formalnej współpracy z amerykańską Agencją do Walki z Narkotykami i podobnymi międzynarodowymi organizacjami. Tego ranka Nick po raz pierwszy postawił stopę na świętym czwartym piętrze, zwanym w całym banku „Cesarskim Szańcem", a także zobaczył salę narad zarządu.

Sala była przestronna. Drzwi miały trzy i pół metra, a sufit znajdował się na wysokości sześciu metrów. Nick szedł po kasztanowym pluszowym dywanie, którego brzegi ozdobione były symbolami dwudziestu pięciu szwajcarskich kantonów. Na środku, pod ogromnym mahoniowym stołem konferencyjnym, widniało godło United Swiss Bank: czarny habsburski orzeł na żółtym polu z szeroko rozłożonymi skrzydłami i trzema kluczami w szponach. Z długiego dziroba orła zwisała zakręcona złota wstęga z mottem banku: *Pecunia honorarum felicitatus.* „Pieniądze chętnie przyjmowane".

Nick stał z Peterem Sprecherem w końcu sali przy oknach, które wychodziły na Bahnhofstrasse. Obserwował innych uczestników zebrania. Wszyscy rozglądali się dookoła, skubali skórzane obicia krzeseł, dyskretnie przesuwali rękami po wypolerowanej boazerii. Dla wielu jego kolegów również była to pierwsza wizyta na czwartym piętrze.

Przeniósł wzrok na drzwi i zauważył Sylwię Schon. Była ubrana w czarną spódnicę i blezer. Włosy miała zaczesane do tyłu i upięte w kok. Krążąc po sali, witała się z kolegami. Rozsyłała uśmiechy, ściskała dłonie, zamieniała z niektórymi parę słów. Podręcznikowy przykład prawidłowej interakcji. Był pod wrażeniem.

Nagle w sali zapadła cisza. Wszedł Wolfgang Kaiser. Ruszył w stronę fotela stojącego pod portretem założyciela banku, Alfreda Eschera-Wyssa. Nie usiadł, stał z jedną ręką opartą o stół. Omiatał wzrokiem salę, jak generał podczas inspekcji wojsk przed walną bitwą.

Nick przyglądał mu się bacznie. Zimnym niebieskim oczom, krzaczastym wąsom, bezwładnemu ramieniu przypiętemu do lewej kieszeni marynarki. Przypomniał sobie pierwsze spotkanie z Kaiserem przed siedemnastu laty. Wtedy wzbudzał w nim strach. Dudniący głos. Gigantyczne wąsy. Dla dziesięciolatka było to za wiele. Widząc go teraz w otoczeniu współpracowników, czuł się dumny i zaszczycony, że Kaiser zaproponował mu posadę w swoim banku.

Za Kaiserem do sali weszło trzech mężczyzn. Rudolf Ott, wiceprezes banku (którego poznał w Nowym Jorku), Martin Maeder, wiceprezydent wykonawczy odpowiedzialny za bankowość prywatną, i w końcu, o krok za nimi, wysoki i chudy jak tyka mężczyzna ze sfatygowaną skórzaną teczką w ręku. Miał na sobie granatowy garnitur, którego sztywne klapy zdradzały amerykańskie pochodzenie – Nick powinien coś o tym wiedzieć, jego klapy były identyczne – i brązowe kowbojki, których blask zasługiwał na przeciągły gwizd podziwu najsurowszego instruktora od musztry.

Rudolf Ott poprosił zebranych o uwagę. Miał na nosie okulary w drucianych oprawkach i stał w obronnej pozie człowieka przyzwyczajonego do szyderstw.

– Jako reprezentant tego banku w Stowarzyszeniu Banków Szwajcarskich – zaczął Ott, którego bazylejski akcent nadawał słowom nosowy ton – w ostatnich dniach spotykałem się z naszymi kolegami w Genewie, Bernie i Lugano. Rozmowy dotyczyły kroków, jakie należy podjąć, aby nie dopuścić do wprowadzenia federalnych ustaw zezwalających na ujawnianie poufnych informacji o naszych klientach nie tylko prokuratorowi federalnemu, lecz również komitetowi międzynarodowych organizacji. Choć dyskrecja zapewniana naszym klientom pozostaje sprawą najwyższej wagi w szwajcarskiej filozofii bankowości, podjęto decyzję, aby dobrowolnie spełnić postulaty naszego rządu, życzenia naszych obywateli i prośby międzynarodowych organizacji. Musimy pomóc zachodnim rządom wyeliminować te jednostki i firmy, które, korzystając z naszych usług, szerzą zło i przestępczość na całym świecie.

Ott przerwał, żeby odchrząknąć, i wśród zebranych rozległ się szmer. Wolfgang Kaiser podniósł nagle głowę i w sali zapadła cisza.

Ott wskazał dłonią tyczkowatego Amerykanina.

– Amerykańska Agencja do Walki z Narkotykami dostarczyła nam listę operacji, które określa jako „podejrzane" i prawdopodobnie związane z działalnością przestępczą, a zwłaszcza z praniem pieniędzy uzyskanych ze sprzedaży nielegalnych narkotyków. Dalsze szczegóły proponowanej współpracy przedstawi pan Sterling Thorne. – Zwrócił się do Amerykanina i uścisnął mu rękę. – Proszę się nie bać, oni nie gryzą.

Thorne nie wygląda na przestraszonego, pomyślał Nick, obserwując amerykańskiego agenta. Ciemne włosy Thorne'a były niesforne i trochę za długie, jakby chciał zamanifestować, że nie należy do klasy ładnych chłopców z centrali. Oczy przypominały szczeliny strzelnicze, a policzki w wieku młodzieńczym musiały stoczyć bitwę z trądzikiem i przegrały. Usta były blade i wąskie, ale na szczęce mógłby pęknąć kilof.

W sali panowała cisza. Nikt nie patrzył innym w oczy. Zupełnie jakby tego dnia miano kwestionować ich uczciwość, a nie uczciwość klientów, pomyślał Nick. I w pewnym sensie tak właśnie było.

– Nazywam się Sterling Stanton Thorne – zaczął gość. – Od dwudziestu trzech lat pracuję w Agencji do Walki z Narkotykami. Ostatnio władze w Waszyngtonie uznały za stosowne mianować mnie szefem sekcji europejskiej. Dlatego dzisiaj stoję przed panami i proszę o współpracę w wojnie z handlem narkotykami.

Nick rozpoznał ten typ, jeśli nie dokładny model. Pięćdziesiątka na karku i całe życie w organach ścigania. Agent pozujący na współczesnego Elliotta Nessa.

– W 1997 roku na narkotyki wydano ponad pięćset miliardów dolarów – kontynuował Thorne. – Na heroinę, kokainę, marihuanę i inne. Pięćset miliardów dolarów. Z tej sumy około jednej piątej trafiło do kieszeni światowych bossów narkotykowych. Grubych ryb. A więc ładna sumka wędruje po świecie w poszukiwaniu bezpiecznego domu. I gdzieś po drodze spora część tych pieniędzy znika. Rozpływa się w czarnej dziurze. Nie zgłasza ich żadna osoba prywatna, żadna instytucja, żadne państwo. Po prostu dematerializują się w drodze do *narcotrafficantes*. Miejsce pobytu nieznane. Banki na całym świecie – łącznie z amerykańskimi, przyznaję bez bicia – pomagają w praniu pieniędzy, przetwarzaniu ich i wpuszczaniu na rynek. Fałszywe faktury, firmy istniejące tylko na papierze, niezgłaszane wpłaty na konta numerowane. Każdego dnia powstaje nowy sposób prania brudnych pieniędzy.

Wsłuchując się uważnie w głos Thorne'a, Nick rozpoznał słaby nosowy akcent, upartą pozostałość z rodzinnych stron, która oparła się szyderstwom. Pomyślał, że gdyby Thorne miał na głowie kowbojski kapelusz, w tej chwili nasunąłby go na czoło i uniósł lekko brodę, żeby pokazać, że nie żartuje.

Thorne uniósł brodę i oznajmił:

– Nie interesują nas przeciętni klienci tego szacownego banku. Dziewięćdziesiąt pięć procent waszej klienteli to porządni, przestrzegający prawa obywatele. Kolejne cztery procent to drobni oszuści podatkowi, łapówkarze, handlarze bronią niższego szczebla i narkotykowe płotki. Dla rządu Stanów Zjednoczonych oni się nie liczą. Nam chodzi o grube ryby. Ostatni jeden procent. Po tylu latach zdobyliśmy pozwolenie na polowanie na słonie. Zasady polowania są ściśle określone. Szwajcarskie władze myśliwskie nie chcą, żeby padł choćby jeden przypadkowy słoń. Nie ma obawy. My w Agencji doskonale się orientujemy, które słonie mają największe kły, i właśnie o te nam chodzi. Nie o małe słoniątka, nie o samice. Chodzi nam o samce samotniki. Zostały kiedyś oznaczone przez szwajcarskich „konserwatorów przyrody", więc nawet jeśli nie chcecie przyznać, że znacie ich nazwiska, na pewno znacie ich numery. – Uśmiechnął się, ale kiedy znowu przemówił, przybrał uroczysty ton. – Ważne jest, panowie, abyście, gdy już dostarczymy wam nazwisko lub numer jednego z tych samotników – na których upolowanie, powtarzam, dostaliśmy pozwolenie – z nami współpracowali. – Wysunął nogę do przodu i wymierzył palcem w publiczność. – Jeśli któryś z panów choćby pomyśli o kryciu jednego z moich samotników, daję słowo, że znajdę jego żałosny tyłek i skopię go w świetle jupiterów i w majestacie prawa.

Nick zauważył więcej niż kilka zaczerwienionych twarzy. Zazwyczaj spokojni szwajcarscy bankierzy zaczynali się irytować.

– Panowie, proszę o uwagę – ciągnął dalej Thorne. – Teraz najważniejsze. Jeśli któryś z samotników... do diabła, czemu nie nazwiemy ich po imieniu ... jeśli któryś z poszukiwanych przestępców zdeponuje dużą sumę – ponad pięćset tysięcy dolarów, franków szwajcarskich lub równowartość w innych walutach – wtedy wy, panowie, musicie mnie o tym bezzwłocznie zawiadomić. Jeżeli któryś z tych przestępców otrzyma przekaz w wysokości ponad dziesięciu milionów dolarów lub ich równowartość i w ciągu dwudziestu czterech godzin dokona przelewu ponad pięćdziesięciu procent tej sumy do jednego, dziesięciu lub stu banków, panowie muszą mnie o tym zawiadomić. Natychmiast. Mądry inwestor trzyma pieniędze w jednym miejscu. Jeśli ktoś przenosi je co chwila z miejsca na miejsce, to już pranie... i jego tyłek należy do mnie.

Thorne rozluźnił się i wzruszył ramionami.

– Jak powiedziałem, zasady polowania są ściśle określone. Nie ułatwiacie nam zadania, ale liczę na waszą pełną współpracę. Póki co, działamy na zasadzie dżentelmeńskiej umowy. Na razie. Nie igrajcie z ogniem, chłopcy, bo się poparzycie.

Sterling Thorne podniósł teczkę, uścisnął dłonie Kaiserowi i Maederowi i wyszedł z sali w towarzystwie Rudolfa Otta.

Z Bogiem! – pomyślał Nick. Miał własne powody, żeby nie lubić tego człowieka.

Przez chwilę w sali panowała grobowa cisza. Wszystkich ogarnęło coś w rodzaju zbiorowej niepewności: zostać czy wyjść. Ale dopóki Kaiser i Maeder nie ruszali się z miejsc, nikt nie opuścił sali.

W końcu Wolfgang Kaiser wciągnął powoli powietrze i wstał.

– Panowie, jeszcze słowo, jeśli można.

Bankierzy skupili na nim uwagę.

– Wszyscy żywimy nadzieję, że nasza współpraca z międzynarodowymi organami będzie krótka i mało owocna. Pan Thorne najwyraźniej miał na myśli jakichś nieprzyjemnych typów, kiedy mówił o polowaniu na słonie. „Samce samotniki". – Uśmiechnął się, jakby chciał dać do zrozumienia, że i on przez wszystkie te lata miał paru interesujących klientów. – Jestem pewien, że nie znajdzie żadnego wśród naszej szacownej klienteli. Misją tego banku od początku było spełnianie finansowych wymagań uczciwych biznesmenów. Przez lata usługi oferowane naszym rodakom i społeczności międzynarodowej stały się bardziej zróżnicowane, bardziej kompleksowe, ale nigdy nie zachwialiśmy się w postanowieniu, żeby świadczyć je wyłącznie porządnym ludziom.

Wszyscy pokiwali głowami. Byli wdzięczni prezesowi za podkreślenie uczciwości banku.

Kaiser uderzył pięścią w stół.

– Nie musimy czerpać zysków z nielegalnej i niemoralnej działalności. Mogą państwo być pewni, że kiedy pan Thorne będzie polował na swoje samotniki, nigdy ich nie znajdzie w murach United Swiss Bank.

Po tych słowach Kaiser wymaszerował z sali. Za nim ruszyli Maeder i Schweitzer, niczym dwaj przerośnięci ministranci. Zebrani bankierzy kręcili się jeszcze przez kilka minut, zbyt wstrząśnięci, żeby prowadzić dłuższe rozmowy. Nick lawirował między nimi w stronę wysokich drzwi. Wyszedł z sali na korytarz. Dzielił windę z dwoma mężczyznami, których nie znał. Jeden mówił drugiemu, że cała sprawa ucichnie po tygodniu. Nick słuchał ich tylko jednym uchem. W myślach powtarzał bez przerwy słowa Wolfganga Kaisera. „...kiedy pan Thorne będzie polował na swoje samotniki, nigdy ich nie znajdzie w murach United Swiss Bank".

Stwierdzenie faktu czy wezwanie do broni?

Rozdział 7

Warunki naszej kapitulacji – oświadczył nazajutrz Peter Sprecher, rzucając na swoje biurko memorandum zatytułowane *Wewnętrzna lista nadzorowanych rachunków*. – Podyktowane przez nikogo innego, tylko naszego jankeskiego kowboja.

– My jesteśmy bezpieczni – rzekł Nick po przestudiowaniu własnego egzemplarza memorandum. – Na liście nie ma rachunków z FKB4.

– Ale ja nie o nas się martwię – powiedział Sprecher, wsuwając papierosa do kącika ust. – Tylko o bank. O całą tę cholerną branżę.

Listę wcześnie rano dostarczył osobiście rozradowany Armin Schweitzer. Choć prezes z taką gorliwością bronił dobrego imienia banku, na liście znalazły się cztery konta numerowane klientów United Swiss Bank.

– „Wszelkie operacje związane z wymienionymi rachunkami należy bezzwłocznie zgłaszać przełożonemu i/lub bezpośrednio do działu do spraw poufności, wewnętrzny 4571" – przeczytał na głos Nick. – Schweitzer będzie miał pełne ręce roboty.

– Roboty? – Sprecher przewrócił oczami. – Ten facet umarł i trafił do nieba. Koniec z wyszukiwaniem brakujących podpisów na dokumentach, koniec z wypatrywaniem drobnych błędów. Armin trafił na swoją żyłę złota. Sługa Uczciwości i Przyzwoitości, pisanych wielkimi literami. W odpowiedzi na wezwanie władz ojczyzny pilnuje, by honorowano naszą dżentelmeńską umowę. Czy tylko ja mam ochotę krzyczeć?

– Uspokój się – rzekł Nick. Zastanawiał się, czy uczciwość i przyzwoitość są stałymi czy tylko tymczasowymi rezydentami szwajcarskiego panteonu. – To nie jest jeszcze najgorsze.

– A co jest gorsze? Ofiarne samospalenie?

– Współpraca narzucona przez prawo federalne. Ustawa czyniąca naszą dobrowolną kolaborację sprawą publiczną.

Sprecher krążył wokół biurka Nicka jak drapieżny jastrząb.

– Przez sześćdziesiąt pięć lat, od trzydziestego trzeciego, strzegliśmy niezależności naszych banków. A teraz co? To jest zniewaga. Pieprzona katastrofa. Jeszcze wczoraj stanowisko banku co do ujawniania tożsamości i operacji bankowych naszych klientów było nieugięte. Jak mur. Bez oficjalnego nakazu podpisanego przez prezydenta żadna informacja, nawet najbardziej błaha, nie mogła być przekazana stronie pytającej. Ani generałowi Ramosowi starającemu się o zwrot miliardów zrabowanych przez Marcosów, ani waszemu FBI usiłującemu dobrać się do kapitału obrotowego pewnej grupy kolumbijskich biznesmenów, a już na pewno nie bandzie nadgorliwych syjonistów, którzy domagają się repatriacji funduszy zdeponowanych przez krewnych przed wybuchem wojny.

– Właśnie nieprzejednana postawa banków doprowadziła do tej sytuacji – odparł Nick.

– Nieprawda! – krzyknął Sprecher. – Zawdzięczamy jej reputację najlepszych prywatnych bankierów na świecie. – Wycelował palcem w Nicka. – Nie zapominaj, Neumann. Granit nie piaskowiec.

Nick milczał. Obrona stanowiska Thorne'a nie sprawiała mu przyjemności.

– Zresztą wkrótce to będzie twój problem – dodał Sprecher dużo ciszej. – Za dziesięć dni zmywam się stąd.

– Za dziesięć dni? A co z okresem wypowiedzenia? Powinieneś pracować przynajmniej do końca marca.

Sprecher wzruszył ramionami.

– Nazwij to rozwodem w amerykańskim stylu. Pracuję do przyszłej środy. W czwartek i piątek zmoże mnie choroba. Nic poważnego, zwykłe przeziębienie albo lekka grypka. Jeśli ktoś cię o mnie zapyta, wymyśl coś. Tak między nami i muchą na ścianie, będę już u Koniga. Dwudniowe seminarium dla nowych pracowników. Mam zacząć w następny poniedziałek.

– Jezu Chryste, Peter. Nie rób mi tego. Indianie podchodzą pod fort, a ty uciekasz.

– Jeśli dobrze pamiętam, pod Alamo ocalało niewielu. Zostanie tutaj nie byłoby rozsądnym posunięciem.

Nick wstał i spojrzał Sprecherowi prosto w oczy.

– A jeśli…

– Pasza? Spokojnie. Ilu klientów ma bank? Zresztą według twojej teorii jest tylko przedsiębiorczym biznesmenem z bardzo sprawnym działem księgowości. A gdyby nawet nie, na pewno zanim coś postanowisz, rozważysz wszystkie konsekwencje.

– Konsekwencje? – zapytał Nick, jakby nigdy nie słyszał tego słowa.

– Dla banku. Dla siebie. – Sprecher ruszył do wyjścia. – Lecę do krawca. Nowa praca, nowe garnitury. Wrócę przed jedenastą. Zostajesz sam na posterunku. Jeśli zjawią się jacyś nowi klienci, Hugo zadzwoni z dołu. Zaopiekuj się nimi.

Nick w zamyśleniu pomachał mu na do widzenia.

Osiem dni później Nicholas Neumann, jedyny syn zamordowanego szwajcarskiego bankiera i były porucznik marines, nieoficjalnie mianowany specjalistą od inwestycji oraz, jeśli grafik nie kłamał, tego dnia urzędnik dyżurny, zjawił się przy swoim biurku pięć po siódmej. Akwarium wciąż spowijały ciemności, tak jak większość biur po obu stronach szerokiego korytarza biegnącego zakrzywionym łukiem przez środek drugiego piętra. Nick włączył górne światło i przeszedł do szatni dla pracowników, gdzie powiesił wilgotny płaszcz i położył na szafce plastikową torbę ze świeżo upraną białą koszulą. Przygotował czystą koszulę na wieczorną kolację z Sylvią Schon w Emilio's Ristorante. Czekał na tę kolację bardziej, niż był skłonny przyznać.

Zrobił sobie kubek gorącej herbaty i wyjął z kieszeni torbę ze śniadaniem. *A pain au chocolat* prosto z pieca w Sprungli. Z kubkiem w ręku wrócił do biurka, żeby przejrzeć finansowe strony „Neue Zurcher Zeitung" i sprawdzić notowania giełd w Tokio, Hongkongu i Singapurze.

Usiadł, otworzył biurko i szafkę za nim. Z górnej szuflady wyjął listę „spraw do załatwienia", którą aktualizował dwa razy dziennie. Zaczął czytać.

Sprawa numer jeden: odszukać w portfelach 222.000–230.999 obligacje, które mają wygasnąć do końca miesiąca. Sprawa numer dwa: zamówić wydruki rachunków 231.000–239.999. Sprawa numer trzy: przejrzeć zestaw akcji uprzywilejowanych (lista akcji, które specjaliści od inwestycji mogą kupować na konto swoich dyskrecjonalnych klientów). Zaznaczyć firmy kwalifikujące się do przejęcia.

Zapis dotyczący sprawy numer cztery ograniczał się do: 15.00.

Patrzył na zanotowaną godzinę i zastanawiał się, po co w ogóle coś napisał. Dlaczego nie: „Sprawa numer cztery: masz siedzieć na miejscu, kiedy zadzwoni Pasza"? Albo: „Sprawa numer cztery: nie odstaw fuszerki pierwszego dnia nieobecności przełożonego". Jakby w ogóle potrzebował „sprawy numer cztery" do odświeżenia pamięci!

Otworzył gazetę na sekcji finansowej i sprawdził codzienne komentarze giełdowe. Indeks giełdy szwajcarskiej wzrósł o siedemnaście punktów. Frank osiągnął niemal poziom dolara. Akcje USB podrożały o pięć franków przy dużych zakupach: Klaus Konig wypełniał skrzynie przed walnym zgromadzeniem planowanym za cztery tygodnie. Nick postanowił sprawdzić wolumen obrotów akcji banku od oświadczenia Koniga.

Wsunął swoją kartę identyfikacyjną do slotu dostępu i poczekał na włączenie się komputera. Z lewej strony ekranu przepłynął strumień żółtych słów, gdy komputer przeprowadzał autodiagnostykę. Chwilę później szorstki głos obwieścił *Wilkommen* i ekran rozbłysł ciemnym odcieniem szarości. Nick wpisał trzycyfrowy kod identyfikacyjny i na środku ekranu ukazała się prostokątna ramka. Miał do wyboru cztery możliwości. Informacje o rynku finansowym, wiadomości Reutera, dostęp do rachunków USB i dokumentacja. Przesunął kursorem do informacji o rynku finansowym i wcisnął Enter. Ekran zamrugał i wypełnił się błękitem. Pojawiła się taka sama prostokątna ramka. Nowe możliwości: krajowe lub międzynarodowe. Wybrał krajowe i na dole ekranu ukazał się żółty pasek, wyświetlając wczorajsze kursy zamknięcia na giełdzie w Zurychu. Wpisał symbol

USB, potem Z, oznaczające giełdę w Zurychu (ceny głównych szwajcarskich akcji były też podawane przez giełdy w Genewie i Bazylei), a na koniec dodał zakodowaną instrukcję VV21. Na ekranie ukazało się codzienne podsumowanie cen i wolumenu obrotu akcji USB z ostatnich trzydziestu dni. Po prawej stronie widniały graficzne interpretacje danych.

Od oświadczenia Koniga cena akcji USB podskoczyła o osiemnaście procent. Dzienny wolumen niemal się podwoił. Akcje były wyraźnie „na celowniku". Kupcy, brokerzy i arbitrażyści spragnieni ożywienia na zazwyczaj spokojnej szwajcarskiej giełdzie, dostrzegli w USB ewentualnego kandydata do przejęcia. Mimo to wzrost ceny akcji o osiemnaście procent był niewielki, zważywszy na zwiększone obroty, i odzwierciedlał niewiarę w dotrzymanie przez Koniga obietnicy. Więc skąd ten wzrost? Z przekonania, że USB podejmie zdecydowane kroki, aby poprawić słaby wskaźnik rentowności majątku, i co za tym idzie – również dochodowość, czy to poprzez redukcję kosztów, czy przez bardziej agresywne inwestycje.

Nick przeniósł się do sekcji „Wiadomości Reutera" i wpisał symbol USB, żeby sprawdzić, czy w nocy pojawiły się jakieś wiadomości o posunięciu Koniga. Ekran zamrugał. Zanim zdążył przeczytać pierwsze słowa, poczuł na ramieniu silny uścisk. Wyprostował się.

– *Guten Morgen, Herr Neumann* – powiedział Armin Schweitzer. – Jak się dzisiaj miewa nasz amerykański rezydent? – Słowo „amerykański" wymówił, jakby miał w ustach kwaśną cytrynę. – Śledzimy ciągły spadek ukochanego dolara czy tylko przeglądamy jakże ważne wyniki rozgrywek koszykarskich?

Nick obrócił się w fotelu i zauważył zdarte buty z niewyprawionej skóry i krótkie białe skarpety kierownika działu do spraw poufności.

– Dzień dobry.

Schweitzer zamachał plikiem papierów.

– Mam najnowsze rozkazy z amerykańskiego gestapo. To twoi przyjaciele, co?

– Raczej nie – odparł Nick nieco głośniej, niżby chciał. Schweitzer denerwował go. Zdradzał pewien rodzaj niezrównoważenia. Był jak toksyczny związek chemiczny, który najlepiej przechowywać w temperaturze pokojowej.

– Na pewno?

– Tak samo jak inni jestem przeciwny wtrącaniu się w sprawy naszego banku. Powinniśmy na wszelkie możliwe sposoby walczyć z próbami wyciągnięcia od nas poufnych informacji. – Nick w dużym stopniu wierzył w to, co mówił.

– „Naszego banku"? Czy dobrze słyszałem, panie Neumann? Sześć tygodni od zejścia na ląd i już czujemy się właścicielami. Ależ w tej Ameryce potrafią nauczyć, jak być ambitnym. – Schweitzer uśmiechnął się szyderczo i pochylił nad Nickiem. Jego oddech miał gorzką woń porannej kawy. – Niestety, wygląda na to, że pańscy amerykańscy przyjaciele nie dali nam wyboru. Musimy współpracować. Jakież to pocieszające, że pańskie sympatie są po właściwej stronie. Może kiedyś będzie miał pan okazję udowodnić tak chwalebną lojalność. Póki co, radzę, żeby miał pan oczy szeroko otwarte. Kto wie? Może na tej liście jest jeden z pańskich klientów?

Nick usłyszał nutkę nadziei w głosie Schweitzera. Do tej pory nie ruszono czterech rachunków z oryginalnej listy; nie wypełniono ściśle poleceń Sterlinga Thorne'a. Wziął zaktualizowaną listę nadzorowanych rachunków i obojętnie odłożył ją na biurko.

– Będę miał oczy szeroko otwarte – zapewnił.

– Tego oczekuję – rzucił Schweitzer przez ramię, wychodząc z Akwarium. – *Schönen Tag, noch.*

Nick odprowadził go wzrokiem, zanim sięgnął po nową listę. Umieszczono na niej sześć rachunków. Cztery z poprzedniego tygodnia plus dwa nowe. Konta numerowane 411.968 OF i 549.617 RR.

Zatrzymał wzrok na ostatnim numerze.

549.617 RR.

Znał go na pamięć. Każdy poniedziałek i czwartek, godzina piętnasta. Sześć cyfr, dwie litery. Dzisiaj wskazywały najkrótszą drogę do piekła. Dziewiąty krąg. Pierwsza klasa. Bez przesiadek.

– Pasza – wyszeptał.

W poniedziałek Nick powiedział, że chce usłyszeć głos ich słynnego klienta. Po początkowych wahaniach Sprecher się zgodził. Wiedział, że kiedy Pasza zadzwoni następnym razem, jego w banku już nie będzie.

– Poczekaj, aż go usłyszysz – zwrócił się do Nicka. – Ten facet jest z lodu. – Kiedy rozmawiał z Paszą przez telefon, głos klienta wydobywał się z miniaturowego głośnika.

Był to głos niski i chropowaty. Przypominał dźwięk pustego kartonowego pudła ciągniętego po żwirze. Mocny, ale nie gniewny. Intonacja była narzędziem, a nie wyrazem emocji. Słuchając tego głosu, Nick poczuł dreszcz. Dreszcz zwiastujący nadejście nieprzyjemnego wydarzenia.

Teraz, siedząc przy biurku, patrzył na „wewnętrzną listę nadzorowanych rachunków" i czuł to samo dziwne mrowienie. Instrukcja umieszczona pod numerami sześciu kont głosiła: „Wszystkie operacje związane z wymienionymi rachunkami należy bezzwłocznie zgłosić przełożonemu i/lub bezpośrednio do działu do spraw poufności, wewnętrzny 4571".

Za siedem godzin właściciel rachunku 549.617 RR zadzwoni. Spyta o stan konta, następnie zleci przelew środków do kilkudziesięciu banków na całym świecie. Jeśli Nick przeleje pieniądze zgodnie ze zleceniem, odda

Paszę w ręce amerykańskiej Agencji do Walki z Narkotykami. Jeśli opóźni przelew, Pasza wywinie im się, przynajmniej na razie.

W głowie rozbrzmiewało mu napomnienie Schweitzera: „Może na tej liście jest jeden z pańskich klientów?" Co zrobi? – zastanawiał się. Skontaktuje się ze Schweitzerem? Powie mu, że klient z listy nadzorowanych rachunków zlecił operację wymagającą „dobrowolnego" poinformowania o tym Agencji do Walki z Narkotykami?

Przypomniał sobie oskarżenia Sprechera. Pasza to złodziej, przemytnik, defraudant. Może jeszcze „morderca", żeby wyczerpać wszystkie możliwości? Cztery tygodnie temu Nick bronił reputacji Paszy, a co za tym idzie – reputacji banku. Ale przecież sam miał pewne podejrzenia.

Pasza, dumał, międzynarodowy przestępca. Czemu nie?

Niewielu ludzi w banku znało jego tożsamość. Jeden z nich, Marco Cerruti, obecnie cierpiał na – Nick przywołał fachową nazwę – chroniczne przemęczenie wywołane stresem. Brzmi dużo przyjemniej niż stwierdzenie, że koleś przeszedł załamanie nerwowe dziesiątego stopnia. Właśnie Cerruti wymyślił przydomek Pasza i on od lat osobiście prowadził jego rachunek. Czy wybierając przydomek, kierował się prawdziwą tożsamością klienta? Czy nawiązywał do jego narodowości, czy może tylko do charakteru?

Pasza. To słowo pobrzmiewało echem korupcji. Nick wyobraził sobie wolno obracający się wentylator pod sufitem, który rozbija kłęby papierosowego dymu, szeleszczącą palmę ocierającą się o zasłonięte okno i karmazynowy fez ze złotym kutasikiem. Pasza. Słowo przywodzące na myśl przywiędłą elegancję potężnego niegdyś imperium.

Dźwięk telefonu przerwał te rozmyślania. Nick sięgnął po słuchawkę.

– Neumann – przedstawił się.

– Mówi Hugo Brunner, główny portier. Przybył ważny klient bez zapowiedzi. Pragnie otworzyć nowy rachunek dla swego wnuka. Pan ma dzisiaj dyżur. Proszę natychmiast zejść do salonu czwartego.

– Ważny klient? – Nick poczuł niepokój. – Czy nie powinien się nim zająć urzędnik, który go prowadzi?

– Jeszcze nie przyszedł. Musi pan natychmiast zejść. Salon czwarty.

– Co to za klient? Muszę wziąć jego akta.

– Eberhard Senn. Hrabia Languenjoux – rzekł portier. – Ma sześć procent akcji banku. Proszę się pospieszyć.

Nick od razu zapomniał o liście nadzorowanych rachunków. Senn był największym prywatnym udziałowcem banku.

– Jestem tylko praktykantem. Musi być ktoś bardziej wykwalifikowany do obsługi pana Senna... to znaczy hrabiego.

– Jest za dwadzieścia ósma, nikt jeszcze nie pracuje – rzekł portier z ledwie hamowaną irytacją. – Pan jest na dyżurze. Szybko. Salon czwarty.

Rozdział 8

Mój dziadek był bliskim przyjacielem Leopolda belgijskiego – chełpił się Eberhard Senn, hrabia Languenjoux. Był żwawym osiemdziesięciolatkiem ubranym w elegancki garnitur z jaskrawoczerwoną muszką. – Pamięta pan Kongo, panie Neumann? Belgowie ukradli cały ten przeklęty kraj. W dzisiejszych czasach trudno sobie wyobrazić coś takiego. Weźmy tego tyrana Husajna: próbował skubnąć sąsiadów i wywoskowali mu facjatę.

– Sprawili mu tęgie baty – przetłumaczył Hubert, wnuk hrabiego, około dwudziestoletni blondynek tonący w trzyczęściowym granatowym garniturze w drobne prążki. – Dziadkowi chodzi o to, że Husajn poniósł klęskę.

– Ach tak – kiwnął głową Nick, udając, że niewiele wie na ten temat. Taktowna ignorancja była ważną częścią repertuaru dobrego bankiera. Nie wspominając o szybkości.

Po telefonie Hugo Brunnera pobiegł po akta Senna do sekretarki bankiera, zajmującego się jego portfelem. Przejrzał dokumenty w ciągu dwóch minut, koniecznych, żeby dostać się na parter i znaleźć salon czwarty.

– Ale nie wyszliśmy na tym źle, prawda, Hubercie? – ciągnął hrabia. – Głupcy stracili cały sprzęt. Czołgi, broń maszynową, moździerze. Wszystko. Dla nas to kopalnia złota. Sekret leży w Jordanii. Potrzebujemy tam silnego partnera, który przetransportuje broń.

– Oczywiście – zgodził się Nick. Senn zamilkł na kilka sekund i Nick zaczął się obawiać, czy hrabia przypadkiem nie oczekuje, żeby podał mu nazwisko takiego partnera.

– Belgowie nie zrobili nic od zajęcia Konga – rzekł Senn. – Wciąż mam nadzieję, że odzyskają ten kraj. To by mu dobrze zrobiło.

Nick i Hubert uśmiechali się, każdy zmuszony do tego odrębnym poczuciem obowiązku.

– I w ten sposób, panie Neumann, mój dziad otrzymał hrabiowski tytuł.

– Pomagając Leopoldowi w podbiciu Konga?

– Ależ nie – parsknął hrabia. – Sprowadzał tam Europejki, żeby to cholerne miejsce nadawało się do zamieszkania. Ktoś musiał zadbać o królewskie przyjemności.

Celem wizyty hrabiego była zmiana podpisów na istniejących rachunkach. Jego syn Robert niedawno pożegnał się z tym światem. Nick przypomniał sobie krótką wzmiankę w gazecie:

„Robert Senn, lat 48, prezes Senn Industries, szwajcarskiej firmy produkującej lekką broń, ciśnieniowe opakowania aerozolowe i systemy wentylacyjne, zginął, gdy należący do firmy samolot Gulfstream IV rozbił się wkrótce po starcie z Groznego w Czeczenii".

Nie zastanawiano się nad przyczyną katastrofy ani nad celem wizyty pana Senna w ogarniętym wojną regionie. Historia ostatnich lat usiana była trupami handlarzy bronią zamordowanych przez niewypłacalnych wojowników. Teraz podpis zmarłego należało zastąpić podpisem Huberta. Cała sprawa powinna zająć tylko kilka minut.

Nick otworzył skórzaną teczkę i położył na biurku dwa nowe blankiety na wzór podpisu.

– Proszę łaskawie umieścić swoje podpisy na dole tych formularzy, a jeszcze dzisiaj upoważnienie do rozporządzania rachunkiem zostanie przeniesione na pana Huberta.

Hrabia rzucił okiem na blankiety i znowu spojrzał na młodego bankiera po drugiej stronie biurka.

– Robert nie chciał zostać w Szwajcarii. Wolał podróżować. Włochy, Ameryka Południowa, Daleki Wschód. Był świetnym handlowcem. Gdzie tylko pojechał, wszędzie sprzedawał nasze produkty. Pistoletami i karabinami Senn posługują się siły zbrojne ponad trzydziestu państw i terytoriów. Wiedział pan o tym, panie Neumann? Trzydzieści państw. A to tylko oficjalne szacunki. – Senn mrugnął do Nicka porozumiewawczo i obrócił się na krześle, żeby spojrzeć na swego niezdecydowanego wnuka. – Wiesz, Hubercie, zawsze powtarzałem twojemu ojcu, żeby trzymał się z dala od tych dziwnych nowych państw – Kazachstanu, Czeczenii, Osetii. „Nowe granice, papo, nowe horyzonty", odpowiadał. Robert kochał naszych klientów.

A najbardziej tych, którzy płacili gotówką, pomyślał Nick.

Pomarszczona twarz hrabiego zachmurzyła się. Pochylił się, jakby rozmyślał nad jeszcze jednym, ostatnim pytaniem. Oczy zaszły mu łzami, jedna spłynęła po policzku.

– Dlaczego mój Robert tak bardzo się nudził? Dlaczego tak się nudził?

Hubert ujął dłoń hrabiego i delikatnie ją poklepał.

– Wszystko będzie dobrze, dziadku.

Nick nie podnosił wzroku znad wypolerowanego blatu.

– Oczywiście – wychrypiał hrabia. – Sennowie są jak ten bank: solidni i niezniszczalni. Mówiłem panu, panie Neumann, że jesteśmy klientami USB od ponad stu lat? Ten Holbein na ścianie za panem to prezent od mego ojca. Mój papa, pierwszy hrabia, zaczął swój interes od pożyczki z tego banku. Wyobraża pan sobie? Pierwsze pistolety Senna wyprodukowano za pieniądze z tej instytucji. Jest pan częścią wielkiej tradycji, panie Neumann. Niech pan o tym nie zapomina. Ludzie liczą na ten bank. Na tradycję. Na zaufanie. W dzisiejszym świecie pozostało go niewiele.

Hubert skinął w stronę bankiera, sygnalizując, że czas przystąpić do rzeczy. Nick ułożył blankiety przed klientami. Eberhard Senn podpisał obie karty i przysunął je do wnuka. Hubert oparł łokieć o blat biurka i dodał swój podpis najpierw na jednej, a później na drugiej karcie.

Nick zebrał blankiety i podziękował panom za wizytę. Wstał, żeby odprowadzić ich do drzwi. Senn pokręcił energicznie głową.

– Proszę mi wierzyć, panie Neumann. Zaufanie to jedyna rzecz, która się liczy. W dzisiejszym świecie pozostało go niewiele.

Nick odprowadził Senna i jego wnuka do wyjścia, gdzie się rozstali. Przechodząc przez hol, myślał o słowach hrabiego. Eberhard Senn był producentem broni, wnukiem handlarza żywym towarem – która kobieta dobrowolnie udałaby się do Konga, „jądra ciemności", pod koniec XIX wieku? – człowiekiem, którego rodzina dorobiła się fortuny, prowadząc moralnie dwuznaczną działalność. A teraz właśnie on rozwodził się nad znaczeniem zaufania i mówił, jak bardzo liczy na uczciwość United Swiss Bank.

Myśli Nicka powróciły ku kartce papieru, która leżała na jego biurku. Wewnętrzna lista nadzorowanych rachunków. A co z innymi klientami, którzy obdarzyli zaufaniem ten bank? Czy i oni nie liczyli na gwarancję poufności? W kraju, gdzie tajemnica stanowiła dewizę każdego banku, zaufanie było wszystkim. Wolfgang Kaiser nie będzie robił wyjątków. Co powiedział po wystąpieniu Sterlinga Thorne'a? „Kiedy pan Thorne będzie polował na swoje samotniki, nigdy ich nie znajdzie w murach United Swiss Bank".

Dlaczego Thorne miałby ich nie znaleźć? Bo nie istnieją? Bo Kaiser zrobi wszystko, co w jego mocy, żeby nie dopuścić do ich wykrycia?

Nick podszedł do windy i wcisnął przycisk. Widział, jak Hugo Brunner poucza cicho jakąś młodą kobietę w niebieskiej garsonce. Domyślił się, że to jej pierwszy dzień pracy w banku. Spojrzał na siebie jej oczami: poważny urzędnik w czarnym garniturze przecina hol z pochyloną głową, myśląc tylko o tym, co ma do zrobienia. Wizja ta rozbawiła go. Ale rozbawienie szybko uleciało. W ciągu sześciu krótkich tygodni upodobnił się do posępnych bankierów, których widział pierwszego dnia. Co się z nim stanie po sześciu latach?

Wszedł do windy i wybrał piętro. Nie martw się o to, co będzie za sześć lat, powiedział sobie. Martw się o dzień dzisiejszy. Numer rachunku Paszy jest na liście nadzorowanych kont. W uszach zabrzmiał mu głos Petera Sprechera. „Pomyśl o konsekwencjach. Dla banku. I dla siebie".

Ujawnienie Paszy jako przestępcy ściganego przez Agencję do Walki z Narkotykami nie wróżyłoby dobrze bankowi. Nie trzeba być geniuszem, żeby na to wpaść. Media oszaleją na najdrobniejszą wzmiankę o takim związku. Przeprowadzone dochodzenie, bez względu na jego rezultaty, splami nieskazitelny wizerunek USB. Biorąc pod uwagę oświadczenie Klausa Koniga, że konkurencyjny Adler Bank zamierza przejąć kontrolę nad znaczną częścią akcji USB jeszcze przed walnym zgromadzeniem, które miało się odbyć za kilka tygodni, USB nie mógł sobie pozwolić choćby na cień skandalu.

Kariera Nicka również.

Nie mógł oczekiwać awansu za wydanie Paszy, nawet jeśli wypełniłby tylko dyrektywy banku. Wręcz przeciwnie. Po wydaniu Paszy mógł się spodziewać przeniesienia na znakomite stanowisko w dziale zaopatrzenia. A wtedy daleko by nie zaszedł ze swoim prywatnym dochodzeniem.

Szwajcarzy nie gloryfikowali donosicieli. Osiem lat temu w nagłym przypływie poczucia moralności rząd dokonał poprawek w systemie prawnym, aby każdy bankier mógł bez odwoływania się do przełożonych zawiadomić o czynach mających znamiona przestępstwa, które zauważył w godzinach pracy. W ciągu tych ośmiu lat zaledwie kilkanaście osób zauważyło czyn o charakterze przestępczym, który wymagałby zawiadomienia władz. Ogromna większość spośród stu siedemdziesięciu tysięcy pracowników szwajcarskiej bankowości wybrała wygodne milczenie.

Tego typu statystyki wymownie świadczyły o zapatrywaniach Szwajcarów, ale w żaden sposób nie wyjaśniały powodów, które skłoniły Nicka do obrania drogi świadomego nieposłuszeństwa. Przyczynę można było znaleźć na stronicach oprawionych w skórę terminarzy ojca, leżących teraz niespełna trzy kilometry dalej na górnej półce jego małego mieszkania. Nick miał pewność, że śmierć ojca nie była przypadkowa. Trafił na krótką, wręcz lapidarną notatkę: „Drań groził mi! Muszę się zgodzić. Facet jest skończonym oszustem". Nie potrafił myśleć o śmierci ojca bez zadumy nad jej wpływem na jego życie. Ciągłe przeprowadzki z miasta do miasta. Nowa szkoła co pięć miesięcy – dziesięć w ciągu sześciu lat. Walka o zdobycie akceptacji kolegów, ciągłe próby dostosowania się. Aż pewnego dnia dał za wygraną i uznał, że nie potrzebuje przyjaciół.

Później przyszedł alkohol. Matka nie była hałaśliwą pijaczką. Należała do tego rodzaju alkoholików, którzy z załzawionymi oczami cichutko popijają drink za drinkiem. Ale o dziewiątej wieczorem nie miała siły, by przejść z fotela na łóżko. Nawet teraz Nick zastanawiał się, ilu nastolatków prowadziło nagą matkę pod zimny prysznic. Ilu pilnowało, żeby rano zażyła dwie aspiryny? I ilu wsuwało jej do torebki przed wyjściem do pracy świeżą butelkę visine, żeby mogła przetrwać kolejny dzień i nie straciła pracy?

Wewnętrzna lista nadzorowanych rachunków była jego szansą. Kluczem do ciemnych korytarzy banku. Pytanie tylko, jak tę szansę wykorzystać.

Pomyślał o Thornie, agencie, który pragnął schwytać głównych graczy międzynarodowego handlu narkotykami.

Pieprzyć Thorne'a! Niech sobie ściga narkotykowych bossów, ale, do cholery, nie na mojej służbie. Wszystkie agencje rządowe – CIA, FBI, DEA, cała ta parszywa banda – działały według jakichś dziwnych zasad. Oprócz słusznego pragnienia naprawy, motywowały je egoistyczne i jak najbardziej ludzkie ambicje. Do diabła z nimi wszystkimi.

Nick wrócił do Akwarium za pięć trzecia. Wydawało mu się, że jest nienaturalnie cicho. Biurko Sprechera było puste, Cerrutiego też. Akwarium wyglądało jak opuszczony odcinek bankowej autostrady. Miał pięć minut, żeby zdecydować, co zrobić z Paszą – prawdziwe nazwisko nieznane – który był na bakier z prawem przynajmniej jednego zachodniego państwa.

Odłożył listę nadzorowanych rachunków, wyjął dwa formularze z modyfikacją danych, które zaczął wypełniać rano, i wprowadził niezbędne poprawki.

Spojrzał na zegar. Za minutę trzecia. I stało się… trzecia. Z górnej szuflady wyjął zielony formularz przelewu oraz długopis. Położył je przed sobą i zaczął odliczać. Jeden… dwa… trzy. Niemal czuł impulsy biegnące przez światłowodowe przewody. Cztery… pięć… sześć.

Rozległ się dzwonek telefonu. Po chwili drugi. Nick podniósł słuchawkę.

– United Swiss Bank, tu Neumann, dzień dobry.

Rozdział 9

Nick odchylił się do tyłu w fotelu i powtórzył:

– United Swiss Bank, mówi Neumann. Czym mogę służyć?

Na łączach rozległy się szumy.

– Dzień dobry. Jest tam kto? – Poczuł ucisk w żołądku.

– Proszę przyjechać do mojego pustynnego królestwa – usłyszał skrzypiący głos. – Czekają tutaj rozkosze Allaha. Słyszałem, że przystojny i męski z pana młodzian. Mamy tu wiele pięknych kobiet, niektóre bardzo, bardzo młode. Ale dla pana zarezerwowałem coś specjalnego, coś nieskończenie bardziej rozkosznego.

– Słucham? – powiedział Nick. To nie był głos, który słyszał w poniedziałek.

– Rozkosze pustyni są liczne – ciągnął dalej głos. – Ale dla pana, młody przyjacielu, zarezerwowałem moją cudowną Fatimę. Takiej miękkości jeszcze pan nie zaznał. Jak puch tysiąca poduszek. A ta delikatność… ach,

Fatima jest dobrym i czułym zwierzęciem. Królową moich wielbłądów. – Ostatnie słowa zostały wypowiedziane bez arabskiego akcentu. – Możesz pan ją pieprzyć tyle razy, ile zechcesz – wypalił Peter Sprecher, zanim wybuchnął śmiechem, nie mogąc dłużej ciągnąć tej maskarady. – Czyżbym odciągał cię od czegoś ważniejszego, młodzieńcze?

– Drań! Zapłacisz mi za to! – pomstował Nick.

Sprecher roześmiał się głośniej.

– Nie masz u Koniga nic do roboty? A może już chcesz kupić dla niego akcje? Zamierza złożyć ofertę na cały bank?

– Sorry, kolego, nie mogę ci powiedzieć. Ale gdybym miał obstawiać, nie wykluczałbym tego.

– Jak zawsze pełen pocieszających wieści... – Nick przerwał w połowie zdania. Na telefonie zaczęła mrugać druga lampka. – Muszę kończyć. Zgłasza się nasz przyjaciel. A przy okazji, jego rachunek jest na liście Schweitzera. – Usłyszał tylko początek głośnego okrzyku i przełączył się na drugą linię. – United Swiss Bank, tu Neumann, dzień dobry.

– Z panem Sprecherem proszę. – To był on.

– Mówi Neumann. Niestety, pana Sprechera nie ma dzisiaj w banku, ale jestem jego asystentem. Mogę w czymś panu pomóc?

– Jaki jest pański symbol identyfikacyjny? – zapytał chropowaty głos. – Dobrze znam pana Sprechera. Pana nie znam. Proszę mi łaskawie podać swoje imię i nazwisko oraz symbol identyfikacyjny.

– Szanowny panie, z przyjemnością podam panu moje dane, najpierw jednak muszę zapytać o pańską godność lub numer rachunku.

Na linii przez chwilę panowała cisza. Wreszcie rozległo się cichutkie mruczenie i znowu ten głos.

– Doskonale. Numer mojego konta to – wymawiał cyfry powoli i starannie – pięć cztery dziewięć, sześć jeden siedem. R. R.

– Dziękuję. Teraz poproszę o pańskie hasło.

Nick czuł się dziwnie podbudowany surową procedurą kontroli tożsamości anonimowych właścicieli kont numerowanych. Przez całe dziesięciolecia do otwarcia rachunku w szwajcarskim banku wymagano tylko czeku wystawionego na bank aktywny na rynku międzynarodowym lub – dla osób bardziej tajemniczych – stosu gotówki wymienialnej na franki szwajcarskie. Dowód tożsamości był mile widziany, ale nie obowiązkowy.

W 1990 roku władze bankowe w Szwajcarii, nie chcąc dłużej forsować polityki, którą można by uznać za korzystną dla przestępców, wydały zarządzenie nakazujące włączenie do akt klienta dowodu jego tożsamości.

Peter Sprecher twierdził, że przed wprowadzeniem tych „drakońskich" środków wielu bankierów odłożyło kilka tysięcy kont numerowanych na użytek ulubionych *treuhander* lub finansowych pośredników. Rachunki te udostępniono specjalnym klientom banku, zainteresowanym utrzymaniem swej tożsamości w tajemnicy. Minimalna suma wymagana do otworzenia tego typu konta numerowanego wynosiła pięć milionów dolarów. Trzeba było odsiać drobnicę.

– Hasło? – powtórzył Nick.

– Pałac Ciragan – rzekł klient 549.617 RR.

Pałac Ciragan w Stambule był siedzibą ostatnich tureckich wezyrów w XIX wieku. Marco Cerruti najwyraźniej nawiązywał do narodowości klienta, kiedy nadawał mu przydomek Pasza.

– Potwierdzam, Pałac Ciragan – oświadczył Nick. – Mój symbol identyfikacyjny to NXM, nazwisko Neumann. – Przeliterował je i zapytał klienta, czy wszystko zrozumiał. Zapadła dłuższa cisza przerywana tylko rytmicznymi trzaskami. Nick przysunął krzesło bliżej biurka i pochylił się nad teczką Paszy, jak gdyby fizyczna bliskość z papierami klienta mogła przyspieszyć jego odpowiedź.

– Całkowicie, panie Neumann – rzekł Pasza, odzyskując wigor. – Możemy teraz przejść do rzeczy? Proszę mi podać aktualny stan mojego konta, numer 549.617 RR.

Nick wpisał do Cerbera numer, a następnie zakodowane polecenie AB30A, żeby wywołać stan konta. Po chwili na ekranie pojawił się rząd cyfr. Nick aż wytrzeszczył oczy ze zdumienia. Stan konta jeszcze nigdy nie był tak wysoki.

– Ma pan na rachunku czterdzieści siedem milionów dolarów.

– Czterdzieści siedem – powtórzył powoli Pasza. Jeśli wiadomość o astronomicznej sumie na rachunku sprawiła mu przyjemność, nie dało się tego wyczuć w jego burkliwym głosie. – Panie Neumann, ma pan wszystkie moje instrukcje dotyczące przelewów. Proszę spojrzeć na listę numer sześć.

Nick wyciągnął kartkę z teczki na biurku. Lista numer 6 zakładała przelew danej sumy – dzisiaj czterdziestu siedmiu milionów dolarów – do banków w Austrii, Niemczech, Norwegii, Singapurze, Hongkongu i na Kajmanach.

– Według listy numer sześć całą sumę należy przesłać do dwudziestu dwóch banków – powiedział Nick.

– Zgadza się, panie Neumann – odrzekł Pasza. – Odnoszę wrażenie, jakby się pan wahał. Czy jest jakiś problem? Chciałby pan sprawdzić banki, do których macie przesłać pieniądze?

– Nie, proszę pana. Nie ma żadnego problemu. – Nick zerknął na róg listy nadzorowanych rachunków wystający spod teczki Paszy. Nie zamierzał powiedzieć klientowi o istnieniu tej listy ani o tym, że znajduje się na niej jego numer. Współpraca banku z władzami była dobrowolna. I poufna. – Ale rzeczywiście chciałbym potwierdzić nazwy banków. Żeby mieć sto procent pewności. – Zaczął od pierwszej pozycji na liście. – Deutsche Bank, Centrala we Frankfurcie.

– Zgadza się.

– South West Landesbank, Monachium.

– Zgadza się.

– Norske Bank, Oslo – ciągnął dalej monotonnym głosem, czekając na niecierpliwe chrząknięcie, które potwierdzało każdą nazwę. – Kreditanstalt of Austria, Wiedeń... – Rozglądał się po biurze. Peter Sprecher, nieobecny. Marco Cerruti, nieobecny. Cytat zapamiętany z długiego rejsu po Pacyfiku: „Izolacja jest jedynym tyglem, w którym można wykuć charakter człowieka". Zapomniał, kto napisał te słowa, ale teraz w pełni rozumiał ich znaczenie.

– Bank Negara, filia w Hongkongu. Bank Sana, Singapur... – Wymienił kolejne banki, wspominając zarazem krótkie wystąpienie Sterlinga Thorne'a. „Polowanie na słonie, samce samotniki, konserwatorzy przyrody". Słowa te budziły w nim niemal fizyczny wstręt. Już kiedyś miał do czynienia z typami pokroju Thorne'a. Pan Jack Keely z CIA – tak jak Thorne nadgorliwy strażnik świętych praw ojczyzny, pragnący zwerbować innych do służby. Nick odpowiedział na wezwanie. Zgłosił się z własnej woli i zapłacił wysoką cenę za naiwną pogoń za chwałą. Nigdy więcej, przysiągł sobie, kiedy sprawa dobiegła końca. Ani dla Keely'ego. Ani dla Thorne'a. Ani dla nikogo innego.

– Potwierdzam liczbę dwudziestu dwóch instytucji – powiedział na zakończenie.

– Dziękuję, panie Neumann. Proszę dopilnować, żeby te pieniądze zostały przelane do końca dzisiejszego dnia pracy. Nie toleruję pomyłek.

Pasza zakończył rozmowę.

Nick odłożył słuchawkę. Był sam i decyzja zależała od niego. Zegar nad biurkiem Sprechera wskazywał pięć po trzeciej. Sięgnął po formularz przelewu, wpisał godzinę zlecenia i zaczął uzupełniać kolejne dane. W lewym górnym rogu wpisał numer konta. Pod nim w prostokątnej rubryce na nazwisko klienta napisał: „nzn", nieznane. W rubryce „Instrukcje przelewu" wpisał „Lista numer sześć (instrukcje klienta), zob. plansza CC1B", a w rubryce „Wartość" – czterdzieści siedem i sześć zer. Pozostały do wypełnienia dwie rubryki: „Inicjały odpowiedzialnego pracownika" i „Data operacji". Wpisał trzyliterowy symbol identyfikacyjny w pierwszej rubryce. Drugą zostawił pustą.

Wysunął górną szufladę biurka i włożył formularz przelewu na sam spód. Już ustalił plan działania.

Przez następne dwie godziny zajmował się wyszukiwaniem na rachunkach od 220.000 AA do 230.999 ZZ obligacji wygasających w ciągu następnych trzydziestu dni. O wpół do szóstej złożył ostatnie teczki i schował w szafce. Uporządkował pozostałe papiery i ułożył w drugiej szufladzie. Wszystkie poufne dokumenty trafiły do odpowiednich teczek i zostały zamknięte na klucz. Biurko prezentowało się nienagannie. Armin Schweitzer uwielbiał sprawdzać biura po godzinach w poszukiwaniu dokumentów pozostawionych bez zabezpieczenia. Winowajcy mogli być pewni, że niedbalstwo nie ujdzie im płazem.

Przed wyjściem z biura Nick wyjął z szuflady formularz przelewu z numerem rachunku Paszy i uzupełnił pustą rubrykę. Wpisał jutrzejszą datę, ale tak niewyraźnie, by nie można było jej odczytać. Zanim Pietro z działu przelewów zadzwoni z prośbą o wyjaśnienie, minie parę godzin. A że w piątki jest zwykle mnóstwo zleceń, przelew zostanie dokonany dopiero w poniedziałek rano. Zadowolony z siebie przeszedł korytarzem do kącika pocztowego i wziął firmową kopertę. Zaadresował ją do *Zahlungs Verkehr Ausland*, działu przelewów międzynarodowych, wsunął formularz do środka i starannie ją zakleił. Spojrzał na kopertę po raz ostatni i wrzucił ją do jutowego worka z wewnętrzną korespondencją banku.

Stało się.

Zlekceważył wyraźne instrukcje przełożonych i rozkazy poważnej amerykańskiej agencji rządowej, aby chronić człowieka, którego nigdy nie spotkał. Wychodząc z Akwarium, pomyślał, że oto zrobił pierwszy krok na drodze do mrocznego serca banku i tajemnic kryjących się za śmiercią ojca.

Rozdział 10

Ali Mevlevi uwielbiał oglądać zachody słońca nad Morzem Śródziemnym. Latem siadał w jednym z rattanowych foteli na werandzie i przyglądając się opadającej ognistej kuli, pozwalał myślom nieść się przez roziskrzone wody. Zimą, w wieczory takie jak dzisiejszy, miał tylko kilka minut, by nacieszyć się przejściem dnia w noc. Śledził wzrokiem słońce, które zanurzało się coraz głębiej w gniazdo kłębiastych chmur zgromadzonych nad horyzontem. Przez taras przemknęła lekka bryza, niosąc aromat eukaliptusa i cedru.

W zapadającym mroku dostrzegał slumsy, wieżowce, fabryki i ulice nadmorskiego miasta. Niewiele dzielnic uszło bez szwanku, żadnej w pełni nie odbudowano, a przecież minęły lata od zakończenia prawdziwych walk. Z uśmiechem na twarzy Mevlevi liczył smugi dymu wznoszące się do wieczornego nieba. Oznaczały, że miasto wciąż żyje. Dopóki jego mieszkańcy gotują jedzenie nad ogniskami wśród ruin zbombardowanych ulic, czuł się bezpieczny i spokojny. Zapadający zmierzch uniemożliwił mu dalsze liczenie – przerwał je przy czternastu. Wczoraj dostrzegł dwadzieścia cztery smugi dymu. Gdyby kiedyś nie doliczył się dziesięciu, musiałby znaleźć sobie nowy dom.

Perła Lewantu nadal była oblężona. Niech nie zwiodą was pozory. Miejsce moździerzy i artylerii zajęły niekompetencja i apatia. Brakowało wody, a elektryczność dostępna była tylko sześć godzin dziennie. Ulice patrolowały trzy rodzaje milicji, a mieszkańcami rządziło dwóch burmistrzów. Mimo wszystko ludzie czuli dumę z odradzania się miasta. Na tyle im pozwolił. Odkąd miliarder przejął władzę, wszystko ruszyło z miejsca. Hotel St Georges na nowo otworzył swe podwoje. Droga łącząca wschodnią chrześcijańską część miasta z zachodnią muzułmańską była prawie gotowa. Wznowiono połączenia lotnicze z głównymi miastami Europy. Ulubione restauracje mieszkańców tętniły życiem.

Wielcy przedsiębiorcy nie sprzeciwiali się wypłacaniu premierowi i jego poplecznikom honorarium w wysokości pięciu procent swoich dochodów. Kiedy premier podał się do dymisji i waluta znacznie osłabła, skromny wzrost honorarium – do siedmiu procent, skłonił go do rychłego powrotu na urząd. Premier nie był człowiekiem chciwym.

Bejrut. Ladacznica świata, którą kochał.

Mevlevi z zapartym tchem patrzył, jak słońce po raz ostatni kłania się między rozsuniętą kurtyną pomarańczowej chmury i znika za horyzontem. Morze zapieniło się od żaru spadającej gwiazdy. Wiedział, że to tylko złudzenie, któremu uległy jego starzejące się oczy pod wpływem światła, wody i odległości. Słońce, morze i gwiazdy: nic innego nie budziło w nim takiego podziwu. Może w poprzednim życiu był żeglarzem, towarzyszem największego islamskiego podróżnika, Ibn Batutaha. W tym czekało go inne przeznaczenie. Jako wysłannik Proroka poprowadzi swych rodaków do powstania i odda im to, co im się słusznie należy.

Czuł to w głębi serca.

Godzinę później Ali Mevlevi siedział za drewnianym biurkiem i studiował mapę południowego Libanu i Izraela. Mapa miała dopiero miesiąc, ale była już zniszczona i pogięta od ciągłego składania i rozkładania. Odnalazł Bejrut i wzgórza na północny wschód od miasta, gdzie wznosiła się jego okazała posiadłość, i przeniósł spojrzenie przez granicę na południe. Przeanalizował kilkanaście punktów orientacyjnych, miast i miejscowości, zanim jego wzrok padł na mały punkt na terytorium okupowanym na

Zachodnim Brzegu. Ariel. Osada piętnastu tysięcy ortodoksyjnych żydów. Zbudowana na ziemi, która nie należała do nich. Na pustyni, w odległości piętnastu kilometrów od najbliższej miejscowości. Mevlevi otworzył biurko i znalazł mały kompas. Ustawił go na czarnym punkciku i narysował wokół niego okrąg o średnicy dwóch centymetrów.

– Ariel – wymówił posępnie nazwę i pokręcił głową. Podjął już decyzję.

Starannie złożył mapę i schował ją w biurku. Sięgnął po telefon i wybrał dwucyfrowy numer wewnętrzny.

– Joseph, natychmiast przyjdź do w mojego gabinetu – powiedział. – Przyprowadź zdrajcę i weź pistolet. I wezwij Linę. Szkoda byłoby nie wykorzystać tak pouczającego wydarzenia.

Po chwili na korytarzu rozległ się odgłos rytmicznych kroków.

Mevlevi wstał zza biurka i podszedł do drzwi.

– Witaj, przyjacielu – powiedział na tyle głośno, żeby być słyszanym w drugim końcu obszernego holu. – Wejdź. Ciekaw jestem dzisiejszych wiadomości.

Drobny mężczyzna w wyprasowanym oliwkowym mundurze przemierzał hol dziarskim krokiem. Nie odezwał się, dopóki nie stanął na baczność półtora metra od swego pana.

– Dzień dobry, Al-Mevlevi – rzekł, salutując energicznie. – Cieszę się, że mogę pana poinformować o wydarzeniach dnia.

Mevlevi pocałował mężczyznę w oba policzki.

– Jesteś moimi uszami i oczami. Wiesz, jak na tobie polegam. Zaczynaj, proszę.

Joseph rozpoczął od omówienia stosowanych środków bezpieczeństwa. Przez cały dzień co piętnaście minut wysyłano trzyosobowe patrole do obserwacji posiadłości. Z każdą grupą szedł zwiadowca. Nie zauważono żadnych działań. Należało podwyższyć ogrodzenie na północnym odcinku, ale brygada robocza nie przybyła na czas. Z pewnością chrześcijanie. Plany powiększenia zaminowanej strefy bezpieczeństwa będą musiały poczekać do ukończenia prac przy ogrodzeniu.

Ali Mevlevi słuchał z uwagą, jednocześnie mierząc wzrokiem szefa ochrony. Podziwiał jego silne ramiona i pełną godności postawę. Bardzo pasowały do tego surowego wizerunku czarne, krótko podgolone włosy, smagła twarz pokryta ciemnym zarostem i smutne oczy. Oczy jego ludu.

Znalazł Josepha w Shatilli, tak jak wszystkich swoich ludzi.

Kierował brygadą robotników w południowym sektorze obozu dla uchodźców położonego trzydzieści kilometrów na południowy wschód od Bejrutu. Piętnaście lat po żydowskiej inwazji obóz nadal istniał, a nawet kwitł. Tysiące Palestyńczyków zapełniało wąskie uliczki, walcząc codziennie o mizerne racje żywnościowe i nędzny kąt. Praca, która niszczyła ręce i zginała karki, była w obozie najbardziej poszukiwanym towarem. Za cięcie betonowych płyt pod palącym słońcem przez dziesięć godzin płacono dwa amerykańskie dolary, które wystarczały na zakup bochenka chleba, trzech pasków jagnięciny i dwóch papierosów. Za wypełnianie kraterów po moździerzach i bombach samochodowych – dwunastogodzinna zmiana przy ciągłej groźbie ostrzału – dwa razy tyle. Przy naprawie miejskich dróg ginęło co tydzień dwóch mężczyzn. Na ich miejsce od razu zgłaszało się dwustu chętnych.

Josepha zarekomendował Mevleviemu pewien bezbożny, kłótliwy Syryjczyk – Abu Abu z imienia, a handlarz żywym towarem z zawodu. Abu Abu miał dobre oko do wyławiania spośród obozowiczów tych najbardziej bezwzględnych i sprytnych. Wśród uchodźców najwięcej było awanturników i sporo ludzi silnych, niewielu zaś inteligentnych, a jeszcze mniej naprawdę mądrych. Na samej górze tej kupy śmieci siedział Joseph.

– Jest podstępny jak kobra i mądry jak sowa – rzekł Abu Abu, zanim opowiedział z satysfakcją o ostatnim aspirancie do stanowiska Josepha. Intruz z wyłupionymi oczami, odciętymi kciukami i językiem każdy dzień spędzał na nieskazitelnym syryjskim dywanie dziesięć kroków od wejścia do namiotu Josepha.

– Jest naprawdę wyjątkowy – zapewniał Abu Abu. – Ma dumę.

Joseph początkowo grzecznie odrzucił propozycję, ale potem dał się przekonać. Wprawdzie trochę to trwało i Mevlevi wyjawił mu więcej, niż uważał za roztropne. Mówił o nowej straży pretoriańskiej; że tym razem oni, nie Rzymianie, będą zwycięzcami. Mówił o nowej Jerozolimie zwróconej jedynym i prawowitym właścicielom i o świecie, w którym człowiek ustępuje miejsca Bogu.

W końcu Joseph się zgodził.

– Czy nasi szacowni instruktorzy zdołali dzisiaj wykonać plan? – zapytał Mevlevi, kiedy Joseph zakończył relację. – Nie możemy sobie pozwolić na utratę choćby jednego dnia.

– Tak, Al-Mevlevi. Wszystkie zadania wyznaczone na dzień pięćdziesiąty siódmy wykonano. Rano sierżant Rodenko pokazywał, jak posługiwać się rakietami katiusza. Położył nacisk na szybkie składanie, strzelanie i rozkładanie sprzętu. Do tej pory otrzymaliśmy dwadzieścia jeden platform strzelniczych. Każdy szwadron uderzeniowy miał okazję poćwiczyć. Niestety, nie mogliśmy używać prawdziwej amunicji. Rodenko twierdzi, że ślad cieplny rakiet byłby widoczny dla satelitów.

Mevlevi pokiwał głową ze zrozumieniem. Ślady cieplne, satelity szpiegowskie, ogrodzenia mikrofalowe były teraz częścią jego słownictwa. Leksykon Chamsinu.

– Po południu porucznik Iwłow miał wykład o wyborze celu i uzbrajaniu laserowych zapalników zbliżeniowych – ciągnął Joseph. – Ale chłopcy szybko się znudzili. Lepiej czują się z kałasznikowami. Wszyscy bardzo chcą wiedzieć, po co się ich szkoli. Iwłow ponownie zapytał, czy zaatakują cel wojskowy czy cywilny.

– Tak? – zainteresował się Mevlevi. Porucznik Borys Iwłow i sierżant Michaił Rodenko przyjechali razem ze sprzętem przed dwoma miesiącami. Obydwaj byli weteranami wojny w Afganistanie. Zostali wypożyczeni w ramach sprzedaży wiązanej dokonanej przez generała Dimitra Marczenkę, byłego oficera sił zbrojnych Kazachstanu, a obecnie szefa quasi-rządowego magazynu nadwyżek broni. Nowy rodzaj przedsiębiorcy ery postkomunistycznej. Jak większość produktów pochodzących z ich kraju, instruktorzy Marczenki pozostawiali wiele do życzenia i zawodzili w najmniej odpowiednich momentach. Wywołane wódką otępienie kosztowało już utratę dwóch dni szkolenia. A teraz zadawali jeszcze pytania. Niedobrze.

– Cel poznacie w swoim czasie – rzekł chłodno Mevlevi. – Ale nie będziemy długo strzelać ślepakami. Tego możecie być pewni.

Joseph skinął głową z szacunkiem.

– I ostatnia sprawa. Aż boję się zapytać – rzekł Mevlevi.

– Niestety, to prawda. Kolejny truteń buszował w naszym gnieździe.

– Od ataku Monga minęło siedem miesięcy. Czy ten azjatycki łotr nigdy nie da za wygraną? Od tamtej pory nie było miesiąca, żebyśmy nie zdemaskowali jakiegoś zdrajcy, nie było tygodnia, żebyśmy nie musieli zaostrzyć środków bezpieczeństwa. – Mevlevi westchnął. I nie było nocy, żeby wspomnienie brutalnego napadu Azjaty nie zburzyło obietnicy spokojnego snu.

W ciszy przed świtem pewnego lipcowego poranka grupa bojowników wdarła się na teren posiadłości. W sumie piętnastu mężczyzn. Mieli zlikwidować Alego Mevleviego. Przysłał ich generał Buddy Mong, od dawna partner Mevleviego w interesach, dowódca nieregularnych wojsk w sile około piętnastu tysięcy na granicy tajsko-birmańskiej. Tak przynajmniej przypuszczał Mevlevi. Dotąd nie wiedział, co było przyczyną ataku, ale zgodnie z surową etykietą międzynarodowych handlarzy narkotykami, nadal prowadził z Mongiem interesy. Prawdę mówiąc, nie mógł sobie pozwolić na ich przerwanie. Nie teraz.

Nie kiedy Chamsin był tak bliski wydania owoców.

– Podziękujmy Allahowi za siłę do obrony przed kolejnymi atakami – powiedział Joseph.

– Dzięki niech będą Allahowi. – Mevlevi nie mógł odwrócić wzroku od głębokiej blizny biegnącej od kącika prawego oka Josepha do podstawy szczęki. Ostatnie życzenie morderców nasłanych przez Monga. Joseph był jedynym sługą, w którego lojalność nie mógł wątpić. Przekonywała go o tym ta blizna.

– Nie wolno okazać litości Mongowi ani żadnemu z jego sługusów. Przyprowadzić do mnie tego młodego Judasza.

Joseph obrócił się na pięcie i wymaszerował, kłaniając się lekko Linie, która czekała w drzwiach na rozkazy Mevleviego.

– Lino – rzekł Mevlevi – dołączysz do nas.

Chciał, aby kochanka była świadkiem tej demonstracji siły. Zdecydowanie nie doceniano wychowawczych właściwości kary. Choć patrząc z perspektywy czasu, pomylił się w przypadku starego znajomego, bankiera Cerrutiego, który odwiedził go w Nowy Rok. Mevlevi uznał, że bankiera trzeba oduczyć niezależności. Nie mógł dopuścić, aby podwładny wydawał swemu panu jednostronne polecenia. Szwajcar nie zareagował właściwie na krótką serię wzmocnienia negatywnego, jakkolwiek niewinnie mogła wyglądać.

A teraz na froncie szwajcarskim działy się nowe rzeczy. Wiadomość o tajnym porozumieniu między bankami tego kraju a Agencją do Walki z Narkotykami skwitował wzruszeniem ramion. Taka współpraca mogła spowodować drobny ból głowy, nic więcej. Jednak pewność, z jaką amerykańskie władze wykastrowały szwajcarskie banki, aż się prosiła o sprzeciw. Da im nauczkę. Przemknie przed oczami wroga niezauważony, niezatrzymywany, nietknięty. To wyzwanie podniecało go.

Odetchnął gęboko, żeby się opanować. Wszelkie działania związane ze Szwajcarią należało przeprowadzić z największą ostrożnością. Odległa górska demokracja była kluczem do jego ambitnego planu. Zawierała paliwo, które napędzi jego legiony.

Paliwo, które rozpali Chamsin.

Uśmiechnął się na wspomnienie wyrazu twarzy biednego Cerrutiego, kiedy sprowadzono go do „basenu Sulejmana". Początkowo bankier nie chciał uwierzyć, co znajduje się pod powierzchnią wody. Gapił się i mrugał nieprzytomnie oczami, kręcąc głową w jedną i drugą stronę. Kiedy Joseph pozwolił mu się lepiej przyjrzeć, nie wytrzymał. Zabrakło mu powietrza i zemdlał. Przynajmniej skończyło się to cholerne mruganie.

Mevlevi wszedł do pogrążonego w mroku gabinetu i spojrzał na odręcznie spisane notatki na biurku. Podniósł słuchawkę i nacisnął guzik z zaprogramowanym prywatnym numerem telefonu jego partnera w Zurychu. Po trzecim sygnale odezwał się matowy głos.

– Makdisi Trading.

– Albert?

– *Salaam Aleikhum*. Witaj, bracie. Co mogę dla ciebie zrobić?

– Rutynowa kontrola. Pracownik United Swiss Bank. O nazwisku Neumann. Imienia nie znam. Dobry angielski. Może jest Amerykaninem.

– Tylko rutynowa?

– Bardzo dyskretnie, jeśli łaska. Poobserwuj go przez kilka dni. Rzecz jasna, masz być niewidzialny. Przeszukaj jego mieszkanie. Jeśli to konieczne, możemy wystosować zachętę. Ale jeszcze nie teraz.

– Zaczniemy dzisiaj. Zadzwoń za tydzień.

Mevlevi odłożył słuchawkę i wsłuchał się w stukot zbliżających się kroków Liny.

– Moje oczy cieszą się na twój widok – powiedział, kiedy weszła do gabinetu.

– Nie skończyłeś jeszcze pracy na dzisiaj? – Lina zrobiła naburmuszoną minę. Była bardzo młoda, miała zaledwie dziewiętnaście lat, kruczoczarne włosy, krągłe biodra i obfity biust. – Już prawie siódma.

Mevlevi uśmiechnął się.

– Prawie, *cherie*. Jest jeszcze jedna sprawa do załatwienia. Chcę, żebyś to zobaczyła.

– Nie interesuje mnie oglądanie, jak spędzasz godziny przylepiony do słuchawki.

– W takim razie nie musisz się martwić. – Wstał i objął swoją libańską tygrysicę, a ona odrzuciła buntowniczą postawę i przylgnęła do niego, wzdychając. Znalazł ją przed trzema miesiącami w Little Maxim's, podrzędnej knajpie w nadmorskiej dzielnicy Bejrutu. Dyskretna rozmowa z właścicielem lokalu zapewniła Mevleviemu jej regularne usługi. Mieszkała u niego przez sześć dni w tygodniu, a na siódmy wracała do matki w Jounieh. Była chrześcijanką z rodziny falangistów. Powinien się wstydzić. Lecz nawet Allah nie miał władzy nad sercem. A jej ciało dawało mu rozkosze, jakich wcześniej nie zaznał.

Do gabinetu wszedł Joseph. Przed nim ze zwieszoną głową i zapadniętą klatką piersiową stał Kamal, prosty chłopak zwerbowany zaledwie dwa miesiące wcześniej do służby w ochronie Mevleviego.

– Znaleziono go w gabinecie, jak grzebał w pańskich rzeczach.

– Daj go bliżej.

Joseph podprowadził chłopaka.

– Stracił ochotę do rozmów.

Raczej zdolność, pomyślał Mevlevi. Joseph potrafiłby skłonić Netanyahu do wyznania wiecznej miłości do proroka Mahometa, nie zostawiając na ciele tłustego Żyda żadnego śladu.

– Jest opłacany przez Monga – rzekł Joseph. – Do tego się przyznał.

Mevlevi podszedł do chłopca i jednym palcem uniósł jego głowę.

– Joseph mówi prawdę? Pracujesz dla generała Monga?

Kamal zamrugał oczami, ale nie wydał z siebie żadnego dźwięku.

– Jedynie miłość Nieskończonego może uzdrowić ranę, którą zadałeś sercu islamu. Poddaj się jego woli. Przyjmij Allaha, a znajdziesz się w raju. Jesteś gotów przyjąć jego łaskę?

Czy chłopak kiwnął głową?

Mevlevi dał znak Josephowi, a ten doprowadził Kamala pod okrągłą kolumnę, za którą majaczył zarys Bejrutu.

– Padnij na kolana przed Wszechmogącym.

Chłopiec klęknął i spojrzał na spokojny bezmiar Morza Śródziemnego.

– Zmówmy modlitwę do Allaha.

Kiedy Mevlevi recytował prastarą modlitwę, Joseph zniknął w głębi domu. Lina stała nieporuszona u boku swego pana. Ostatnie słowa modlitwy odleciały razem z wieczorną bryzą. Błysnął mały pistolet. Jego lufa przez kilka sekund muskała puszyste włosy chłopca. Potem rozległy się trzy strzały.

Kamal padł do przodu z otwartymi, lecz niewidzącymi oczami, rozerwane szczątki jego serca plamiły blady piaskowiec tarasu.

– Karą dla zdrajców będzie śmierć – oświadczył Ali Mevlevi. – Tak powiedział prorok. I tak mówię ja.

Rozdział 11

Nick zbiegał po schodach, szczęśliwy, że wyrwał się z zalanych jarzeniowym światłem klatek Akwarium. Biegł jeszcze przez kilka metrów, chcąc zrzucić z siebie gorset bankowej etykiety. Zwolnił i wciągnął w płuca duży łyk czystego szwajcarskiego powietrza. Ostatnie dwie godziny ciągnęły się w nieskończoność. Miał wrażenie, że jest złodziejem, który po kradzieży obrazu siedzi uwięziony w muzeum i czeka na włączenie się alarmu. W każdej chwili oczekiwał, że Armin Schweitzer wparuje do Akwarium i zapyta go, co zrobił z przelewem Paszy. Ale alarm się nie włączył; Schweitzer się nie pojawił. Upiekło mu się.

Mając jeszcze godzinę do kolacji z Sylvią Schon, Nick postanowił przejść się do końca Bahnhofstrasse, gdzie Jezioro Zuryskie zwęża się i wpada do rzeki Limmat. Opatulony w płaszcz ruszył uliczkami biegnącymi równolegle do Bahnhofstrasse. Wciąż myślał o tym, co zrobił, i kalkulował rozwiązania na przyszłość.

Według instrukcji Sterlinga Thorne'a, gdyby na konto z wewnętrznej listy rachunków nadzorowanych wpłynęło ponad dziesięć milionów dolarów, a jego właściciel przelał co najmniej połowę tej sumy do innej niezależnej instytucji finansowej tego samego dnia, bank powinien zawiadomić o tej operacji międzynarodowe organy ścigania. Wprawdzie współpraca odbywała się na zasadzie dżentelmeńskiej umowy, ale USB nie mógł sobie pozwolić na pogwałcenie pokoju zaprowadzonego przez prezydenta szwajcarskiego Bundesratu. I dlatego Agencja do Walki z Narkotykami umieściła swoich agentów w działach przelewów wszystkich większych banków.

Decyzja Nicka o opóźnieniu przelewu o czterdzieści osiem godzin oznaczała, że operacja ta nie zostanie uznana za podejrzaną. Thorne nie będzie miał prawa żądać dokumentów związanych z rachunkiem Paszy i zamrożenia konta na czas śledztwa. Pasza wymknie się z rąk Agencji. I tym samym ochroni United Swiss Bank przed skandalem.

Nick szedł mrocznymi uliczkami, z rękami w kieszeniach płaszcza i brodą wtuloną w szalik. Minął lampę gazową, którą dawno przerobiono na elektryczną, i obserwował wydłużony cień na podziurawionym betonowym murze przed nim. Jeśli skręci w lewo, dotrze do Augustinergasse, a jeśli w prawo – do Bahnhofstrasse. Zawahał się, nie wiedząc, w którą stronę pójść. W końcu skręcił w lewo. Podziurawiony mur ciągnął się z prawej strony, ale nie był już w zasięgu lampy i jego cień znikł. Wspinał się do góry krętą uliczką, lecz zwolnił na widok obcego cienia na murze. Mężczyzna, zgadywał, w pelerynie i spiczastym kapeluszu. Nick zatrzymał się, obserwując, jak zniekształcony cień się powiększa. Nagle cień stanął w miejscu, skurczył się i wreszcie zniknął. Nick wzruszył ramionami i ruszył dalej w stronę Augustinergasse.

Uliczka skręcała w prawo. Minął piekarnię, jubilera i sklepik z importowaną ze Szwecji pościelą. Przystanął na chwilę obok wystawy, żeby sprawdzić cenę pary puchowych poduszek. Pochylił się, przytykając dłoń do szyby, by zasłonić światło ulicznej lampy. Rytmiczny dźwięk kroków, które słyszał za sobą, ucichł. Nie mieściło mu się to w głowie. Czyżby ktoś go śledził?

Bez chwili zastanowienia Nick ruszył biegiem z powrotem. Po dziesięciu krokach stanął i rozejrzał się. Próbował spenetrować wzrokiem najciemniejsze zakamarki ulicy, przeszukać wejścia do mieszkań prywatnych i sklepów. Nic. Był sam. Oddychał nierówno, serce biło mu jak szalone. Uliczka, za dnia pełna rozkrzyczanych straganiarzy, teraz była ciemna i groźna.

Nick odwrócił się i ruszył w górę. Sto metrów dalej znowu się zatrzymał. Nie tyle słyszał kroki, ile wyczuwał czyjąś obecność. Spojrzał przez ramię, pewien, że zauważy swego prześladowcę. Ale znowu nikogo nie dostrzegł. Stał nieruchomo i wsłuchiwał się w echo własnych kroków. Chryste, chyba wpadam w paranoję!

Pospiesznie zszedł uliczką do biegnącej równolegle ruchliwej alei. Bahnhofstrasse pękała w szwach od setek przechodniów, którzy wracali po pracy do domów. W obu kierunkach jeździły tramwaje. Uliczni sprzedawcy oferowali torebki z gorącymi kasztanami. Przebił się przez strumień biznesmenów płynący na północ najsłynniejszą arterią Zurychu i ruszył w przeciwnym kierunku, w stronę Paradeplatz. Jeśli ktoś go śledzi, będzie miał trudniejsze zadanie w tak gęstym tłumie.

Szedł dalej z pochyloną głową i przygarbionymi plecami. Co kilka kroków oglądał się przez ramię i przeszywał wzrokiem tłum. Wydało mu się, że w morzu głów dostrzegł spiczasty kapelusz. Przebiegł ulicę i przyspieszył kroku. Kilka metrów przed nim otworzyły się drzwi do jasno oświetlonego sklepu. Skręcił ostro w lewo, przemknął obok zniecierpliwionego męża i ociągającej się żony i wszedł do środka.

Znalazł się wśród zegarków. Lśniących wyrobów ze złota, nierdzewnej stali i diamentów. Odrobina luksusu za trzydzieści tysięcy franków sztuka. A więc wszedł do Bucherera, najbardziej znanego w mieście producenta zegarków. Przez szklane drzwi był widoczny jak na dłoni. Dostrzegł przed sobą schody.

Na piętrze było spokojniej. W środku sali ustawiono cztery gabloty. Nick udawał, że ogląda ich zawartość, ale co chwila przenosił wzrok z eksponowanych zegarków na schody. Ceny większości zegarków były wyższe niż jego roczna pensja. Audemars Piguet Grande Complication wyceniono na prawie sto dziewięćdziesiąt pięć tysięcy franków szwajcarskich. Około stu pięćdziesięciu tysięcy dolarów. A trudno było odczytać na nich godzinę ze względu na namnożenie wskazówek, tarcz, cyfr i dat. Czyjeś wyobrażenie arcydzieła. Podciągnął rękaw i spojrzał na własny zegarek, odziedziczony po ojcu Patek-Philippe z 1961 roku. Pomyślał, ile jest wart, i zdziwił się, że nie trafił w ręce matki.

Kiedy podniósł wzrok, dostrzegł smagłego mężczyznę – wysokiego, o gęstych kręconych czarnych włosach – który spoglądał dziwnie w jego stronę. Może to on, pomyślał. Ale kto go przysłał? Był na dole, kiedy wszedłem? Nick spojrzał na niego i posłał mu słaby uśmiech, ale mężczyzna podziwiał wybrany zegarek.

Nick zatrzymał się, żeby obejrzeć masywny złoty czasomierz. „Podejdź bliżej, prowokował mężczyznę w myślach. Jeśli jesteś klientem, tak jak ja, pójdziesz dalej".

Wbił wzrok w imponujący zegarek – ładny, jeśli jest się bukmacherem z Las Vegas albo lichwiarzem z Miami Beach. Gdy po chwili podniósł głowę zauważył, że mężczyzna zniknął.

– Widzę, że szanowny pan zainteresował się piagetem – usłyszał za plecami uprzejmy głos.

Odwrócił się i ujrzał czarnowłosego mężczyznę.

– Mówiąc szczerze, polecałbym panu coś bardziej stonowanego – rzekł sprzedawca z uśmiechem. – Może nawet coś bardziej praktycznego. Wygląda mi pan na człowieka czynu, sportowca. Co pan powie na dayrona z Rolexu? Mamy wspaniały model z osiemnastokaratowego złota, z szafirowym szkiełkiem, rozsuwaną sprzączką, wodoodporny na głębokość dwustu metrów. Najdoskonalsza robota zegarmistrzowska na świecie za jedne trzydzieści dwa tysiące franków.

Nick uniósł brwi. Gdyby miał wolne trzydzieści tysięcy franków, na pewno nie wydałby ich na zegarek.

– Mają państwo model z diamentową ramką?

Twarz sprzedawcy wyrażała rozczarowanie.

– *Helas, non.* Sprzedaliśmy już ostatni taki model. Ale jeśli mogę zaproponować...

– W takim razie może innym razem – rzucił przepraszająco Nick i ruszył w stronę schodów.

Wyszedł ze sklepu i skierował się na południe w stronę jeziora, trzymając się blisko bram i sklepowych wystaw. Wpadasz w histerię, powiedział do siebie. Nikogo nie widziałeś w tamtej uliczce. Nikt w spiczastym kapeluszu nie deptał ci po piętach. Mężczyzna u Bucherera był sprzedawcą. Zastanawiał się, kto i po co miałby go śledzić. Nie znajdował żadnej logicznej odpowiedzi.

Uspokój się, nakazał sobie.

Przed nim Bahnhofstrasse rozszerzała się. Szereg budynków z prawej strony skończył się, ukazując przestronny otwarty plac – Paradeplatz. Tramwaje nadjeżdżały ze wszystkich czterech stron, otaczając kiosk z biletami, który przycupnął nieśmiało w otoczeniu bardziej imponujących sąsiadów. Z prawej strony wznosiła się siedziba Credit Suisse, neogotycka budowla odzwierciedlająca wiktoriańską dbałość o szczegół. Dalej po drugiej stronie placu mieściła się Korporacja Szwajcarskich Banków, arcydzieło architektonicznej nijakości ery powojennej. Na lewo hotel Savoy Baur-en-Ville z jednym z najelegantszych lokali w Zurychu. Wypiłeś za dużo i potrzebujesz pokoju? Nie ma sprawy. Baur-en-Ville jest do usług: za jedne czterysta piętnaście franków dostaniesz śliczny pokoik, nie większy od dwóch złączonych pudełek po butach.

Nick przeciął ulicę i wszedł na plac. Dał nura do holu Credit Swiss, gdzie ukrył się, dość idiotycznie we własnym mniemaniu, za drzewkiem daktylowym w donicy. Dobrze ubrani dziwacy byli najwyraźniej w Zurychu powszechnym zjawiskiem, bo żaden z klientów banku pragnących skorzystać z usług bankomatu nie okazał nim zainteresowania. Nick odczekał pięć minut i gdy uznał, że wystarczająco długo oglądał liście daktylowca, wyszedł z banku. Zatrzymał się, żeby przepuścić tramwaj numer trzynaście, który wjeżdżał na Paradeplatz w kierunku Albisguetli. Przebiegł przez tory, tuż przed tramwajem numer siedem, który nadjeżdżał z drugiej strony i gwałtownie przyspieszał. Zadowolony, że nikt nie depcze mu po piętach, przeszedł przez plac do Confiserie Sprungli.

Kiedy znalazł się w środku, oczarowała go seria upajających zapachów, każdy bardziej kuszący od poprzedniego. Aromat czekolady, cierpka woń cytryny, słodki zapach świeżo ubitej śmietany. Podszedł do lady i poprosił o pudełko czekoladowych *luxembergerli*, ciasteczek z kremem nie większych od kciuka i lżejszych od powietrza. Zapłacił i odwrócił się do wyjścia. Zostaw swoją nadwrażliwą wyobraźnię za drzwiami, rozkazał sobie.

I wtedy, z niewyjaśnionych powodów, obejrzał się, żeby jeszcze raz rzucić okiem na cukiernię. Może chciał nasycić się poczuciem bezpieczeństwa, jakie dawał mu sklep. Albo – w wersji mniej sentymentalnej – po prostu poczuł na sobie czyjś wzrok. Tak czy owak, odwrócił się. W drzwiach naprzeciw stał mężczyzna w średnim wieku o oliwkowej cerze i ze szpakowatą bródką, ubrany w pelerynę w pepitkę. Na głowie miał kapelusz austriackiego przewodnika górskiego – zgniłozielony, z żółtym pędzelkiem wystającym z ronda. Kapelusz przypominał niedokończoną górę z płytkim wgnieceniem na szczycie.

Nick znalazł swojego prześladowcę.

Mężczyzna wpatrywał się w niego przez kilka chwil, a kiedy zdał sobie sprawę, że został dostrzeżony, uniósł kąciki ust w bezczelnym uśmiechu. Zmrużył oczy i wybiegł ze sklepu. Drań dawał mu do zrozumienia, że go śledził.

Nick był zbyt zdumiony, żeby się poruszyć. Ale po chwili zdumienie ustąpiło miejsca złości. Wściekły wybiegł najbliższym wyjściem, żeby stawić czoło prześladowcy.

Na Paradeplatz kłębiły się setki ludzi. Nick przeciskał się przez tłum, stając na palcach, żeby mieć lepszy widok. Wieczorny mrok, śnieg i mgła uniemożliwiały oddzielenie jednej grupy od drugiej. Mimo to nadal wypatrywał górskiego kapelusza i peleryny. Obszedł plac dwukrotnie, szukając drobnego mężczyzny. Musiał się dowiedzieć, dlaczego go śledził. Czy był jakimś postrzeleńcem, który nie ma nic innego do roboty, czy też ktoś go przysłał?

Po kwadransie Nick doszedł do wniosku, że dalsze poszukiwania są bezsensowne. Mężczyzna zniknął. A on podczas pogoni zgubił pudełko z ciasteczkami. Wrócił na Bahnhofstrasse i ruszył na południe w stronę jeziora. Tłum się przerzedził. Niewiele sklepów było jeszcze otwartych. Co dziesięć kroków zatrzymywał się i wypatrywał eskorty. Ulica była pusta.

Usłyszał cichy szum silnika zbliżającego się samochodu. Ten odcinek Bahnhofstrasse był zarezerwowany dla tramwajów. Ruch samochodowy ograniczono do kilku przecznic na północy i południu. Obejrzał się przez ramię i dostrzegł limuzynę marki Mercedes: jeden z najnowszych modeli, czarny z przyciemnionymi szybami i konsularnymi numerami. Auto nadjechało od strony Paradeplatz. Silnik zawył głośniej i samochód zatrzymał się obok Nicka. Okno od strony pasażera otworzyło się i ukazała się w nim głowa z niesfornymi brązowymi włosami.

– Nicholas Neumann – zawołał Sterling Thorne. – Jesteś Amerykaninem, zgadza się?

Nick cofnął się o krok od wozu. Ależ jest dzisiaj rozchwytywany.

– Owszem. Pół Amerykaninem, pół Szwajcarem.

– Od kilku tygodni chciałem się z tobą spotkać. Wiesz, że jesteś jedynym Amerykaninem pracującym w United Swiss Bank?

– Nie znam całego personelu banku – odparł Nick.

– No to uwierz mi na słowo – zasugerował życzliwie Thorne. – Jesteś zdany tylko na siebie. – Był ubrany w zamszową kurtkę z wywiniętym kołnierzem ukazującym wełnianą podszewkę. Miał podkrążone oczy i zapadnięte policzki poznaczone setkami dziobów.

– Jak się pracuje w tym gnieździe żmij? – zapytał.

– Z tymi żmijami to przesada. – Nick przybrał ugrzeczniony ton Thorne'a, zastanawiając się, gdzie zaprowadzi ich ta rozmowa. Był pewien, że nie tam, gdzie chciałby się znaleźć.

– Zgodzę się, że nie wyglądacie groźnie, ale pozory mogą mylić, prawda, panie Neumann?

Nick pochylił się i zajrzał do samochodu. Jedno spojrzenie na Thorne'a odnowiło w nim awersję do agentów rządu Stanów Zjednoczonych. Pomyślał o mężczyźnie w pelerynie i górskim kapeluszu, który go śledził. Nie mógł połączyć wyszukanego ubioru, europejskiego nakrycia głowy i ogólnie wyrafinowanego stylu ze Sterlingiem Thorne'em. Ogień i woda.

– Czym mogę służyć? Pada śnieg, a ja jestem umówiony na kolację. Proszę przejść do rzeczy.

Thorne spojrzał prosto przed siebie i pokręcił głową. Zaśmiał się z niedowierzaniem, jakby chciał powiedzieć „Gdzie maniery tego chłopaka?"

– Cierpliwości, Nick. Wydaje mi się, że powinieneś posłuchać, co ma ci do powiedzenia reprezentant wuja Sama. O ile sobie przypominam, parę lat temu wypłacaliśmy ci pensję.

– Dobrze. Byle szybko.

– Od jakiegoś czasu obserwujemy wasz bank.

– Myślałem, że obserwujecie wszystkie banki.

– Jasne. Ale wasz jest moim faworytem. Nie żartowałem, kiedy mówiłem, że pracujesz w gnieździe żmij. Twoi współpracownicy dopuszczają się wielu różnych krętactw. Chyba że uzna się za normalne przyjmowanie depozytu w wysokości miliona dolarów w przeliczonych paczkach dziesiątek i dwudziestek. Albo jeśli uważacie za standardową procedurę operacyjną, gdy klient otwiera rachunki w Panamie i Luksemburgu bez podawania nazwiska, zawodu lub numeru PESEL, a wy mówicie „Oczywiście, szanowny panie, prosimy bardzo. Co jeszcze możemy dla pana dzisiaj zrobić?" Ale my tak nie uważamy. Mój ojciec nazywał to szatańską robotą.

Nick spojrzał na partnera Thorne'a, zwalistego mężczyznę w czarnym garniturze. Pocił się. Jego dłonie nerwowo stukały o kierownicę.

– A co ja mam z tym wszystkim wspólnego? – zapytał. Jak gdyby nie znał odpowiedzi.

– Potrzebujemy twoich oczu i uszu.

– Naprawdę? – Nick uśmiechnął się z rozbawieniem.

– Jeśli będziesz z nami współpracował – rzekł Thorne – odpalimy ci coś, kiedy już zdmuchniemy ten domek z kart. Szepnę słówko prokuratorowi federalnemu. Wylecisz stąd pierwszym samolotem.

– A jeśli nie?

– Wtedy będę musiał potraktować cię tak samo jak resztę twoich kolesiów. – Wyciągnął rękę przez okno i dwa razy klepnął Nicka w policzek. – Prawdę mówiąc, wpakowanie za kratki takiego aroganckiego frajera jak ty byłoby bardzo przyjemne. Wybór należy do ciebie.

Nick zbliżył twarz do twarzy agenta.

– Grozisz mi?

Thorne cofnął głowę i prychnął.

– Ależ pułkowniku Neumann, skąd takie pomysły? Przypominam ci tylko o obowiązkach. Wobec prezydenta i wobec ojczyzny. Myślisz, że przysięga przestała cię obowiązywać, gdy zrzuciłeś mundur? Mogę ci podać odpowiedź: nie. Nie przestała, do cholery. Jesteś skazany na dożywocie. Tak jak ja. Nie ukryjesz się za swoim małym czerwonym paszportem. Ten niebieski jest większy i mocniejszy.

Nick czuł, jak wzbiera w nim złość. Starał się panować nad sobą.

– Ja zdecyduję, kiedy, i czy w ogóle, nadejdzie odpowiednia pora.

– Coś mi się zdaje, że nie do końca zdajesz sobie sprawę z sytuacji. Mamy was na muszce. Wiemy, co ty i twoi kolesie kombinujecie. To nie prośba, tylko rozkaz. Potraktuj go, jakby pochodził z samej góry. Masz mieć oczy szeroko otwarte i meldować na rozkaz. Wy lalusie z USB i innych pieprzonych banków w tym mieście udajecie ślepych i pomagacie gromadzie niebezpiecznych osobników w praniu forsy.

– A ty jesteś tutaj, żeby nas przed nimi uchronić?

– Ujmę to tak. Gdyby nie wy, Neumann, nie siedzieliby na pokładach luksusowych jachtów u wybrzeży Boca Raton, paląc cygara, pieprząc się i planując następne przestępstwa. Jesteście tak samo winni jak oni.

Ten zarzut doprowadził Nicka do furii. Poczuł na karku gorąco. Zacisnął szczęki, usiłując się uspokoić, ale było już za późno.

– Chciałbym, żebyś coś zrozumiał, Thorne. Po pierwsze, przez cztery lata służyłem ojczyźnie. Złożona przysięga będzie mi towarzyszyć do końca życia. Pod postacią kawałka szrapnela za tym, co mi zostało z kolana. Z każdym dniem wbija się coraz głębiej w ścięgno, ale siedzi tak głęboko, że nikt nie podejmuje się go wyciągnąć. Po drugie, jeśli chcesz się uganiać po świecie za bandziorami, proszę bardzo. Taką masz robotę. Ale jeśli nie potrafisz ich powstrzymać, nie szukaj kozłów ofiarnych. Ja traktuję swoją pracę poważnie i wykonuję ją najlepiej, jak potrafię. Widzę tylko stosy papierów, ludzi wpłacających pieniądze lub wykonujących dyspozycje. Nie mamy tu facetów, którzy przychodzą i wykładają na ladę milion dolców. – Położył dłonie na szybie i znów pochylił się nad Thorne'em. – I jeszcze jedno – szepnął. – Gówno mnie obchodzi, dla kogo pracujesz. Jeśli jeszcze raz mnie dotkniesz, wyciągnę ten twój chudy tyłek z wozu i skopię tak, że zostanie po tobie tylko pasek, buty i ta pieprzona odznaka. Na to wystarczy mi jeszcze siły w nodze.

Nie czekał na reakcję Thorne'a. Odsunął się od samochodu, wyprostował i skrzywił, gdy trzasnęło mu głośno w prawym kolanie. Ruszył w stronę jeziora.

Czarny mercedes jechał obok w tym samym tempie.

– Zurych jest małym miastem, Neumann! – zawołał Thorne. – Zadziwiające, jak często wpada się na przyjaciół. Pewnie jeszcze się spotkamy.

Nick patrzył przed siebie; postanowił, że nie da się draniowi sprowokować.

– Mówiłem poważnie o tych żmijach! – krzyknął Thorne. – Zapytaj pana Kaisera o Cerrutiego. Miej oczy otwarte, Nick. Twój kraj ich potrzebuje. *Semper fi*!

Samochód przyspieszył i skręcił w lewo w Quai Brücke.

– *Semper fi* – powtórzył Nick, kręcąc głową.

Ostatnie schronienie dla łotra i pierwsze dla Sterlinga Thorne'a.

Rozdział 12

Nick zacisnął palce wokół balustrady na pomoście i zapatrzył się w noc. W przystaniach Wolloshofen i Kilchberg, a także na Złotym Wybrzeżu, w Zurichhorn i Kusnacht paliły się czerwone lampy burzowe. Śnieg tańczył w niewidocznych wirach, a fale obmywały lód wystający spod pali pomostu. Nick zwrócił twarz do wiatru, żeby ostre podmuchy wywiały wspomnienie ostatnich słów Thorne'a.

Semper fidelis.

Minęły trzy lata, odkąd odszedł z wojska. Trzy lata, odkąd uścisnął dłoń Gunny'ego Ortigi, zasalutował po raz ostatni i opuścił koszary, żeby rozpocząć nowe życie. Miesiąc później szukał mieszkania w Cambridge w stanie Massachusetts, kupował podręczniki, długopisy i zeszyty i w ogóle obracał się w innym świecie. Przypomniał sobie, jakimi spojrzeniami obrzucano go podczas pierwszego semestru na uczelni. Niewielu studentów paradowało po Harvard Yard z fryzurą żołnierza piechoty morskiej – króciutko ogoloną dookoła głową i centymetrem pozostawionych na czubku włosów.

Od pierwszego do ostatniego dnia w szkole wojskowej był pełen zapału. Lojalność wobec korpusu wykraczała poza politykę i poza wykonywaną misję. Tkwiła w nim zawsze jak nieodbezpieczony granat i nawet teraz, trzy lata po zrzuceniu munduru, na dźwięk *Semper fi* ruszyła lawina niechcianych wspomnień.

Nick wpatrywał się w śnieg i chmury, które wisiały nad jeziorem jak miękki koc. Zastanawiał się, czy spotkanie z Thorne'em było przypadkowe. Dlaczego dzisiaj? Czyżby Thorne wiedział o regularnych telefonach Paszy? Czy wiedział, że Nick prowadzi konto Paszy? A jeśli nie, dlaczego wspomniał o Cerrutim? A może skontaktował się z Nickiem tylko dlatego, że jest Amerykaninem?

Nie znał odpowiedzi na te pytania. Ale moment tego spotkania wzbudził w nim nieufność, nieufność zrodzoną z doświadczenia. Nie wierzył w zbiegi okoliczności. Gra zataczała coraz szersze kręgi.

– *Semper fidelis* – powiedział Thorne. „Zawsze wierny".

Nick zamknął oczy, nie mogąc powstrzymać strumienia wspomnień, które stanęły mu przed oczami. „Zawsze wierny". Słowa te na zawsze będą związane z Johnnym Burkiem. Na zawsze będą związane z parującym mokradłem na zapomnianym skrawku tajnego pola bitwy.

Porucznik Nicholas Neumann z Korpusu Piechoty Morskiej Stanów Zjednoczonych siedzi w centrum operacyjnym na pokładzie okrętu desantowego „Guam". W pomieszczeniu jest gorąco, ciasno i cuchnie potem stłoczonych marynarzy. „Guam", przekazany marynarce wojennej przed dwudziestoma siedmioma laty przez stocznię w San Diego, płynie z maksymalną prędkością przez spokojne wody morza Sulu u wybrzeży Mindanao, wysuniętej najdalej na południe wyspy Filipin. Jest za pięć dwunasta w nocy.

– Kiedy na tej przeklętej łajbie będzie, kurwa, działać klimatyzacja?! – Pułkownik Sigurd Andersen, vel „Big Sig", ryczy do czarnej słuchawki, która niknie w jego mięsistej dłoni.

Temperatura na zewnątrz wynosi dwadzieścia dziewięć stopni Celsjusza. Wewnątrz stalowego kadłuba „Guam" nie spada poniżej trzydziestu pięciu od ostatnich dwudziestu siedmiu godzin, odkąd centralny klimatyzator wysiadł po ataku kaszlu i drgawek.

– Daję wam czas do szóstej rano. Macie naprawić ten agregat albo wybuchnie przeklęty bunt i ja sam stanę na jego czele! Jasne? – Andersen ciska słuchawkę na widełki. Jest dowódcą dwóch tysięcy żołnierzy piechoty morskiej na pokładzie. Nick nigdy nie widział, żeby starszemu oficerowi tak puściły nerwy. Zastanawia się, czy to na pewno temperatura doprowadziła do gwałtownego wybuchu. A może obecność tajemniczego „cywilnego analityka", który wszedł na pokład w ostatnim porcie, w Hongkongu, i ostatnie osiemnaście godzin spędził w pokoju radiowym na ściśle tajnych pogaduszkach z nie wiadomo kim.

Jack Keely siedzi trzy kroki od Nicka. Pali papierosa i nerwowo skubie obfite zwały tłuszczu wylewające się ze spodni. Chce rozpocząć odprawę na temat tajnej operacji, którą Nick ma poprowadzić. „Cicha akcja" w języku agentów i ich posłusznych pachołków.

Andersen opada na rozklekotany skórzany fotel i daje znak Keely'emu, żeby wstał i zaczął mówić.

Keely jest zdenerwowany. Jego publiczność liczy zaledwie siedem osób, ale mimo to bez przerwy się kręci, przenosząc ciężar ciała z jednej nogi na drugą. Unika kontaktu wzrokowego i wpatruje się w jakiś punkt na ścianie za Nickiem i innymi żołnierzami. Zaciągając się co chwila papierosem, przedstawia szczegóły ich misji.

Pewien Filipińczyk, niejaki Arturo de la Cruz Enrile, występował przeciw rządowi w Manili, żądając wprowadzenia reform: uczciwych wyborów, nowego podziału ziemi, lepszej opieki medycznej. Tutaj na południowo-zachodnim krańcu Mindanao Enrile zebrał od pięciuset do dwóch tysięcy partyzantów. Są uzbrojeni w karabiny AK47, RPG i RPK: pozostałości po rosyjskich wakacjach sprzed piętnastu lat.

Ale Enrile jest komunistą. I jest popularny. Tak naprawdę nie jest złym człowiekiem, ale rząd w Manili niepokoi się. Gospodarka wreszcie nabiera rozpędu. Zatoka Subic i Olongapo kwitną. Z Japonii i Europy nadchodzi pomoc. Filipiny powstają z martwych. Mówi się nawet o wydzierżawieniu zatoki Subic i lotniska Clark Amerykanom. I tu jest pies pogrzebany. Prezydent zrobi wszystko, żeby odzyskać tę bazę. Jeden nowiusieńki port dla marynarki, dzięki któremu oszczędzi pięćset milionów dolarów z tegorocznego budżetu wojskowego. Wielka kasa w Waszyngtonie.

Kelly przerywa i zaciąga się papierosem. Ociera strumienie potu z czoła i kontynuuje odprawę.

Okazuje się, że podżegacz jest kryty przez wuja, szeryfa prowincji Davao, miejscowego guru. Szeryfowi odpowiada ten układ, bo chłopak i jego żołnierze pracują na jego ananasowych plantacjach. Szeryf jest z gruntu kapitalistą. Kiedy rząd w Manili przysłał wojska, żeby aresztować Enrilego, zostały odesłane na tamten świat. Rząd stracił wielu żołnierzy, nie mówiąc o twarzy.

Keely szura stopami i szczerzy zęby, jakby teraz przystępował do rzeczy. Robi się coraz bardziej podekscytowany, wymachuje rękami jak komik podczas występu.

– Jesteśmy tutaj – oświadcza – żeby oczyścić sytuację. – Uśmiecha się. „Oczyścić" – jakby chodziło o umycie kibla, a nie zaciśnięcie pętli na szyi człowieka.

Wstaje major Donald Conroy z batalionu S-2 (oficer operacyjny) i przedstawia plan misji: dziewięciu marines zostanie wysadzonych na plaży Mindanao dwadzieścia kilometrów na północ od miasta Zamboanga. Porucznik Neumann poprowadzi ośmiu żołnierzy wzdłuż rzeki Azul przez dżunglę na małą farmę o współrzędnych 03°10'59" szerokości i 75°46'04" długości geograficznej. Tam utworzą linię ogniową i będą czekać na dalsze instrukcje. Nick ma zabrać ze sobą podporucznika z Kentucky, Johnny'ego Burke'a. Burke jest świetnym strzelcem wyborowym świeżo po szkole wojskowej dla piechoty. Zejdzie na ląd tylko z winchesterem 30.06 z lunetą piętnastką. Nazywają go Quaalude, bo potrafi spowodować zwolnienie pulsu do poniżej czterdziestu uderzeń na minutę i nacisnąć spust między uderzeniami serca. Tylko trup mógłby utrzymać ciało w tak nieruchomej pozycji. Na strzelnicy w Quantico zdobył maksymalną liczbę punktów ze stu, dwustu i pięciuset metrów. Po raz pierwszy od zakończenia wojny w Wietnamie.

Nick i jego żołnierze leżą plackiem w żwirowym rowie sześć kilometrów w głąb lądu. Trzysta metrów przed nimi pośrodku otoczonego przez dżunglę placu stoi drewniana chałupa. Po zaniedbanym podwórzu wałęsają się kury i kilka świń.

Od zejścia na ląd o drugiej czterdzieści pięć pokonali piętnaście kilometrów przez dziewiczą dżunglę, trzymając się krętej nitki rzeki Azul, która w rzeczywistości okazała się jedynie strumykiem. W niektórych miejscach jest sucha i porośnięta tropikalną roślinnością. Żołnierze liczą na Nicka, że odnajdzie jej kolejny wodny odcinek.

Jest siódma. Nick i jego żołnierze są wyczerpani i muszą zażywać tabletki solne przeciw odwodnieniu. Nick kilka razy sprawdza goniometr Magellan Satnav i potwierdza współrzędne – są dokładnie w wyznaczonym punkcie. Znajduje częstotliwość operacyjną i potwierdza pozycję, po czym daje znak Ortidze, filipińskiemu sierżantowi, żeby zajął stanowisko. Ortiga jest drobnym żołnierzem, zmęczonym przedzieraniem się przez gęstą dżunglę.

Pada obok porucznika. Obok Ortigi leży Quaalude. Oddycha nierówno, ma ziemistą, bladą cerę. Ortiga, były sanitariusz w marynarce, bada mu tętno i częstość akcji serca. Tętno 110, serce łomocze. Wyczerpanie upałem. Zostawił klimatyzację na „Guam". W żaden sposób nie mógł teraz strzelać.

Nick zdejmuje mu z ramienia winchestera 30.06 i instruuje Ortigę, żeby nie przestawał wlewać płynów w gardło Burke'a. Nawet jeśli Burke nie jest w stanie strzelać, będzie musiał się stąd zabrać jak cała reszta.

Krótkofalówka Nicka trzeszczy i szumi. Keely. Za piętnaście minut pod drewnianą chałupę zajedzie biały pikap. Arturo de la Cruz Enrile będzie sam.

Nad głowami dziewięciu żołnierzy ożywa sklepienie dżungli, gdy pierwsze poranne promienie słońca ogrzewają najwyższe liście. Rozlega się krzyk czerwonodziobej ary.

Nick podnosi broń strzelca z Kentucky. Jest długa i ciężka, waży przynajmniej dwa razy więcej od karabinu M-16 z wyrzutnią granatów, w który uzbrojeni byli Nick i jego żołnierze. Na kolbie strzelby Burke wyrył skrót „USMC", a pod nim motto „Pierwszy do walki". Nick opiera broń o ramię i przyciska oko do celownika. Powiększenie jest tak duże, że można trafić w środek ucha świni ryjącej w ziemi.

Ranek jest gorący i cichy. Z placu unosi się para. Nicka pieką oczy. Pot rozpuścił mu farby maskujące na twarzy. Daje znak żołnierzom, żeby odbezpieczyli broń. W tym sektorze nie odnotowano obecności partyzantów, ale dżungla ma oczy. Burke czuje się lepiej. Rzyga w suche dno strumienia pod nogami. Ortiga daje mu więcej wody.

W oddali słychać warkot silnika. Nick dostrzega drogę prowadzącą do walącej się chałupy na drugim końcu placu. Na chwilę w polu widzenia pojawia się przedpotopowy ford pikap. Może i jest biały, ale widać tylko rdzę i szarość nieosłoniętego metalu. Błysk porannego słońca odbijającego się od przedniej szyby uniemożliwia mu stwierdzenie, czy kierowca jest sam.

Pikap zatrzymuje się za chałupą.

Nick nikogo nie widzi. Słyszy tylko jakiś głos. To Enrile krzyczy. Oczekuje kogoś. Nick nie rozumie jego słów. To miejscowy język?

Enrile okrąża chałupę i zbliża się do Nicka. Przez celownik wydaje się być niespełna dziesięć metrów dalej. Założył czystą białą koszulę guayabera. Ma mokre, starannie zaczesane do tyłu włosy. Ubrany do kościoła.

Jezu, nie jest starszy ode mnie, myśli Nick.

Enrile chodzi po podwórzu. Znowu coś woła.

Pieje kogut.

Enrile porusza się nerwowo. Staje na palcach i wyciąga szyję, jak gdyby próbował dostrzec coś tuż nad horyzontem. Ogląda się za siebie niespokojnie. Przygotowuje się do ucieczki.

Ręka Nicka zaciska się na kolbie. Do oczu spływa mu kropla potu. Usiłuje utrzymać siatkę nitek na skazanym partyzancie, ale trzęsie mu się ręka.

Enrile zasłania oczy przed słońcem i patrzy prosto na niego.

Nick wstrzymuje oddech. Powoli naciska spust. Arturo de la Cruz Enrile obraca się. Z jego głowy unosi się chmurka różowej pary. Nick czuje odrzut strzelby i słyszy głośny trzask, jak przy wybuchu małej petardy „czarnego kota". Celował w serce.

Enrile leży na ziemi. Nie rusza się.

Żołnierze czekają. Ostry dźwięk wystrzału ulatuje w powietrze, nietrwały jak poranna para nad polami ryżowymi.

Ortiga obserwuje plac, wstaje i biegnie, żeby potwierdzić zgon. Wyjmuje pistolet, podnosi go wysoko do góry i celuje w pierś Enrilego.

Nick obrócił się raptownie na pięcie i wtulił twarz w płaszcz. Mocno zacisnął powieki i poprosił Boga, żeby wciąż powracający koszmar się skończył. Śnieg, który padał przez większą część dnia, zaczynał słabnąć. Zelżał wiatr. Nick nie myślał o śniegu, wietrze i zimnie. Wciąż myślał o tamtym dniu.

Odebrał życie młodemu człowiekowi. Prawdziwemu idealiście, takiemu jak on. Tylko przez chwilę wierzył, że postąpił dobrze; że jako dowódca grupy operacyjnej musiał strzelić zamiast Burke'a; że miał za zadanie wypełnić rozkazy przełożonych, a nie je kwestionować.

Tylko przez chwilę.

Rozdział 13

Nick stał w męskiej toalecie w Emilio's Ristorante. Spoconymi dłońmi ściskał umywalkę i gapił się w lustro. Miał nienaturalnie szeroko otwarte oczy i mokre włosy. Spacer znad jeziora nie wystarczył, żeby się uspokoił. Wciąż był roztrzęsiony i pobudzony. Zamknął oczy i mocniej ścisnął umywalkę. Stało się, powiedział sobie. Nie można zmienić przeszłości.

Odkręcił wodę i obmył sobie twarz. Wytarł włosy papierowym ręcznikiem, i pochylił się nad umywalką. Słuchał, jak woda chlupocze na wypolerowanej porcelanie. Nie wiedział, jak długo tak stał. Może pięć sekund, może minutę, może dłużej. Po pewnym czasie oddech wrócił do normy, tętno zwolniło. Podniósł głowę i spojrzał w lustro. Lepiej, choć na pewno nie idealnie. We włosach miał strzępki papierowego ręcznika. Zaczął wyskubywać wilgotne płatki, jeden po drugim. „Dobry wieczór, doktor

Schon, powtarzał w myślach. Niech pani nie zwraca na to uwagi. Łagodny przypadek łupieżu. Często się zdarza". Spojrzał na potargane włosy z resztkami strzępków papieru i zdołał się roześmiać. Napięcie powoli zaczynało go opuszczać.

– Spóźniłam się? – zapytała Sylvia Schon, zerkając z niedowierzaniem na zegarek.

– Ależ skąd – rzekł Nick. Wstał i uścisnął jej dłoń. – Przyszedłem trochę za wcześnie. Musiałem schować się przed śniegiem.

– Na pewno? Umówiliśmy się na siódmą, prawda?

– Tak. Na siódmą. – Był już spokojniejszy, głównie dzięki podwójnej wódce, którą wychylił kilkoma pospiesznymi łykami. – A przy okazji, dziękuję za zaproszenie.

Doktor Schon zrobiła zdziwioną minę.

– Do tego dobre maniery? Widzę, że prezes sprowadził nam uczonego dżentelmena. – Usiadła we wnęce obok niego, zerknęła na pusty kieliszek i powiedziała do szefa sali: – Poproszę to samo, co pan Neumann.

– *Ein doppelt Vodka, Madame*?

– Tak, i jeszcze jedną dla kolegi. – Spojrzała na Nicka. – Jest pan po godzinach, prawda? Uwielbiam w was, Amerykanach, że potraficie docenić porządnego drinka.

– Niezłą ma pani o nas opinię. Naród beztroskich pijaków.

– Trochę beztroskich – tak. Ale nie pijaków. – Zainteresowała się serwetkami ustawionymi na stole. Rozwinęła jedną i położyła sobie na kolanach.

Natomiast Nick zainteresował się Sylvią Schon. Jej jasne włosy opadały kaskadą na ramiona kasztanowego blezera – z kaszmiru, jak mu się wydawało. Szyfonowa bluzka zapięta pruderyjnie prawie pod samą szyję. Miała gładkie dłonie o długich i smukłych palcach. Oprócz sznura pereł na szyi nie miała biżuterii.

Odkąd rozpoczął pracę w banku, spotykali się wyłącznie służbowo. Doktor Schon podczas spotkań zachowywała się oficjalnie. Pouczała go. Słuchała. Była nawet życzliwa – do pewnego stopnia. Ale zawsze zachowywała dystans. Śmiała się, jakby uśmiech był racjonowany i miała do dyspozycji tylko jeden lub dwa na godzinę.

Obserwując teraz, jak się rozluźnia i rezygnuje z poczucia wyższości, Nick zdał sobie sprawę, że bardzo chciałby poznać jej drugie oblicze. Pamiętał słowa Sprechera: „Ona ma dla ciebie w zanadrzu coś innego". Nadal nie wiedział, jak je zinterpretować – jako szczere ostrzeżenie czy perwersyjną aluzję.

Wąsaty kelner przyniósł zamówione drinki i podał kartę, na widok której Sylvia Schon machnęła ręką.

– W Emilio's można zjeść tylko jedno: kurczaka. Mały *Mistkratzerli* pieczony z ziołami w dużej ilości masła. Niebo w gębie.

– Brzmi nieźle – rzekł Nick. Był bardzo głodny.

Sylvia Schon złożyła zamówienie po hiszpańsku. *Dos pollos, dos ensaladas, vino de rioja y dos aqua minerales*. Potem odwróciła się do Nicka i powiedziała:

– Czuję się osobiście odpowiedzialna za każdego pracownika działu finansowego. Muszę dopilnować, byście dobrze się czuli w pracy i mieli możliwości rozwoju zawodowego. Troszczę się o wasze kariery. Szczycimy się tym, że ściągamy największe talenty i udaje nam się je zatrzymać.

– Na co najmniej czternaście miesięcy – wtrącił.

– Co najmniej – zgodziła się z uśmiechem. – Słyszał pan wprawdzie, że nie byłam zadowolona z niektórych amerykańskich absolwentów rekomendowanych przez doktora Otta, ale proszę nie brać tego do siebie. Czasem głośno szczekam, ale nie gryzę.

– Będę się starał o tym pamiętać – rzekł Nick. Był zaskoczony jej życzliwością. Dostrzegł w niej nowy kolor, który mu się spodobał.

Restauracja pękała w szwach. Kelnerzy w wykrochmalonych białych koszulach krążyli między kuchnią a stolikami. Goście oblegali ławy ustawione pod jaskrawoczerwonymi ścianami, rozmawiali głośno i wylewnie. Z apetytem pochłaniano posiłki i delektowano się papierosami.

– Przejrzałam pańskie papiery – powiedziała doktor Schon, upiwszy łyk wódki. – Miał pan interesujące życie. Dzieciństwo w Kalifornii, podróże do Szwajcarii. Dlaczego wstąpił pan do piechoty morskiej? Musiało być ciężko.

Nick wzruszył ramionami.

– W ten sposób zarobiłem na studia. Przez dwa lata miałem stypendium, ale gdy okazało się, że nie spełniam pokładanych we mnie nadziei, odebrano mi je. Nie chciałem wracać do pracy kelnera. Miałem tego dosyć w liceum. Wojsko wydało mi się dobrym pomysłem.

– A teraz pracuje pan tutaj. Praca w szwajcarskim banku musi się wydawać nudna w porównaniu z lataniem helikopterami i zabawą z bronią.

Nudna? – pomyślał. Właśnie pozwoliłem się wymknąć człowiekowi poszukiwanemu przez międzynarodowe organa ścigania. Śledził mnie facet przebrany za Sherlocka Holmesa i groził mi fanatyczny agent od narkotyków. Gdzie indziej miałbym zapewnione takie emocje?

– Pan Sprecher nie pozwala mi się nudzić – rzekł głośno, podtrzymując oficjalny ton rozmowy. – Twierdzi, że mam szczęście, bo to spokojny okres.

– Moje źródła donoszą, że pański dział doskonale sobie radzi. A zwłaszcza pan wspaniale wywiązuje się ze swoich obowiązków.

– Jakieś wieści o panu Cerrutim?

– Właściwie to nie rozmawiałam z nim jeszcze, ale Herr Kaiser uważa, że jest już lepiej. Kiedy pan Cerruti wróci do zdrowia, obejmie mniej stresujące stanowisko w jednej z naszych filii. Na przykład, w Arab Overseas Bank.

Nick dostrzegł teraz szansę.

– Często widuje pani prezesa?

– Ja? Mój Boże, ależ skąd. Nie ma pan pojęcia, jak mnie wtedy zaskoczyła jego wizyta. Od wieków nikt go nie widział na pierwszym piętrze. Co dokładnie łączy go z pańską rodziną?

Nick często zadawał sobie to pytanie. Nie wiedział, czy Kaiser postępował zgodnie z jakimś określonym protokołem bankowym, czy powodowała nim lojalność wobec zmarłego przyjaciela.

– Nie widziałem Herr Kaisera od pogrzebu ojca – wyjaśnił. – Odzywał się co jakiś czas. Pocztówki, telefony, ale żadnych wizyt.

– Nasz prezes lubi zachowywać dystans – stwierdziła Sylvia Schon.

Nick z zadowoleniem skonstatował, że mają takie same spostrzeżenia.

– Wspominał kiedyś pani o moim ojcu? Zaczął pracę w banku kilka lat po panu Kaiserze.

– Herr Kaiser nie zwierza się byle komu.

– Jest pani wiceprezydentem.

– Proszę mi zadać to pytanie, kiedy już będę urzędować na czwartym piętrze. Tymczasem lepiej spytać starych wyjadaczy: Schweitzera, Maedera, może nawet samego prezesa.

– On już wystarczająco dużo dla mnie zrobił.

– Jest pan pierwszym zarekomendowanym przez niego pracownikiem, odkąd zaczęłam zajmować się zasobami ludzkimi w dziale finansowym. Jak się to panu udało?

Pokręcił głową.

– Sam się ze mną skontaktował i zaproponował pracę. Po raz pierwszy wspomniał o tym jakieś cztery lata temu, kiedy szykowałem się do wyjścia z wojska. Zadzwonił do mnie i zaproponował, żebym rozważył ukończenie wydziału biznesu. Na Harvardzie. Powiedział, że w moim imieniu porozmawia z dziekanem. Kilka miesięcy przed ukończeniem studiów znowu zadzwonił i powiedział, że gdybym był zainteresowany, czeka na mnie posada. – Nick zrobił znaczącą minę. – Nie wspomniał o rozmowie kwalifikacyjnej.

Uśmiechnęła się i odparła:

– Najwyraźniej świetnie pan sobie poradził. Muszę przyznać, że idealnie odpowiada pan wizerunkowi preferowanemu przez doktora Otta. Ponad metr osiemdziesiąt wzrostu, silny uścisk dłoni i umiejętność wciskania kitu, jakiej nie powstydziłby się wytrawny polityk. – Podniosła rękę. – Nie licząc tego ostatniego, rzecz jasna. Mam nadzieję, że wybaczy mi pan, panie Neumann.

Nick roześmiał się. Lubił kobiety, które nie boją się używać dosadnych sformułowań.

– Nie ma sprawy – rzekł.

Wzruszyła ramionami.

– Kiedy jego protegowani wyjeżdżają stąd po dziesięciu miesiącach, cierpi na tym moja reputacja.

– I na tym polega problem z doktorem Ottem?

Sylvia zmrużyła oczy, jakby chciała ocenić jego umiejętność dotrzymania tajemnicy.

– Szczerze mówiąc – powiedziała – to żaden problem. Po prostu mała zawodowa zazdrość. Ale to na pewno pana nie zainteresuje.

– Ależ nie. Proszę mówić dalej. – Mogłaby rozprawiać o matematycznej pochodnej współczesnej teorii doboru portfela inwestycyjnego, a i tak nie byłby znudzony.

– Obecnie kieruję rekrutacją pracowników do działów finansowych naszych szwajcarskich oddziałów. Ale największe pole rozwoju dla działu finansowego to zagranica. Mamy stu pięćdziesięciu ludzi w Londynie, czterdziestu w Hongkongu, dwudziestu pięciu w Singapurze i dwustu w Nowym Jorku. Najważniejsze rzeczy – gospodarka finansowa spółki, fuzje i przejęcia, obrót akcjami – dzieją się głównie w finansowych stolicach świata. Dla mnie kolejnym krokiem do przodu jest rekrutacja pracowników, którzy obejmą wyższe stanowiska w naszych zagranicznych biurach. Chcę sprowadzić do USB partnera w Goldman Sachs. I ściągnąć cały zespół od marki niemieckiej z Salomon Brothers. Muszę pojawić się w Nowym Jorku, udowodnić, że potrafię znaleźć doskonałych specjalistów, i namówić ich do pracy w USB.

– Ja posłałbym tam panią choćby zaraz. Mówi pani świetnie po angielsku i – niczego nie ujmując doktorowi Ottowi – robi pani dużo lepsze wrażenie od niego.

Uśmiechnęła się szeroko, jakby zależało jej na tym komplemencie.

– Cieszę się, że pan we mnie wierzy. Dziękuję.

Nadszedł kelner z dwiema sałatkami i koszykiem świeżego pieczywa. Postawił je na stole i wrócił po chwili z karafką czerwonego wina i dwiema butelkami san pellegrino. Ledwie zjedli sałatki, a już przyniesiono im dwa gorące kurczaki. Kelner przystąpił do serwowania mięsa.

Sylvia uniosła kieliszek i zaproponowała toast.

– W imieniu banku z radością witam pana w naszym gronie. Niech pańska kariera będzie długa i udana! Zdrowie!

Nick spojrzał jej w oczy. Odwzajemniła to spojrzenie nieco dłużej, niż oczekiwał. Odwrócił wzrok z zakłopotaniem, ale po chwili znów na nią spojrzał. Nie mógł się powstrzymać. Odstawiła kieliszek i przytknęła serwetkę do kącika ust. Zdał sobie sprawę, że jest zauroczony. Poczuł się niezręcznie. To moja przełożona. Poza zasięgiem, powtarzał sobie.

Najpierw musi uporządkować uczucia do Anny. Byli razem dwa lata, a ich rozłąka trwała dopiero dwa miesiące. Lecz w tym momencie miał wrażenie, że jest odwrotnie. Podczas pierwszych tygodni w Zurychu oczekiwał, że zadzwoni do niego i przeprosi. Powie, że rozumie, dlaczego zostawił za sobą całe dotychczasowe życie i pomknął na drugi brzeg Atlantyku. Fantazjował nawet, że Anna zjawi się u niego bez zapowiedzi. Stanie w drzwiach ubrana w stare dżinsy, zdarte buty i niemożliwie drogi płaszcz z wielbłądziej wełny i zapyta, czy może wejść. Jakby przyjechała z sąsiedniej ulicy, a nie przeleciała osiem tysięcy kilometrów, żeby zrobić mu niespodziankę.

Ale Anna nie zadzwoniła. Teraz rozumiał, że powinien był prosić ją o wspólny wyjazd. Czy oczekiwał, że przerwie studia na Harvardzie w połowie semestru? Że dla niego zrezygnuje z pracy na Wall Street, o którą tak bardzo zabiegała?

– Twój ojciec nie żyje od siedemnastu lat – powiedziała Anna podczas ich ostatniego spotkania. – Co możesz tam znaleźć oprócz kolejnych rozczarowań? Zostaw przeszłość w spokoju.

– Gdyby ci na mnie zależało, poświęciłabyś się – odpalił.

– A ty... – szlochała – dlaczego ty nie poświęcisz się dla mnie? – I zanim zdążył otworzyć usta, odpowiedziała za niego. – Bo jesteś zaślepiony i nie potrafisz już kochać.

Nick zastanawiał się, czy wciąż kocha Annę. Oczywiście, że tak. A może raczej powinien powiedzieć, że jakaś jego cząstka wciąż ją kochała. Lecz czas i odległość osłabiały tę miłość. A każda minuta spędzona w towarzystwie Sylvii Schon osłabiała ją jeszcze bardziej.

– Nie zna pan przypadkiem Rogera Suttera? – zapytała Sylvia przy kawie. – Kieruje naszym przedstawicielstwem w Los Angeles. Od zawsze.

– Słabo – odrzekł Nick, zastanawiając się, czy zawsze trwa dłużej niż siedemnaście lat. – Odwiedził nas parę razy po śmierci ojca. Dawno nie byłem w Los Angeles. Matka wyprowadziła się sześć lat temu. Zmarła w zeszłym roku, więc nie mam okazji do wizyt.

Sylvia przechwyciła jego spojrzenie.

– Bardzo mi przykro. Ja straciłam matkę w dzieciństwie, miałam dziewięć lat. Rak. Został mi ojciec i dwaj młodsi bracia, Rolf i Erich, bliźniacy. Pewnie dlatego czuję się tak swobodnie w towarzystwie mężczyzn. Niektórzy uważają, że jestem trochę apodyktyczna, ale kiedy trzeba sobie poradzić z dwoma braćmi i surowym ojcem, człowiek szybko się uczy dbać o swoje sprawy.

– Wyobrażam sobie.
– Ma pan rodzeństwo?
– Nie. Jestem jedynakiem. Całkowicie samowystarczalny, przynajmniej takim chciałbym się widzieć.
– Najlepiej polegać tylko na sobie – powiedziała Sylvia bez śladu współczucia. Upiła łyk kawy i podjęła rozmowę. – Proszę mi powiedzieć, co naprawdę sprowadziło pana do Szwajcarii. Nikt ot tak sobie nie rzuca posady w jednej z czołowych firm na Wall Street.
– Kiedy umarła matka, zostałem sam. Nagle poczułem się obco w Ameryce, zwłaszcza w Nowym Jorku.
– Więc rzucił pan pracę i przyjechał do Szwajcarii? – W jej głosie pobrzmiewał ton powątpiewania.
– Mój ojciec wychował się w Zurychu. Kiedy byłem dzieckiem, często tu przyjeżdżaliśmy. Po jego śmierci straciliśmy kontakt z krewnymi. Nie mogłem pozwolić, żeby to wszystko przepadło.
Sylvia przyglądała mu się przez chwilę, wreszcie spytała:
– Byliście sobie bliscy?
– Z ojcem? Trudno mi ocenić po tylu latach. Był zwolennikiem starej szkoły. Wie pani, dzieci powinno się widzieć, a nie słyszeć. Żadnej telewizji. W łóżku punktualnie o ósmej. Nie wiem, czy kiedykolwiek się do niego zbliżyłem. Ten etap miał nastąpić później, kiedy dorosnę.
Sylvia podniosła filiżankę do ust.
– W jaki sposób umarł? – zapytała.
– Kaiser nigdy pani nie powiedział?
– Nie.
Teraz Nick zmierzył ją wzrokiem.
– Mamy być ze sobą szczerzy, tak?
Skinęła głową z półuśmiechem.
– Został zamordowany. Nie wiem, przez kogo. Policja nigdy nikogo nie aresztowała.
Ręka Sylvii zadrżała i z filiżanki wylało się kilka kropel kawy.
– Przepraszam, byłam wścibska – pospieszyła z przeprosinami. – Proszę mi wybaczyć brak taktu. Nie powinnam była pytać.
Widać było, że mówi szczerze. Nickowi podobało się takie poszanowanie jego prywatności.
– Nie szkodzi – zapewnił. – Pani pytanie nie sprawiło mi przykrości. Minęło tyle lat.
Przez chwilę milczeli, a potem Sylvia oświadczyła, że też chce mu coś powiedzieć. Nickowi wydało się, że otaczający ich zgiełk ucichł. Miał nadzieję, że nie zechce wyjawić jakiegoś tragicznego rodzinnego sekretu. Posłała mu figlarny uśmiech i wiedział już, że jego obawy są płonne.

– Od początku wieczoru korciło mnie, żeby wydłubać panu z włosów te straszne strzępy papieru. Bałam się zapytać, skąd się tam wzięły, a potem uświadomiłam sobie, że musiał pan osuszyć włosy – przez ten śnieg. Proszę się pochylić.

Nick zawahał się, patrząc, jak Sylvia przysuwa się bliżej. Spojrzała na niego, zmarszczyła lekko nos, jak gdyby zadał jej irytujące pytanie, i uśmiechnęła się szeroko. Zauważył niewielką przerwę między jej przednimi zębami. Dostrzegł też – nawet jeśli tylko przez chwilę – dziewczynę, z której wyrosła ta, może nieco zbyt odpowiedzialna, kobieta na kierowniczym stanowisku.

– Niech się pan nie boi. Mówiłam już, że głośno szczekam, ale nie gryzę. Musi mi pan uwierzyć.

Nick schylił głowę. Poczuł zapach perfum, zmieszany ze zmysłowym zapachem jej ciała. W tym momencie nie pamiętał, że Sylvia jest jego przełożoną. Z trudem zapanował nad pragnieniem, by ją objąć, przytulić i namietnie pocałować.

– Chyba wyleczyliśmy pański dość ciężki przypadek łupieżu – oświadczyła Sylvia z dumą.

Nick zmierzwił włosy. Nie czuł się zażenowany swymi tajemnymi myślami.

– Już po wszystkim? – spytał swobodnym tonem.

– Po wszystkim – potwierdziła i pogodny uśmiech rozświetlił jej twarz. – Jeśli będzie pan kiedyś czegoś potrzebował, panie Neumann – dodała – proszę mi obiecać, że zadzwoni pan do mnie.

Nick obiecał.

Później, w nocy, długo się zastanawiał nad znaczeniem jej ostatnich słów. Ale w chwili, kiedy je wypowiadała, myślał tylko o jednym. O tym, że bardzo by chciał, aby zaczęła zwracać się do niego po imieniu.

Rozdział 14

Tymczasowa siedziba Agencji do Walki z Narkotykami mieściła się na parterze dwupiętrowego budynku w dzielnicy Seefeld. Dom przy Wildbachstrasse 58 był ponurą budowlą z gipsowymi stiukami. Żaden taras, balkon czy pojemnik na kwiaty nie upiększał szarej fasady. Jedynym miłym dla oka elementem były podwójnie szklone wysokie okna.

Zobaczywszy budynek po raz pierwszy, Sterling Thorne uznał, że wygląda wyjątkowo paskudnie. Ale miesięczny czynsz w wysokości trzech tysięcy dwustu pięćdziesięciu franków szwajcarskich był stosunkowo niski, a rozkład domu – sześć pokojów identycznych rozmiarów, trzy po każdej stronie centralnego korytarza – idealny dla sześcioosobowego personelu.

Thorne trzymał słuchawkę przy uchu i wyglądał niecierpliwie przez okno, jakby spodziewał się zobaczyć spóźnionego agenta przecinającego ulicę. Dochodziło południe, ale poranna mgła jeszcze się nie podniosła.

– Słyszałem, co mówiłeś, Argus – rzucił Thorne do słuchawki – ale nie podobała mi się twoja odpowiedź. Zacznijmy więc od początku. Znalazłeś ten przelew?

– Nie – powiedział młodszy agent terenowy Argus Skouras, który pracował w dziale przelewów United Swiss Bank. – Siedziałem tu wczoraj do wpół do siódmej, a dzisiaj zjawiłem się o siódmej piętnaście. Przekopałem się przez stos papierów wyższy od dupy słonia. Nic.

– Niemożliwe – rzekł Thorne. – Wiemy z pewnych źródeł, że wczoraj nasz przyjaciel przelał całą górę zielonych. Czterdzieści siedem milionów dolarów nie może rozpłynąć się w powietrzu.

– Co ja na to poradzę, szefie? Jeśli szef mi nie wierzy, proszę tu przyjechać i poszukamy razem.

– Wierzę ci, Argus. Nie obrażaj się. Uspokój się i wracaj do roboty. Daj mi tego bubka Schweitzera.

Chwilę później w słuchawce odezwał się burkliwy głos.

– Witam pana, panie Thorne – powiedział Armin Schweitzer. – Czym możemy panu służyć?

– Skouras twierdzi, że nie odnotowaliście żadnych operacji na rachunku, którego numer podaliśmy wam w środę wieczorem.

– Zgadza się. Rano towarzyszyłem panu Skourasowi. Dokładnie przejrzeliśmy wydruk komputerowy z zestawem wszystkich elektronicznych przelewów otrzymanych i wysłanych przez bank od momentu aktualizacji listy nadzorowanych rachunków. Pan Skouras nie zadowolił się ogólnym wydrukiem. Sprawdził wszystkie pojedyncze formularze, każdą operację. A dokonujemy ich trzy tysiące dziennie. To była doprawdy benedyktyńska praca.

– Za to mu płacą – stwierdził oschle Thorne.

– Jeśli zechce pan chwilę zaczekać, jeszcze raz wprowadzę do komputera numery kont z listy. Nasz Cerber nie kłamie. Szuka pan czegoś konkretnego? Byłoby mi łatwiej, gdybym znał dokładną sumę, wysokość przelewu.

– Niech pan po prostu jeszcze raz sprawdzi wszystkie rachunki – rzekł Thorne. – Dam panu znać, kiedy dowiemy się czegoś konkretnego.

– Tajemnica państwowa? – zażartował Schweitzer. – No dobrze, sprawdzę wszystkie sześć kont. To chwilę potrwa. Przekażę słuchawkę panu Skourasowi.

Thorne znów wyjrzał przez okno. Mgła zaczynała się unosić, ale przez powłokę szarych chmur nie przebijał się ani jeden promień słońca. Spojrzał na budynek po drugiej stronie ulicy. Z okna na piętrze wyglądała jakaś starsza kobieta. Niechętnym okiem obserwowała poczynania jego ludzi, którzy ładowali do dwóch DEA zaparkowanych na chodniku puste pudła na akta. Pomarszczona staruszka wychylała się daleko z okna i śledziła każdy ich ruch.

– Szefie, tu Skouras. Pan Schweitzer sprawdza teraz rachunki. Mogę potwierdzić, że wpisał właściwe numery. Czekamy na wydruk.

Drzwi gabinetu Thorne'a otworzyły się na oścież, odbijając się głośno od ściany. Usłyszał odgłos zbliżających się kroków. Odwrócił się i ujrzał przed sobą krępego czarnoskórego mężczyznę.

– Thorne! – ryknął gość. – Skończ tę rozmowę i wyjaśnij mi z łaski swojej, co się tutaj wyprawia.

Thorne uśmiechnął się, rozpoznając intruza.

– Wielebny Terry Strait. Co za niespodzianka. Grzesznicy, padajcie na kolana i żałujcie za grzechy! Witaj, Terry. Przyszedłeś, żeby spieprzyć kolejną operację, czy tylko chcesz sprawdzić, czy przestrzegamy naszych świętych zasad?

Strait chciał coś powiedzieć, ale Thorne jedną ręką zasłonił mu usta, a drugą dał znak, żeby był cicho.

– Panie Thorne – powiedział Schweitzer – przykro mi, że pana rozczaruję, ale nie odnotowaliśmy żadnych operacji na wskazanych kontach.

– Nic? Żadnych wpłat i wypłat? – Thorne podrapał się w kark, nie spuszczając wzroku ze Straita.

– Zupełnie nic – potwierdził Schweitzer.

– Jest pan pewien? – Agent zmrużył oczy. Niemożliwe, pomyślał. Błazen nigdy się nie myli.

– Sugeruje pan, że pracownicy USB ukrywają prawdę?

– Nie byłby to pierwszy raz. Ale ponieważ Skouras siedzi wam na głowie, nie mogę oskarżyć was o krętactwa.

– Proszę nie przeciągać struny, panie Thorne – burknął Schweitzer. – Bank stara się jak może, żeby wam pomóc. Umieściliśmy jednego z waszych kretów na terenie naszej placówki. Poproszę moją sekretarkę, aby nadal przekazywała panu Skourasowi kopie wszystkich dyspozycji przelewów, które trafiają do naszego działu. Jeśli będzie pan miał jeszcze jakieś pytania, proszę bez wahania do mnie dzwonić. Tymczasem do widzenia. – Schweitzer przerwał połączenie.

Thorne cisnął słuchawkę na widełki i odwrócił się do niezapowiedzianego gościa.

– Co, do cholery, robisz w Szwajcarii? – spytał.

Terry Strait zmierzył go posępnym wzrokiem.

– Przyjechałem sprawdzić, czy realizujesz ustalony plan – odparł.

Thorne oparł się o biurko.

– A niby dlaczego miałbym go nie realizować?

– Bo w przeszłości nigdy nie trzymałeś się planu i widzę, że teraz też nie. – Z kieszeni marynarki wyciągnął kartkę papieru, rozłożył ją i pokazał Thorne'owi. Na papierze firmowym USB widniał napis wydrukowany grubą czcionką: „Wewnętrzna lista nadzorowanych rachunków".

– Co się, do cholery, dzieje? – spytał. – Jakim cudem ten numer dostał się na listę?

Thorne wziął kartkę do ręki, zerknął na nią i nie okazując żadnych emocji, oddał Straitowi.

– Pewnie o tym rozmawiałeś ze Schweitzerem – powiedział Strait. – O rachunku 549.617 RR. Zgadza się?

– Owszem, Terry. Jak zwykle masz rację.

Strait trzymał listę rachunków koniuszkami palców, jakby wydzielała jakiś obrzydliwy odór.

– Aż boję się zapytać, w jaki sposób ten numer znalazł się na liście. Chyba wolę tego nie wiedzieć.

Thorne patrzył prosto przed siebie, a jeden kącik jego ust unosił się w ironicznym uśmieszku. Jeszcze niczego Straitowi nie powiedział, a już był zmęczony wyjaśnieniami.

– Przykro mi o tym mówić, Terry, ale wszystko jest legalne.

– Franz Studer pozwolił ci umieścić ten rachunek na liście nadzorowanych kont USB? Chyba żartujesz! – Strait z niedowierzaniem pokręcił głową. – Dlaczego, Sterling? Dlaczego narażasz naszą operację? Dlaczego chcesz, żeby nasz ptaszek wymknął się z sieci?

– Z sieci? Wydaje ci się, że zastawiliśmy sieć? Jeśli tak, Terry, to jest w niej dziura, przez którą przepłynie pieprzony Moby Dick.

– Musisz dać „Wschodniej Błyskawicy" trochę czasu. Każdą operację realizuje się według jakiegoś planu.

– W takim razie ten plan dobiega końca. „Wschodnia Błyskawica" jest moim dzieckiem, ja ją zorganizowałem. Ja doprowadziłem do jej rozpoczęcia. – Thorne wstał i zaczął chodzić po pokoju. – Pozwól, że ci przypomnę nasze cele. Po pierwsze: powstrzymać napływ heroiny do południowej Europy. Po drugie: wykurzyć winowajcę – a dobrze wiemy, kim jest – z jego górskiego ustronia i zwabić na Zachód, gdzie można go będzie aresztować. I po trzecie: przejąć majątek sukinsyna, żebyśmy mieli za co opłacić nasze wymarzone wakacje w Szwajcarii. Niczego nie pokręciłem?

– Nie, Sterling, ale co z…

– Więc zamknij się i pozwól mi skończyć. – Thorne potarł czoło i znowu zaczął przemierzać pokój. – Od jak dawna ta operacja ma zielone światło? Od dziewięciu miesięcy? Od roku? A może dwudziestu miesięcy? Dwadzieścia miesięcy. Do diabła, samo podstawienie Błazna zajęło nam rok. I co osiągnęliśmy? Powstrzymaliśmy napływ heroiny do Europy? Choćby jeden transport?

– To przez Błazna – zaprotestował Strait. – Twój informator miał nam dostarczać szczegółowe informacje o transportach.

– I do tej pory nie dostarczył. Biorę winę na swoje barki. Może są wąskie, ale jestem dumny z tego ciężaru.

– Tu nie chodzi o winę, Sterling.

– Masz rację. Chodzi o wyniki. Co do pierwszego celu – zablokować napływ heroiny – klapa. Co do drugiego – wypłoszyć ptaszka z gniazdka – zapytam tylko: czy ten sukinsyn Mevlevi choć raz spojrzał w naszą stronę? Choćby mrugnął okiem?

Strait milczał, więc Thorne ciągnął dalej.

– Zamiast się przestraszyć, drań zaszył się tam na dobre, zaostrzył środki bezpieczeństwa, podwoił liczebność swojej armii. Chryste, ma tyle broni, że może odbić cały Zachodni Brzeg. Błazen twierdzi, że planuje coś na dużą skalę. Czytałeś moje raporty.

– I to nas właśnie niepokoi. Bardziej interesuje cię rozszerzenie zakresu operacji niż realizacja jej pierwotnych celów. Przekazaliśmy twoje informacje do Langley. Oni się tym zajmą.

Thorne wzniósł oczy do nieba, jakby błagał o boską interwencję.

– Zrozum, Terry, nigdy nie zdołamy go wykurzyć do kraju, gdzie będzie można go aresztować. Zostaje więc cel numer trzy: przejąć majątek sukinsyna. Uderzyć tam, gdzie naprawdę go zaboli. Wiesz, o czym mówię? Złapiemy go za jaja, a serce i umysł też będą nasze. To jedyna możliwość. Informacje przekazane przez Błazna dotyczą finansów. Wykorzystajmy je.

Terry Strait stał nieruchomo.

– Już o tym rozmawialiśmy – powiedział spokojnie. – Szwajcarski prokurator federalny musi mieć dowody. Dowody potwierdzające udział delikwenta w handlu narkotykami...

– Niepodważalne – wtrącił Thorne.

– Owszem – potwierdził Strait.

– I takie mu przedstawiłem.

– Nie zrobiłeś tego – zaoponował Strait. – To utajnione informacje!

– A właśnie że zrobiłem, do cholery! Mamy zdjęcia satelitarne posiadłości Alego Mevleviego. Facet ma prywatną armię, na litość boską. – Thorne zakrył dłonią usta, jakby niechcący wyjawił sekret. – Ach, zapomniałem, tym się zajmuje CIA. Nie nasza sprawa. – Uśmiechnął się złośliwie. – Nie szkodzi. Są jeszcze inne dowody. Zeznania byłych partnerów handlowych Mevleviego o jego udziale w handlu heroiną. I przede wszystkim materiały z komputerowego ośrodka Wojskowej Agencji Wywiadu, która wyśledziła dokładne sumy wpływające i wypływające z kont Mevleviego w United Swiss Bank. To chyba wystarczające dowody na pranie brudnych pieniędzy. Nawet ten lalusiowaty prokurator federalny Franz Studer musi się z tym zgodzić.

– Nie miałeś prawa przekazywać tej informacji bez zgody dyrektora. „Wschodniej Błyskawicy" trzeba dać trochę czasu. Rozkaz szefa.

Thorne wyrwał listę rachunków z rąk Straita.

– Mam już dość czekania, aż nasze rybki zorientują się, że złapaliśmy je za skrzela, i uciekną z haka – warknął. – Błazen dostarczył nam tyle informacji, ile trzeba. To moja operacja i ja decyduję, jak ją prowadzić. – Zmiął kartkę i rzucił ją na podłogę. – A może mamy czekać, aż Mevlevi wykorzysta swoją armię?

Strait pokręcił głową.

– Przestaniesz wreszcie bredzić o tej armii? Celem operacji „Wschodnia Błyskawica" było schwytanie człowieka odpowiedzialnego za handel i dystrybucję trzydziestu procent światowej heroiny i przy okazji przejęcia znacznej części kontrabandy. Nie po to zadawaliśmy sobie tyle trudu, żeby teraz zamrozić kilkanaście nieistotnych rachunków bankowych albo żeby spełnić twoje pobożne życzenia o powstrzymaniu jakiegoś bliskowschodniego fanatyka.

– Czytałeś raport Błazna o sprzęcie, jaki gromadzi Mevlevi? Kilkadziesiąt czołgów, eskadrę ruskich helikopterów i kto wie, co jeszcze. Nie mamy szans dorwać tego faceta. Równie dobrze możecie sobie aresztować Saddama Husajna. W tej rozgrywce sztuką jest wykonanie tego, co możliwe. Jedyna rzecz, która nam pozostała, to jego finanse. Jeśli według ciebie ponad sto milionów dolarów to „drobniaki", w takim razie musieliśmy czytać dwa różne wyciągi. – Thorne minął Straita i wyjrzał przez okno. Wścibska staruszka wciąż przyglądała się działaniom jego zespołu.

– Zamrozisz jego pieniądze, a za rok, może dwa, wróci do branży – powiedział Strait. – W tej operacji chodzi o narkotyki, Sterling. Pracujemy dla Agencji do Walki z Narkotykami. Nie dla CIA, nie dla NSA i nie dla BATF. Możemy przyszpilić Mevleviego z narkotykami. Ale to wymaga czasu i cierpliwości. A cierpliwości bardzo ci brakuje.

– Świetnie. Zapomnijmy o broni. Zamrażając konta Alego Mevleviego, już teraz zatrzymamy napływ narkotyków. Nikogo w Waszyngtonie nie obchodzi, co się stanie za rok.

– Mnie obchodzi. Szefa też. – Strait podszedł do Thorne'a i dźgnął go palcem w ramię. – Przypomnę ci jeszcze jedno. Przekonując Studera, żeby umieścił ten rachunek na liście USB, naraziłeś życie Błazna na wielkie niebezpieczeństwo. Myślałem, że po tym, co się stało w Wigilię, wykażesz trochę więcej rozsądku.

Thorne obrócił się, chwycił palec Terry'ego Straita i bezlitośnie wygiął go do tyłu.

– Dosyć tego – warknął. – Wystarczająco długo tolerowałem twoje świętoszkowate brednie. Zamierzam przyszpilić Mevleviego w jedyny znany mi sposób. Poprzez zatrzymanie jego pieniędzy. Zrozumiałeś?

Strait skrzywił się.

– Jeśli Mevlevi zorientuje się, ile wiemy, Błazen znajdzie się po szyję w gównie.

– Słyszałeś, co mówiłem, wielebny Terry? Zrozumiałeś? – Thorne wygiął mu palec jeszcze bardziej. Wmawiał sobie, że śmierć Beckera była przypadkowym aktem przemocy, nieudanym napadem rabunkowym. Ale dobrze wiedział, jak było naprawdę.

Strait pochylił się, jakby szukał zgubionych szkieł kontaktowych. W odpowiedzi Thorne nacisnął wygięty palec. Strait jęknął i opadł na jedno kolano.

– Zrozumiałeś, Terry?

Strait kiwnął głową i Thorne puścił palec.

– Zachowujesz się jak bandzior. – Strait potrząsnął ręką, żeby uśmierzyć ból.

– Może i jestem bandziorem, ale tak się składa, że ja tu rządzę, więc uważaj, co mówisz.

– Nie na długo, jeśli dopnę swego. Szef przysłał mnie tutaj, żebym miał cię na oku. Miał przeczucie, że będziesz brykał. – Zanim Thorne zdążył odpowiedzieć, dodał: – Chcesz czy nie, przez następne parę tygodni będę dotrzymywał ci towarzystwa.

– Już mam jeden cień – powiedział Thorne.

– To teraz będziesz miał dwa. Możesz się uważać za szczęśliwca. – Strait podszedł do sofy w drugim końcu pokoju i opadł na miękkie poduszki. – Teraz powiedz mi, proszę, że nie zadysponowano żadnych operacji na tym rachunku.

– Masz szczęście, wielebny. Ty i Mevlevi. Nie zadysponowano na tym rachunku żadnych operacji. Od miesięcy Błazen regularnie informował o wpłatach i wypłatach z tego konta. A w dniu, w którym rachunek trafia na listę nadzorowanych kont, Błazen milczy. Szczerze mówiąc, zastanawia mnie to.

– Naszym priorytetem jest „Wschodnia Błyskawica" – powiedział Strait. – W tej operacji chodzi o narkotyki. Słowa szefa. Mam dopilnować, żebyś był posłuszny.

Thorne w zamyśleniu pokręcił głową i wyjrzał przez okno.

– Odejdź, Terry – powiedział. – Na razie operacja jest bezpieczna.

– Właśnie to chciałem usłyszeć – odrzekł Strait. – Od tej pory masz konsultować ze mną wszystkie pomysły. I powiedz Franzowi Studerowi, żeby skreślił ten cholerny rachunek z listy.

Thorne machnął ręką.

– Spierdalaj, Terry – mruknął i wyjrzał przez okno.

Za wynajętymi wozami DEA zatrzymało się białe volvo zuryskiej policji. Młody funkcjonariusz w czarnym skórzanym płaszczu pouczał jednego z agentów. Z jego gwałtownej gestykulacji jasno wynikało, że parkowanie na chodniku to poważne przestępstwo, plasujące się między włamaniem a zabójstwem pierwszego stopnia.

Kto przysłał tego frajera, zastanawiał się Thorne. Spojrzał na staruszkę usadowioną w oknie. Zauważyła go i szybko wycofała się w głąb mieszkania. Okno zamknęło się sekundę później.

Sterling Thorne wzruszył ramionami i wrócił do biurka.

– Chryste, jak ja nienawidzę tego miasta – mruknął.

Rozdział 15

Nick Neumann siedział w skórzanym fotelu w gabinecie Martina Maedera na czwartym piętrze United Swiss Bank. W pomieszczeniu panował półmrok. Story były opuszczone; jedyne źródło światła stanowiła lampa stojąca w lewym rogu imponującego biurka w kształcie półksiężyca.

Martin Maeder, wiceprezydent wykonawczy bankowości prywatnej, miał pochyloną głowę, a oczy przykute do dwóch kartek papieru leżących na biurku. Siedział w tej pozycji od dziesięciu minut, nie wypowiadając ani jednego słowa. Nick domyślał się, że stosuje wobec niego taktykę, która ma go skruszyć i zmusić do wyznania przestępstw, jakie właśnie popełnił. Niechętnie przyznał, iż taktyka Maedera robiła swoje.

Pilnował się, nie chcąc w żaden sposób zdradzić zdenerwowania. Łopatkami ledwie dotykał oparcia fotela. Łokcie spoczywały na poręczach, a złożone dłonie na kolanach – uniesione kciuki tworzyły wieżę. Przyglądał się swoim wypolerowanym do błysku butom i spodniom o ostrych jak brzytwa kantach. Zerknął też na dłonie. Prezentowały się nienagannie. Zawsze takie były, odkąd jego ojciec, gdy Nick miał dziewięć lat, zaczął co wieczór sprawdzać mu prace domowe.

Ojciec zjawiał się w jadalni o osiemnastej, żeby kontrolować postępy syna w nauce. Nick już czekał, ubrany w czystą koszulę i ze starannie wymytymi dłońmi. Ojciec bowiem najpierw sprawdzał ręce, a dopiero potem pytał o szkołę i prace domowe. Patrzył, czy dłonie są czyste, oglądał dokładnie paznokcie. Wciąż pamiętał dotyk dłoni ojca. Po zakończeniu inspekcji splatali palce w konspiracyjnym uścisku. Rytuał ten trwał przez półtora roku i Nick zdążył go znienawidzić.

W pierwszy poniedziałek po śmierci ojca zszedł do jadalni punktualnie o szóstej. Przedtem odrobił lekcje, założył czystą koszulę i umył ręce szczoteczką. Czekał przy stole całą godzinę. Matka oglądała telewizję w drugim pokoju. Słyszał, jak wstaje co piętnaście minut, żeby nalać sobie drinka. Schodził do jadalni przez kilka następnych dni. Miał nadzieję, że matka zajmie miejsce ojca. Codziennie się modlił, żeby wszystko było tak jak dawniej.

Ale matka nigdy nie przyszła. Po tygodniu Nick też zrezygnował.

Martin Maeder podniósł głowę znad dokumentów. Odchrząknął, pochylił się nad biurkiem i wyciągnął papierosa ze srebrnej papierośnicy.

– A więc, panie Neumann – powiedział nienaganną angielszczyzną – podoba się panu w Szwajcarii?

– Pogoda nie, praca tak – odparł Nick, usiłując przybrać nonszalancki ton Maedera.

Maeder sięgnął po zapalniczkę i przypalił papierosa.

– Zapytam inaczej – rzekł. – Czy uznałby pan, że szklanka jest w połowie pełna, czy też że w połowie pusta?

– Może powinien pan zadać to pytanie po naszej rozmowie.

– Może. – Maeder uśmiechnął się i zaciągnął się papierosem. – Jest pan twardzielem, Neumann. Wie pan, sierżant Rock, komandosi, te klimaty. Mieszkałem parę lat w Stanach. W Little Rock, od pięćdziesiątego ósmego do sześćdziesiątego drugiego. Apogeum zimnej wojny. Musieliśmy ćwiczyć ukrywanie się pod biurkami. Zna pan ten dryl. – Ścisnął papierosa między przednimi zębami i splótł dłonie za głową. – Głowa między kolana i pocałuj się w dupę. – Wyjął papierosa z ust i wypuścił cienką smugę dymu, nie przestając się uśmiechać. – Był pan w wojsku, powinien pan wiedzieć.

Nick nie odpowiedział od razu. Przyglądał się Maederowi. Rzadkie włosy zaczesane do góry, blada cera, dwuogniskowe okulary na czubku nosa, które częściowo zasłaniały ciemne oczy. I niewyraźny uśmieszek. Właśnie ten uśmiech budził w Nicku nieodparte wrażenie, że Maeder jest blagierem. Kulturalny i nienagannie ubrany, ale jednak blagier.

– W piechocie morskiej – odparł Nick. – Sierżant Rock to wojska lądowe. Myśmy byli bardziej w typie Alvina Yorka.

– Wojska lądowe, piechota morska, harcerze, wszystko jedno. Mamy wkurzonego klienta, którego gówno obchodzi, czy jest pan cesarzem Mingiem, czy kim innym. Rozumie pan, do czego zmierzam? Co pan, do diabła, nawyprawiał?

Nick zadawał sobie identyczne pytanie. Ostatnie nadzieje na to, że jego działania na rzecz Paszy zostaną docenione, wyparowały o szóstej piętnaście rano, kiedy Maeder obudził go zaproszeniem na nieformalne spotkanie o dziewiątej trzydzieści.

Jak Maeder mógł tak szybko się dowiedzieć, że Nick opóźnił przelew? Banki, do których miały trafić pieniądze Paszy, mogły potwierdzić transakcję najwcześniej o dziesiątej. Wprawdzie przelewu należało dokonać wczoraj wieczorem, ale banki oficjalnie przyjęłyby pieniądze na konto klienta dzisiaj rano. A że rejestrowanie przelewów z poprzedniego dnia zajmuje około dwóch godzin, przed dziesiątą żadne potwierdzenie transakcji nie mogło być wydane.

W tym momencie Nick przypomniał sobie o różnicy czasu. Na liście numer sześć były dwa banki w Singapurze i jeden w Hongkongu. Jeśli założyć, że nadejście – lub nie – przelewu zarejestrowano w południe tamtejszego czasu, Pasza mógłby się dowiedzieć o opóźnieniu transakcji o piątej rano szwajcarskiego czasu. Godzinę przed telefonem Maedera.

Nick poczuł nagle, że jest bardzo naiwny.

– Proszę mi powiedzieć, panie Neumann – zapytał Maeder – jakie odsetki od czterdziestu siedmiu milionów narosły przez noc?

Nick wziął głęboki wdech i spojrzał na sufit. Szybkie obliczenia były jego specjalnością, postanowił więc zrobić małe przedstawienie.

– Dla klienta dwa tysiące pięćset siedemdziesiąt pięć dolarów. To przy wczorajszym kursie dwóch i pół procent. Ale bank przyjąłby pieniądze na nocny fundusz, więc zarobiłby około pięciu i pół procent lub siedem tysięcy i … osiemdziesiąt dwa dolary. To daje bankowi na czysto około czterech tysięcy pięciuset dolarów.

– Naszemu klientowi nie chodzi o kilka tysięcy dolarów odsetek, które nie trafiły na jego konto – burknął Maeder, odkładając kalkulator. – Chodzi mu o zignorowanie przez pana jego instrukcji dotyczących przelewu. Chodzi mu o fakt, że szesnaście godzin od wydania panu, cytuję: pracownikowi o symbolu identyfikacyjnym NXM, polecenia przelewu, pilnego przelewu, jego pieniądze nadal znajdują się w Szwajcarii. Zechce pan to wyjaśnić?

Nick rozpiął marynarkę i usiadł wygodniej w fotelu zadowolony, że dano mu szansę obrony.

– Jak zwykle wypełniłem formularz przelewu, ale jako czas operacji podałem godzinę piętnastą trzydzieści dzisiaj. Wysłałem formularz wewnętrzną pocztą do działu przelewów. Jeśli piątkowy zator będzie tak duży jak zwykle, fundusze zostaną przelane dopiero w poniedziałek rano.

– Naprawdę? Wie pan, kim jest ten klient?

– Nie, proszę pana. Rachunek został otwarty przez Międzynarodowy Fundusz Powierniczy Zug w 1985 roku, zanim wprowadzono zarządzenie o sprawdzaniu dowodu tożsamości właściciela rachunku. Oczywiście, wszystkich klientów traktujemy z takim samym szacunkiem, nieważne, czy znamy ich nazwiska czy też nie. Wszyscy są równie ważni.

– Choć niektórzy bardziej od innych? – zasugerował Maeder.

Nick wzruszył ramionami.

– Naturalnie.

– Dano mi do zrozumienia, że wczoraj miał pan wyjątkowo spokojny dzień. Nie musiał się pan z nikim konsultować. Sprecher chory, Cerruti na urlopie.

– Tak, było bardzo spokojnie.

– A czy gdyby któryś z pańskich przełożonych był na miejscu, skonsultowałby się pan z nim? I, co ważne, gdyby ten cały Pasza był pańskim klientem, zachowałby się pan podobnie? To znaczy biorąc pod uwagę nadzwyczajne okoliczności. – Maeder podniósł wewnętrzną listę nadzorowanych rachunków.

Nick spojrzał mu w oczy. Nie wahaj się. Pokaż im, jaki jesteś lojalny. Stań się jednym z nich.

– Gdyby ktoś ze mną był, nie stanąłbym przed tym dylematem. Ale odpowiadając na pańskie pytanie: tak, postąpiłbym podobnie. Naszym zadaniem jest ochrona inwestycji klientów.

– A co z wykonywaniem instrukcji klientów?

– Naszym zadaniem jest również sumienne wykonywanie instrukcji wydanych przez klientów. Ale…

– Ale co?

– Ale w tym przypadku wykonanie instrukcji zagroziłoby środkom klienta i wywołało niepożądane… – przerwał, szukając odpowiedniego słowa – … zainteresowanie bankiem. Nie czuję się na siłach podejmować decyzji, które mogą zaszkodzić nie tylko klientowi, ale i całemu bankowi.

– Ale czuje się pan na siłach łamać regulamin banku i ignorować polecenia najpoważniejszego klienta pańskiego działu. Niezwykłe.

Nick nie wiedział, czy to komplement, czy krytyka. Prawdopodobnie po trosze jedno i drugie.

Maeder wstał i okrążył biurko.

– Proszę teraz wracać do domu i już dziś nie przychodzić do pracy. Nie wolno panu rozmawiać z nikim ze swojego działu, łącznie ze Sprecherem, gdziekolwiek on się teraz podziewa. Zrozumiano? Werdykt zapadnie w poniedziałek. – Poklepał Nicka po ramieniu i wyszczerzył zęby w uśmiechu. – Jeszcze jedno pytanie. Skąd u pana ta nagła chęć ochrony naszego banku?

Nick wstał z fotela i zastanowił się przed odpowiedzią. Wiedział, że ze względu na ojca należy do bankowej rodziny. Nie jest zwykłym pracownikiem kontraktowym, czyli ausländerem. Tradycja. Dziedzictwo. Ciągłość. To najświętsze wartości dla banku. I do nich postanowił się odwołać.

– Mój ojciec pracował tu przez dwadzieścia trzy lata – powiedział. – Całe zawodowe życie. Lojalność wobec tego banku nasza rodzina ma we krwi.

Robotę wykonał szybko. Miał klucz, a przeszukanie tak małego mieszkania zajęło mu nie więcej niż pół godziny. Odczekał, aż lokator wyjdzie, i gdy po kwadransie dostał potwierdzenie, że mężczyzna odjechał tramwajem w stronę Paradeplatz, otworzył drzwi. O lokatorze wiedział tylko tyle, że pracuje w United Swiss Bank i jest Amerykaninem.

W mieszkaniu od razu przystąpił do pracy. Najpierw sfotografował polaroidem pojedyncze łóżko, nocny stolik, półkę i biurko oraz łazienkę. Po przeszukaniu wszystko musiało wyglądać tak jak przedtem. Poruszał się po jednopokojowym mieszkaniu w kierunku zgodnym ze wskazówkami zegara. Szafa nie kryła żadnych niespodzianek. Trzy garnitury – dwa granatowe i jeden szary, cztery krawaty, kilka białych koszul, niebieskie dżinsy i dwie koszule flanelowe. Eleganckie pantofle i dwie pary sportowych butów stały w równej linii. W maleńkiej łazience również panował idealny porządek. Przyborów toaletowych było niewiele, tylko najpotrzebniejsze: szczoteczka i pasta do zębów, krem do golenia i staromodna żyletka, butelka amerykańskiej wody po goleniu, dwa grzebienie. Znalazł plastikowy pojemnik z lekarstwem przepisanym na receptę: percocet, silny środek przeciwbólowy. Powinna zawierać dziesięć tabletek, ale doliczył się tylko ośmiu. Prysznic i brodzik były sterylnie czyste, jakby wycierano je do sucha po każdej kąpieli. Na wieszaku wisiały dwa białe ręczniki.

Wycofał się z łazienki i podszedł do biurka, na którym leżała sterta rocznych raportów. Większość pochodziła z United Swiss Bank, ale były też inne – z Adler Bank, Senn Industries. Otworzył pierwszą szufladę. W środku leżało kilka długopisów i bloczek papieru. Pod nim znalazł list z banku. Otworzył go i przeczytał. Nic ciekawego: potwierdzenie daty rozpoczęcia pracy i wysokości pensji. W drugiej szufladzie wreszcie trafił na ślad świadczący o człowieczeństwie tego gościa. Plik ręcznie pisanych listów związanych grubą gumką. Wysunął jeden z paczuszki i odczytał dane nadawcy. Niejaka Vivien Neumann z Blythe w Kalifornii. Zastanawiał się nad otwarciem listu, ale zauważył, że stempel pocztowy jest sprzed dziesięciu lat, więc zrezygnował. Pod listami leżały dwa kołonotatniki. Na okładkach grubymi literami napisano: „Zarządzanie operacyjne" i „Zaawansowana teoria finansowa". Otworzył pierwszy i ujrzał plątaninę liczb i równań. Odłożył kołonotatnik na miejsce i zamknął szufladę.

Na półkach było trzydzieści siedem książek. Wyjmował je kolejno i sprawdzał, czy między stronami czegoś nie schowano. Z grubego tomu w miękkiej oprawie wypadło kilka zdjęć. Jedno przedstawiało grupę żołnierzy w strojach maskujących, z twarzami pomalowanymi na zielono, brązowo i czarno i z karabinami M-16 na ramionach. Inne ukazywało kobietę i mężczyznę przy basenie. Mężczyzna miał czarne włosy, był wysoki i chudy. Kobieta była nieco zbyt pulchną brunetką. Mimo to nie wyglądała najgorzej. Zdjęcie było stare, co można było poznać po wyblakłych brzegach. Ostatnie dwa tomy nie miały tytułów na grzbietach. Zdjął je z półki i zorientował się, że to terminarze, jeden z roku 1978, drugi z 1979. Przejrzał je pobieżnie, ale znalazł tylko rutynowe wpisy. Spojrzał na środę, szesnasty października 1979 roku. Godzina dziewiąta była wzięta w kółko, a obok wpisano imię i nazwisko – Allen Soufi. Kolejne kółko wokół drugiej po południu, a obok słowo „golf". Rozweseliło go to. Odłożył terminarze na miejsce.

Przeniósł się do komody przy łóżku. Górna szuflada pełna była skarpet i bielizny, w drugiej znalazł podkoszulki i kilka swetrów. Niczego nie schowano w rogach ani nie podklejono pod dno. W dolnej szufladzie znalazł więcej swetrów, parę narciarskich rękawiczek i dwie czapki bejsbolówki. Wsunął rękę pod czapki i trafił na ciężki skórzany przedmiot. Aha! Wyjął dobrze utrzymaną kaburę i wpatrywał się w nią przez kilka sekund. Był w niej lśniący czarny colt commander kaliber 45. Broń była naładowana, ale zabezpieczona. Wycelował w niewidzialnego przeciwnika, po czym wsunął pistolet do kabury i odłożył na miejsce.

Na szafce nocnej obok szklanki wody leżało kilka magazynów. „Der Spiegel", „Sports Illustrated" – wydanie poświęcone kostiumom kąpielowym – i „Institutional Investor" z posępnym wąsaczem na okładce. Sprawdził materac, położył się na podłodze i zajrzał pod łóżko. Nic. Mieszkanie było czyste, nie licząc pistoletu. Ale przecież wszyscy żołnierze z armii szwajcarskiej trzymali w domu służbowe rewolwery. Pewnie nie przy łóżku, z dziewięcioma nabojami w magazynku i jednym w komorze. Mimo to nie uważał za dziwne, że facet ma broń. W końcu Al-Makdisi nazwał go „marine".

Rozdział 16

Wolfgang Kaiser uderzył dłonią w stół konferencyjny.

– Lojalność ma we krwi. Słyszeliście?

Obok niego stali Rudolf Ott i Armin Schweitzer. Wszyscy trzej wpatrywali się w beżowy głośnik przypominający samotną wyspę na mahoniowym morzu.

– Wiedziałem od początku – powiedział Ott. – Już pięć minut po rozpoczęciu rozmowy kwalifikacyjnej.

Kaiser miał powody do zadowolenia. Od lat obserwował Nicholasa Neumanna. Śledził trudne dzieciństwo chłopca, wędrówki z miasta do miasta, służbę w Korpusie Piechoty Morskiej. Ale zawsze z bezpiecznej odległości. Trzy lata temu stracił Stefana, swojego jedynaka; pięknego, nieszczęsnego marzyciela. Wkrótce potem łapał się na tym, że coraz częściej myśli o Nicholasie. Zasugerował chłopakowi, aby zapisał się do wyższej szkoły biznesu na Harvardzie, a gdy Nicholas go posłuchał, wypowiedział na głos myśl, która nie dawała mu spokoju od ponad roku. „Czemu nie sprowadzić go do banku?" Przeżył zawód, kiedy Nicholas wybrał posadę na Wall Street. Ale nie był zaskoczony, gdy zadzwonił do niego pół roku później i powiedział, że nie znosi Nowego Jorku. W żyłach Nicholasa płynęło zbyt dużo europejskiej krwi, aby mógł przejąć ten zwariowany styl życia. Czyż nie potwierdził tego przed chwilą? Lojalność wobec banku ma we krwi.

Pomimo wieloletnich kontaktów Kaiser nie wiedział, jakim człowiekiem okaże się Neumann. A ściślej mówiąc, nie miał pojęcia, czy będzie podobny do ojca. Teraz miał już odpowiedź. I bardzo go zadowalała.

Głośnik zaskrzeczał.

– Mam nadzieję, że mogli panowie śledzić naszą rozmowę – powiedział Martin Maeder. – Okna były zamknięte, story opuszczone. Jak w grobowcu Ramzesa. Nieźle chłopaka nastraszyliśmy.

– Nie sprawiał wrażenia przestraszonego, Marty – powiedział Armin Schweitzer, który stał koło głośnika ze skrzyżowanymi nad baryłkowatym brzuchem rękami. – W każdym razie nie stracił zdolności liczenia.

– Ten dzieciak jest czarodziejem – zachwycał się Maeder. – Arogancki jak diabli, ale prawdziwy z niego Einstein!

– Masz rację – rzekł Kaiser. – Ojciec był taki sam. Przez dziesięć lat był moim asystentem. Właściwie razem dorastaliśmy. Był bardzo inteligentny. I taki straszny koniec go spotkał.

– Zastrzelony w Los Angeles – dodał Schweitzer. Nie potrafił ukryć radości z nieszczęścia innych. – To miasto jest jak strefa wojenna.

– Nie zamierzam wysłuchiwać pańskich dyletanckich uwag. – Kaiser stracił dobry nastrój. – Alex Neumann był dobrym człowiekiem. Może nawet za dobrym. Mamy cholerne szczęście, że zwerbowaliśmy jego syna.

– Jest jednym z nas – rzekł Maeder. – Nawet nie drgnął w fotelu. Prawdziwy talent.

– Na to wygląda – przyznał Kaiser. – To wszystko, Marty. Dziękuję. – Przerwał połączenie i zwrócił się do Otta i Schweitzera. – Dzielnie się spisał, nie sądzicie?

– Radziłbym nie wpadać w euforię z powodu postawy Neumanna – odparł Schweitzer. – Jestem pewien, że bardziej powodował nim strach niż lojalność wobec banku.

– Czyżby? – zaoponował Kaiser. – Nie sądzę. Nie wyobrażam sobie, żeby można było lepiej przetestować jego profesjonalizm i lojalność. Podjęcie takiej decyzji pod nieobecność kierownictwa wymaga od praktykanta odwagi. Rudy, zadzwoń do doktor Schon. Niech do nas dołączy. *Sofort*!

Ott podreptał do telefonu.

Kaiser podszedł do Schweitzera. Miał nachmurzoną twarz.

– Bardziej martwię się tobą, Armin. Czy do twoich obowiązków nie należy monitorowanie listy rachunków przekazywanej nam przez pana Studera i tego całego Thorne'a? Ze wszystkich numerowanych kont akurat to powinno zwrócić twoją uwagę.

Kierownik działu do spraw poufności spojrzał prezesowi w oczy.

– Franz Studer nie ostrzegł nas. W środę wieczorem, kiedy dostaliśmy listę, byłem niedysponowany. Nie miałem okazji jej przejrzeć do wczoraj po południu. A kiedy ją zobaczyłem, byłem, oczywiście, oburzony.

– Oczywiście – powtórzył Kaiser bez przekonania. Schweitzer zawsze potrafił usprawiedliwić każdy swój błąd, ale nigdy nie przepraszał. Niedysponowany? Pewnie dolegało mu coś, co można wyleczyć kilkoma głębszymi. – Nie zapominaj, Armin, czyje rozkazy masz wypełniać.

Rudolf Ott odłożył słuchawkę.

– Zaraz tu będą papiery Neumanna – powiedział i wbił wzrok w Schweitzera. – Nie mogę się nadziwić, że numer tego rachunku pojawił się na liście, kiedy Herr Kaiser i ja przebywaliśmy w Londynie. A ty, Armin, byłeś – zawiesił głos przed ostatnim słowem – niedysponowany. Co za zbieg okoliczności.

Schweitzer zaczerwienił się i przeniósł ciężar ciała na palce. Ott zrobił krok do tyłu.

– Potwierdził pan, że Franz Studer nie puścił tego rachunku przypadkowo? – Schweitzer zwrócił się do prezesa.

– Jeśli rachunek jest na liście, to dlatego, że Studer specjalnie go tam umieścił – odpowiedział Kaiser spokojnie. – Trudno uwierzyć, że dołączył do Amerykanów. Ale przynajmniej wiemy, na czym stoimy. – Pokręcił głową, bo zdał sobie sprawę, jak niewiele dzieliło ich od katastrofy. Odetchnął głośno. – Mieliśmy cholerne szczęście.

Ott podniósł nieśmiało rękę, jakby bał się przekazać następną informację.

– Jeszcze jedna niefortunna wiadomość. Doktor Schon przed chwilą powiedziała mi, że Peter Sprecher odchodzi.

– Jeszcze jeden – skwitował Kaiser. Nie musiał pytać dokąd.

– Do Adler Bank – dodał Ott. – Kolejny lew do menażerii Koniga.

– I kolejny powód, żeby nie ufać Neumannowi – rzekł podniesiony nagle na duchu Schweitzer. – Sprecher to jego kumpel. Odejdzie i pociągnie za sobą Neumanna.

– Myślę, że tę ewentualność możemy wykluczyć – stwierdził Kaiser. – Nadstawiał karku dla nas wszystkich. Nie zrobił tego bez powodu. – Przeszedł po kasztanowym dywanie, po herbach kolejnych kantonów – od niebiesko-białej tarczy Lucerny do niedźwiedzia Berna i byka Uri. – Bez względu na motywację pana Neumanna, jest jasne, że nie możemy prowadzić naszych specjalnych rachunków tak jak do tej pory.

– Może zajmą się nimi członkowie mojego działu – zaproponował Schweitzer. – Jesteśmy w stanie skrupulatnie wypełniać dyspozycje naszych klientów.

Kaiser milczał. Miał własne pomysły co do tego, kto powinien zajmować się specjalnymi rachunkami.

– A może ściągnąć Neumanna do nas? – zasugerował Ott. – Umiał się znaleźć w kryzysowej sytuacji, a pan przecież potrzebuje nowego asystenta. Feller nie radzi sobie z nawałem pracy. Działania Koniga wprowadziły prawdziwy chaos.

– Bardzo przepraszam, Herr Kaiser – wtrącił pospiesznie Schweitzer – ale pomysł sprowadzenia Neumanna na czwarte piętro jest absurdalny. Nikt przy zdrowych zmysłach…

– Nikt przy zdrowych zmysłach nie dopuściłby do pojawienia się tego rachunku na liście nadzorowanych kont – przerwał mu Ott. – Niech diabli wezmą Studera! Ale żeby cię uspokoić, Armin, na czwartym piętrze będziemy mieli okazję bliżej przyjrzeć się panu Neumannowi. Przyda się do redagowania korespondencji z naszymi amerykańskimi udziałowcami. Potrzebujemy native speakera do odpierania ataków amerykańskich prasy.

Kaiser stanął między obydwoma mężczyznami z głową lekko odchyloną do tyłu, jak gdyby wąchał powietrze.

– Doskonale – oświadczył zadowolony, że Ott ubiegł go ze swoją propozycją. – Decyzja podjęta. Chcę go tutaj w poniedziałek rano. Nie ma czasu do stracenia. Do walnego zgromadzenia zostały tylko cztery tygodnie.

Schweitzer ruszył do wyjścia, wymachując rękami niczym odrzucony konkurent. Kiedy dotarł do drzwi, Kaiser powiedział:

– Jeszcze jedno, Armin…

– *Jawohl, Herr Kaiser?*

– Uważniej przyglądaj się listom, które przekazuje ci Franz Studer. On jest teraz po ich stronie. Czy to jasne?

– *Jawohl, Herr Kaiser.* – Schweitzer lekko skinął głową i zamknął drzwi.

– Biedny Armin musi się dzisiaj czuć jak kozioł ofiarny – rzekł Kaiser, wzdychając.

– Rozczarowuje mnie – dodał Ott. – Mam nadzieję, że jego lojalności nie będziemy musieli kwestionować.

– Schweitzer pracuje dla nas od trzydziestu lat. Jego oddania jestem pewien. – Kaiser nie musiał przypominać, skąd ma tę pewność. Dwie martwe kobiety, dymiący pistolet i rozpustny mąż: tym zainteresowałyby się media w każdym kraju. Drogo go kosztowało zatuszowanie afery, ale warto było. Miał Schweitzera w garści do końca życia. Zwrócił myśli ku pilniejszym sprawom. – Czy środki naszego przyjaciela zostały zlokalizowane i przelane?

Rudolf Ott złożył ręce jak do modlitwy.

– Całą sumę przelano dzisiaj z samego rana. Formularz przelewu, o którym wspominał Neumann, został odnaleziony i usunięty. Nie trafił w ręce agenta Skourasa.

– Chryste, nie wolno denerwować takiego klienta jak ten: dwieście milionów w lokatach i jeden procent naszych akcji w kieszeni.

– Tak, byłoby to nadzwyczaj nierozsądne. – Ott przytakiwał prezesowi jak dworski eunuch.

– I mogliśmy przeprowadzić operację przez Meduzę? – Kaiser nawiązywał do komputerowego systemu zarządzania danymi, który wprowadzono dopiero przed dwoma dniami.

– Tak, Herr Kaiser. Terminale Sprechera i Neumanna zostały odpowiednio zmodyfikowane. Żaden z przelewów naszego klienta nie będzie wykrywalny.

– W samą porę – szepnął Kaiser z wdzięcznością. Od lat zdawał sobie sprawę, że agencje wywiadowcze kilku krajów zachodnich dysponowały technologią umożliwiającą włamanie się do bankowych baz danych. Amerykanie byli szczególnie groźni. Ich pierwszą linią ataku była zaawansowana technologia komunikacyjna, która pozwalała na śledzenie wewnętrznych rozmów prowadzonych między Cerberem i jego braćmi – komputerami na całym świecie. Bez trudu mogli przechwycić przelewy z Zurychu do Nowego Jorku lub z Hongkongu do Zurychu.

Meduza była odpowiedzią na te niepożądane wizyty – nowoczesnym systemem szyfrującym, zdolnym namierzyć i poradzić sobie z każdą próbą nasłuchu. Po zainstalowaniu Meduzy USB mógł zajmować się bankowością prywatną na starą modłę: poufnie. Rozwiązanie nie było jednak tanie. Na rozwój, konstrukcję i instalację Meduzy przeznaczono sto milionów franków. Wydano sto pięćdziesiąt. Od czego w końcu były ukryte rezerwy?

Mocne pukanie do dębowych drzwi wyrwało Kaisera z zamyślenia.

– Dzień dobry panom – przywitała się Sylvia Schon. – Przyniosłam teczkę pana Neumanna.

Ott podszedł do niej dziarskim krokiem i wyciągnął prawą rękę.

– Proszę mi ją dać. Może pani odejść.

– Nie tak szybko – zaoponował Kaiser. Przeszedł przez pokój i wyciągnął rękę na powitanie. – Miło panią widzieć, doktor Schon.

Spojrzała z satysfakcją na Otta, minęła go i podała teczkę Kaiserowi.

– Akta Neumanna, zgodnie z życzeniem.

Kaiser wziął teczkę.

– Jest jednym z pani podopiecznych. Jak sobie radzi?

– Pan Sprecher nie może się go nachwalić.

– Zważywszy na jego decyzję o odejściu z banku, nie wiem, co myśleć o tej opinii. A pani? Miała pani okazję go poznać?

– Wczoraj wieczorem jadłam z nim kolację.

– Gdzie?

– W Emilio's.

Kaiser uniósł brwi.

– Ach tak. Może Konig ma rację co do lepszego wykorzystywania naszych aktywów. Gdyby zabierała tam pani wszystkich naszych nowych pracowników, w ciągu tygodnia musielibyśmy ogłosić bankructwo.

– Moim zdaniem bank powinien dopilnować, żeby pan Neumann poczuł się tutaj dobrze – odparła Sylvia, zerkając na Rudolfa Otta.

– Nie ja powinienem panią pouczać, jak ma pani wykonywać swoją pracę – rzekł Kaiser. – Neumann to ktoś wyjątkowy. Jego ojciec był mi bardzo bliski. Wspaniały człowiek. I ma wspaniałego syna. Co pan Neumann sądzi o naszej „dobrowolnej współpracy"? Miała pani okazję poruszyć ten temat?

– Mówiliśmy o tym. Stwierdził, że uważa współpracę banku z agencją za niepożądaną. Powiedział, że mury banku powinny być z granitu, nie z piaskowca.

Kaiser roześmiał się.

– Tak powiedział? Nietypowe jak na Amerykanina.

– Czy ma jakieś kłopoty? – spytała Sylvia. – Dlatego chcieli się panowie ze mną widzieć?

– Wręcz przeciwnie. Wygląda na to, że ma nosa do wyciągania nas z kłopotów. Myślimy o sprowadzeniu go na czwarte piętro. Potrzebuję drugiego asystenta.

– Pan Feller nie wytrzymuje zwiększonej presji – dodał niechętnie Ott.

Sylvia Schon uniosła rękę w geście protestu.

– Pan Neumann jest u nas dopiero dwa miesiące. Może po roku mógłby zająć stanowisko na czwartym piętrze. Ledwie zaczął u nas pracować.

Kaiser wiedział, że ten awans będzie dla niej jak cios nożem w plecy. Nikt nie był bardziej ambitny i, prawdę mówiąc, nikt nie pracował tak ciężko. Ogromnie ją cenił.

– Rozumiem pani obawy – odpowiedział – ale chłopak skończył Harvard i, zdaniem Otta, napisał rewelacyjną pracę dyplomową. Wie więcej o banku niż ty i ja, prawda, Ott?

– Na pewno więcej niż ja – odparł wiceprezes i zerknął na zegarek. Poruszał się nerwowo, jakby musiał odwiedzić toaletę. – Herr Kaiser, Hausammannowie czekają na nas w salonie drugim.

Kaiser wsunął teczkę pod pachę i uścisnął Sylvii rękę. Zapomniał, jak miękka może być kobieca dłoń.

– W poniedziałek rano, dobrze?

Sylvia Schon spuściła wzrok.

– Oczywiście. Natychmiast powiadomię pana Neumanna.

Kaiser zauważył jej przygnębienie i podjął błyskawiczną decyzję.

– Chciałbym, aby zajęła się pani rekrutacją w Stanach. Proszę tam polecieć w ciągu najbliższych tygodni i znaleźć nam jakieś gwiazdy. Na pewno znakomicie pani sobie poradzi, prawda, Ott?

Ale Ott był zbyt zajęty gapieniem się na doktor Schon, żeby odpowiedzieć.

– Zapytałem cię, Rudy, czy zgadzasz się ze mną.

– Oczywiście – potwierdził Ott i ruszył do drzwi.

Kaiser podszedł do Sylvii.

– A tak przy okazji – powiedział, jakby nagle zaświtała mu w głowie nowa myśl – sądzi pani, że mogłaby go lepiej poznać?

– Słucham?

– Neumanna – szepnął Kaiser. – Gdyby zaszła taka konieczność?

Sylvia Schon rzuciła prezesowi groźne spojrzenie.

Kaiser odwrócił wzrok. Tak, być może posunął się za daleko. Lepiej działać powoli. Chciał jak najdłużej zatrzymać Neumanna.

– Niech pani zapomni o tym co powiedziałem – rzekł. – Ale mam pewną prośbę. Chodzi o awans Neumanna... Proszę z powiadomieniem go poczekać do poniedziałku.

Sylvia Schon kiwnęła głową.

Rudolf Ott wrócił spod wysokich podwójnych drzwi, wziął prezesa pod ramię i wyprowadził go z pokoju.

– Życzę miłego dnia, doktor Schon. Dziękuję, że pani przyszła – mruknął.

– Idziemy, Ott – rzekł Kaiser, jakby wybierali się na beztroski poranny spacer. – Kogo to mamy umówionego? Hausammannów? Wyzyskiwacze. Zadziwiające, z kim musimy współpracować, żeby obronić się przed Konigiem.

Sylvia Schon została sama w sali konferencyjnej. Przez długą chwilę stała bez ruchu, wpatrując się w miejsce, gdzie przed chwilą stał prezes.

W końcu, jakby uporała się z ciężką decyzją, wzięła głęboki wdech, zapięła blezer i energicznym krokiem wyszła z pokoju.

Rozdział 17

Nick wszedł do lokalu. Już od progu zaatakowała go mieszanka typowych zapachów. Duszne powietrze, papierosowy dym i woń zwietrzałego piwa. Mały bar był wręcz oblężony. Goście tłoczyli się jak śledzie w beczce, czekając na wolny stolik. Dupa przy pępku, jak mówiło się w piechocie morskiej.

– Spóźniłeś się – zawołał Peter Sprecher, usiłując przekrzyczeć irytujący zgiełk. – Masz piętnaście minut. W Brasserie Lipp czeka na mnie Nastassia.

– Nastassia? – powtórzył Nick, przedzierając się do końca baru, gdzie siedział jego przyjaciel z kuflem piwa w ręku.

– Fogal – wyjaśnił Peter, wymieniając nazwę ekskluzywnego sklepu z bielizną dwa domy dalej od USB. – Kociak za ladą. Daję ci piętnaście minut jej bezcennej przerwy na lunch.

– Hojny jesteś.

– Drobnostka. No dobra, jaką masz sprawę? Wyżal się wujkowi Peterowi.

Nick chciał mu zadać sto pytań o pracę w Adler Bank. Czy spotkał Koniga? Co słyszał o planowanym przejęciu? Czy to tylko próba podniesienia cen akcji, czy wymuszenie na Kaiserze „zielonego szantażu"? A może Konig przeprowadzi atak na pełną skalę? Ale pytania te musiały poczekać do następnego razu.

– Pasza – powiedział krótko.

– Nasz najpoważniejszy klient?

Nick kiwnął głową i przez następne dziesięć minut usprawiedliwiał swą decyzję o opóźnieniu przelewu.

– Prawdopodobnie postąpiłeś rozsądnie – przyznał Peter. – Więc w czym problem?

– Dziś rano miałem spotkanie z Martinem Maederem. Pytał mnie, dlaczego to zrobiłem. Czy znam Paszę? Jak śmiałem sprzeciwiać się regulaminowi? Prawdziwe przesłuchanie.

– Mów dalej.

– Byłem przygotowany na te pytania. Wprawdzie nie spodziewałem się, że wezwą mnie tak szybko, ale nie dałem się zbić z tropu. Po wszystkim Maeder odesłał mnie do domu. Powiedział, żebym nie wracał do

Akwarium i nie kontaktował się z tobą. „Wyrok zapadnie w poniedziałek", powiedział. – Nick pomasował sobie kark, na jego twarzy malowało się zwątpienie. – Jeszcze wczoraj byłem pewien, że dobrze zrobiłem. Teraz mam wątpliwości.

Sprecher roześmiał się.

– W najgorszym razie możesz się spodziewać przeniesienia do logistyki w Alstetten lub do nowej filii na Łotwie. – Klepnął Nicka w kolano. – Żartuję, kolego. Nie przejmuj się. Przyjdzie poniedziałek i wszystko będzie *status quo ante*.

– To nie jest śmieszne – zaprotestował Nick. – Nie łudzę się, że wszystko zostanie po staremu.

– Posłuchaj, Nick. Nie straciłeś żadnych pieniędzy, zaoszczędziłeś klientowi kłopotów, a jednocześnie wyprowadziłeś bank na spokojne wody. Będę zdziwiony, jeśli nie dostaniesz Krzyża Wiktorii za odwagę na polu bitwy.

Nick nie podzielał beztroskiego nastroju kolegi. Jeśli go wyrzucą lub choćby przeniosą na mniej ważne stanowisko, szansa przeprowadzenia dochodzenia w sprawie ojca zostanie poważnie ograniczona, jeśli nie całkowicie zaprzepaszczona.

– Wczoraj – powiedział – kiedy szedłem w stronę jeziora, zaczepił mnie Sterling Thorne.

Sprecher wyglądał na rozbawionego.

– Rozumiem, że nie zaprosił cię na drinka w Klubie Amerykańskim?

– Nie. Pytał, czy nie widziałem w banku czegoś „interesującego", czegoś nielegalnego.

– Wielkie nieba. I co jeszcze? Zapytał, czy pracujesz dla kartelu Caliego? Czy przekupujesz cały włoski senat? Nie udawaj zdziwionego, takie rzeczy się zdarzały. Powiedz mi, Nick, że nie przyznałeś się do niczego. – Przypalił papierosa. – Ten facet jest żałosny. DEA ma pozwolenie na dokonanie paru aresztowań, na zmuszenie banków do współpracy. Założę się, że nie powiedział nic konkretnego o Paszy. Mam rację?

– Masz. Ale wspomniał o Cerrutim.

– I co z tego? Ten błazen Thorne dwa tygodnie temu próbował wyciągnąć coś ze mnie. Powiedziałem: „Przypreszam, ne hozumim po angliski". Ale się wkurzył.

– Jeśli kontaktował się z tobą, a potem próbował rozmawiać ze mną, to znaczy, że chodzi mu o Paszę. Żaden inny klient z naszego działu nie znalazł się na liście.

– Thorne może mnie pocałować w dupę. – Sprecher podniósł kufel. – Mam nadzieję, że kazałeś mu się wypchać.

– Mniej więcej.

Sprecher kiwnął głową.

– Nie martw się, bracie. Zdrówko. – Osuszył kufel, zabrał z baru paczkę papierosów i rzucił na ladę banknot dziesięciofrankowy. – Zmów pięć razy Ojcze nasz, pięć zdrowasiek, a odpuszczone ci będą wszystkie grzechy.

Nick położył rękę na ramieniu Sprechera, dając mu do zrozumienia, że nie powinien jeszcze odchodzić.

– Jeszcze coś? – Sprecher oparł się o bar. – Nastassia będzie bardzo zła.

– Powiedz jej, że jeśli chce ciebie, najpierw musi poradzić sobie ze mną – zażartował Nick.

– No to mów, chłopcze. Byle szybko.

Nick zawahał się. Przed przyjazdem do Szwajcarii obiecywał sobie, że bank będzie tylko środkiem do celu. Że zrobi, co trzeba, by wygrzebać dostępne informacje o ojcu, a reszta nie ma znaczenia. Ale wydarzenia ostatniej doby za bardzo go poruszyły. Decyzja o ochronie Paszy, wizyta Thorne'a, telefon Maedera. Był ostrzeliwany ze zbyt wielu stron. Uciekał. Przed bankiem, przed ojcem, a co najdziwniejsze, przed samym sobą.

– Po spotkaniu z Maederem mimo wszystko poszedłem do Akwarium. Musiałem sprawdzić konto, no wiesz, 549.617 RR. Tylko sprawdzić. Pieniądze zostały przelane. W komputerze brak inicjałów tego, kto to zrobił. Nie jesteś ciekaw, kto to może być?

– Tak bardzo, że nie mogę spać.

– Więc zastanów się, który klient może obudzić wiceprezydenta wykonawczego banku o szóstej rano. Który klient śledzi swoje pieniądze od banku do banku i nie zaśnie, dopóki nie nadejdą? Który klient ma prywatny numer Maedera? Może nawet zadzwonił do prezesa.

Sprecher podskoczył na stołku i wymierzył palec w Nicka.

– Tylko Bóg ma bezpośredni numer do Kaisera. Zapamiętaj sobie.

– Konto Paszy jest na liście nadzorowanych rachunków – powiedział Nick. – DEA się nim interesuje. A on dzwoni bezpośrednio do Maedera. Kurwa, Peter, mamy do czynienia z dużą szychą.

– Masz rację, młodzieńcze. Bez wątpienia Pasza jest „dużą szychą". Bank potrzebuje jak najwięcej takich osobników. Na tym polega nasza cholerna robota, nie pamiętasz?

– Kim on jest? – zapytał Nick. – I jak możesz wyjaśnić to, co się dzieje z jego rachunkiem?

– Czy przypadkiem nie ty niedawno go broniłeś?

– Zaskoczyła mnie wtedy twoja ciekawość. Ale dzisiaj moja kolej na zadawanie pytań.

Sprecher pokręcił głową.

– Nie zadajesz pytań – powiedział. – Nie wyjaśniasz. Po prostu zamykasz oczy i liczysz pieniądze. Wykonujesz swoje obowiązki, pobierasz przyzwoitą pensję i mocno śpisz każdej nocy. Raz lub dwa razy do roku wskakujesz do samolotu, lecisz na plażę, gdzie słońce grzeje mocniej niż w tej nieszczęsnej dziurze, i sączysz piña coladę. Recepta Petera Sprechera na długie życie, wspaniałą karierę i niezrównane szczęście. Opaska na oczy i dwa bilety pierwszej klasy do Saint-Tropez.

– Cieszę się, że możesz tak żyć.

Sprecher przewrócił oczami.

– Boże, chyba siedzi koło mnie cholerny święty Nicholas. Kolejny Amerykanin, który chce ratować świat. Dlaczego Szwajcaria jest jedynym krajem, który nauczył się pilnować swojego nosa? Świat miałby się dużo lepiej, gdyby więcej państw wzięło z nas przykład. Daj sobie, kurwa, spokój! – Westchnął głośno i skinął na barmana. – Dwa piwa. Mój przyjaciel planuje oczyścić świat ze zła. Na samą myśl o tym czuję suchość w gardle.

Żaden się nie odezwał, dopóki barman nie wrócił z dwoma piwami.

Sprecher dotknął ramienia Nicka.

– Posłuchaj, kolego. Jeśli tak bardzo chcesz się dowiedzieć, kim jest Pasza, wystarczy spotkać się z Marco Cerrutim. O ile się nie mylę, Cerruti złożył kurtuazyjną wizytę naszemu Paszy podczas ostatniej podróży na Bliski Wschód. Ale dobrze ci radzę. Lepiej nie mieszaj się do tego.

Nick zmrużył oczy.

– A więc po tylu latach praktyki możesz mi tylko powiedzieć, żebym zamknął oczy i posłusznie wypełniał polecenia?

– Dokładnie.

– Zamknąć oczy i czekać na katastrofę?

– Nie na katastrofę, drogi chłopcze. Na chwałę!

Rozdział 18

Po wyjściu z baru Nick udał się na najbliższą pocztę. Tam zamknął się w budce i zaczął szukać w książce telefonicznej nazwiska Marca Cerrutiego. Szybko zaspokoił swoją ciekawość. Cerruti, M. Seestrasse 78. Thalwil. Bankier. Oprócz adresu podano zawód – jeszcze jedno z sympatycznych dziwactw tego kraju.

Pojechał tramwajem na Burkliplatz, a stamtąd autobusem do Thalwil. Dom Cerrutiego znalazł bez trudu. Żółty stiukowy budynek stał przy głównej ulicy biegnącej równolegle do jeziora.

Nazwisko, którego szukał, widniało na samej górze listy sześciu lokatorów. Przycisnął guzik obok i czekał. Żadnego odzewu. Zastanawiał się, czy nie powinien wcześniej zatelefonować, ale uznał, że lepiej przyjść bez zapowiedzi. To nie była oficjalna wizyta. Nacisnął guzik jeszcze raz i z głośnika odezwał się zdenerwowany głos.

– Kto tam?

Nick przyskoczył do głośnika.

– Neumann, USB.

– USB? – zapytał zniekształcony głos.

– Tak – potwierdził Nick i powtórzył swoje nazwisko. Chwilę później usłyszał metaliczne kliknięcie zamka. Pchnął szklane drzwi i wszedł na korytarz, gdzie unosiła się silna sosnowa woń środka czyszczącego. Podszedł do windy i nacisnął guzik. Obok drzwi windy wisiało małe lustro. Pochylił się i sprawdził, jak wygląda. Cienie pod oczami świadczyły o tym, że brakowało mu snu. Co ja tu robię, zastanawiał się. Na przekór Maederowi. Wbrew radom Sprechera. Może ze względu na ojca? Czy Alex Neumann nie zrobiłby tego samego?

Wszedł do windy i wcisnął przycisk ostatniego piętra. Na ścianie wisiało kilka ogłoszeń. „Z pralni należy korzystać tylko w wyznaczonym dniu. W niedzielę pranie zabronione. Zarządzenie federalne". Pod nim dopisano długopisem: „Nie wolno zamieniać się wyznaczonymi terminami". A pod spodem: „Dotyczy szczególnie Frau Brunner!!"

Winda dojechała na ostatnie piętro. Zanim Nick zdał sobie sprawę, że się zatrzymała, drzwi się otworzyły. Niski mężczyzna w szarym dwurzędowym garniturze ze świeżym goździkiem wpiętym w klapę chwycił go za rękę i zaprowadził do salonu.

– Cerruti, *es freut mich*. Miło mi. Proszę usiąść.

Nick poczuł na plecach uprzejme, acz stanowcze pchnięcie w stronę kanapy.

– Proszę usiąść – powtórzył Cerruti. – Dobry Boże, wreszcie. Wydzwaniałem do banku od tygodni.

Nick otworzył usta, żeby wyjaśnić cel swojej wizyty.

– Niech pan nie przeprasza – powiedział Marco Cerruti. – Obaj wiemy, że tak postanowił Herr Kaiser. Wyobrażam sobie, że w banku aż wrze. Konig, ten diabeł. My się chyba nie znamy. Jest pan nowy na czwartym piętrze?

Marco Cerruti wyglądał na pięćdziesiąt kilka lat. Miał sztywne, krótko obcięte siwe włosy i oczy nieokreślonej barwy – ani niebieskie, ani szare. Blada skóra wisiała na jego twarzy jak źle przyklejona tapeta – miejscami naciągnięta, miejscami luźna.

– Nie pracuję na czwartym piętrze – sprostował Nick. – Przepraszam, jeśli źle mnie pan zrozumiał.

Cerruti spojrzał na niego.

– To bez wątpienia mój błąd. Pan...?

– Neumann. Nicholas Neumann. Pracuję w pańskim dziale. FKB4. Zacząłem wkrótce po tym, jak pan się rozchorował.

Cerruti pochylił się i przez chwilę przyglądał się Nickowi jak krytyk, który podziwia wyjątkowo dziwaczne dzieło Picassa lub Braque'a. W końcu położył mu ręce na ramionach i spojrzał prosto w oczy.

– Nie wiem, jak mogłem wcześniej nie zauważyć. Usłyszałem nazwisko, ale nie skojarzyłem. Oczywiście, Nicholas Neumann. Mój Boże, wykapany ojciec. Znałem go. Był moim przełożonym przez pięć lat. Najlepszy okres mojego życia. Proszę się nigdzie nie ruszać, przyniosę dokumenty. Jest tyle rzeczy, o których musimy porozmawiać. Proszę popatrzeć. Jestem zdrów jak ryba i aż rwę się do pracy. – Odwrócił się i wybiegł z pokoju.

Nick został sam. Rozejrzał się dookoła. Mieszkanie było urządzone w stylu, który nazwałby szwajcarskim gotykiem. Kolory były smutne, a nawet posępne. Meble ciężkie i ciemne. Z ogromnego okna, które ciągnęło się przez całą długość mieszkania, roztaczał się wspaniały widok na Jezioro Zuryskie. Tego popołudnia nad powierzchnią wody wisiała gęsta mgła. Mżyło. Świat był szary, wilgotny i smętny.

Cerruti wpadł do pokoju z dwoma notesami i stertą akt.

– Oto lista klientów, do których musi zadzwonić pan Sprecher. Z trzema czy czterema umówiłem się jeszcze przed wyjazdem. Są do mnie naprawdę przywiązani.

Nick przejrzał listę. Od razu zauważył nazwiska dwóch dżentelmenów, których obsługiwał przed tygodniem.

– Peter odchodzi z USB. Został zatrudniony przez Adler Bank.

– Adler Bank? Oni nas zrujnują. – Cerruti położył drżącą dłoń na głowie i opadł na kanapę obok swego gościa. – Co pan dla mnie ma? Zobaczmy.

Nick otworzył neseser i wyjął z niego brązową teczkę.

– Szejk Abdul bin Ahmed al Aziz dzwoni co drugi dzień. Przesyła gorące pozdrowienia. Pyta, jak się pan czuje i jak może się z panem skontaktować. Twierdzi, że tylko pan może odpowiedzieć na jego pytania.

Cerruti pociągnął dwa razy nosem i szybko zamrugał oczami.

– Szejk – ciągnął Nick – jest zdecydowany na kupno niemieckich państwowych papierów wartościowych. Ma wiadomość z dobrego źródła, że minister finansów Schneider obniży w najbliższych dniach stopę lombardową.

Cerruti spojrzał niepewnie na Nicka. Wydał z siebie głębokie westchnienie i roześmiał się.

– Stary poczciwy Abdul bin Ahmed. Wie pan, nazywam go „AAA". Nigdy nie potrafił odczytywać danych ekonomicznych. Inflacja w Niemczech rośnie, stopa bezrobocia przekroczyła dziesięć procent, wujka Abdula korci, żeby podnieść cenę ropy. Stopy mogą tylko pójść w górę! – Cerruti wstał i podciągnął rękawy marynarki, tak że wystawał spod nich dobry cal mankietów koszuli. – Musi pan powiedzieć szejkowi, żeby kupował niemieckie akcje, i to szybko. Niech sprzeda wszystkie niemieckie obligacje i wejdzie w akcje Daimlera-Benza, Veby i Hoechsta. To powinno pokryć najważniejsze grupy przemysłowe i ocalić Abdula przed utratą ostatniej koszuli.

Nick spisał instrukcje słowo w słowo.

Cerruti poklepał go delikatnie w ramię.

– Niech pan mi powie, Neumann, nie słychać nic w biurze Kaisera o moim powrocie? Nawet na pół etatu?

A więc Cerruti chciał wrócić. Nick zastanawiał się, dlaczego Kaiser trzyma go na dystans.

– Przykro mi, ale nie mam z czwartym piętrem żadnych kontaktów.

– Tak, tak. – Cerruti nieudolnie usiłował ukryć rozczarowanie. – Cóż, prezes na pewno niedługo do mnie zadzwoni i zapozna z planami. Jedziemy dalej, kto następny?

– Jeszcze jeden trudny klient. Niestety, nie znam nazwiska, bo to jedno z naszych kont numerowanych. – Nick udawał, że szuka numeru konta w papierach rozłożonych na kolanach. W końcu był tylko praktykantem i nie można było oczekiwać, że dorówna sprawnością umysłu maestro Cerrutiemu. Podniósł kartkę. – Mam. Znalazłem. Rachunek 549.617 RR.

– Może pan powtórzyć? – szepnął Cerruti. Mrugał powiekami jak oszalały.

– Pięć cztery dziewięć, sześć jeden siedem R R. Na pewno zna pan ten numer.

– Tak, tak. Oczywiście. – Cerruti odchrząknął. Poruszył się niespokojnie. – No dobrze, do rzeczy, chłopcze. W czym problem?

– Tak naprawdę żaden. Raczej szansa. Chciałbym przekonać tego klienta, żeby zatrzymał u nas więcej swych środków. W ciągu ostatnich sześciu tygodni przelał ponad dwieście milionów dolarów, nie zatrzymując na noc choćby centa. Jestem pewien, że możemy na nim zarobić więcej niż tylko na prowizjach za przelewy.

Cerruti zerwał się na równe nogi.

– Proszę tu zostać. Niech się pan nie rusza. Zaraz wracam. Pokażę panu coś cudownego.

Zanim Nick zdążył zareagować, już go nie było. Wrócił po minucie z albumem pod pachą. Wcisnął go Nickowi do rąk i otworzył na stronie zaznaczonej skórzaną zakładką.

– Rozpoznaje pan kogoś? – zapytał.

Nick przyjrzał się kolorowej fotografii. Przedstawiała grupkę pięciu osób, czterech mężczyzn i jedną kobietę. Wolfgang Kaiser, Marco Cerruti, Alexander Neumann i krępy człowiek o jowialnej spoconej twarzy w towarzystwie zmysłowej blondynki z uszminkowanymi na różowo ustami. Kaiser przyciskał jedną dłoń kobiety do swoich warg, a wesołek całował drugą. Błyszczące oczy kobiety sugerowały, że podobają jej się te umizgi. Pod zdjęciem dopisano komentarz: „Kalifornio, strzeż się! Grudzień 1967".

Nick wpatrywał się w ojca. Alexander Neumann był wysoki i szczupły, czarne włosy miał ostrzyżone wedle ówczesnej mody. Niebieskie oczy iskrzyły ogniem tysiąca marzeń, a wszystkie były do spełnienia. Śmiał się. Człowiek, przed którym cały świat stoi otworem.

Obok niego, o głowę niższy, stał Cerruti, jak zawsze elegancki, z czerwonym goździkiem w klapie ciemnego garnituru. Dalej Wolfgang Kaiser całujący dłoń atrakcyjnej blondynki. Jego wąsy, jeśli to możliwe, były jeszcze bujniejsze niż obecnie. Bokobrody sięgały niemal kącików oczu. Nick nie rozpoznał czwartego mężczyzny ani kobiety.

– Pożegnalne przyjęcie twojego ojca – wyjaśnił Cerruti. – Zanim wyjechał do Los Angeles, żeby tam otworzyć biuro. Niezła była z nas paczka, sami kawalerowie. Przystojne szatany, co? Na przyjęcie przyszedł cały bank. Oczywiście, wtedy było nas znacznie mniej.

– Mówił pan, że pracował z ojcem?

– Wszyscy pracowaliśmy razem. Byliśmy sercem i duszą bankowości prywatnej. Kaiser był kierownikiem działu. Ja praktykowałem pod okiem twojego ojca. Opiekował się mną jak brat, naprawdę. Tego samego dnia awansował na wiceprezydenta. – Cerruti popukał w zdjęcie. – Ubóstwiałem Aleksa. Bardzo przeżyłem jego wyjazd do Los Angeles, chociaż dla mnie wiązało się to z dużym awansem.

Nick nadal przyglądał się fotografii. Widział niewiele zdjęć ojca z okresu przed przyjazdem do Ameryki, głównie czarno-białe portrety wysokiego, poważnego nastolatka w sztywnym niedzielnym garniturku. Dziwił się, jak młodo wygląda ojciec na tym zdjęciu. I sprawiał wrażenie szczęśliwego, naprawdę szczęśliwego. Nick nie pamiętał, żeby ojciec choć raz był tak pogodny, tak beztroski.

Cerruti wstał.

– Chodźmy, napijemy się czegoś. Co dla pana?

Entuzjazm Cerrutiego dodawał Nickowi śmiałości.

– Może piwo?

– Przykro mi, nie tykam alkoholu. Rozstraja mi nerwy. Może być woda sodowa?

– Jasne, bardzo proszę. – Skoro alkohol rozstrajał mu nerwy, to co go uspokajało, zastanawiał się Nick.

Cerruti zniknął w kuchni. Po chwili wrócił z dwiema puszkami i szklankami z lodem. Nick wziął szklankę i nalał sobie wody.

– Za pańskiego ojca – wzniósł toast Cerruti.

Nick podniósł szklankę i pociągnął łyk.

– Nie wiedziałem, że pracował bezpośrednio pod Wolfgangiem Kaiserem. Co robił?

– Pański ojciec całe lata był prawą ręką Kaisera. Zarządzał portfelami klientów, oczywiście. Prezes nigdy panu nie mówił?

– Nie, od przyjazdu rozmawiałem z nim tylko przez kilka minut. Ostatnio jest bardzo zajęty.

– Pański ojciec był prawdziwym tygrysem. Ostro ze sobą konkurowali.

– Co pan ma na myśli?

– Proszę przewrócić stronę. Zatrzymałem list od pańskiego ojca. Zobaczy pan, co mam na myśli. To jeden z comiesięcznych raportów. Szczegóły dotyczące jego działalności w Los Angeles.

Nick przewrócił stronę i znalazł zmięte memorandum pod przezroczystym plastikowym arkuszem. Odczytał nagłówek: „United Swiss Bank, przedstawicielstwo w Los Angeles, kierownik biura wiceprezydent Alexander Neumann". Notatka była zaadresowana do Wolganga Kaisera, a kopie otrzymali: Urs Knecht, Beat Frey i Klaus Konig. Data: siedemnasty czerwca 1968 roku.

Tekst był nieciekawy. Alex Neumann pisał o trzech ewentualnych klientach, których odwiedził, o złożonym przez Waltera Galahada – szychę z wytwórni MGM – depozycie w wysokości stu dwudziestu pięciu tysięcy dolarów i o konieczności zatrudnienia sekretarki. Wspomniał, że nie można od niego oczekiwać, by sam powielał dokumenty bankowe, a potem szedł na lunch w Perino's z palcami poplamionymi granatowym tuszem. W następnym tygodniu planował wyjazd do San Francisco. Nicka zainteresowało post scriptum, oznaczone hasłem „Poufne" – bez wątpienia sztuczka mająca na celu zapewnienie jak najszerszego grona czytelników. „Jestem gotów podwoić stawkę naszego zakładu. Milion w depozytach w pierwszym roku to zbyt łatwy cel. Tylko nie mów, że to nie fair. Alex".

Przeczytał memorandum po raz drugi, tym razem wolniej, linijka po linijce. Poczuł, jakby ojciec wciąż żył. Alex Neumann w przyszłym tygodniu leci do San Francisco. Ma zakład z Wolfgangiem Kaiserem, który zamierza wygrać. Lunch w restauracji Perino's. Czy to możliwe, aby nie żył od siedemnastu lat? Ma żonę, dziecko, całe życie przed sobą.

Nick wpatrywał się w zapisane słowa jak urzeczony. Poczuł pustkę w żołądku i potworne zmęczenie, którego jeszcze przed chwilą nie odczuwał. Rzut oka na zdjęcie, lektura memorandum i już czuł się rozbity. Był zaskoczony, że po tylu latach nadal tak to przeżywa. Jeszcze raz spojrzał na fotografię. Uświadomił sobie, że nie tęsknił za człowiekiem, za Alexandrem Neumannem, ale za jego rolą. Tęsknił za ojcem. Do tej pory ani razu nie pomyślał, że stracił szansę poznania kogoś wyjątkowego, człowieka ubóstwianego przez Cerrutiego. Po raz pierwszy w życiu zrobiło mu się żal ojca, czterdziestoletniego bankiera, któremu odebrano życie. Znów powróciły wspomnienia.

Nick zamknął oczy i mocno zacisnął powieki.

Nie siedzi już w mieszkaniu Marca Cerrutiego. Jest chłopcem. Drży, gdy migający kogut z policyjnego wozu oświetla kilkanaście postaci ubranych w żółte ziudwestki. Pada na niego rzęsisty deszcz. Podchodzi do frontowych drzwi domu, którego nigdy wcześniej nie widział. Dlaczego ojciec zatrzymał się tu, zaledwie dwie mile od własnego domu? Sprawy służbowe? Taki powód podała mu matka. Ale może jest tutaj, bo rodzice ostatnio nie przestawali się kłócić? Ojciec leży na boku w beżowej piżamie. Między klatką piersiową a wyciągniętą ręką zebrała się kałuża krwi. „Dostał trzy kule w pierś", szepcze policjant za Nickiem. „Trzy kule w pierś, trzy kule w pierś..."

– Wszystko w porządku, panie Neumann?

Nick zadrżał, czując dłoń Cerrutiego na ramieniu.

– Tak, w porządku. Dziękuję.

– Przeżyłem wstrząs, kiedy usłyszałem o pańskim ojcu.

Nick wskazał raport.

– Przywołał stare wspomnienia. Czy mogę go zatrzymać?

– Nic nie sprawiłoby mi większej przyjemności. – Cerruti podał mu memorandum. – Jest ich więcej w archiwum bankowym. Przechowujemy całą oficjalną korespondencję. Ze stu dwudziestu pięciu lat.

– Gdzie mogę je znaleźć?

– W Dokumentation Zentrale. Niech pan poprosi Karla. Wszystko panu odszuka.

– Jeśli będę miał czas, może któregoś dnia tam zajrzę – rzucił Nick od niechcenia, ale w głębi duszy chciał już iść i jak najszybciej dostać się do DZ.

„Zamierzam się dowiedzieć, co przytrafiło się ojcu, powiedział Annie Fontaine. Muszę wiedzieć, czy był grzesznikiem, czy świętym". Memorandum było tym, czego szukał.

Nick otworzył album na zdjęciu ojca i Wolfganga Kaisera.

– Kim jest ta kobieta?

Cerruti uśmiechnął się, jakby pod wpływem przyjemnego wspomnienia.

– Nie poznaje jej pan? To Rita Sutter. Wtedy jedna ze zwykłych maszynistek. Dzisiaj jest osobistą sekretarką prezesa.

– A ten czwarty mężczyzna?

– Klaus Konig. Prowadzi Adler Bank.

Nick przyjrzał mu się dokładniej. Pulchny człowieczek całujący dłoń Rity Sutter nie przypominał dzisiejszego aroganckiego Koniga. Ale w końcu minęło trzydzieści lat i Konig nie nosił wtedy czerwonej muchy w kropki, która stała się jego znakiem rozpoznawczym. Nick zastanawiał się, który z dwóch mężczyzn konkurujących o względy blondynki wygrał. I czy drugi miał mu to za złe.

– Konig należał do naszej paczki – powiedział Cerruti. – Odszedł kilka lat po pańskim ojcu. Wyjechał do Ameryki. Studiował coś z matematyki, chyba statystykę. Potrzebował doktoratu, żeby wybić się nad resztę. Wrócił dziesięć lat temu. Był konsultantem na Bliskim Wschodzie, prawdopodobnie „złodzieja z Bagdadu", jeśli dobrze znam Klausa. Przed siedmioma laty otworzył własny interes. Osiągnął sukces, ale jakimi metodami. W Szwajcarii nie stosujemy terroru i zastraszania.

– W Stanach nazywamy to różnicą zdań akcjonariuszy – powiedział Nick.

– Nazywajcie to, jak chcecie, dla mnie to piractwo! – Cerruti dopił wodę i ruszył do drzwi. – Jeśli nie ma pan innych spraw, panie Neumann...

– Nie dokończyliśmy rozmowy o naszym ostatnim kliencie – powiedział Nick. – Naprawdę powinniśmy omówić tę sprawę.

– Wolałbym nie. Proszę posłuchać mojej rady i zapomnieć o nim.

Nick nie dawał za wygraną.

– Sumy przelewów dramatycznie wzrosły w czasie pańskiej nieobecności. Jest jeszcze coś. Bank rozpoczął współpracę z amerykańską Agencją do Walki z Narkotykami.

– Thorne – wymamrotał Cerruti. – Sterling Thorne?

– Tak – potwierdził Nick. – Sterling Thorne. Rozmawiał z panem?

Cerruti skrzyżował ręce na piersiach.

– A co? Wspominał o mnie? – spytał.

– Nie – odparł Nick. – Thorne co tydzień rozprowadza listę z numerami rachunków osób, które podejrzewa o udział w handlu narkotykami i pranie brudnych pieniędzy. W tym tygodniu na liście znalazł się rachunek Paszy. Muszę wiedzieć, kim jest Pasza.

– Nie pańska sprawa, kim jest lub kim nie jest Pasza – jęknął Cerruti.

– Dlaczego DEA interesuje się nim?

– Nie słyszał pan? Nie pańska sprawa. – Cerruti ścisnął nos kciukiem i palcem wskazującym. Ręka lekko mu drżała.

– Moim obowiązkiem jest wiedzieć, kim jest mój klient.

– Proszę wykonywać polecenia, panie Neumann. Niech pan da sobie spokój z Paszą. Najlepiej zostawić to panu Maederowi albo jeszcze lepiej...

– Komu? – zapytał Nick.

– Panu Maederowi. Pan się do tego zupełnie nie nadaje. I niech już tak zostanie.

– Pan zna Paszę – nalegał Nick. Czuł, że traci rozsądek i kontrolę. – Odwiedził go pan w grudniu. Jak on się nazywa?

– Proszę, panie Neumann, nie chcę już słyszeć żadnych pytań. Zdenerwował mnie pan. – Coś, co wcześniej było lekkim drżeniem rąk, zamieniało się w niekontrolowany spazm ogarniający całe ciało.

– W jakiej branży działa ten człowiek? – pytał nieustępliwie Nick. Chciał znać odpowiedź już teraz. Stłumił w sobie chęć wytrząśnięcia z Cerrutiego informacji. – Dlaczego interesują się nim organy ścigania?

– Nie wiem. I nie chcę wiedzieć. – Cerruti chwycił Nicka za klapy. – Proszę mi powiedzieć, Neumann. Proszę mi powiedzieć, że nie zrobił pan nic, co mogłoby go zdenerwować.

Nick chwycił drobnego mężczyznę za nadgarstki, i posadził delikatnie na kanapie.

– Nie. Nic – odparł.

– To dobrze – Cerruti odetchnął z ulgą. – Cieszę się. W żadnym wypadku nie wolno go denerwować.

Nick spojrzał na przestraszonego bankiera. Zdał sobie sprawę, że nic więcej z niego nie wyciśnie. Przynajmniej na razie.

– Proszę mnie nie odprowadzać. Dziękuję za notatkę ojca.

– Jedno pytanie, Neumann. Jak wytłumaczyli w banku moją nieobecność?

– Martin Maeder poinformował nas, że przeżył pan załamanie nerwowe. Ale klientom mamy mówić, że podczas ostatniej podróży zapadł pan na zapalenie wątroby. Ach, zapomniałem wspomnieć, że mówi się o przeniesieniu pana do jednej z naszych filii. Może do Arab Bank.

– Arab Bank? Niech Bóg broni. – Cerruti ścisnął poduszki kanapy, aż zbielały mu kostki.

Nick przyklęknął i położył dłoń na ramieniu Cerrutiego. Było jasne, dlaczego Kaiser odwlekał jego powrót. Ten człowiek był wrakiem.

– Na pewno dobrze się pan czuje? Proszę mi pozwolić wezwać lekarza. Nie wygląda pan zbyt dobrze.

Cerruti odepchnął go.

– Niech pan już idzie, panie Neumann. Nic mi nie jest. Muszę tylko trochę odpocząć.

Nick podszedł do drzwi.

– Neumann! – zawołał słabym głosem Cerruti – kiedy zobaczy się pan z prezesem, proszę mu powtórzyć, że jestem zdrów jak ryba i aż rwę się do pracy.

Rozdział 19

Wieczorem Nick odnalazł szary budynek na niewielkiej uliczce z dala od bogatego centrum miasta. Temperatura spadła poniżej zera, a niebo częściowo się rozchmurzyło.

W tym budynku przy Eibenstrasse 18 dorastał jego ojciec. Do dziewiętnastego roku życia mieszkał z matką i babką w nędznym dwupokojowym mieszkaniu z oknami wychodzącymi na wiecznie zacienione podwórze. Na tych biednych ulicach bawił się z kolegami, wagarował i doskonalił rzut rożny – jeśli tego typu frywolne zajęcia go bawiły. W jakimś ciemnym kącie wypalił pierwszego papierosa, a może nawet skradł pierwszego całusa.

Nick odwiedził to mieszkanie, kiedy był chłopcem. Wszystko wydawało mu się mroczne i stare. Zamknięte okna zakryte ciężkimi zasłonami. Drewniane meble pomalowane na ciemny kasztan. Dziecku przyzwyczajonemu do zabaw na przestronnych trawnikach i słonecznych ulicach południowej Kalifornii mieszkanie, ulica i cała okolica, w której dorastał ojciec, wydawały się złowieszcze i nieprzyjazne. Nie cierpiał ich.

Ale dzisiaj odczuł potrzebę powrotu w to miejsce. Chciał odnaleźć duchy przeszłości i pogodzić chłopca, który dorastał na tych ulicach, z mężczyzną, który stał się jego ojcem.

Patrzył na brudny budynek i wspominał dzień, kiedy znienawidził ojca. Gardził nim z całego serca. Chciał, żeby ziemia rozstąpiła się i pochłonęła go.

Wycieczka do Szwajcarii, latem. Weekend w Arosie, górskiej wiosce przyklejonej do zbocza rozległej doliny. Niedzielne spotkanie miejscowej grupy klubu miłośników gór na polanie u stóp szczytu Tierfluh.

Ponaddwudziestoosobowa grupa rusza o świcie. Dziesięcioletni Nick jest najmłodszy; jego siedemdziesięcioletni stryjeczny dziadek Erhard – najstarszy. Przechodzą przez pole wysokich traw, mijają płaskie jak lustro jezioro, przeprawiają się przez rwący strumień. Potem wchodzą między wysokie sosny i ścieżka zaczyna piąć się lekko do góry. Głowy są pochylone, oddechy głębokie i miarowe. Stryj Erhard idzie na przodzie, Nick gdzieś w środku. Niepokoi się. Naprawdę chcą zdobyć ten niedostępny szczyt?

Docierają do drewnianej chatki na polanie. Ktoś uchyla drzwi, ktoś inny zdobywa się na odwagę i wchodzi do środka. Wraca chwilę później z butelką przezroczystego płynu, którą unosi wysoko. Pozostali wydają radosne okrzyki. Wszyscy zostają poczęstowani domowym *pfumli*. Nick też wypija odrobinę śliwkowej nalewki. Oczy zachodzą mu łzami, czerwieni się, ale powstrzymuje się od kaszlu. Jest dumny, że został przyjęty do tej wspaniałej grupy. Przysięga sobie, że nie da po sobie poznać zmęczenia. Ani narastającego w nim strachu.

Ruszają dalej. Znowu między drzewa. Godzinę później docierają do skalnej równiny. Tu ścieżka jest bardziej płaska, ale mniej pewna. Pod stopami kruszą się kamienie. Szlak prowadzi w górę zboczem, w głąb mrocznego siodła, które łączy dwa szczyty.

Teraz idą gęsiego. Erhard pozostaje na czele. Niesie skórzany plecak, a w ręku trzyma sękaty kij. Sto metrów za nim idzie Alexander Neumann. Dwadzieścia kroków dalej Nick. Mijają go kolejni uczestnicy wyprawy. Każdy klepie go po głowie i wypowiada słowo otuchy. Wkrótce nie ma za sobą już nikogo.

Przed nim szlak wcina się w pole letniego śniegu, białego jak lukier na czekoladowym cieście. Zbocze staje się coraz bardziej strome. Każdy krok do przodu to krok wyżej. Nick oddycha płytko i szybko, kręci mu się w głowie. Daleko przed sobą widzi stryja, rozpoznaje go tylko po kiju. Widzi też ojca: podskakująca czarna głowa nad czerwonym jak szwajcarska flaga swetrem.

Mijają minuty. Godziny. Szlak wije się do góry. Nick opuszcza głowę i idzie. Odlicza do tysiąca. Ale nadal nie widać końca. Przed nim śnieg ciągnie się kilometrami. Wysoko z lewej strony widzi ostre skały. Z niepokojem odnotowuje dystans, jaki dzieli go od pozostałych. Nie dostrzega już stryja. Ojciec jest tylko czerwoną kropką. Nick jest sam w śnieżnej dolinie. Z każdym krokiem coraz bardziej oddala się od ojca i stryja. Z każdym krokiem zbliża się do szczytu, który chce jego śmierci. Wreszcie nie może już iść dalej, zatrzymuje się. Jest wycieńczony i przerażony.

– Tato! – krzyczy. – Tato! – Ale jego cienki głosik szybko ginie w rozległych górskich przestrzeniach. – Na pomoc! – woła. – Wracajcie! – Ale nikt go nie słyszy. Jeden za drugim, kolejni uczestnicy wyprawy znikają za skałą. Znika też jego ojciec.

Nick jest oszołomiony. Skrzypienie śniegu pod stopami, które towarzyszyło mu tak długo, ustało. Zaległa cisza. Bezruch. Dla dziecka wychowanego w mieście nie ma nic bardziej przerażającego niż chwila, kiedy po raz pierwszy czuje lodowaty oddech dzikiej przyrody na twarzy. Jego przytępione zmysły drżą przed wspaniałością ogłuszającego ryku samotności i po raz pierwszy uświadamia sobie, że jest sam.

Nick pada na kolana. Gdzie się wszyscy podziali? Dlaczego ojciec go zostawił? Nie obchodzi ich? Chcą, żeby zginął?

– Tato! – krzyczy.

Czuje, jak płoną mu policzki. Gardło zaciska się. Do oczu napływają łzy, wzrok mętnieje. Wybucha płaczem. Ze strumieniem łez wracają wszystkie krzywdy, wszystkie niesprawiedliwe kary, które mu wymierzono. Nikt go nie kocha, bełkocze między haustami powietrza. Ojciec chce, żeby tu umarł. Matka pewnie pomogła mu wszystko zaplanować.

Nick znowu woła o pomoc. Nikt się nie zjawia. Stok przed nim nadal jest pusty. Został sam z wysokimi górami, smagającym wiatrem i złowieszczymi skałami, które tak bardzo chcą go zabić. Ociera łzy z policzków i wydmuchuje nos w śnieg.

Nie, obiecuje sobie, skały mnie nie zabiją. Góry mnie nie zabiją. Nikomu się to nie uda. Pamięta piekący smak *pfumli*. Pamięta poklepywania po głowie, gdy go po kolei mijali. Ale przede wszystkim pamięta ojca, który ani razu się nie odwrócił, żeby sprawdzić, jak sobie radzi.

„Muszę iść dalej, szepcze. Nie mogę tu zostać". Uświadamia sobie, że musi dotrzeć na szczyt – że tym razem nie ma wyboru. „Dojdę na szczyt tej góry. Dojdę" – mówi do siebie.

Pochyla głowę i rusza w drogę. Szybko pokonuje stromy szlak. Niemal biegnie. Przy dźwiękach walącego serca powtarza sobie, że musi wytrzymać, nie może stanąć w miejscu. Więc wspina się. Nie wie, jak długo. Myśli tylko o śladach swych poprzedników. Wie, że tą samą drogą szli jego stryj, ojciec i wszyscy inni, którzy go zostawili.

I wtedy słyszy przenikliwy gwizd. Wrzawa, zgiełk, okrzyki zachęty. Podnosi wzrok. Cała grupa siedzi na skałach w odległości zaledwie paru metrów. Wiwatują na jego cześć. Wstają i klaszczą. Znowu słyszy gwizd i widzi, jak ojciec zbiega po stoku, żeby go powitać.

Udało mu się. Dał sobie radę.

Po chwili Nick jest w ramionach ojca. Trochę się gniewa. Przecież wszedł na tę górę, nikt mu nie pomógł. To jego zwycięstwo. Dlaczego ojciec traktuje go jak dziecko? Ale po chwili wahania ustępuje i odwzajemnia uścisk. Stoją tak objęci przez dłuższy czas. Alexander Neumann szepcze mu coś o pierwszych krokach do dorosłości. Nickowi jest gorąco i duszno. Z jakiegoś niewiadomego powodu zaczyna płakać. Pozwala, żeby łzy spływały mu po policzkach, i z całej siły tuli się do ojca.

Nick wciąż pamiętał każdą minutę tego dnia. Jeszcze raz spojrzał na dom ojca i poczuł, jak rozpiera go duma. Przyjechał do Szwajcarii, żeby poznać Alexandra Neumanna. Odnaleźć prawdę o bankierze, który zginął w wieku czterdziestu lat.

„Stań się jednym z nich", namawiał go duch ojca. Posłuchał go. Teraz mógł się tylko modlić, żeby jego działania na rzecz Paszy – kimkolwiek był – nie naraziły na szwank jego misji.

Rozdział 20

Ali Mevlevi wcisnął pedał gazu bentleya mulsanne turbo i wjechał na pas dla jadących z przeciwka. Nadjeżdżająca furgonetka-volkswagen skręciła raptownie w lewo, wzbijając kłęby kurzu na poboczu. Przewróciła się na bok i zsunęła z niebrukowanego nasypu. Mevlevi zatrąbił, nie zdejmując nogi z gazu.

– Z drogi! – zawołał.

Półtonowy pikap, który uparcie blokował mu drogę, w końcu zjechał na pobocze. Rozklekotany pojazd był obładowany znacznie ponad swoje możliwości, wiózł bowiem sporą grupę wędrownych robotników, więc gdy znalazł się na nierównym poboczu, stanął. Robotnicy zeskoczyli z przyczepy, miotając wyzwiska do przejeżdżającego bentleya.

– Nieszczęśnicy – powiedział Mevlevi. Jego gniew zelżał, gdy zobaczył robotników. Ich czas na ziemi upływał pod znakiem degradacji, nędzy i łamania dawniej nieugiętego arabskiego ducha. Dla tych ludzi zaryzykuje swoją fortunę. Dla tych ludzi Chamsin musi zakończyć się sukcesem.

Mevlevi spojrzał znowu na szosę, a jego myśli wróciły do sprawy, która jak ostry sztylet raniła mu serce. Szpieg. W pobliżu kręci się szpieg.

Parę godzin wcześniej odkrył, że United Swiss Bank nie dokonał przelewu zgodnie z jego ścisłymi instrukcjami. Telefonując w sprawie opóźnienia, dowiedział się, jak niewiele brakowało do wpadki. Nie wyjaśniono mu jednak, w jaki sposób numer jego rachunku trafił na listę Agencji do Walki z Narkotykami. Lecz nie to było najgorsze. Gorzej, że agencja nie tylko spodziewała się przelewu, ale też znała jego dokładną wysokość.

– Szpieg – wysyczał Mevlevi przez zaciśnięte zęby. – Szpieg zagląda mi przez ramię.

Zwykle był zadowolony z niezawodnej perfekcji Szwajcarów. W żadnym kraju poleceń klientów nie wykonywano z taką precyzją. Francuzi byli aroganccy. Chińczycy niedokładni. Mieszkańcy Kajmanów to banda pijawek. Szwajcarzy byli uprzejmi, pełni szacunku i dokładni. Polecenia wykonywali co do joty. Sprawa wydawała się tym bardziej zagadkowa. Wymknął się bowiem z rąk międzynarodowych organów ścigania tylko dzięki temu, że ktoś nie wypełnił jego polecenia. A wszystko za sprawą pewnego Amerykanina, byłego żołnierza piechoty morskiej – jego bracia skalali swoją krwią świętą ziemię, po której teraz jechał.

Mevlevi nie potrafił stłumić ogarniającego go śmiechu. Ci zarozumiali Amerykanie – policjanci świata, obrońcy demokracji, rzecznicy świata bez dyktatorów i narkotyków. I kto tu jest fantastą?

Zerknął na prędkościomierz. Cały czas kierował się na południe drogą numer 1, w stronę Izraela. Po prawej stronie z Morza Śródziemnego wyrastały jałowe skały bladego piaskowca. Od czasu do czasu na małych wzniesieniach pojawiały się osady. Nisko zawieszone konstrukcje zbudowano z żużlowych bloczków i pokryto wapnem dla ochrony przed palącym słońcem. Coraz więcej z nich miało anteny, czasem nawet satelitarne. Z lewej strony wznosiły się góry Shouf. Miały kolor błękitnawoszary, a kształtem przypominały płetwy grzbietowe stada rekinów. Wkrótce się zazielenią, gdy rosnące na stokach drzewa wypuszczą nowe pąki.

Szesnaście lat temu generał Amos Ben-Ami prowadził swoje wojska tą właśnie drogą. Operacja „Wielka Sosna": izraelski atak na Liban. Wyprodukowane w Stanach czołgi, transportery opancerzone i artyleria przelewały się przez izraelską granicę jak fala zachodniego imperializmu. Źle zorganizowane oddziały libańskiej milicji stawiały słaby opór. Syryjskie regularne wojska niewiele większy. Haffez-al-Assad rozkazał bowiem, że gdy wojska izraelskie dojdą do Bejrutu, jego żołnierze mają schronić się w dolinie Bekaa. Kiedy więc generał Ben-Ami dotarł do Bejrutu i otoczył miasto, Syryjczyków już nie było. Organizacja Wyzwolenia Palestyny złożyła broń, a jej członkom pozwolono dostać się drogą morską do obozów w Egipcie i Arabii Saudyjskiej. Jedenaście miesięcy później Izrael wycofał wojska z Bejrutu i utworzył dwudziestopięciokilometrową strefę bezpieczeństwa na swej północnej granicy. Bufor oddzielający Izrael od islamskich fanatyków na północy.

Kupili sobie piętnaście lat, snuł refleksje Ali Mevlevi. Piętnaście lat narzuconego pokoju. Ale ich wakacje wkrótce się skończą. Za kilka tygodni inna armia ruszy szlakiem równoległym do drogi numer 1, tym razem na południe. Tajna armia pod jego wodzą. Oddziały partyzanckie walczące pod zielono-białym sztandarem islamu. Niczym osławiony Chamsin, gwałtowny wiatr, który bez ostrzeżenia nadszedł z pustyni i przez pięćdziesiąt dni pożerał wszystko na swojej drodze, on też powstanie niezauważenie i rzuci się wściekle na wroga.

Otworzył leżące obok srebrne pudełko i wyjął z niego cienkiego czarnego papierosa, tureckiego sobranie. Ostatnie ogniwo łączące go z rodzinnym krajem. Anatolia – miejsce, gdzie wschodzi słońce. I gdzie zachodzi, pomyślał gorzko, a jej mieszkańcy są coraz bardziej biedni, brudni i głodni.

Zaciągnął się głęboko i poczuł, jak ożywia go silna dawka nikotyny. Widział przed sobą postrzępione szczyty i słone równiny Kapadocji. Wyobraził sobie ojca siedzącego u szczytu prostego drewnianego stołu. Stół ten służył jako warsztat pracy, małżeńskie łoże lub, przy rzadkich okazjach, miejsce, gdzie się ucztowało i świętowało. Ojciec miałby na głowie wysoki czerwony fez. Tak jak starszy brat Saleem. Obydwaj byli derwiszami. Mistykami.

Mevlevi pamiętał ich wirujące tańce i głośne zawodzenia – poły ich strojów unosiły się coraz wyżej, gdy modły stawały się coraz żarliwsze. Widział, jak odchylają do tyłu głowy, jak otwierają usta i wołają do proroka. Słyszał ich rozgorączkowane głosy namawiające innych derwiszy do osiągnięcia ekstatycznego stanu jedności z prorokiem.

Przez całe lata ojciec namawiał go do powrotu.

– Jesteś teraz bogaty – mówił. – Oddaj serce Allahowi. Przyjmij miłość rodziny.

I przez całe lata Mevlevi wyśmiewał ten pomysł. Jego serce odwróciło się od Allaha. Porzucił religię ojca. Ale Wszechmogący nie opuścił go. Pewnego dnia otrzymał list od ojca. Ojciec pisał, że prorok kazał mu sprowadzić drugiego syna z powrotem na łono islamu. Do listu dołączył krótki wiersz, którego słowa przeszyły duszę Mevleviego, choć myślał, że jest od dawna martwa.

Przyjdź, przyjdź, kimkolwiek jesteś,
Wędrowcem, bałwochwalcą, czcicielem ognia.
Przyjdź, nawet jeśli złamałeś śluby tysiące razy.
Nie dla nas karawana rozpaczy.

Mevlevi zadumał się nad tymi słowami. Był bogaty jak Krezus. Był panem małego imperium. Numerowane konta w kilkunastu bankach w Europie chroniły jego pieniądze. Ale co przyniósł mu sukces materialny? Tę samą rozpacz, zmartwienia i bezcelowość, o których wspominały święte wersety.

Z każdym mijającym dniem rosła jego nieufność do rodzaju ludzkiego. Człowiek to zepsute stworzenie, które nie potrafi zapanować nad niskimi popędami. Interesują go tylko pieniądze, władza i stanowiska, myśli tylko o zaspokojeniu potrzeb, popędu i o dominacji nad innymi. Za każdym razem, kiedy Ali Mevlevi spoglądał w lustro, widział króla tych obrzydliwych kreatur. I robiło mu się niedobrze.

Tylko religia mogła mu zapewnić spokój duszy.

Wspominając moment przebudzenia, poczuł dreszcz inspiracji. Jego ciało wypełniła bezgraniczna miłość do Wszechmogącego i równie silna pogarda dla własnych przyziemnych ambicji. Jak mógłby wykorzystać swoje bogactwo? Do czego mógłby spożytkować doświadczenie? Odpowiedzią był jedynie Allah. Dla islamu. Dla chwały Mohameta. Dla dobra rodaków.

I teraz, kiedy już miał udowodnić ojcu i braciom, że może przypodobać się Allahowi bardziej niż oni swymi tańcami i śpiewami, wykrył szpiega, wroga boskiej woli, który mógł zniszczyć wszystko, na co pracował przez tyle lat.

I wroga Chamsinu.

Wiedział, że w grę wchodzą tylko te osoby, które mają dostęp do szczegółów jego operacji finansowych. To nie mógł być ktoś z Zurychu. Ani Cerruti, ani Sprecher, ani Neumann nie mogli znać wysokości przelewu, zanim dotarł on do banku. A fakt, że sumę tę znano wcześniej, był niepodważalny. Jego informatorzy w Zurychu nie mieli wątpliwości. Niejaki pan Sterling Thorne z DEA szukał przelewu w wysokości czterdziestu siedmiu milionów dolarów.

Zatem szpieg musi się czaić gdzieś blisko. Trzeba wziąć pod lupę posiadłość. Komu wolno było poruszać się swobodnie po domu? Kto mógł podsłuchiwać rozmowy lub mieć dostęp do prywatnych dokumentów? Tylko dwie osoby przychodziły mu do głowy: Joseph i Lina. Ale dlaczego któreś z nich miałoby go zdradzić? Jaki mogliby mieć motyw?

Mevlevi roześmiał się z własnej naiwności. Oczywiście pieniądze. Względy moralne już dawno przestały się liczyć na tych rubieżach zachodniej cywilizacji. Jedynym sensownym motywem pozostawały korzyści materialne. Komu więc Kajfasz wypłaca trzydzieści srebrników?

Wkrótce się dowie. Może nawet dzisiaj.

Mevlevi usadowił się wygodnie w miękkim skórzanym fotelu przed ostatnim etapem podróży do Shatilli. Tam odnajdzie Abu Abu i omówi szczegóły rekrutacji Josepha. Wspaniała blizna jego asystenta straciła swój blask nieprzekupności.

Czarny sedan minął Tyr, potem Sydon i wreszcie wioskę Samurad, gdzie zjechał z autostrady na żwirówkę prowadzącą do odległej o dwa kilometry rozległej osady bielonych budynków z cegły i gliny: Shatilli.

Gdy Mevlevi zbliżał się do bramy obozu, zaczęło tworzyć się zbiegowisko. Zatrzymał bentleya sto metrów od wjazdu. Tłum ruszył na niego, żeby obejrzeć wóz. W ciągu kilku sekund bentley znalazł się pośród wyciągniętych rąk i zaciekawionych twarzy nieszczęsnych mieszkańców Shatilli. Mevlevi wysiadł z wozu i kazał przypilnować go dwóm krzepko wyglądającym młodzieńcom. Wręczył każdemu po nowiusieńkim banknocie studolarowym. Natychmiast zajęli się samochodem i zaczęli rozpędzać tłum klapsami, kopniakami i w razie konieczności również pięściami, czemu towarzyszyły wyzywające spojrzenia i wulgarne przekleństwa. Jak szybko zapomnieli, że przed sekundą byli zwykłymi wieśniakami.

Mevlevi ruszył w stronę obozu i po kilku minutach znalazł się w domostwie wodza. Ubrany był w powłóczystą czarną *dishdasha* i czerwony *kaffiyeh* w kratę. Odsunął postrzępioną zasłonę służącą za frontowe drzwi i przeszedł przez drewniany próg. W środku dwoje dzieci wpatrywało się bezmyślnie w czarno-biały telewizor o tak zamazanym obrazie, że prawie nic nie było widać.

Przyklęknął przy starszym z dzieci, korpulentnym jedenasto- lub dwunastoletnim chłopcu.

– Cześć, młody wojowniku. Gdzie ojciec?

Chłopiec nie zwrócił na gościa uwagi, nadal wpatrywał się w zamazany ekran.

Mevlevi spojrzał na dziewczynkę owiniętą w ręcznie tkany koc.

– Twój brat umie mówić? – zapytał łagodnie.

– Tak. – Kiwnęła ospale głową.

Mevlevi chwycił chłopca za ucho i podniósł go z podłogi. Dzieciak zaczął błagać o litość.

– Jafar! – zawołał Mevlevi. – Mam twojego chłopaka. Wyłaź, ty piekielny tchórzu. Myślisz, że przyjechałem do tej dziury na pogaduszki z twoimi bachorami?

Przeprosił po cichu proroka, wyjaśniając, że takie działania, choć brutalne, przyniosą chwałę islamowi.

Z głębi mieszkania dobiegł go zduszony głos.

– Al-Mevlevi, zaklinam cię. Nie krzywdź mojego chłopaka. Już idę.

Drewniany kredens przy przeciwległej ścianie przesunął się z trzaskiem. Za nim widniała ciemna dziura jak po wyrwanym zębie. Wyszedł z niej Jafar Muftilli i stanął w słabo oświetlonym pokoju. Był przygarbionym czterdziestolatkiem. Trzymał liczydło i sfatygowaną księgę.

– Nie spodziewałem się, że dzisiejszy dzień przyniesie nam tak zaszczytną wizytę.

– Spędzasz całe dnie w piwnicy, ukrywając się przed przyjaciółmi? – zapytał Mevlevi.

– Proszę mnie źle nie zrozumieć, łaskawy panie. Sprawami finansowymi należy zajmować się z największą ostrożnością. Niestety, moi rodacy nic sobie nie robią z rabowania własnych braci.

Mevlevi prychnął z obrzydzeniem, nie puszczając ucha chłopca. Jakie „sprawy finansowe" mogły zajmować tego darmozjada? Czy trzymać oszczędności całego życia w setce jednodolarówek, czy w czterech dwudziestkach piątkach?

– Szukam Abu Abu.

Wódz nerwowo pogładził się po rzadkiej brodzie.

– Nie widziałem go od wielu dni.

– Wylądowałem w tym przeklętym miejscu i nie życzę sobie żadnej zwłoki. Muszę natychmiast zobaczyć się z Abu Abu.

Jafar zwilżył wargi i złożył ręce jak do modlitwy.

– Błagam, łaskawco. Mówię prawdę. Nie mam żadnych powodów, żeby kłamać.

– Może nie. A może Abu kupił twoją współpracę.

– Ależ skąd, łaskawy panie… – zapewnił Jafar.

Mevlevi szarpnął ucho chłopca tak mocno, że oderwał je od głowy. Dziecko padło z krzykiem na ziemię. Co dziwne, przez zaciśnięte pięści chłopca sączył się tylko cienki strumyk krwi.

Jafar padł na kolana. Wydawało się, że nie wie, czy pocieszać przerażonego syna, czy udobruchać wymagającego gościa.

– Al-Mevlevi, mówię prawdę. Abu Abu zniknął. Nie wiem, gdzie się podziewa.

Mevlevi wyciągnął spod szaty nóż i podetknął Jafarowi pod nos. Z krótkiej drewnianej rękojeści wystawało ostrze przypominające srebrny sierp księżyca. Nóż zbieracza opium, upominek od tajskiego generała Monga. Mevlevi klęknął przy pojękującym chłopcu i chwyciwszy go za długie czarne włosy, odchylił mu głowę do tyłu, żeby ojciec widział jego twarz.

– Chcesz, żeby chłopak stracił nos? Albo język?

Jafar zamarł ze strachu.

– Zaprowadzę pana do jego domu. Musi mi pan uwierzyć. Nic nie wiem. – Dotknął czołem podłogi i załkał.

Mevlevi odepchnął chłopca.

– Dobra, idziemy.

Jafar wyszedł z domu, a gość ruszył za nim. Mieszkańcy obozu kłaniali im się nisko i cofali w cień swoich chat. Obóz, będący chaotyczną plątaniną przecinających się zaułków i przejść zajmował powierzchnię ośmiu kilometrów kwadratowych.

Po piętnastu minutach kluczenia w labiryncie zaułków, z których każdy był węższy od poprzedniego, Jafar zatrzymał się przed wyjątkowo nędzną chatą. Drewniane słupki podtrzymywały dach sklecony z blachy, dykty i wełnianych koców. W pozbawionych szyb oknach łopotały zasłony, wypuszczając na zewnątrz potworny smród. Mevlevi odrzucił koc w drzwiach i wszedł do jednopokojowej chaty. Wszędzie walały się ubrania. Na glinianej podłodze leżała przewrócona butelka mleka. Biurko stało do góry nogami. Nad tym bałaganem unosił się przytłaczający smród, Mevlevi dobrze go znał – był to odór śmierci.

– Gdzie jest piwnica? – zapytał.

Jafar zawahał się przez chwilę, zanim wskazał zardzewiały żelazny piecyk. Mevlevi pchnął go w tę stronę. Jafar nachylił się nad piecykiem i objął go, jakby witał się z dawno niewidzianym krewnym.

– Szukam zwalniacza – powiedział.

Chwilę później pociągnął za dźwignię i odsunął piecyk od ściany.

Do piwnicy prowadziły krótkie schody. Z nieoświetlonej jamy wydobywał się przeraźliwy fetor. Jafar przesunął ręką po chropowatej ścianie i znalazł gruby kabel prowadzący do przełącznika. Włączył światło i słaba żarówka oświetliła wilgotną, niską kryjówkę.

Abu Abu był martwy.

Nikt nie mógł mieć co do tego wątpliwości. Odcięta głowa spoczywała na blaszanym talerzu, a nagi tułów leżał nieopodal. Klepisko wyglądało, jakby zbryzgano je krwią dziesięciu mężczyzn. Nóż użyty do ucięcia głowy leżał porzucony przy ramieniu Abu. Ząbkowane ostrze pokrywała zaschnięta krew. Mevlevi podniósł nóż. Rękojeść była z czarnego plastiku, z siateczką wypukłych linii dla lepszego uchwytu. U dołu wyryto gwiazdę Dawida. Znał tę broń. Nóż ze standardowego wyposażenia armii izraelskiej. Wsunął stopę pod wydatny brzuch Abu i przewrócił zwłoki. Ręce opadły bezwładnie na ziemię. Na obu pozbawionych kciuków dłoniach wycięto gwiazdę Dawida.

– Żydzi – zdążył wyszeptać Jafar Muftilli, zanim zwymiotował w kącie.

Mevlevi nie przejął się widokiem bezgłowego ciała. Widział gorsze rzeczy.

– Czym Abu obraził Żydów?

– Wzięli na nim odwet – odparł Jafar słabym głosem. – Miał w Hamasie przyjaciół i pracował dla nich.

– Qassam? – zdziwił się Mevlevi. – Czyżby Abu werbował ludzi do Qassamu?

Qassam było to ekstremistyczne skrzydło Hamasu, z którego rekrutowali się terroryści-samobójcy.

Jafar chwiejnym krokiem wrócił na środek pomieszczenia.

– Czy to nie wystarczający dowód?

– Owszem. – Skoro Żydzi uznali Abu Abu za cel godny uwagi ich najlepszych morderców, musiał być wysoko postawionym członkiem Hamasu, a nawet Qassamu. Nie można mu było odmówić oddania arabskiej sprawie. Ani umiejętności oceniania rekrutów.

Josephowi można było zaufać.

Mevlevi wpatrywał się w głowę Abu Abu. Bojownik islamu nie zasłużył sobie na taką śmierć. Odpoczywaj w pokoju, powiedział cicho. Twoja śmierć zostanie pomszczona po tysiąckroć.

Rozdział 21

Nick wszedł do swego mieszkania i natychmiast uderzył go zapach, którego jeszcze rano tam nie było. Delikatny, przypominający nieco cytrynową pastę, którą polerował stoły w wojskowej stołówce, ale nieco łagodniejszy. Nick zamknął za sobą drzwi, przekręcił zasuwę i przeszedł na środek pokoju. Zamknął oczy i wciągnął głęboko powietrze. Znowu poczuł tę samą woń, ale nie potrafił jej rozpoznać. Mógł tylko stwierdzić, że była obca. Nie należała do tego miejsca.

Nick postanowił obejść powoli swoje mieszkanie i dokładnie zbadać każdy centymetr od podłogi do sufitu. Ubrania były nietknięte. Książki stały na miejscu. Papiery na biurku leżały starannie ułożone. Ale wiedział. Miał pewność, zupełnie jakby znalazł wizytówkę.

Ktoś był w jego mieszkaniu.

Nick uniósł głowę i kilka razy wciągnął powietrze. Wyczuwał obcy zapach. Aromat męskiej wody kolońskiej, duszny i słodki. Nigdy takiej nie używał.

Podszedł do komody, gdzie trzymał koszule i swetry i otworzył dolną szufladę. Sięgnął pod sweter i wyczuwszy pocieszającą obecność broni, nieco się rozluźnił. Przywiózł z Nowego Jorku służbowego colta commandera. Nie było to trudne. Rozkręcił go i powtykał części do różnych zakamarków w walizce. Naboje kupił w Zurychu. Wyciągnął kaburę, rzucił ją na łóżko i usiadł obok. Wyjął pistolet i sprawdził, czy nabój wciąż siedzi w komorze. Odciągnął zamek i zajrzał do środka. Mosiężna czterdziestka piątka uśmiechała się do niego wyżłobionym czubkiem. Zwolnił zamek i przesunął palec do osłony języka spustowego. Kciukiem wymacał bezpiecznik. Był wyłączony. Nick wstał raptownie. Zgodnie z dawno wpojonym mu zwyczajem zawsze trzymał pistolet zabezpieczony z naciągniętym młotkiem. Przesunął parę razy palcem po bezpieczniku, sprawdzając, czy zapadka się nie poluzowała, a bezpiecznik nie włączał się i wyłączał samorzutnie. Ale wszystko działało bezbłędnie. Tylko celowe przesunięcie zapadki w dół mogło odbezpieczyć broń. Może nieproszony gość wcale nie był takim profesjonalistą.

Nick wsunął pistolet do kabury, schował ją do dolnej szuflady i podszedł do drzwi. Próbował odtworzyć ruchy intruza. Oczami wyobraźni ujrzał zjawę poruszającą się od jednego do drugiego końca pokoju. Kto go przysłał? Thorne i jego przyjaciele z amerykańskich służb? A może ktoś z banku? Maeder, Schweitzer albo jeden z ich fagasów, któremu zlecono sprawdzenie nowego pracownika z Ameryki? Nick przeszedł przez pokój i usiadł na łóżku. Przypomniał sobie drobnego mężczyznę o oliwkowej karnacji, w zielonym kapeluszu przewodnika górskiego. Czyżby do jego mieszkania włamał się ten sam facet, który go śledził?

Nick nie znał odpowiedzi na żadne z tych pytań. Poczuł irracjonalną potrzebę ujrzenia nielicznych skarbów, które przywiózł ze sobą ze Stanów. Wiedział, że wszystko znajdzie na swoim miejscu, ale musiał je zobaczyć i dotknąć. Były w pewnym sensie przedłużeniem jego osoby i musiał się upewnić, czy nie zostały zbezczeszczone.

Wszedł do łazienki i sięgnął po kosmetyczkę. Rozpiął ją i zajrzał do środka. W rogu leżało niebieskie pudełeczko z wyrytym na wieczku napisem „Tiffany & Co". Wyjął je i otworzył. Na miękkim bawełnianym dnie spoczywał irchowy woreczek w tym samym odcieniu błękitu. Wyjął woreczek i obrócił go do góry nogami. Na dłoń wypadł mu srebrny szwajcarski scyzoryk. Wyryte były na nim słowa „Zawsze kochająca Anna". Jej pożegnalny prezent dostarczony w Wigilię Bożego Narodzenia. Pod bawełnianym dnem leżał złożony w kostkę list, który towarzyszył prezentowi. Rozłożył go i przeczytał.

„Najdroższy Nicholasie!

Okres świąteczny nastraja mnie do częstych rozmyślań o tym, co mieliśmy, i o tym wszystkim, co mogliśmy mieć. Nie dociera do mnie, że nie jesteś już częścią mojego życia. Mam tylko nadzieję, że nie czujesz w sercu takiej pustki jak ja. Pamiętam, jak pierwszy raz Cię ujrzałam, gdy szedłeś przez dziedziniec uniwersytetu. Wyglądałeś tak zabawnie z łatką włosów na czubku głowy i chodziłeś, jakbyś brał udział w jakimś wyścigu. Nawet trochę się bałam, gdy po raz pierwszy odezwałeś się do mnie podczas zajęć z ekonomii u doktora Galbraitha. Wiedziałeś o tym? Twoje piękne oczy były takie poważne, a Twoje ręce tak mocno ściskały książki, że myślałam, że je zmiażdżysz. Pewnie Ty też się denerwowałeś.

Nick, wiedz, że nie przestaję się zastanawiać, co by było, gdybym pojechała z Tobą do Szwajcarii. Twoim zdaniem nie pojechałam ze względu na karierę, ale chodziło o coś więcej. O przyjaciół, rodzinę, o życiowe aspiracje. Ale przede wszystkim chodziło o Ciebie. Nasz związek rozpadł się po Twoim powrocie z pogrzebu matki. Nie byłeś już tym samym człowiekiem. Przez rok próbowałam wyciągnąć Cię z kokonu, skłonić do otworzenia się i ludzkiej rozmowy ze mną. Próbowałam nauczyć Cię zaufania do mnie! Przekonać Cię, że nie wszystkie kobiety są takie jak Twoja matka. (Przepraszam, jeśli to nadal boli). Pamiętam, jak siedziałeś z tatą podczas przyjęcia z okazji moich urodzin – piliście piwo i opowiadaliście sobie anegdoty jak dwaj starzy kumple. Kochaliśmy Cię, Nick. My wszyscy. Kiedy wróciłeś po Święcie Dziękczynienia, byłeś jakiś odmieniony. Nie uśmiechałeś się już. Zamknąłeś się we własnym małym światku. Znowu stałeś się żołnierzem bezmyślnie wykonującym beznadziejną misję, która niczego nie zmieni ani dzisiaj, ani jutro. Nie mielibyśmy żadnej przyszłości, gdybyś nie przestał żyć przeszłością. Przykro mi z powodu tego, co stało się z Twoim ojcem. Ale przeszłości nie można zmienić. Szkoda. Wszystko przez Ciebie, Nicholasie Neumannie.

Mniejsza z tym… zobaczyłam ten drobiazg u Tiffany'ego i pomyślałam o Tobie.

Zawsze kochająca
Anna"

Nick złożył list. Przesuwając palcami po jego miękkich zagięciach, słyszał jej szept, gdy się kochali w jego mieszkaniu na trzecim piętrze w Bostonie. „Zdobędziemy Manhattan, Nick". Niemal czuł jej nogi oplecione wokół siebie, jej zęby kąsające go w ucho. Widział ją pod sobą. „Kochaj mnie, żołnierzu. Idziemy na szczyt. Ty i ja, razem".

A potem obraz się zmienił.

Nick chwyta Annę za drobne ramiona przed swoim mieszkaniem. Próbuje wytłumaczyć, ale wie, że żadne słowa nie są w stanie oddać jego emocji. „Nie rozumiesz, że chciałem wszystkiego tak bardzo jak ty, a może nawet bardziej? Ale nie mam wyboru. Nie rozumiesz tego? Wszystko inne musi poczekać".

I teraz, tak jak wtedy, Anna spogląda na niego niemo, rozumiejąc słowa, ale nie pojmując ich sensu. Wspomnienia powoli się zatarły i nie wiedział już, czy naprawdę wypowiedział te słowa. Może tylko chciał to zrobić.

Odłożył scyzoryk do pudełka i schował go z powrotem do kosmetyczki. Wyszedł z łazienki i przeszedł kilka kroków do półek. Przywiózł tylko ulubione książki, które miał od dawna i przeczytał kilka razy. Wyjął *Iliadę* Homera w niemieckim przekładzie. Patrząc na tytuł na grzbiecie, uśmiechnął się. Za każdym razem, kiedy brał do ręki tę książkę, myślał sobie: co za frajerzy czytają takie brednie? Ale na przekór tym myślom przeczytał tę i wiele innych książek. Nie chciał być „frajerem", który nie czytał tych „bredni". Książki były dla niego jedynym schronieniem w walącym się dookoła świecie. Wmówił sobie, że gdyby ojciec żył, i tak kazałby mu je przeczytać. Robił więc to z własnej woli. Czytał Homera i Tukidydesa. Czytał Emersona i Melville'a, Crane'a i Jamesa. I oczywiście Hemingwaya. Nikt nie mógł zastąpić Hemingwaya z jego pozowaniem na stuprocentowego samca. „Krótkie szczęśliwe życie Francisa Macombera", najlepsza historia na świecie.

Nick pochłonął wszystkie książki, które kupił ojciec, żeby zapełnić półki w salonie. Schillera, Goethego, Nietzschego i Dürrenmatta: koszmar każdego szwajcarskiego chłopca. Im dłuższy tytuł, tym bardziej mu się podobała. Im bardziej musiał się koncentrować, tym łatwiej mu było uciec przed rzeczywistością. I tak już zostało. Przez całe lata.

Odwrócił książkę i potrząsnął nią. Na podłogę wypadła mała fotografia. Podniósł ją i popatrzył: pluton trzeci, kompania Echo, ośrodek szkoleniowy na Florydzie. Stał z lewej strony, lżejszy o dziesięć kilo, z twarzą wymazaną farbą maskującą. Obok niego o głowę niższy Gunny Ortiga, a dalej Sims, Medjuck, Illsey, Leonard, Edwards i Yerkovic. Wszyscy byli z nim na Filipinach. Po jakich morzach teraz pływają?

Nick odłożył książkę i wyjął oprawiony w skórę tom z górnej półki. Był wyższy i cieńszy od pozostałych. Terminarz ojca z roku 1978. Delikatnie położył go na biurku i poszedł do łazienki po nieużywaną żyletkę. Wrócił do biurka, usiadł i otworzył terminarz. Wsunął żyletkę pod górny lewy róg żółtego papieru, którym wyłożone było wnętrze okładki, i poruszał nią w jedną i drugą stronę. Po trzech lub czterech ruchach żyletka przecięła epoksydową pieczęć i żółta kartka oddzieliła się od okładki. Odsunął ją i wyjął leżący pod spodem pognieciony kawałek papieru.

Trzymając w jednym ręku raport policyjny dotyczący zabójstwa ojca, a w drugim żyletkę, westchnął z ulgą. Jego potajemny wielbiciel nie znalazł raportu. Dzięki Bogu. Nick wyrzucił żyletkę do kosza i położył raport na biurku. Jeden róg był oderwany, a dolną połowę kartki zdobiło idealne brązowe koło. W tym miejscu inspektor postawił kubek z kawą. Nick czytał ten raport setki razy, właściwie znał go na pamięć.

Dane administracyjne zostały wpisane na maszynie do prostokątnych rubryk w górnej części arkusza.

„Data: 31 stycznia 1980 roku. Inspektor prowadzący: porucznik W.J. Lee. Przestępstwo: paragraf 187 – zabójstwo. Godzina zgonu: ok. dwudziestej pierwszej. Przyczyna zgonu: wielokrotne rany postrzałowe".

W rubryce oznaczonej „Podejrzani" wpisano skrót NZ – nie zatrzymano. Poniżej znajdowało się miejsce – około pół strony – gdzie porucznik Lee opisał wydarzenia.

„O godzinie dwudziestej pierwszej pięć sierżanci M. Holloway i B. Schiff usłyszeli strzały w posesji przy Stone Canon Drive 10602. Funkcjonariusze znaleźli ofiarę, Alexandra Neumanna, lat czterdzieści, leżącego twarzą do ziemi przy wejściu do domu. Do ofiary strzelono trzy razy w klatkę piersiową z broni dużego kalibru z bliskiej odległości (widoczne ślady prochu). W chwili przybycia funkcjonariuszy ofiara już nie żyła. Frontowe drzwi otwarte. Zamek nietknięty. W domu nie było nikogo innego. Brak śladów walki. Nie ustalono jeszcze stanu przedmiotów w domu. O dwudziestej pierwszej piętnaście skontaktowano się telefonicznie z posterunkiem policji West Los Angeles i wezwano oficerów z wydziału zabójstw. Sprawę przekazano wymienionemu powyżej inspektorowi".

Na raporcie widniała czerwona pieczęć z literami PU – postępowanie umorzone – i datą trzydziestego pierwszego lipca 1980 roku.

Nick znalazł ten dokument w rzeczach matki w Hannibal przed dwoma laty. Zadzwonił na główny posterunek policji w Los Angeles i poprosił o kopie końcowego raportu oficera śledczego i raport koronera, ale usłyszał, że oba dokumenty spłonęły podczas pożaru w Parker Center dziesięć lat temu. Próbował skontaktować się z oficerem Lee, ale okazało się, że przeszedł już na emeryturę i nie zostawił nowego adresu, przynajmniej nie dla niezadowolonych krewnych ofiar niewyjaśnionych zabójstw.

Wpatrywał się w kartkę, czytając raz za razem nazwisko ojca i słowo, które następowało po nim: zabójstwo. Przypomniał sobie zdjęcie z pożegnalnego przyjęcia w 1967 roku: miał dwadzieścia siedem lat i strasznie się cieszył, że jedzie do Ameryki. Pierwszy duży krok w drodze na szczyt. Niemal słyszał śmiech i odgłosy zabawy. Odczuwał radość ojca we własnym sercu. Wrócił pamięcią do wieczornych spotkań przy pracy domowej, kiedy pokazywał mu czyste ręce. Ujrzał siebie, jak ściska ojca na górze w Arosie. Nigdy nie czuł się tak blisko niego jak wtedy.

Błysnął flesz, a on stał w deszczu, spoglądając na martwe ciało ojca.

Nick zaszlochał. Zacisnął pięści, i wstrzymał oddech, chcąc powstrzymać płacz. Ale po chwili dał za wygraną.

– Przepraszam, tato – zdołał wyszeptać.

Z oczu popłynęły mu łzy i po raz pierwszy od śmierci ojca rozpłakał się jak dziecko.

Rozdział 22

Była dwudziesta trzecia. Po raz drugi tego dnia Nick stanął przed obcym domem, czekając na odgłos zwiastujący otwarcie drzwi. Wcześniej zatelefonował i był oczekiwany – jeśli w ten sposób można określić wymuszoną zgodę na spotkanie w piątkową noc. Postawił kołnierz płaszcza, zasłaniając się przed przejmującym zimnem. Otwórz drzwi, Sylvio. Wiesz, że to ja. Nieszczęśnik, który zatelefonował godzinę temu i oświadczył, że jeśli nie wyjdzie ze swego ponurego mieszkania i nie zobaczy życzliwej twarzy, to zwariuje.

Brzęczyk zadzwonił i Nick wszedł do środka. Wbiegł po schodach prowadzących do jej drzwi. Były uchylone. Widział zarys jej twarzy, gdy sprawdzała, czy jest zalany w trupa, czy kompletnie naćpany. Ale to był tylko on. Nicholas Neumann, pełen zapału bankowy praktykant, który czuł się bardziej zmęczony, skołowany i samotny niż kiedykolwiek wcześniej.

W przedpokoju zapaliło się światło i drzwi otworzyły się na oścież. Sylvia Schon cofnęła się i ruchem głowy zaprosiła go do środka. Miała na sobie czerwony flanelowy szlafrok i grube wełniane skarpety zwijające się przy kostkach, jakby zawstydzone, że przysłaniają takie cuda. Włosy opadały luźno wokół twarzy. Na nosie miała grube okulary, których nie widział od pierwszego dnia pracy. Jej mina wskazywała, że nie ma nastroju do żartów.

– Panie Neumann, mam nadzieję, że ma pan coś ważnego do omówienia. Kiedy mówiłam, że z radością wszystko dla pana zrobię, miałam na myśli...

– Nick – powiedział cicho. – Mam na imię Nick. A pani powiedziała, że jeśli kiedykolwiek będę czegoś potrzebował, mam zadzwonić. Zdaję sobie sprawę, że to niecodzienna pora na wizyty, i w tej chwili stoję tutaj i zadaję sobie pytanie, po co właściwie przyszedłem, ale jeśli wejdziemy do pokoju, napijemy się kawy lub czegoś innego, na pewno wszystko się wyjaśni.

Przerwał. Zadziwiał sam siebie. Jeszcze nigdy nie złożył tylu słów w jedno zdanie, nie wiedząc, co takiego powiedział. Zająknął się, chcąc podać jakieś wyjaśnienie, ale powstrzymała go jej stanowcza ręka, którą poczuł na marynarce.

– Dobra, Nick, wchodź. A skoro jest pięć po jedenastej, a ja mam na sobie mój najbardziej twarzowy strój, uważam, że też powinieneś mówić mi po imieniu.

Odwróciła się i przeszła krótkim korytarzem do przytulnego salonu. Brązowy narożnik ciągnął się na całą długość jednej ściany i połowę drugiej. Przy nim stał szklany stolik. Pozostałe ściany obwieszone były półkami, a przestrzenie między tomami w twardych oprawach wypełniono fotografiami w ramkach.

– Siadaj. Rozgość się.

Wróciła z dwoma kubkami kawy i podała mu jeden. Nick pociągnął łyk i odprężył się. W kominku palił się ogień. Z głośników płynęła nastrojowa muzyka. Nadstawił ucha.

– Co to?

– Czajkowski. *Koncert skrzypcowy d-moll*. Znasz?

Posłuchał chwilę dłużej.

– Nie, ale podoba mi się. Jest pełen pasji.

Sylvia usiadła na narożniku, podwijając nogi pod siebie. Wpatrywała się w niego przez minutę, pozwalając mu ochłonąć, a jednocześnie dając do zrozumienia, że jest zaintrygowana, ale czas leci. Wreszcie się odezwała.

– Wyglądasz na przygnębionego. Co się stało?

Nick zajrzał do kubka z kawą i pokręcił głową.

– Praca w banku jest naprawdę ekscytująca. Bardziej, niż wielu ludziom się wydaje. Z pewnością bardziej, niż mi się wydawało. – Po tym wstępie zrelacjonował Sylvii wydarzenia, które skłoniły go do podjęcia decyzji o ochronie właściciela numerowanego rachunku 549.617 RR, anonimowego klienta zwanego Paszą, przed amerykańską Agencją do Walki z Narkotykami. Tłumaczył, że chciał oszczędzić bankowi kłopotów i zablokować Amerykanom dostęp do poufnych informacji o kliencie. Prywatne powody zatrzymał dla siebie, nie wspomniał też o śledzącym go dżentelmenie i o rzekomo przypadkowej rozmowie ze Sterlingiem Thorne'em. Na zakończenie przytoczył złowieszcze ostrzeżenie Maedera, że „wyrok zapadnie w poniedziałek".

– Nie był ze mnie zadowolony – zakończył. – Na krótką metę może i pomogłem bankowi, ale złamałem pewne ważne zasady. Coś mi się zdaje, że w poniedziałek mogę znaleźć na biurku list z niezwykle uprzejmą informacją o przeniesieniu do jakiegoś nędznego oddziału do liczenia spinaczy.

– A więc tak to było. Powinnam była się domyślić. – Zanim zdążył zapytać o jej wszechwiedzę, dodała: – Na pewno cię przeniosą. To mogę ci obiecać.

Nick poczuł ucisk w żołądku. To tyle, jeśli chodzi o pocieszające słowa Sprechera. *Status quo ante*, gówno prawda.

– Cholera.

– Przenoszą cię do biura Wolfganga Kaisera. Będziesz jego nowym osobistym asystentem.

Nick szukał jakiejś sarkastycznej riposty, ale śmiertelnie poważny ton jej głosu powstrzymał go.

– Miałam ci nic nie mówić do poniedziałku. Teraz wiem dlaczego. Prezes chciał, żebyś podusił się trochę we własnym sosie. Pewnie byłby zadowolony, widząc, do jakiego stanu się doprowadziłeś. W poniedziałek z samego rana dostaniesz wezwanie do „Cesarskiego Szańca". Dzisiaj zadzwonił do mnie Ott, chciał obejrzeć twoje papiery. Chyba dobrze się spisałeś. Bossowie chcą cię na górze. Najwyraźniej chroniąc tego Paszę, przypodobałeś się Kaiserowi.

Nick był kompletnie zdezorientowany. Przez cały dzień szykował się na surową reprymendę, nawet na zwolnienie. A teraz to!

– To niemożliwe. Dlaczego chcą mnie na górze?

– Mają swoje powody. Konig, przejęcie. Kaiser potrzebuje kogoś, kto poradzi sobie z niezadowolonymi amerykańskimi akcjonariuszami. Ma ciebie. W ich oczach przeszedłeś coś w rodzaju testu na lojalność. Wydaje im się, że mogą ci zaufać. Ale uważaj. Tam na górze kręci się mnóstwo osobników o wybujałym ego. Trzymaj się blisko prezesa. Rób dokładnie, co ci każe.

– Już kiedyś słyszałem tę radę – zauważył sceptycznie Nick.

– I ani słowa o naszej rozmowie – rozkazała Sylvia. – Masz udawać zaskoczonego.

– Jestem zaskoczony. Zaszokowany.

– Myślałam, że bardziej się ucieszysz – powiedziała rozczarowanym tonem Sylvia. – Czy nie o tym marzy każdy absolwent Harvardu? Żeby zasiąść po prawicy Boga?

Nick próbował się uśmiechnąć, ale w środku kłębiło się zbyt wiele emocji. Ulga, że nie zostanie wyrzucony z pracy. Nadzieje związane z odszukaniem papierów ojca. Niepokój, czy zdoła spełnić oczekiwania prezesa. Udało mu się wydusić, że jest szczęśliwy.

Sylvia wydawała się wyczerpana tymi rewelacjami.

– To wszystko? Cieszę się, że mogłam cię uspokoić. Nie wyglądałeś zbyt dobrze, kiedy tu przyszedłeś.

Wstała i ruszyła leniwie w stronę przedpokoju. Pora wychodzić.

Nick skoczył na nogi i poszedł za nią. Otworzyła drzwi i oparła się o nie.

– Dobranoc, panie Neumann. Boję się powtarzać to, co powiedziałam wczoraj w restauracji.

– Żebym dzwonił, kiedy będę czegoś potrzebował?

Uniosła brwi, jakby chciała powiedzieć: bingo.

Nick patrzył na Sylvię długo i intensywnie. Miała blade policzki, pełne różowe usta, które chciał pocałować. Niepokój gdzieś się ulotnił. Jego miejsce zajęło to samo podekscytowanie, które dopadło go wczoraj wieczorem.

– Zjedzmy jutro razem lunch – zaproponował. Stojąc tak blisko niej, czuł lekki zawrót głowy.

– Nie sądzisz, że posunęlibyśmy się za daleko?

Nick odpowiedział natychmiast:

– Nie. Jestem pewien, że nie. Chciałbym ci podziękować za to, że mnie dzisiaj wysłuchałaś. Powiedzmy o pierwszej. W Zeughauskeller.

– Panie Neumann…

Nick pochylił się i pocałował ją. Jego usta pozostały na jej wargach tylko przez sekundę, ale to wystarczyło, by zauważył, że się nie odsunęła.

– Dziękuję bardzo za dzisiejszy wieczór. – Przeszedł przez próg. – Będę czekał jutro o pierwszej. Przyjdź koniecznie.

Rozdział 23

Restauracja Zeughauskeller rozbrzmiewała kakofonią głosów dwustu gości spożywających południowy posiłek. Dawniej mieścił się tutaj arsenał wojskowy kantonu zuryskiego i główna sala lokalu zachowała klimat dobrze utrzymanego magazynu. Wysokie stropy z belkami z lakierowanego dębu wsparto na ośmiu potężnych słupach z cementu i zaprawy murarskiej. Kamienne ściany przyozdobiono włóczniami, kuszami i lancami. O pierwszej po południu restauracja była pełna.

Nick siedział sam na środku sali, broniąc stolika przed wszystkimi chętnymi. Każde puste miejsce było na wagę złota. Żadnego zatrzymywania stolika tylko dla siebie. Nie w Szwajcarii. Zerknął na zegarek – pięć po pierwszej – i zatupał stopą o podłogę. Przyjdzie, przekonywał siebie. Przypomniał sobie dotyk jej warg i wiedząc, że Bóg nie przepada za arogantami, dodał do swego stwierdzenia modlitewną nutkę.

Obudził się wcześnie, zamierzając przed wyjściem poćwiczyć. Miesiąc w Szwajcarii i już przytył cztery kilo. Ojciec nie pochwalałby tego. Alex Neumann, przy wzroście metr osiemdziesiąt siedem, nigdy nie przekroczył osiemdziesięciu kilogramów. Jeśli waga choćby drgnęła w stronę osiemdziesięciu jeden, po prostu przestawał jeść, aż masa ciała wróciła do normy. Dyscyplina, powtarzał synowi. Kontroluj się. Życie było dla niego takie proste. Czarno-białe.

Nick położył dwa ręczniki kąpielowe na dywanie przy łóżku i przez następne czterdzieści pięć minut robił kolejne serie pompek, przysiadów, skłonów i unoszeń. Po kwadransie koszulka była już mokra, po pół godzinie zasapał się, a kiedy skończył, mięśnie błagały go o litość. Nieźle jak na początek.

W nagrodę wziął długi gorący prysznic. Wycierając się, myślał o tym, w co się ubrać. Zastanawiał się nad zwykłym służbowym strojem – szary garnitur, biała bawełniana koszula, granatowy rypsowy krawat – ale odrzucił ten pomysł. Jest sobota, powiedział sobie. Wyluzuj się trochę. Wybrał więc parę dżinsów, białą koszulę z przypinanym kołnierzem, a na to czarny sweter. Uczesał się i we wnęce kuchennej nalał sobie szklankę soku pomarańczowego. Przypuszczał, że świeży rogalik z pobliskiej piekarni będzie smakował wyśmienicie. Dwa rogaliki jeszcze lepiej. Trochę masła, odrobina dżemu malinowego. Wtedy zainterweniował ojciec. Dyscyplina, Nicholas. Kontroluj się.

Ze swojego punktu obserwacyjnego Nick miał widok na wejścia po obu stronach restauracji. Otworzyły się drzwi z lewej strony. Weszła starsza para, rozsypując wokół siebie płatki śniegu, a za nimi smukła postać opatulona w płaszcz z wielbłądziej wełny i w kolorowej chustce na głowie. Osoba ta była odwrócona do niego plecami. Zrzuciła płaszcz, ujrzał rękę ciągnącą za chustę, a potem burzę jasnych włosów. Sylvia Schon rozglądała się po sali.

Nick wstał z krzesła i pomachał do niej. Zauważyła go i też pomachała. Uśmiechnęła się?

– Dzisiaj wyglądasz lepiej – powiedziała Sylvia, gdy doszła do stolika. – Udało ci się odpocząć w nocy? – Miała na sobie obcisłe czarne spodnie i dopasowany czarny golf. Włosy związała w kucyk. Kilka pasemek opadało swobodnie wokół twarzy.

– Potrzebowałem tego bardziej, niż przypuszczałem. – Spał siedem godzin bez przerwy. Praktycznie pobił rekord. – Dziękuję za gościnę. Musiałem wyglądać na wykończonego.

– Nowy kraj, nowa praca. Wiem, że to czasem może być przytłaczające. Cieszę się, że mogłam pomóc. Poza tym byłam ci winna przysługę.

– Jak to?

– Wczoraj nie powiedziałam ci wszystkiego. Kaiser był bardzo zadowolony, że przyjęłam cię tak serdecznie w imieniu banku.

Nick nie rozumiał, co ma na myśli. Zachowywał więc ostrożność.

– Naprawdę?

– Widzi pan, panie Neumann... – przerwała i zaczęła od nowa. – Widzisz, Nick, skłamałam, mówiąc, że zabieranie praktykantów na kolację należy do moich rutynowych czynności. – Podniosła wzrok i spojrzała na niego. – To takie niewinne kłamstewko. Czasem zapraszam ich do bankowej kawiarni na colę, ale na pewno nie na kolację w Emilio's. Prezes uznał jednak, że postąpiłam mądrze, zapraszając cię tam. Powiedział, że jesteś kimś wyjątkowym, a ja mam dobre oko do młodych talentów. Kazał Rudy'emu Ottowi wysłać mnie do Stanów na wiosenną rekrutację. Wyjeżdżam za dwa tygodnie.

Nick uśmiechnął się w duchu. A więc Sprecher doskonale wyczuł jej zamiary. Nick w pełni rozumiał motywację Sylvii, a jej szczerość wydawała mu się rozbrajająca. Zbliżyli się o kolejny krok.

– Gratulacje – powiedział. – Cieszę się.

Uśmiechnęła się szeroko, nie potrafiąc ukryć zadowolenia.

– Sam wyjazd nie jest dla mnie tak istotny jak wotum zaufania. Będę pierwszą kobietą, której pozwolono rekrutować kandydatów za granicą. Zupełnie jakby zerwano sufit z mojego biura i po raz pierwszy ukazało się niebo.

A przynajmniej droga na czwarte piętro, pomyślał Nick.

Po lunchu Nick i Sylvia wtopili się w tłum ludzi spacerujących po Bahnhofstrasse. Sobota była dniem zakupów i nawet ulewny deszcz czy śnieżyca nie mogły powstrzymać zdeterminowanego szwajcarskiego konsumenta przed zrobieniem sklepowego obchodu. Egzotyczne artykuły spożywcze można było dostać w Globusie, lepsze ubrania w PKZ, a wyroby cukiernicze – oczywiście w Sprungli. Podczas gdy Sylvia wprawnym okiem oceniała najnowsze propozycje salonów mody, takich jak Chanel i Rena Lange, Nick analizował szanse, jakie dawał mu awans do „Cesarskiego Szańca". Stanowisko asystenta Kaisera ułatwi mu dostęp do bankowego archiwum. Bez problemu dotrze do raportów ojca sprzed lat.

A może nie?

Nagle stracił pewność. Cerber odnotowywał każde wejście pracownika banku do konta numerowanego, więc z pewnością odnotuje też zamówienie każdego dokumentu. A groźniejsza od silikonowego oka Cerbera była aż nazbyt ludzka opieka Armina Schweitzera i Martina Maedera. Sylvia wyraziła się bardzo jasno: będą go uważnie obserwować. Jeśli pod leniwym nadzorem Petera Sprechera miał jakieś pole manewru, to teraz już nie. Każdy jego krok będzie śledzony przez nadgorliwców, którzy żyją i umierają dla United Swiss Bank; ludzi, którzy każdą wątpliwość co do uczciwości banku potraktują osobiście – i odpowiednio się zachowają.

Nick poczekał, aż staną przed olśniewającą suknią w Celine Boutique, zanim poruszył temat miesięcznych raportów ojca.

– Sylvio – zaczął ostrożnie – odkąd tu przyjechałem, ciekawiło mnie, czym zajmował się w banku mój ojciec. W zeszłym tygodniu rozmawiałem z kolegami i dowiedziałem się, że jako dyrektor filii w Los Angeles przesyłał stamtąd co miesiąc raporty.

– Raporty miesięczne. Otrzymuję je, kiedy tylko któraś z naszych zagranicznych filii prosi o przysłanie personelu ze Szwajcarii.

– Bardzo bym chciał zobaczyć, jakimi sprawami zajmował się ojciec.

– Nie widzę problemu. Musisz zejść do DZ i poprosić Karla, żeby pomógł ci odnaleźć miesięczne raporty ojca. Te akta od dawna są martwe. Nikt nie będzie miał nic przeciwko.

Nick pokręcił smętnie głową.

– Myślałem o tym, ale nie chcę, żeby Herr Kaiser albo Armin Schweitzer odnieśli wrażenie, że zaniedbuję obowiązki i grzebię w przeszłości. Kto wie, co sobie pomyślą?

– A co ich to obchodzi? – zapytała beztrosko Sylvia. – To już historia.

– Nie wiadomo. Może i obchodzi.

Spojrzał przez wystawową szybę na kobietę walczącą z upartym parasolem. Na tym etapie wycofała się Anna, przypomniał sobie. Nazwała go egoistą i maniakiem. Już raz śmierć ojca zrujnowała ci życie, powiedziała mu. Nie pozwól, żeby to się powtórzyło.

Wziął Sylvię za rękę i zaprowadził do spokojnego zakątka sklepu. Ruchem głowy wskazał, żeby usiadła obok niego na miękkiej beżowej kanapie.

– Nigdy nie znaleziono mordercy mojego ojca. Został zastrzelony w domu przyjaciela. Ukrywał się przed kimś. Policja nie zatrzymała nawet podejrzanych.

– Wiesz, kto to zrobił?

– Nie. Ale chcę się dowiedzieć.

– I do tego potrzebne ci są raporty? Myślisz, że to morderstwo było związane z bankiem?

– Szczerze mówiąc, nie mam pojęcia, dlaczego zginął mój ojciec. Ale może miało to jakiś związek z jego pracą. Nie sądzisz, że miesięczne raporty mogłyby zdradzić, czy coś było nie tak?

– Może. Na pewno się dowiesz, jakimi sprawami się zajmo.. – Sylvia poderwała się z kanapy. Jej twarz przybrała zupełnie inny wyraz. Oczy, w których wcześniej dostrzegł współczucie, teraz wyrażały gniew. – Chyba nie twierdzisz, że bank był zamieszany w morderstwo twojego ojca?

Nick wstał.

– Źle mnie zrozumiałaś. Nie obwiniam samego banku. Raczej był to ktoś, kogo znał z pracy: jakiś klient; ktoś z innej firmy.

– Nie podoba mi się, dokąd zmierza ta rozmowa – powiedziała chłodno.

Nick czuł, jak odsuwa się od niego, jak jej prywatne demony niszczą zaufanie między nimi. Ale nie dawał za wygraną.

– Miałem nadzieję, że te raporty mi pomogą. Musi tam być jakaś informacja, która podpowie mi, co robił ojciec tuż przed śmiercią.

Z każdym słowem Sylwia robiła się coraz bardziej czerwona.

– Mój Boże, ale chciałeś mnie podejść. Powinieneś się wstydzić. Gdybym miała trochę odwagi, dałabym ci w twarz tu i teraz. Myślisz, że nie wiem, do czego próbujesz mnie namówić? Chcesz, żebym zostawiła odciski palców na informacjach, do których sam boisz się zajrzeć.

Nick położył jej ręce na ramionach.

– Uspokój się. Przesadzasz.

A może to on przesadził? W jednej chwili zrozumiał, że nie powinien był jej zaufać. Obawiał się, że sam nie znajdzie sposobu dotarcia do raportów. Pomylił się, zakładając, że Sylwia czuje do niego to samo, co on do niej. Dlaczego miałaby mu pomagać? Dlaczego miałaby narażać własną karierę dla kogoś, kogo ledwo znała? Chryste, ale z niego idiota.

Sylvia wzdrygnęła się i gwałtownie strząsnęła z ramion jego ręce.

– I po to zjawiłeś się u mnie wczoraj w nocy? Chciałeś wkupić się w moje łaski? Urobić mnie, żebym pomogła ci w tych beznadziejnych poszukiwaniach?

– Oczywiście, że nie. Musiałem się z kimś zobaczyć. Chciałem się zobaczyć z tobą. – Wciągnął powietrze, mając nadzieję, że chwila przerwy uzdrowi sytuację. – Zapomnij, że w ogóle pytałem cię o jakieś dokumenty. Pozwoliłem sobie na zbyt wiele. Sam je zdobędę.

Sylvia rzuciła mu gniewne spojrzenie.

– Nie obchodzi mnie, do czego ci te dokumenty, ale nie zamierzam brać udziału w intrydze, którą knujesz. Teraz widzę, że popełniłam błąd, przedłużając naszą znajomość poza godziny pracy. Chyba nigdy nie zmądrzeję.

Ruszyła do wyjścia, ale zatrzymała się przy drzwiach i zawołała przez ramię:

– Powodzenia w poniedziałek, panie Neumann! Proszę sobie zapamiętać: na czwartym piętrze jest więcej osób, które mają do wypełnienia jakąś prywatną misję.

Rozdział 24

W poniedziałek rano Nick siedział obok Wolfganga Kaisera na skórzanej kanapie w gabinecie prezesa. Na stoliku przed nimi stały dwie nietknięte filiżanki kawy. Czerwona lampka nad drzwiami gabinetu oznaczała, że prezesowi nie wolno przeszkadzać. Rita Sutter otrzymała polecenie, aby nikogo nie łączyć. I Kaiser zaznaczył, że dotyczy to wszystkich rozmów – bez wyjątków.

– Muszę omówić z panem Neumannem bardzo ważną sprawę – wyjaśnił sekretarce pracującej dla niego od osiemnastu lat. – Chodzi ni mniej, ni więcej, tylko o przyszłość naszego banku.

Kaiser robił Nickowi wykład, w którym ubolewał nad niedostatkiem bankierów z prawdziwego zdarzenia.

– W dzisiejszych czasach liczy się wyłącznie specjalizacja – oburzał się, podkręcając końcówki wąsów. – Weźmy na przykład Bauera z działu oceny ryzyka. Spróbuj zapytać go o aktualne procenty hipoteczne, a spojrzy na ciebie, jakbyś pytał o drogę na Księżyc. Albo Leuenberger z działu instytucji pochodnych. Facet jest geniuszem. Może całymi godzinami rozwodzić się o opcjach indeksowych, swapach i podobnych sprawach. Ale gdyby go zapytać, czy powinniśmy pożyczyć dwieście milionów Asea Brown Boveri, wpadłby w panikę. United Swiss Bank potrzebuje pracowników potrafiących ogarnąć wszystkie działania banku i stworzyć dla niego spójną wizję strategiczną. Ludzi, którzy nie boją się podejmować trudnych decyzji.

Sięgnął po filiżankę i podnosząc ją do ust, spojrzał Nickowi w oczy. Upił mały łyk i zapytał:

– Chciałbyś stać się częścią takiego kierownictwa, Neumann?

Nick nie odpowiedział od razu. Przez chwilę siedział sztywno, jakby wezwał go na dywanik sam dowódca korpusu. Tego ranka wstał o piątej i dopilnował, żeby ubranie było nieskazitelnie czyste, buty wypolerowane na błysk, a spodnie idealnie wyprasowane. Zaproszenie do biura prezesa miało być niespodzianką, przypominał sobie, a wezwanie na czwarte piętro – szokiem, z którego jeszcze całkowicie się nie otrząsnął. I faktycznie tak było.

Spojrzał z powagą na prezesa i rzekł:

– Jak najbardziej, sir.

– Fantastycznie – ucieszył się Kaiser i klepnął Nicka w kolano. – Gdybyśmy mieli czas, od razu posłałbym cię do Karla w DZ. Tam zaczynali wszyscy nasi praktykanci. Ja. Twój ojciec. Dokumentation Zentrale. Tam poznawaliśmy strukturę banku, dowiadywaliśmy się, gdzie kto pracuje, kto co robi. Uczyliśmy się wszystkiego.

Nick kiwnął głową ze zrozumieniem. Archiwum było właśnie tym miejscem, w którym pragnął się znaleźć. Cerruti mówił, że przechowuje się tam wszystkie dokumenty powstałe w ciągu ostatnich stu lat. Pewnie więc inne memoranda ojca leżą na jakiejś zapomnianej półce pod warstwą kurzu.

– Po dwóch latach dostawało się pierwszy przydział – ciągnął Kaiser. – Stanowisko w dziale bankowości prywatnej było przysłowiowym złotym runem. Twojego ojca przydzielono najpierw do mnie. O ile dobrze pamiętam, do zarządzania krajowym portfelem. Zżyliśmy się jak bracia, co w przypadku twojego ojca nie było łatwe. Był wojowniczy. Energiczny, powiedziano by dzisiaj. Wtedy nazywaliśmy to niesubordynacją. Nigdy ślepo nie wykonywał poleceń. – Kaiser wciągnął głośno powietrze. – Zdaje się, że w twoich żyłach płynie ta sama krew.

Nick zareagował stosownie, wydając z siebie pełne nostalgii westchnienie. Jednocześnie zastanawiał się, co – jeśli w ogóle coś – Kaiser wie o śmierci ojca.

– Postawa Aleksa i mnie zdopingowała – ciągnął prezes, a jego nieobecne spojrzenie zdradzało żywe zainteresowanie przeszłością. – Pomógł mi osiągnąć to, co mam dzisiaj. Jego śmierć była ogromną stratą dla banku. I oczywiście, dla twojej rodziny. Musiałeś to bardzo przeżyć, zwłaszcza że umarł w tak strasznych okolicznościach. Ale ty jesteś twardy. Widzę to w twoich oczach. Masz oczy ojca. – Kaiser uśmiechnął się blado, wstał i podszedł do biurka. – No,wystarczy tych wspomnień. Jeszcze się popłaczemy. Tego by tylko brakowało.

Nick również wstał. Podchodząc do biurka prezesa, podziwiał jego aktorskie zdolności. Miał przed sobą człowieka, który prawdopodobnie płakał tylko raz w życiu: kiedy nie dostał takiej premii, jakiej oczekiwał.

Wolfgang Kaiser przejrzał stertę notatek, raportów i wiadomości telefonicznych.

– O! Tego szukałem. – Wziął do ręki czarną skórzaną teczkę i podał ją Nickowi. – Nie wypada, żeby dla prezesa jednego z lepszych szwajcarskich banków pracowali praktykanci. Nikt nie podziękował ci jeszcze za to, co zrobiłeś w czwartek. Większość znanych mi osób, powołując się na przepisy, zrzuciłaby odpowiedzialność, którą ty wziąłeś na swoje barki. Swoją decyzją chroniłeś bank, nie siebie. Wymagało to umiejętności przewidywania i odwagi. Tego rodzaju lojalność jest nam potrzebna, zwłaszcza w dzisiejszych czasach.

Nick otworzył teczkę. Wewnątrz na aksamicie leżała kartka z kredowego papieru w kolorze kości słoniowej. Ręcznie malowane litery stylizowane na ozdobne pismo gotyckie głosiły, że od dnia dzisiejszego Nicholas A. Neumann jest zastępcą wiceprezydenta United Swiss Bank, upoważnionym do wszelkich praw i przywilejów związanych z tym stanowiskiem.

Kaiser wyciągnął rękę nad biurkiem.

– Jestem naprawdę dumny z twojej postawy – rzekł uroczystym tonem. – Mój własny syn nie poradziłby sobie lepiej.

Nick nie mógł oderwać oczu od dokumentu. Przeczytał jeszcze raz słowa „zastępca wiceprezydenta". W ciągu zaledwie sześciu tygodni doszedł do stanowiska, które zwykle osiąga się najwcześniej po czterech latach. Potraktuj to jak awans wywalczony na polu bitwy, pomyślał. Konig atakował jedną flankę, Thorne drugą. Odpierając jednego, odparłeś obydwu.

Uścisnął dłoń prezesa. Wyobraził sobie, że jest po jego stronie i przeprowadza bank przez mielizny świata finansów. W tej chwili nie pomyślał o prawdziwym powodzie, dla którego się tutaj znalazł i o wszystkim, co zostawił za sobą. Żałował nawet, że kariera w banku nie jest jego jedynym celem.

– Jestem pewien, że ojciec zrobiłby to samo – powiedział, znowu wcielając się w rolę detektywa.

Kaiser uniósł brwi.

– Możliwe.

Zanim Nick zdążył zapytać, co ma na myśli, prezes wskazał fotele przy biurku. Usiedli.

– Jesteś teraz pełnoprawnym urzędnikiem banku – ciągnął donośnym głosem – sprawy finansowe omówisz z doktor Schon. Chyba dobrze się tobą opiekuje, co?

– W czwartek byliśmy na kolacji. – Nick uświadomił sobie, że Sylwia mogła poczuć się urażona jego szybkim awansem. Pracowała w USB dziewięć lat i znajdowała się tylko jeden stopień wyżej w bankowej hierarchii. Nic dziwnego, że tak się zdenerwowała, gdy wspomniał o miesięcznych raportach. Trudno mu będzie naprawić ich stosunki. Nie powinien był jej prosić o te dokumenty.

– Będziemy musieli cię przenieść z *Personnelhaus* – oznajmił Kaiser. – Powinieneś pojechać do naszego ośrodka szkoleniowego w Wolfschranz na seminarium przygotowawcze, ale biorąc pod uwagę okoliczności, darujemy to sobie.

Na dźwięk słów *Personnelhaus* myśli Nicka poszybowały w innym kierunku. Wciąż się zastanawiał, kto w piątek po południu buszował w jego mieszkaniu. Teraz pomyślał, że może przeszukanie osobistych rzeczy było ceną przyjęcia do „Cesarskiego Szańca".

Na telefonie Kaisera zaczęła migać lampka. Prezes zawahał się. Wyglądał jak alkoholik, który się zastanawia, czy wypić kolejnego drinka. Spojrzał na Nicka, potem na telefon i znowu na niego.

– Z powrotem do kieratu – westchnął. Wcisnął pulsujący przycisk i podniósł słuchawkę.

– Tak? – Słuchał przez chwilę, a potem powiedział: – Dobrze, niech wejdzie.

Drzwi się otworzyły, zanim zdążył odłożyć słuchawkę. Do gabinetu wpadł niski mężczyzna, który wyglądał na bardzo zdenerwowanego.

– Klaus Konig wydał polecenie zakupu półtora miliona naszych akcji! – zawołał. – Adler Bank złożył zamówienie otwarte na wykup całych piętnastu procent naszych udziałów. Pięć procent już jest w ich rękach, zdobędą więc w sumie dwadzieścia procent. Jeśli Konig znajdzie się w zarządzie, nie będzie można powiedzieć ani zrobić niczego w tajemnicy. Będzie jak w Ameryce. Totalny chaos!

– Panie Feller – odpowiedział spokojnie Kaiser – nigdy nie dopuścimy do tego, aby Adler Bank miał choćby jedno miejsce w zarządzie. Nie doceniliśmy zamiarów pana Koniga. Ale tego błędu już nie popełnimy. Postaramy się między innymi pozyskać naszych instytucjonalnych udziałowców, z których wielu mieszka w Ameryce Północnej. Obecny tutaj pan Neumann zajmie się kontaktami z tymi udziałowcami i będzie ich przekonywał do głosowania z bieżącym kierownictwem podczas walnego zgromadzenia za cztery tygodnie.

Feller cofnął się o krok i spojrzał na Nicka.

– Proszę mi wybaczyć – wymamrotał. – Nazywam się Feller. Reto Feller. Miło mi pana poznać. – Był niski, tłusty i niewiele starszy od Nicka. Na nosie miał okulary w rogowej oprawie, przez które jego ciemne oczy wyglądały jak wilgotne, źle zogniskowane kamienne kulki. Wokół łysiejącej głowy został mu wianuszek kręconych rudych włosów.

Nick wstał, przedstawił się i wyraził nadzieję, że będzie im się przyjemnie współpracowało.

– Przyjemnie? – burknął Feller. – Toczymy tu wojnę. Nie ma mowy o przyjemności, dopóki Konig nie zginie, a piekło nie pochłonie Adler Bank. – Odwrócił się do Kaisera. – Co mam powiedzieć doktorowi Ottowi? Czeka z Seppem Zwickim na parkiecie. Mamy zaczynać program skupowania akcji?

– Nie tak szybko – odrzekł Kaiser. – Jeśli zaczniemy kupować, cena akcji natychmiast pójdzie w górę. Najpierw trzeba zgromadzić jak najwięcej głosów. Dopiero wtedy zaangażujemy kapitał banku do walki z Konigiem.

Feller skinął głową i pospiesznie opuścił gabinet.

Kaiser podniósł słuchawkę. Zadzwonił do Seppa Zwickiego i polecił mu wstrzymać plan gromadzenia akcji. Następnie zapytał, kto może sprzedać Adler Bank duże pakiety akcji. Gdy rozmowa zeszła na wpływ działań Koniga na ceny funduszy otwartych USB, Nick przestał słuchać. Obrócił się na krześle i rozejrzał się po gabinecie Wolfganga Kaisera.

Rozmiarami i kształtem gabinet przypominał transept średniowiecznej katedry. Wysokie sklepienie, cztery krokwie na całą długość. Podwójne drewniane drzwi sięgały do samego sufitu. Ich położenie – jak wyjaśniła Nickowi sekretarka prezesa Rita Sutter – było nader istotne. Obie pary otwarte oznaczały, że każdy członek kierownictwa banku może wejść do gabinetu prezesa bez uprzedzenia. W przypadku zamknięcia drzwi wewnetrznych prezesowi można było przeszkodzić, ale tylko za pośrednictwem sekretarki. Gdy obie pary drzwi były zamknięte, wejść ośmieliłby się tylko ktoś, kto „chciałby się narazić na wyrzucenie przez okno". Tak to ujęła Rita. Pod warunkiem, dodał w myślach Nick, że zdołałby ją ominąć.

Rita Sutter nie przypominała wystrzałowej blondynki ze zdjęcia Marca Cerrutiego. Włosy miała o kilka tonów ciemniejsze, wciąż ponętne kształty skrywała pod szarą garsonką, a błękitne oczy straciły blask. Taksowały z bezpiecznej odległości. Bił od niej spokój i niezachwiane poczucie kontroli. Nick pomyślał, że Rita Sutter wie więcej o tym, co dzieje się w banku, niż sam Kaiser.

Mahoniowe biurko prezesa stało dokładnie naprzeciw wejścia. Biurko było dominującym elementem wystroju gabinetu, nieruchomym ołtarzem, na którym znajdowały się przedmioty konieczne do oddawania czci bogom międzynarodowego biznesu: dwa monitory, dwa telefony, głośnik wbudowany w blat i rolodex wielkości wodnego młyna.

Stało na tle olbrzymiego łukowatego okna sięgającego od podłogi do sufitu. Cztery stalowe pręty przecinające okno dawały gościom pokrzepiające poczucie zamknięcia w najbardziej zasobnej krypcie świata. A tych z nieczystymi sumieniami napawały strachem przed uwięzieniem w barbakanie środkowoeuropejskiej fortecy.

Nick podążył wzrokiem za snopem słonecznego światła, które przebiło się przez poranną mgłę i oświetliło zakamarki przestronnego gabinetu. Ścianę naprzeciwko zdobiły dwa obrazy: olejny portret Gerharda Gautschiego, który rządził bankiem przez trzydzieści pięć lat, i bizantyjska mozaika, która przedstawiała przekupniów w świątyni. Mozaika była przepiękna, nawet niewprawne oko Nicka potrafiło docenić jej wartość.

W kącie najbliżej biurka stała pełna zbroja samuraja – podarunek od japońskiego banku Sho-Ichiban, z którym USB dzielił dwa procent pakietów wzajemnych, a na ścianie nad kanapą wisiał obraz Renoira przedstawiający pole dojrzałej pszenicy.

Nick usiłował odnaleźć nić łączącą elementy wystroju gabinetu. Kaiser nie był typem, który gromadzi cenne przedmioty z próżności. Otoczył się pamiątkami zebranymi podczas wędrówki banku na szczyty sławy, osobistymi trofeami stoczonych bitew, dziełami sztuki, które przemawiały do intymnych zakamarków jego duszy.

Nick czuł, że jest jakiś porządek w tym eklektycznym zbiorze dzieł sztuki. Przesłanie, które aż się prosi, żeby je odczytać. Rozglądał się po pokoju, koncentrując nie myśli, lecz wrażenia; nie patrząc, lecz wchłaniając. I nagle zrozumiał. Władza. Wizja. Skala. Ten gabinet był pomnikiem panowania Kaisera. Świątynią na cześć wielkości United Swiss Bank i człowieka, który przyniósł bankowi tę chwałę.

Z zadumy wyrwał go trzask rzuconej słuchawki.

Kaiser odchylił się do tyłu w fotelu i przeczesał dłonią bujne włosy. Zaczął się bawić końcówkami wąsów.

– *L'audace*, Neumann. *Toujours l'audace*! Wiesz, kto wypowiedział te słowa? – Nie czekał na odpowiedź. – Nie chcemy skończyć jak on, prawda? Na jakiejś wyspie gdzieś na końcu świata. Musimy działać bardziej subtelnie. Żadnych armatnich salw, jeśli chcemy urwać łeb tej rewolucji szybko i skutecznie.

Nick nie poprawił prezesa, choć wiedział, że zacytowane przez niego słynne hasło bojowe padło z ust Fryderyka Wielkiego, a nie Napoleona.

– Weź coś do pisania. Rób notatki i nie zamień się w kłębek nerwów jak pan Feller. Generał musi zachować spokój, gdy bitwa wchodzi w decydującą fazę.

Nick sięgnął po bloczek papieru, który leżał przed nim na biurku.

– Feller miał rację – rzekł prezes. – Mamy wojnę. Konig chce nas przejąć. Zawsze tego pragnął, jeśli dobrze odczytuję sygnały. Jest w posiadaniu akcji, które stanowią nieco ponad pięć procent naszego kapitału, i wydał polecenia zakupu kolejnych piętnastu procent. Kto wie, ile akcji mają jego sponsorzy, ale jeśli zdoła zgromadzić pakiet na trzydzieści trzy procent głosów, zdobędzie dwa miejsca w zarządzie. Wtedy będzie wpływać na innych członków zarządu i blokować ważne wnioski.

– Zarzuca nam – ciągnął Kaiser – że nie wyszliśmy jeszcze ze średniowiecza. Twierdzi, że bankowość prywatna to archaizm. Przyszłością jest obrót papierami wartościowymi. Wykorzystywanie kapitału firmy, żeby wpływać na rynki, kursy walut, odsetki i grać na nich. On i jego poplecznicy postawią na wszystko, czy to będą transakcje terminowe, hipoteki czy kontrakty na argentyńską wołowinę. Każda inwestycja, która nie przyniesie zysków na poziomie dwudziestu procent rocznie, trafia pod topór. Dzięki Bogu, my tak nie postępujemy. Bankowość prywatna dała nam pozycję, którą cieszymy się dzisiaj. Nie zamierzam z niej rezygnować ani narażać naszej wypłacalności, przyłączając się do bandy hazardzistów Koniga.

Obszedł biurko, stanął przy fotelu Nicka i położył mu rękę na ramieniu.

– Chcę, żebyś się zorientował, które osoby i instytucje są w posiadaniu największych pakietów naszych akcji. Dowiedz się, na kogo możemy liczyć, a kto poprze Koniga. Będziemy musieli wymyślić coś chwytliwego o naszych planach poprawy wskaźnika rentowności majątku i zwiększenia zysków udziałowców.

Nick zrozumiał, co go czeka, zanim Kaiser skończył mówić. Miał przed sobą długą i trudną drogę. Wszelkie plany wykorzystania świeżo zdobytego stanowiska do przeprowadzenia śledztwa w sprawie śmierci ojca musiał odłożyć na później. Przynajmniej do czasu pokonania Koniga. Ale przecież znalazł się tam, gdzie chciał być – „po prawicy Boga".

– Skąd ten sukinsyn ma pieniądze? – zastanawiał się Kaiser. – W ciągu ostatnich siedmiu miesięcy Adler Bank trzy razy zadeklarował wzrost kapitału, nie wchodząc nawet na rynek. To znaczy, że Koniga musi potajemnie wspierać dużo grup prywatnych. Chcę, żebyś się dowiedział kto to. Twój przyjaciel Sprecher dzisiaj rozpoczyna tam pracę. Wykorzystaj go. I nie zdziw się, jeśli on zechce wykorzystać ciebie, zwłaszcza kiedy odkryje, że pracujesz dla mnie.

Zabrał rękę z ramienia Nicka i skierował się do wyjścia. Nick wstał i też podszedł do potężnych drzwi. Chciał zapytać, co z Paszą, kto teraz się nim zajmie?

Jedno wiedział na pewno. Skoro Cerruti znał Paszę, Kaiser znał go jeszcze lepiej.

– Do walnego zgromadzenia zostały cztery tygodnie, Neumann. Niedużo czasu jak na pracę, którą musimy wykonać. Pani Sutter zaprowadzi cię do nowego gabinetu. I miej oko na Fellera. Nie pozwól, żeby się za bardzo denerwował. Pamiętaj, Neumann: cztery tygodnie.

Rozdział 25

Sylvia Schon patrzyła na niebieskie karteczki na biurku i zastanawiała się, kiedy Nick przestanie dzwonić. Pierwsza wiadomość z wtorkowego popołudnia brzmiała: „Pan Nicholas Neumann dzwonił o osiemnastej czterdzieści pięć i prosił o telefon". Drugą spisano dziś rano. Brzmiała podobnie. Przeczytała jeszcze raz obie wiadomości. Rozpoznała numer wewnętrzny czwartego piętra, „Cesarskiego Szańca".

Odłożyła karteczki na biurko i usiłowała stłumić zazdrość, która ją ogarniała na myśl o sukcesie Nicka. Nigdy nie widziała, żeby praktykanta awansowano na stanowisko zastępcy wiceprezydenta, po zaledwie pięciu tygodniach. Jej dojście do tego szczebla zabrało sześć lat! Niepewna swoich szans na dalszy awans, zapisała się na wieczorowe studia na Uniwersytecie Zuryskim. Chodziła na zajęcia trzy razy w tygodniu i w soboty, żeby zdobyć doktorat z zarządzania. Po trzech latach uzyskała stopień, ale dopiero minionej zimy awansowano ją na wiceprezydenta. A jeśli Nick się sprawdził, może zostać awansowany na wiceprezydenta za dziewięć miesięcy, pod koniec listopada, kiedy bank ogłosi coroczną listę awansów. Takie rzeczy zdarzały się osobom, które trafiły do centrum władzy.

Sylvia wrzuciła niebieskie karteczki do kosza za biurkiem – tam, gdzie znalazły się wszystkie wiadomości, które Nick zostawił od poniedziałku. Próbowała sobie wmówić, że nie czuje się dotknięta jego awansem. Że to tylko kolejna drobna niesprawiedliwość, którą musi przełknąć. Ale nie potrafiła.

Zadzwonił telefon. Zerknęła, czy jej asystent siedzi przy biurku. Nie było go tam, więc sama podniosła słuchawkę.

– Schon.

– Dzień dobry, Sylvio. Mówi Nick Neumann. Cześć.

Sylvia zamknęła oczy. Tylko tego było jej trzeba.

– Witam pana, panie Neumann.

– Myślałem, że przeszliśmy na ty.

Poruszyła się nerwowo. Nie cierpiała siebie za to, że ukrywa się za maską „Mistrzyni Profesjonalizmu".

– Dobrze, Nick. W czym mogę ci pomóc?

– Chyba się domyślasz. Chciałem przeprosić za tę aferę z aktami. Nie powinienem prosić cię o pomoc. Zachowałem się samolubnie. Popełniłem błąd.

– Przeprosiny przyjęte. – Od soboty prawie wcale nie myślała o tych aktach. To nieoczekiwany awans Nicka ją drażnił. – Jak tam praca u prezesa?

– Ciekawa. Mam mnóstwo roboty. Właściwie chciałbym z tobą o tym porozmawiać. Może zjemy jutro razem kolację?

Sylvia wciągnęła powietrze. Nie myliła się – zadzwonił, żeby umówić się na randkę. Na dźwięk jego silnego głosu uprzytomniła sobie, że nie powinna się na niego złościć. Nie miała prawa obwiniać Nicka. Mimo to wciąż czuła urazę.

– Nie sądzę. Będzie lepiej, jeśli zostawimy wszystko tak, jak było.

– O? A jak było?

– Niczego nie było – odparła niecierpliwie. Jego upór denerwował ją. – Teraz rozumiesz? Posłuchaj, naprawdę mam sporo pracy. Wpadnę do ciebie, kiedy będę wolniejsza.

Odłożyła słuchawkę, zanim zdążył zaprotestować. Ale już po chwili zrobiło jej się głupio. Przepraszam, Nick, powtarzała w myślach, wpatrując się w telefon. Zadzwoń jeszcze raz. Powiem, że nie wiem, co we mnie wstąpiło. Że w sobotę bawiliśmy się wspaniale i że wciąż się zastanawiam, co znaczył ten cudowny pocałunek.

Ale Nick nie zadzwonił.

Sylvia schyliła się i wyjęła z kosza jedną ze zmiętych karteczek. Rozprostowała ją na biurku i odczytała numer.

Nick zburzył jej spokój. Był przystojny i pewny siebie. Miał piękne oczy. Oczy, których przeszywające spojrzenie w jednej chwili napawało strachem, a w następnej łamało serce. Nie miał rodziny i zazdrościła mu tego. Jej ojciec był prymitywnym tyranem o czerwonej twarzy. Zawsze prowadził dom jak stację kolejową w Sargans, której był naczelnikiem. Po śmierci matki Sylvia przejęła opiekę nad młodszymi braćmi, Rolfem i Erikiem: przygotowywała im posiłki, sprzątała, prała. Ale chłopcy, zamiast okazać jej wdzięczność, naśladowali zachowania ojca i traktowali ją jak służącą, a nie jak starszą siostrę.

Sylvia wróciła myślami do kolacji z Nickiem. Określił się jako „niezależny". Bardzo jej się to spodobało, bo sama też była niezależna. Jej życie należało wyłącznie do niej. Mogła z nim zrobić, co chciała. Wspominała dotyk warg Nicka, delikatny i zarazem namiętny. Zaczęła sobie wyobrażać, co mogło nastąpić później. Musnąłby dłonią jej policzek, ona przywarłaby do niego całym ciałem. Rozchyliłaby usta i poczuła jego smak. Silny dreszcz podniecenia wyrwał ją z rozmarzenia.

Zerknęła na zegarek. Dochodziła dziewiąta. Zabrała się do aktualizowania listy wymagań stawianych absolwentom szwajcarskich uczelni poddawanym rozmowom kwalifikacyjnym. Było to zajęcie żmudne, ale nie wymagające skupienia, więc zaczęła myśleć o celach, jakie postawiła sobie na początku roku.

Wiosną pojedzie do Stanów Zjednoczonych, żeby nadzorować rekrutację amerykańskich magistrantów. Do końca roku dział finansowy będzie mógł się pochwalić najniższym wskaźnikiem rotacji pracowników. Cel ten został prawie osiągnięty. Wolfgang Kaiser przydzielił jej to zadanie. Częściowo dzięki Nickowi, gdyż jego pojawienie się pozwoliło jej zabłysnąć w oczach prezesa. Dopilnowanie, by jej dział miał najniższą fluktuację kadr wymagało dużego wysiłku. Na razie plasowali się za bankowością komercyjną i za działem obrotu papierami wartościowymi. Gdyby Nick został dłużej niż inni rekruci Rudolfa Otta, byłaby bardzo szczęśliwa.

Chcesz, żeby został, także z innych powodów, podpowiedział jej jakiś inny, wewnętrzny głos.

Sylvia stuknęła paznokciami w karteczkę z wiadomością i podniosła słuchawkę. Dlaczego miałaby do niego nie zadzwonić? Oboje są niezależni, nie ma więc obaw, że któreś się za bardzo zaangażuje. Starała się, aby jej związki cechowało maksimum namiętności i minimum zobowiązań. Raz lub dwa razy w roku pozwalała sobie na specjalne przyjemności. Zbyt ciężko pracowała na swoją wolność, żeby z niej zrezygnować i utknąć w związku – jakimkolwiek. Pewnie kiedyś zatęskni za czymś bardziej trwałym, ale na razie była zadowolona z tego, co miała. Dlaczego więc, do diabła, nie mogła pozbyć się wrażenia, że to może być ten jedyny?

Wykręciła numer wewnętrzny Nicka. Odebrał po pierwszym sygnale.

– Halo.

– Powinieneś podać swoje nazwisko. Jesteś za mało oficjalny.

– A ty kim jesteś? – zapytał Nick. – Doktor Jekyll czy panią Hyde?

– Przepraszam, Nick. Zapomnij o naszej ostatniej rozmowie. Zaskoczyłeś mnie.

– Zgoda.

Z korytarza dobiegł znajomy głos.

– Fräulein Schon, jest pani u siebie?

Sylvia zesztywniała w fotelu.

– Muszę kończyć, Nick. Zadzwonię do ciebie później. Może nawet wpadnę obejrzeć twój nowy gabinet. Dobrze?

Gdy mówił „do widzenia", odłożyła słuchawkę.

– Dzień dobry, doktorze Ott – powiedziała pogodnie, wstając zza biurka. Podała dłoń wiceprezesowi United Swiss Bank. – Co za miła niespodzianka – skłamała gładko. Nie znosiła Otta.

– Cała przyjemność po mojej stronie, Fräulein Schon. – Stanął przed nią z dłońmi splecionymi na wystającym brzuchu. – Mamy huk roboty przed walnym zgromadzeniem – obwieścił.

– Trudno uwierzyć, że zostały już tylko cztery tygodnie – odparła.

– Trzy i pół – poprawił ją Ott. – Dzisiaj trzeba wysłać listy do pracowników pani działu w sprawie głosowania, do którego uprawniają ich akcje USB. Wszystkim należy wyraźnie zasugerować, aby głosowali na naszą listę dyrektorów. Albo osobiście, albo przez zastępcę. Do piątej po południu proszę dostarczyć kopię listu.

– Zostało niewiele czasu – stwierdziła Sylvia.

Ott zignorował jej uwagę.

– W ciągu tygodnia proszę porozmawiać ze wszystkimi pracownikami tego działu i dowiedzieć się, jak będą głosować.

– Czy naprawdę pan sądzi, że któryś z naszych pracowników mógłby uznać, iż głosowanie na Koniga leży w jego interesie?

Ott pochylił się, jakby nie dosłyszał.

– Czy naprawdę tak sądzę? – powtórzył. – Gdybyśmy żyli w idealnym świecie, odpowiedziałbym oczywiście, że nie. Ale nie w tym rzecz. Prezes kazał mi dopilnować, żeby osobiście zadzwoniła pani do każdego pracownika działu finansowego. Ma pani zachęcić wszystkich do udziału w spotkaniu. Dostaną oficjalnie pół dnia wolnego. Prezes ma wrażenie, że podwładni darzą panią ogromnym szacunkiem. Powinna się pani cieszyć.

– Cieszę się. Tyle tylko, że zostało mało czasu. W przyszłym tygodniu lecę do Stanów. Przesłałam terminarz przesłuchań do wszystkich głównych uczelni, z którymi współpracowaliśmy w przeszłości. Harvard, Wharton, Northwestern i kilka innych.

– Obawiam się, że trzeba będzie przełożyć ten wyjazd.

Sylvia uśmiechnęła się niepewnie. Czy dobrze go usłyszała?

– Musimy odwiedzić te uczelnie przed końcem marca, w przeciwnym razie najlepsi absolwenci przejdą do innych firm. Nie będzie mnie tylko dwa tygodnie. Zamierzałam jutro wysłać panu terminarz.

Wargi Otta zadrżały.

– Przykro mi, Fräulein Schon – rzekł po chwili. – Z pewnością pani rozumie, że niezbędna jest pani obecność na miejscu. Jeśli nie pokonamy Koniga, nie będziemy potrzebować pani magisterskiej śmietanki.

Sylvia podeszła do biurka i wzięła do ręki program podróży rekrutacyjnej.

– Proszę spojrzeć na mój harmonogram spotkań. Planuję wrócić tydzień przed zgromadzeniem. Zdążę przypilnować, żeby wszystkie głosy oddano na Herr Kaisera.

Ott odsunął program i ciężko opadł na fotel.

– Nadal wydaje się pani, że skoro Herr Kaiser wysłał panią do Nowego Jorku zamiast mnie, to znaczy, że zainteresował się pani karierą? Moja droga, zapraszając Neumanna na kolację, wykazała się pani godną podziwu zdolnością przewidywania. To było bardzo sprytne, naprawdę. Kaiser był pod wrażeniem. O tak, nastawiła pani prezesa przeciwko mnie. To się pani udało. Nie wyjadę do Nowego Jorku. Ale niestety, *liebchen*, pani też nie.

– Jestem pewna, że znajdziemy rozwiązanie, które będzie do przyjęcia dla pana i Herr Kaisera. Mogę skrócić wyjazd.

– Nie sądzę. Jak powiedziałem, jest pani potrzebna na miejscu.

– Nie ustąpię – powiedziała Sylvia zdecydowanym głosem. – Takie było życzenie prezesa.

Ott walnął dłonią w biurko.

– Nie będzie żadnego wyjazdu. Ani teraz, ani nigdy! Moja droga, naprawdę sądziła pani, że flirt z prezesem pozwoli się pani wybić? Szybciej zrealizować plany?

– Moje życie prywatne nie powinno pana obchodzić. Nigdy nie próbowałam czerpać korzyści z moich kontaktów z prezesem, ale w tej sprawie nie zawaham się porozmawiać z nim osobiście.

– A więc zamierza pani znowu rzucić się w ramiona Herr Kaisera? Drogie dziecko, Herr Kaiser skończył z panią. Gdyby potrzebował towarzystwa kobiety, wybralibyśmy kogoś mniej ambitnego. A najlepiej kobietę niezwiązaną z bankiem.

– Nie może pan kontrolować jego pragnień...

– Pragnienia to jedno, moja droga, a przydatność to coś innego. Prezes potrzebuje mnie. Dzisiaj, jutro i tak długo, jak długo będzie kierował bankiem. Jestem olejem, dzięki któremu ta skomplikowana maszyna sprawnie działa. – Wstał i wymierzył tłusty palec w Sylvię. – Chyba nie uwierzyła pani, że szwajcarski bank dopuści, aby w Stanach Zjednoczonych reprezentowała go kobieta? A w dodatku młoda kobieta.

Sylvia poruszyła ustami, ale z jej gardła nie wydobył się żaden dźwięk. Ott miał rację. Jeśli chodzi o traktowanie kobiet, Szwajcaria pozostawała całe lata świetlne za Anglią, Francją i Stanami Zjednoczonymi. Wystarczyło spojrzeć na USB. Ile kobiet było w zarządzie? Ani jednej. Ile zajmowało stanowisko wiceprezydenta wykonawczego? Mimo to wiedziała, że sytuacja musi się zmienić. I miała nadzieję, że to ona ją zmieni.

– A jednak pani uwierzyła – mruknął Ott z niedowierzaniem. – Widzę to w pani oczach. Niezwykłe! – Wychodząc zawołał przez ramię: – Proszę przygotować ten list do piątej po południu, Fräulein Schon. Koniecznie. Musimy mieć wszystkie głosy.

Sylvia odczekała kilka minut i poszła do damskiej toalety. W kabinie oparła się o pokrytą glazurą ścianę. Słowa Otta wciąż dźwięczały jej w uszach. Zwyciężył. Złamał ją. Pokonał kolejną duszę, żeby wzmocnić swój sojusz z Wolfgangiem Kaiserem.

Cholerny drań, pomyślała. Ogarnęła ją fala rozżalenia i rozpłakała się. Poznała Wolfganga Kaisera przed dwoma laty na dorocznym pikniku dla pracowników banku. Nigdy nie marzyła o rozmowie z nim, nie mówiąc już o romansie. Żaden z pracowników jej szczebla nie znał prezesa. Kiedy więc wziął ją na stronę i zapytał, czy dobrze się bawi, zachowywała się powściągliwie, wręcz bała się odezwać. Wcale go to nie zniechęciło.Wręcz przeciwnie. Zaczął rozprawiać z entuzjazmem o wystawie prac Giacomettiego w Kunsthaus, zapytał ją, czy pływała kiedyś tratwą po rzece Saanen, a potem opowiedział o wycieczce, którą odbył przed dwoma tygodniami. Spodziewała się uprzejmego, lecz surowego służbisty, tymczasem poznała mężczyznę ciepłego i wylewnego.

Dwa kolejne weekendy spędzili w jego letnim domu w Gstaad. Traktował ją jak księżniczkę. Obiady na werandzie Palace Hotel; długie spacery po trawiastych wzgórzach; romantyczne i namiętne wieczory, podczas których pili wyśmienite wino i kochali się. Nie oczekiwała, że ich romans będzie trwał wiecznie, ale i nie spodziewała się, że zostanie wykorzystany przeciwko niej.

Sylvia osuszyła łzy i spryskała twarz zimną wodą. Potem spojrzała w lustro. Zaufanie. Oddanie. Pracowitość. Oddała bankowi całą siebie. Dlaczego więc traktują ją w ten sposób?

United Swiss Bank był aktywny na rynku międzynarodowym. Aby zdobyć stanowisko dyrektora działu kadr, trzeba by nadzorować rekrutację nie tylko w Szwajcarii, ale i w Nowym Jorku, Hongkongu i Dubaju. To zaś nie było możliwe bez akceptacji szarej eminencji, prezesa.

Sylvia wytarła twarz. Miała ochotę choć na chwilę uciec z biurowego więzienia. Ale to nie wchodziło w grę. Wszyscy pracowali na najwyższych obrotach: każdy dział przygotowywał prezentację na walne zgromadzenie. O wolnym dniu nie mogła marzyć przez co najmniej miesiąc.

Wyrzucała sobie, że źle ukierunkowała swoją lojalność. Droga awansu została przed nią zamknięta, być może na zawsze, a ona nadal myślała tylko o swoich obowiązkach wobec banku. Wsunęła rękę do kieszeni. Podczas rozmowy z Ottem włożyła tam karteczki od Nicka. Rozwinęła jedną i przeczytała jego numer wewnętrzny. Czy naprawdę jest tak bardzo samotna, że jedyna osoba, do której może się zwrócić, to prawie jej nieznany mężczyzna?

Spojrzała na swoje odbicie w lustrze. Obraz nędzy i rozpaczy. Spuchnięte oczy, rozmazany makijaż, zaczerwienione policzki. Żałosna jesteś, pomyślała. Pozwalasz, żeby jeden człowiek zburzył twoje marzenia; dopuszczasz, aby porucznik wydawał ci rozkazy kapitana. Idź do Wolfganga Kaisera. Przedstaw mu swoją sprawę. Przekonaj go, że potrafisz reprezentować bank za granicą. Nie rezygnuj!

Przypomniała sobie piątkowe spotkanie z Kaiserem. Uścisk jego dłoni – silny, ale odrobinę zbyt długi. Znamionował nie siłę, lecz raczej słabość. Słabość, którą dobrze znała. I którą wykorzysta do własnych celów.

Sylvia wyjęła z torebki chusteczkę, żeby zetrzeć ślady rozmazanego tuszu. Zwilżyła ją w zimnej wodzie i podniosła do twarzy. Ale zanim dotknęła policzka, zatrzymała rękę. Coś było nie tak. Spojrzała na dłoń i zauważyła, jak bardzo się trzęsie.

Rozdział 26

Sterling Thorne stał pod migającą uliczną lampą dwadzieścia metrów od wejścia do bankowego Personnelhaus. Miał na sobie ciemny garnitur i rozpięty brązowy trencz. Kiedy zobaczył Nicka, podniósł rękę i zasalutował mu od niechcenia.

Nick chciał ruszyć w przeciwnym kierunku, ale minęła już dziesiąta i był wykończony. Wolfgang Kaiser pracował od ósmej rano do dziesiątej w nocy. A jego najnowszy asystent, Nicholas A. Neumann cały czas musiał być w pobliżu.

Ranek spędzili na parkiecie z Seppem Zwickiem, który relacjonował ostatnie działania zaczepne Koniga. Po powrocie do „Cesarskiego Szańca", Kaiser pouczał Nicka, w jaki sposób traktować niezadowolonych udziałowców, wykonał nawet kilka telefonów, żeby pokazać, jak oczarować chciwych drani. Lunch zjedli w jednym z prywatnych bufetów banku: w towarzystwie gości z banków Vontobel i Julius Baer. Obydwa miały duże pakiety akcji USB. Po południu przejrzeli listy udziałowców USB, a telefonami do nich zajęli się Nick i Reto Feller. O siódmej przyniesiono kolację z Kropf Bierhalle. Trzy kolejne godziny minęły na gorączkowych rozmowach telefonicznych z analitykami giełdowymi z Manhattanu. Przez cały dzień ani chwili wytchnienia.

A teraz jeszcze Thorne. Nick miał ochotę zapytać, czy to on włamał się do jego mieszkania.

– Jak zwykle wracamy późno z pracy, co? – Thorne wyciągnął dłoń na powitanie.

Nick nie wyjmował rąk z kieszeni.

– Mamy mnóstwo roboty. Niedługo walne zgromadzenie.

Thorne opuścił rękę.

– Zamierzacie ogłosić kolejny rok rekordowych zysków?

– Chcesz ze mnie wyciągnąć poufne informacje, a potem je sprzedać? Pamiętam, jak skąpy potrafi być „wuj Sam".

Thorne próbował się uśmiechnąć, ale miał minę, jakby napił się soku z cytryny. Coś go gryzie, uznał Nick.

– Jak mogę się przysłużyć ojczyźnie tej pięknej nocy? – spytał.

– Może wejdziemy do środka? Schronimy się przed zimnem.

Nick nie miał ochoty na rozmowę, ale uznał, że Thorne jako agent rządu Stanów Zjednoczonych zasługuje na szacunek. Wpuścił go na korytarz i zaprowadził po schodach na piętro. Weszli do mieszkania.

Thorne rozejrzał się i rzekł:

– Myślałem, że bankierzy mieszkają w lepszych warunkach.

Nick minął go, zdjął płaszcz i powiesił na krześle.

– Mieszkałem w gorszych norach.

– Ja też. Pamiętałeś o naszej rozmowie? Miałeś oczy szeroko otwarte?

– Zajmowałem się tym, co do mnie należy – odparł Nick. – Nie zauważyłem niczego, co mogłoby cię zainteresować.

Usiadł na łóżku i czekał na dalszy ciąg. Tyczkowaty agent rozpiął marynarkę i usiadł na krześle w drugim końcu pokoju.

– Dzisiaj daję ci taryfę ulgową, bo potrzebujemy twojej pomocy – powiedział. – Radzę ci wykorzystać moje życzliwe nastawienie. To nie potrwa długo.

– Rozumiem.

– Konto numerowane 549.617 RR. Mówi ci to coś?

Nick milczał. Starał się zachować obojętny wyraz twarzy.

– Mówi, prawda? – ciągnął Thorne. – Chłopakowi z biednej dzielnicy niełatwo zapomnieć o tak wielkich przelewach.

– Nie wolno mi zdradzić tożsamości klienta ani rozmawiać o operacjach na jego koncie. Dobrze wiesz, że to poufne informacje.

– Rachunek 549.617 RR – powtórzył Thorne. – Podobno nazywacie go Paszą.

– Nigdy o nim nie słyszałem.

– Nie tak szybko, Neumann. Proszę cię o przysługę. Nigdy nie byłem tak bliski padnięcia na kolana. Daję ci okazję zrobienia dobrego uczynku.

Nick uśmiechnął się mimowolnie. Nie mógł się powstrzymać. Z jego doświadczenia wynikało, że czyniący dobro agent rządowy to typowy oksymoron.

– Przykro mi. Nie mogę ci pomóc.

– Pasza jest złym człowiekiem, Nick. Nazywa się Ali Mevlevi. Pochodzi z Turcji, ale obecnie mieszka w dobrze strzeżonej posiadłości pod Bejrutem. Jest ważnym graczem w światowym handlu heroiną. Szacujemy, że przerzuca do Europy i krajów byłego Związku Radzieckiego około dwudziestu ton oczyszczonej heroiny rocznie. Dwadzieścia ton chińskiego proszku, Nick. Nie mówimy o jakimś amatorze. Mevlevi to prawdziwa szycha.

– I co z tego? Jaki to ma związek ze mną lub z bankiem? Czy jeszcze do ciebie nie dotarło, że nie wolno mi omawiać spraw służbowych ani z tobą, ani z nikim innym? Nie potwierdzę, że ten cały Pasza jest moim klientem. Może jest, może nie jest. Nieważne. Sam szatan mógłby dzwonić do mnie dwa razy dziennie, a i tak obowiązywałaby mnie tajemnica.

Thorne tylko pokiwał głową i mówił dalej, tak jakby wierzył, że w końcu przekona Nicka.

– Mevlevi zorganizował prywatną armię liczącą około pięciuset dusz. Szkoli ich rano, w południe i wieczorem. Zgromadził też całą górę sprzętu. Rosyjskie T-72, rakiety, moździerze, co tylko chcesz. Uzbrojony batalion piechoty zmechanizowanej. Tego właśnie się obawiamy. Pamiętasz, co przytrafiło się naszym chłopcom w koszarach piechoty morskiej w Bejrucie. Jeden szaleniec pozbawił życia kilkuset dobrych ludzi. Wyobraź sobie, co mogłoby zrobić pięciuset takich desperatów.

Nick zdawał sobie sprawę, jakich spustoszeń dokonałby taki oddział. Ale wciąż się nie odzywał.

– Mamy wydruki przelewów, które Mevlevi robił w waszym banku przez ostatnie osiemnaście miesięcy. Niepodważalny dowód, że USB pierze jego forsę. Nasz problem, Nick, polega na tym, że Pasza zamilkł. Trzy dni po wprowadzeniu jego konta na listę nadzorowanych rachunków pan Ali Mevlevi zaprzestał swych cotygodniowych płatności. Spodziewaliśmy się, że w czwartek na jego konto wpłynie czterdzieści siedem milionów dolarów. Wpłynęło?

Nick nadal milczał, lecz zaczął się wahać. DEA podejrzewała właściwego człowieka. Wiedzieli dużo. Namierzyli go. Może pora, aby porucznik Nicholas Neumann pomógł im pociągnąć za spust.

Jak gdyby wyczuwając wahanie Nicka, Thorne pochylił się i dodał konspiracyjnym tonem:

– Ta sprawa ma również wymiar ludzki. Podstawiliśmy tam agenta. Już dawno. Znasz tę sztuczkę?

Nick kiwnął głową, zrozumiawszy taktykę Thorne'a. Usiłował złapać go w sieć odpowiedzialności. Przed sekundą gotów był sympatyzować z agentem, nawet mu pomóc. Teraz go nienawidził.

– Nasz człowiek, nazwijmy go Błaznem, także zniknął – ciągnął Thorne. – Dzwonił do nas regularnie dwa razy w tygodniu i informował o przelewach Mevleviego. Zgadnij, w jakie dni. Tak. W poniedziałki i czwartki. Ale Błazen w ostatni czwartek nie zadzwonił. E. T. nie zadzwonił do domu. Słyszysz, co mówię?

Nick słyszał, ale nie było mu łatwo, bo wzbierał w nim gniew. Błazen to problem Thorne'a, nie jego.

– Zamierzam wbić pal w serce Mevleviego. A ty stoisz mi na drodze.

– Rozumiem twój dylemat – rzekł Nick. – Wpakowałeś człowieka w tarapaty. Boisz się, że został zdemaskowany, a ty nie możesz go stamtąd wyciągnąć. Krótko mówiąc, facetowi grunt pali się pod nogami. Chcesz, żebym uratował twoją operację i ocalił twojego człowieka.

– Mniej więcej.

– Doceniam powagę sytuacji, ale nie zamierzam spędzić następnych paru lat w szwajcarskim więzieniu, żebyś ty mógł awansować i uratować skórę swojemu człowiekowi, co zresztą jest raczej mało prawdopodobne.

– Zabierzemy cię stąd. Daję ci słowo.

Wreszcie. Kłamstwo, na które Nick czekał. Był tylko zdziwiony, że musiał czekać tak długo. Wściekł się.

– Twoje słowo nic dla mnie nie znaczy. Nie masz wpływu na to, kogo Szwajcarzy wpakują do więzienia. A już prawie dałem się nabrać. Zadmij w trąbkę i wierny marine zaraz przybiegnie. Znam was. Bawicie się w Boga i wydaje wam się, że czynicie dobro. A po prostu podnieca was, kiedy możecie sprawdzić, jaką macie władzę na swoim małym skrawku ziemi. Daruj sobie. Nie mieszaj mnie do tego. Ja się nie bawię.

– Wszystko ci się pokręciło, bracie! – zawołał Thorne. – Nie możesz zasłaniać się mną i udawać, że Mevlevi nie istnieje albo że jako jego bankier, nie ponosisz odpowiedzialności. Obaj jedziecie na tym samym cholernym wózku. W moim świecie jesteśmy my i są oni. Jeśli nie jesteś jednym z nas, jesteś jednym z nich. Więc jak?

Nick nie spieszył się z odpowiedzią.

– Chyba jestem jednym z nich – rzekł wreszcie.

Co dziwne, odpowiedź ta zdawała się zadowalać Thorne'a.

– No proszę – mruknął. – Powiedziałem, żebyś wykorzystał moje życzliwe nastawienie. A ty mnie wkurzyłeś. Wiem o twoim starym przyjacielu, Jacku Keelym. To, co się stało na Filipinach, musiało ci nieźle dopiec. Żeby tak stracić panowanie nad sobą. Masz szczęście, że nie zabiłeś faceta. A teraz dobrze się zastanów albo nam pomożesz, albo wszyscy się dowiedzą o twoim wyczynie. Kaiser nie będzie zadowolony, kiedy się dowie, że wyrzucili cię z Korpusu. I że zostałeś skazany wprawdzie tylko przez sąd wojskowy, a jednak skazany. Kurczę, może i ja powinienem się ciebie bać? Ale jakoś się nie boję. Za bardzo przejmuję się Mevlevim. I Błaznem. Możesz olewać takich facetów jak ja, ale wiedz, że ja niszczę takich facetów jak ty. Taką mam pracę. A bardzo przejmuję się moją pracą. Rozumiesz?

– Tak – odparł Nick. – Rób sobie, co chcesz, ale ode mnie trzymaj się z daleka. Nie mam ci nic do powiedzenia. Ani teraz, ani nigdy.

Rozdział 27

Gdy w czwartek rano Nick wjeżdżał tramwajem na Paradeplatz, zewsząd witały go tytuły z pierwszych stron gazet, które ogłaszały wszem i wobec grzechy jednego z banków. Kiosk na środku placu przybrany był nagłówkami wszystkich większych dzienników. „Blick", tani zuryski brukowiec, ogłaszał: Brudne pieniądze w Gotthardo Bank. „NZZ", najstarszy i najbardziej konserwatywny z trzech miejskich dzienników, brzmiał równie oskarżycielsko: Gotthardo – hańba. „Tages Anzeiger" przyjął bardziej globalny punkt widzenia: Szwajcarskie banki w zmowie z mafią narkotykową.

Nick wyskoczył z tramwaju, żeby kupić gazetę. Dzień zaczął się parszywie i nic nie wskazywało na to, że coś się zmieni. Budzik nie zadzwonił o czasie; wyłączono mu ciepłą wodę, musiał więc wytrzymać pełne dwie minuty – a nie jak zwykle piętnaście sekund – pod lodowatym prysznicem; a tramwaj zamiast minutę po siódmej odjechał za minutę siódma. Bez niego! Wczorajszy dzień nie był lepszy, przeklinał Nick, biegnąc z gazetą w ręku wzdłuż Bahnhofstrasse.

Klaus Konig zakończył skup miliona siedmiuset tysięcy akcji USB o jedenastej rano, po czym wydał zlecenie połknięcia kolejnych dwustu tysięcy po cenie rynkowej. Zanim dzień dobiegł końca, cena akcji USB podskoczyła o piętnaście procent, a Konig znalazł się w posiadaniu dwudziestu jeden procent udziałów banku, niebezpiecznie blisko progu trzydziestu trzech procent, które miały mu zapewnić upragnione miejsca w zarządzie.

Raptowny skok ceny akcji w połączeniu z rosnącym udziałem Adler Bank stawiał USB w bardzo niekorzystnej sytuacji. Nikt nie wiedział o tym lepiej od Wolfganga Kaisera. W południe prezes osobiście zjawił się na parkiecie i polecił Seppowi Zwickiemu, żeby kupował akcje USB za każdą cenę. W ciągu trzech godzin bank zdobył kilkaset tysięcy akcji i wojna między United Swiss Bank i Adler Bank wybuchła oficjalnie. Arbitrażyści w Nowym Jorku, Tokio, Sydney i Singapurze zacierali ręce i skupowali akcje USB w nadziei na dalszy wzrost ich ceny.

Po giełdzie zuryskiej krążyły różne plotki. Mówiono o fuzji Credit Swiss i USB, wspominano też, że USB stanie się spółką prywatną wskutek transakcji przygotowanej przez Henry'ego Kravisa i wycenionej na ponad pięć miliardów franków szwajcarskich. Jedni twierdzili, że Konig przyjmie miejsce w zarządzie USB w zamian za przerwanie działań zmierzających do przejęcia. Inni, że zaproponuje gotówkowy wykup całego banku, choć nikt nie potrafił powiedzieć, skąd weźmie na to fundusze. Najdziwniejsza ze wszystkich była plotka, że Armin Schweitzer stanie na czele nowo powstałego działu bankowości handlowej w United Swiss Bank i postara się pokonać Koniga jego własnymi metodami. W żadnej z tych pogłosek nie było ani krzty prawdy, ale Wolfgang Kaiser wszystkich uważnie wysłuchał. W rezultacie jeszcze bardziej mu zależało na niedopuszczeniu Koniga do zarządu i zachowaniu pełnej niezależności United Swiss Bank.

Nick raz jeszcze spojrzał na oskarżycielskie tytuły i wszedł do „Cesarskiego Szańca".

Kaiser rozmawiał przez telefon.

– *Gottfurdeckel*, Armin! – zawołał. – Powiedziałeś, że Gotthardo poczeka przynajmniej dwa tygodnie. Od lat wiedzieli o tym pijaku Reyu. Dlaczego teraz z tym wyskoczyli? Nie stawia nas to w szczęśliwym położeniu. Jeszcze jedno, Armin – przerwał na chwilę i spojrzał na Nicka – tym razem postaraj się zebrać rzetelne informacje. W tym tygodniu zawodzisz mnie po raz drugi. Potraktuj to jako ostatnie ostrzeżenie. – Cisnął słuchawkę na widełki i odwrócił się do nowego asystenta. – Siadaj i nie odzywaj się. Za kilka minut zajmę się tobą.

Nick usiadł na kanapie i otworzył neseser. Miesiąc miodowy dobiegł końca, pomyślał. Położył na stole „NZZ" i zapoznał się z relacjonowanymi faktami.

Wczoraj Gotthardo, uniwersalny bank z siedzibą w Lugano, zgłosił szwajcarskiemu prokuratorowi federalnemu Franzowi Studerowi, że po długim wewnętrznym dochodzeniu zdobył dowody poważnych nadużyć jednego ze swoich kierowników. Przez ostatnie siedem lat niejaki Lorenz Rey, wiceprezydent, potajemnie pracował dla rodziny Uribe z Meksyku, pomagając jej prać pieniądze i dokonywać przelewów funduszy ze sprzedaży narkotyków. Rey twierdzi, że tylko on i dwaj pracownicy niższego szczebla znali szczegóły związane z tym rachunkiem, a co za tym idzie w pełni zdawali sobie sprawę z przestępczego charakteru usług wykonywanych na rzecz klienta. Dokumenty przekazane do biura prokuratora federalnego wskazywały, że w ciągu siedmiu lat bank przyjął od rodziny Uribe ponad dwa miliardy amerykańskich dolarów. Załączono rachunki wystawione Uribom za lokaty gotówkowe w centrali banku w Lugano na ponad osiemdziesiąt pięć milionów dolarów, przeciętnie milion dolarów miesięcznie. Rey przyznał się też, że ukrywał dowody działalności klientów przed swoimi zwierzchnikami w banku, w zamian za drogie prezenty od rodziny Uribe, między innymi wakacje w kurorcie Cala di Volpe na Sardynii, a także w Acapulco, San Francisco i Punta del Este.

Prawdziwy Marco Polo, pomyślał Nick.

Franz Studer ogłosił natychmiastowe zamrożenie rachunków rodziny Uribe do czasu przeprowadzenia pełnego śledztwa i zaliczył Gotthardo Bank do czołówki szwajcarskich instytucji, które próbują ukrócić nielegalną działalność prowadzoną przez zagranicznych przestępców. Oznajmił, że bankowi nie zostaną wymierzone kary sądowe.

Nick nie był ekspertem w sprawach postępowania bankowego. Ale nie musiał nim być, aby mieć pewność, że jeśli klient dokonywał przelewów i zakładał lokaty na ponad dwa miliardy dolarów w ciągu siedmiu lat, musiało o tym wiedzieć więcej niż troje ludzi.

Po pierwsze, ruchy w portfelach ważniejszych klientów badano co miesiąc. Banki lubiły przypochlebiać się bogatym klientom, starały się o zwiększenie zdeponowanych sum, liczby udzielanych kredytów lub transakcji zawieranych w ich imieniu. Regularnie słano oferty. Zapewniano klientów, że bank dobrze zagospodaruje złożone pieniądze itp., itd. Istniał cały protokół kuszenia i rozpieszczania bogatego klienta.

Po drugie, nawet najskromniejszy specjalista od inwestycji musi się pochwalić rosnącą obecnością klienta w banku. Wykazać, że i on przysłużył się do wzrostu dochodów poprzez powiększenie depozytów klienta. I że w związku z tym zasłużył na nagrodę. Lorenz Rey, wiceprezydent Gotthardo Bank, nie wyglądał na bezinteresownego mnicha. Chyba że franciszkanie zaczęli nosić garnitury od Brioniego, złote zegarki firmy Rolex i sygnety z diamentami.

Po trzecie wreszcie, sam fakt deponowania co miesiąc miliona dolarów w gotówce musiał wzbudzać zainteresowanie pracowników działu logistycznego banku. Specjalista od inwestycji, który dwa, trzy, a może cztery razy w miesiącu pojawia się w okienku z naręczem zielonych, zawsze w imieniu tego samego klienta, rzucałby się w oczy całemu personelowi jak naga kobieta, która wchodzi do banku i pyta, jak dojść do bazylejskiego zoo.

Nick z trudnością tłumił śmiech, czytając artykuł. Jeśli Gotthardo Bank na coś zasłużył, to na pewno na uznanie za cynizm. Gazeta podała, że gdy zamrożono rachunek rodziny Uribe, znajdowało się na nim siedem milionów dolarów. Na rachunku, przez który przewinęły się dwa miliardy brudnych dolarów, w dniu zamknięcia zdeponowana była suma stanowiąca dla handlarzy narkotykami zwykłe kieszonkowe. Zrządzenie losu? Szczęście? Przypadek? Trudno w to uwierzyć.

Nick znał ten scenariusz aż nadto dobrze. Gotthardo Bank kupował sobie ucieczkę przed trwającym dochodzeniem. Cena: siedem milionów dolarów i kariery kilku możliwych do zastąpienia płotek. Rodzina Uribe będzie niezadowolona; ale przejdzie im, gdy bank wynagrodzi szkody związane z zamrożonymi depozytami, wypłacając po cichu rekompensatę ze swoich ukrytych rezerw. Kariera Lorenza Reya była skończona, nie wyglądał jednak na załamanego perspektywą trzyletniej odsiadki. A co z jego asystentami? Nick wątpił, czy tak jak pan Rey będą dostawać co miesiąc niewidzialne przelewy na konto numerowane w Liechtensteinie. Wątpił, czy równie łatwo będzie im znieść więzienie, choć spędzą w nim mniej czasu. Wątpił też, czy wrócą do pracy w bankowości.

Prezes nadal rozmawiał z Seppem Zwickim. Był wściekły, że Gotthardo Bank tak wcześnie złożył w ofierze rodzinę Uribe. Niedawno zwymyślał Schweitzera za przekazanie jakichś błędnych informacji. Powiedział, że Schweitzer dwukrotnie pokpił sprawę. Co to za błąd rozpalił gniew prezesa? Czyżby Schweitzer sam rozpowszechniał plotki o tym, że stoi na czele nowego działu bankowości handlowej w USB?

Ale czemu Kaiser złości się teraz? Nie wkurzyła go współpraca Gotthardo Bank z rodziną Uribe, od lat kojarzoną ze zorganizowaną przestępczością. Ani to, że wyznanie Gotthardo zniszczy reputację szwajcarskich banków. Był wściekły, że zrobili to w nieodpowiednim momencie. Prezes nie był głupcem. Doskonale wiedział, że po rewelacjach Gotthardo Bank wzrosną naciski na USB, aby i on przyznał się do swoich win. W tej grze nie było niewinnych. Nikt też nie był winny. Ale gdzieś po drodze trzeba było zapłacić cenę za miejsce przy stole. Gotthardo zapłacił i nie groziło mu dalsze dochodzenie. USB znajdował się w gorszej sytuacji.

Wolfgang Kaiser odłożył słuchawkę i skinął na Nicka. Nick podszedł do biurka prezesa. Leżały na nim trzy szwajcarskie dzienniki, a także „Wall Street Journal", „Financial Times" i „Frankfurter Allgemeine Zeitung". Każda gazeta była otwarta na stronie z artykułem o sprawie Gotthardo Bank.

– Niezły burdel, co? – mruknął Kaiser. – Wybrali najgorszą porę.

Nick nie zdążył odpowiedzieć. Zza zamkniętych drzwi dobiegł ich podniesiony głos zwykle spokojnej Rity Sutter. Po chwili usłyszeli dźwięk przewracanego krzesła i tłuczonego szkła. Nick zerwał się z krzesła, a Kaiser wybiegł zza biurka. Ruszył w stronę drzwi, ale zanim zdążyli zrobić trzy kroki, drzwi otworzyły się szeroko.

Do gabinetu wmaszerował Sterling Thorne. Rita Sutter, uczepiona ramienia Amerykanina, zaklinała go, żeby się zatrzymał. Powtarzała raz za razem, że do gabinetu prezesa nie wchodzi się bez zapowiedzi. Za Thorne'em dreptał Hugo Brunner, główny portier. Miał zwieszoną głowę jak pies, który zawiódł swego pana.

– Szanowna pani zechce puścić mój rękaw – zwrócił się Thorne do Rity Sutter.

– W porządku, Rito – uspokajał sekretarkę Wolfgang Kaiser, choć jego oczy ciskały gromy. – Musimy uprzejmie traktować gości, nawet jeśli przychodzą bez zapowiedzi. Może pani wracać do siebie. Ty też, Hugo, dziękuję.

– Ten człowiek jest... jest... barbarzyńcą! – zawołała Rita Sutter. Puściła rękaw Thorne'a i rzuciwszy mu nienawistne spojrzenie, wyszła z gabinetu. Za nią podążył Hugo.

Thorne poprawił marynarkę i podszedł do Wolfganga Kaisera. Przedstawił się, jakby nigdy się nie widzieli.

Kaiser uścisnął mu dłoń i skrzywił się, jakby chciał powiedzieć: „Boże, broń mnie przed chamstwem".

– Tu jest bank, panie Thorne – rzekł. – Nawet najbardziej cenieni klienci umawiają się na wizyty. Nie jesteśmy barem szybkiej obsługi, do którego można po prostu wpaść.

Thorne skłonił głowę.

– Przepraszam, że nie stosuję się do waszej etykiety. W Stanach uczą nas chwytać byka za rogi albo, jak mawiał mój ojciec, chwytać kozła za jaja.

– Urocze. Proszę usiąść. A może woli pan kucnąć na podłodze?

Thorne usiadł na kanapie.

Kaiser zajął miejsce w fotelu naprzeciw niego.

– Neumann, dołącz do nas.

– To prywatna rozmowa – zaoponował Thorne. – Nie wiem, czy będzie pan chciał, aby przysłuchiwał się jej jeden z pańskich szczeniaków.

Nick wstał, dając do zrozumienia, że zamierza opuścić gabinet. Im mniej czasu w towarzystwie Thorne'a, tym lepiej.

– W porządku, Nicholas – rzekł Kaiser. – Siadaj. Cenię sobie uwagi młodszego personelu, panie Thorne. Są przyszłością naszego banku.

– Co to za przyszłość – mruknął Thorne, spoglądając na Nicka i kręcąc głową. Potem zwrócił się do prezesa. – Panie Kaiser, wydaje mi się, że mamy wspólnego znajomego. Kogoś, kogo obaj znamy od dłuższego czasu.

– Trudno mi w to uwierzyć – odparł Kaiser z uprzejmym uśmiechem.

– Ale będzie pan musiał, bo to fakt. – Thorne zerknął na Nicka i znów na Kaisera. – Chodzi o pana Alego Mevleviego.

Nick usiadł na krześle obok prezesa. Na dźwięk nazwiska Mevleviego ogarnął go niepokój. Zanosiło się na grę w otwarte karty. Powtarzał sobie, że jest tylko widzem i cokolwiek usłyszy, nie wolno mu się odezwać.

Kaiser był niewzruszony.

– Nigdy o nim nie słyszałem – rzekł.

– Powtórzę zatem nazwisko. Wiem, że niektórzy dżentelmeni w pańskim wieku zaczynają tracić słuch. – Thorne odchrząknął głośno. – Ali Mevlevi.

– Przykro mi, panie Thorne. To nazwisko nic mi nie mówi. Mam nadzieję, że nie zrobił pan tak dramatycznego wejścia w imieniu swojego przyjaciela.

– Mevlevi nie jest moim przyjacielem i dobrze pan o tym wie. Zdaje się, że nazywacie go tutaj Paszą. Pan Neumann zna go, jestem tego pewien jak cholera. Mam rację, kapitanie America?

– Nigdy nie powiedziałem niczego podobnego – oznajmił spokojnie Nick. – Chyba wyraziłem się dostatecznie jasno, że nie wolno mi udzielać informacji o tożsamości klientów.

– Czy mam odświeżyć panu pamięć? Rachunek 549.617 RR. Dokonuje przelewów co poniedziałek i czwartek. Ach, i jest pańskim klientem. To nie ulega żadnej wątpliwości.

Nick zachowywał kamienną twarz. Większe problemy miał z kontrolowaniem żołądka, który – tak jak jego sumienie – robił się coraz bardziej niespokojny.

– Przykro mi. Jak powiedziałem, żadnych informacji.

Thorne poczerwieniał. Na jego dziobate policzki wystąpił pot.

– To nie konferencja prasowa, Neumann. Żadnych informacji, mówi pan. I pan też, Kaiser? No to ja przekażę wam kilka informacji. – Wyciągnął zza pazuchy plik papierów i rozwinął je. – Jedenasty lipca dziewięćdziesiątego szóstego. Wpłata w wysokości szesnastu milionów dolarów. Tego samego dnia pieniądze trafiają na dwadzieścia cztery inne konta. Piętnasty lipca, wpłata dziesięciu milionów, przelanych tego samego dnia do piętnastu banków. Pierwszy sierpnia, wpływa trzydzieści jeden milionów, które tego samego dnia trafiają do dwudziestu siedmiu banków. Ta lista ciągnie się i ciągnie jak przewlekły przypadek rzeżączki.

Kaiser pochylił się i wyciągnął rękę.

– To informacje z oficjalnego źródła? – zapytał. – Jeśli tak, czy mógłbym je przejrzeć?

Thorne złożył papiery i wcisnął je za pazuchę.

– Źródło tych informacji jest tajne.

Kaiser zmarszczył brwi.

– Tajne czy wyssane z palca? Ani nazwisko, które pan wymienił, ani liczby, w które najwyraźniej tak bardzo pan wierzy, nic mi nie mówią.

Thorne zwrócił się do Nicka.

– Panu też nic nie mówią te liczby? Przecież to pańskie konto. Radziłbym nie okłamywać agenta amerykańskiego rządu. Pranie pieniędzy jest poważnym przestępstwem. Możecie zapytać kolegów z Gotthardo Bank.

Kaiser położył rękę na nodze Nicka.

– Muszę panu przerwać, panie Thorne – powiedział. – Pański zapał jest godny pochwały. Podzielamy ten entuzjazm i chcielibyśmy położyć kres nielegalnym praktykom, do których często się wykorzystuje banki naszego kraju. Ale ten Alfie Merlani, czy jak mu tam? To nazwisko brzmi zupełnie obco.

– Mevlevi – poprawił go Thorne. Był coraz bardziej zdenerwowany. – Ali Mevlevi. Co miesiąc sprowadza do Europy ponad tonę oczyszczonej heroiny. Zwykle przez Włochy do Niemiec, Francji i Skandynawii. Około jednej czwartej towaru trafia tutaj, do Zurychu. Proszę posłuchać, proponuję wam układ. Możliwość odkupienia win, zanim nagłośnimy sprawę.

– Nie potrzebujemy żadnych układów, panie Thorne. Ten bank zawsze szczycił się rygorystycznym przestrzeganiem prawa. Przepisy dotyczące tajemnicy bankowej zabraniają mi wyjawiania jakichkolwiek informacji o naszych klientach. W tym przypadku jestem jednak skłonny zrobić wyjątek, aby zademonstrować moją dobrą wolę. Wymieniony przez pana rachunek znalazł się w zeszłym tygodniu na liście nadzorowanych kont. I rzeczywiście prowadzi go pan Nicholas Neuman. Nicholas, powiedz panu Thorne'owi wszystko, co wiesz o tym rachunku. Zwalniam cię z wszelkiej odpowiedzialności wobec naszego banku, którą ponosisz na mocy ustawy o tajemnicy bankowej. Proszę bardzo, powiedz panu.

Nick popatrzył Kaiserowi w oczy, cały czas czując ostrzegawczy uścisk prezesa na nodze. Świadoma niewiedza to jedno, a celowe ściemnianie to coś zupełnie innego. Ale zaszedł za daleko, żeby teraz zmieniać kurs.

– Poznaję ten numer – powiedział. – Widziałem go na liście nadzorowanych rachunków w zeszły czwartek. Ale nie przypominam sobie żadnych operacji z tego dnia. Nie mam też pojęcia, do kogo należy.

Thorne odrzucił głowę do tyłu i roześmiał się chrapliwie.

– Kogo my tu mamy? Edgara Bergena i Charliego McCarthy'ego. Dam wam jeszcze jedną szansę. Będziecie z nami współpracować, a my nie piśniemy ani słowa o powiązaniach banku z jednym z największych na świecie dystrybutorów heroiny. Wydawało mi się, że człowiek, który wycierpiał tyle co pan – chodzi mi o pańską rodzinną tragedię – będzie przychylny wysiłkom władz, żeby przyszpilić pasożyta takiego jak Mevlevi. To gruba ryba. Nie damy za wygraną, póki go nie dopadniemy, żywego lub martwego. Znalazłem zdjęcie, które może pana zachęcić do bardziej aktywnej współpracy.

Rzucił na stolik fotografię.

Wylądowała tuż przed Nickiem. Spojrzał na nią i skrzywił się. Przedstawiała ciało nagiego mężczyzny na stalowym stole do sekcji zwłok. Mężczyzna miał otwarte oczy. Z nosa płynęła mu krew. Usta były pokryte mleczną pianą.

– Stefan – wykrztusił Wolfgang Kaiser. – To mój syn.

– Oczywiście, że to pański syn. Wykończyła go heroina. Wziął raz za dużo. Znaleźli go tutaj w Zurychu, prawda? A to znaczy, że trucizna w jego żyłach pochodziła od Alego Mevleviego. Od Paszy. Od właściciela rachunku 549.617 RR. – Thorne uderzył ręką w stolik. – Od pańskiego klienta.

Kaiser wziął do ręki zdjęcie i przyglądał mu się w milczeniu.

– Pomóżcie mi przyszpilić Mevleviego. Zamrozić rachunki Paszy! – ciągnął Thorne najwyraźniej całkowicie pozbawiony współczucia dla Kaisera. Spojrzał na Nicka, szukając u niego wsparcia. – Zatrzymajcie gotówkę, a my zatrzymamy narkotyki. Czy to nie prosty układ? Musimy chronić dzieciaki przed tym świństwem, które zabiło pańskiego chłopaka. Ile miał lat? Dziewiętnaście? Dwadzieścia?

Wolfgang Kaiser wstał i oddał zdjęcie agentowi.

– Proszę wyjść, panie Thorne. Nie mamy dla pana żadnych informacji. Nie znamy żadnego Mevleviego. Nie współpracujemy z przemytnikami heroiny. Nie mieści mi się w głowie, że zniżył się pan do tego, aby wciągać w to wszystko mojego syna.

– Czyżby, panie Kaiser? Zapalę jeszcze kilka świeczek na tym torcie, zanim wyjdę. Chcę, żeby miał pan o czym myśleć przez następne dni. Wiem o pańskim pobycie w Bejrucie. Cztery lata, co? Był tam też Mevlevi. Zdaje się, że w tym czasie dopiero się organizował. Był znaną figurą w mieście, jeśli się nie mylę. Zastanawia mnie, jak to możliwe, że mieszkał pan w tym samym mieście przez trzy lata i nigdy o nim nie słyszał. Ani razu, jak pan mówi. Proszę mi wybaczyć, panie Kaiser, ale czy nie miał pan za zadanie żebrać o resztki u miejscowych bogaczy?

Kaiser odwrócił się do Nicka, jakby nie usłyszał ani słowa z tego, co powiedział Thorne.

– Odprowadź pana Thorne'a – poprosił. – Obawiam się, że nie mam już czasu.

Nick podziwiał opanowanie Kaisera. Położył rękę na ramieniu Thorne'a i powiedział:

– Chodźmy.

Thorne odwrócił się, strącając rękę.

– Nie potrzebuję eskorty, Neumann, ale dziękuję. – Wymierzył palec w Kaisera. – Proszę nie zapomnieć o mojej propozycji. Wystarczy trochę informacji o Mevlevim. Jeśli ich nie otrzymam, pogrążę cały ten bank z panem u steru. Czy to jasne? Wszystko o was wiemy. Wszystko.

Ruszył do drzwi, a gdy mijał Nicka, uśmiechnął się i szepnął:

– Jeszcze z tobą nie skończyłem, młody człowieku. Sprawdź pocztę.

Gdy tylko Thorne zniknął, do gabinetu weszła Rita Sutter. Była już spokojna i opanowana.

– Ten człowiek to cham – oznajmiła. – Co za bezczelność...

– Wszystko w porządku, Rito – powiedział Kaiser. Był blady i przygarbiony. – Przynieś mi, z łaski swojej, kawę i basel lecherli.

Rita Sutter przyjęła polecenie skinieniem głowy, ale zamiast wyjść, podeszła do prezesa. Położyła mu rękę na ramieniu i zapytała ciepło:

– *Gehts*? Wszystko w porządku?

Kaiser spojrzał jej w oczy. Pokręcił lekko głową i westchnął.

– Tak, tak. Nic mi nie jest. Wspomniał o Stefanie.

Rita poklepała Kaisera po ramieniu i wyszła z gabinetu.

– Nie wolno ci wierzyć w kłamstwa rozpowiadane przez Thorne'a – zwrócił się prezes do Nicka. Odzyskał już dawną bojową postawę. – To desperat. Nie cofnie się przed niczym, byle tylko schwytać tego człowieka, tego Mevleviego. Ale my nie jesteśmy policjantami, prawda?

Nick wzdrygnął się na dźwięk standardowej formułki szwajcarskiego bankiera. Zabrzmiała jak przyznanie się do współpracy banku z handlarzem heroiną Alim Mevlevim.

– Thorne nic na nas nie ma – mówił dalej Kaiser. – Gada, co mu ślina na język przyniesie, i ma nadzieję, że coś z tego wyniknie. Ten człowiek jest zagrożeniem dla cywilizowanego świata biznesu.

Nick kiwnął głową ze zrozumieniem. Jak dziwne bywają zrządzenia losu. On stracił ojca, a Kaiser stracił jedynego syna. Przez chwilę zastanawiał się, czy prezes nie pragnął jego przyjazdu bardziej niż on sam.

– Przykro mi z powodu pańskiego syna – powiedział cicho, zanim wyszedł z gabinetu.

Wolfgang Kaiser nie zareagował na wyrazy współczucia.

Rozdział 28

Na korytarzu Nick odetchnął z ulgą. Idąc do swojego gabinetu, rozmyślał nad sceną, której był świadkiem. Musiał ustalić, kto mówił prawdę, a kto kłamał. Wypowiedzi Thorne'a brzmiały sensownie. Jeśli Ali Mevlevi był znaną figurą w Bejrucie, Kaiser musiał przynajmniej o nim słyszeć. I bardzo prawdopodobne, że starałby się włączyć go do grona swoich klientów. Dyrektorzy filii mieli za zadanie bywać wśród elit danego miasta, i w odpowiednim czasie, najlepiej – jak wyobrażał sobie Nick – po drugim martini, sugerować skorzystanie z usług banku. Jeśli więc Ali Mevlevi był Paszą, a wszystko na to wskazywało, Kaiser musiał go znać. Prezes dużego banku musi znać najważniejszych klientów.

Thorne się nie myli, uznał Nick. Pasza to Ali Mevlevi; wykorzystuje konto numerowane w United Swiss Bank do prania brudnych pieniędzy; a Kaiser nie tylko go zna, ale musi znać go cholernie dobrze. Wszystko się zgadza.

Nick skręcił w mniejszy korytarz. Zrobił kilka kroków, gdy usłyszał wyraźny trzask zamykanej gwałtownie szuflady. Dźwięk pochodził z gabinetu z prawej strony. Drzwi były lekko uchylone i na wykładzinę padał pas światła. Podszedłszy bliżej, zauważył, że ktoś w środku przegląda stertę papierów na biurku. W tej chwili zdał sobie sprawę, że zagląda do własnego gabinetu.

– Myślałem, że grzebaniem w prywatnych papierach pracowników zajmuje się pan dopiero po godzinach – powiedział, zatrzaskując za sobą drzwi.

Armin Schweitzer nie przestał przetrząsać papierów.

– Szukam listy klientów, do których masz dzwonić – oznajmił bez cienia żenady. – Bank nie może sobie pozwolić, byś zraził jego głównych udziałowców.

– Mam ją przy sobie. – Nick wyjął złożoną kartkę z kieszeni marynarki.

Schweitzer wyciągnął mięsistą łapę.

– Bądź tak dobry…

Nick wahał się przez chwilę, po czym wsunął kartkę z powrotem do kieszeni.

– Po kopię proszę się zgłosić do prezesa.

– Chętnie porozmawiałbym na osobności z prezesem; niestety, przez ciebie i pana Thorne'a nie ma wolnej chwili. – Schweitzer niedbale rzucił na biurko papiery, które trzymał w ręku. – Co za przypadek, że zjawiłeś się u nas akurat wtedy, gdy potrzebuje cię pan Thorne. Ty i to amerykańskie gestapo.

– Myśli pan, że pracuję dla DEA? – mruknął Nick z sarkazmem. – Na pańskim miejscu zająłbym się własnymi sprawami. Zdaje mi się, że to pan balansuje na linie, nie ja.

Schweitzer wzdrygnął się, jakby ktoś wymierzył mu policzek.

– Nic nie rozumiesz. – Wyszedł zza biurka, i zatrzymał się trzy centymetry przed Nickiem. – O czymś takim nie ma mowy w moim przypadku, panie Neumann. W żyłach tego banku płynie moja krew tak samo jak prezesa. Oddałem mu trzydzieści pięć lat życia. Czy jesteś w stanie pojąć takie poświęcenie? Ty, Amerykanin, który zmienia posady jak rękawiczki po to tylko, żeby mieć grubszy portfel i wyższą premię. Herr Kaiser nigdy nie kwestionował mojej lojalności wobec banku. Nigdy!

Nick spojrzał w wyłupiaste oczy Schweitzera.

– W tym momencie rozumiem tylko jedno. To mój gabinet i trzeba mnie było przynajmniej zapytać o zgodę, zanim wparował pan tutaj i zrobił mi bałagan na biurku.

– Pytać cię o zgodę? – Schweitzer roześmiał się. – Przypominam ci, Neumann, że moim obowiązkiem jest pilnowanie, czy w banku przestrzega się wszystkich wymogów prawnych. Interesuje mnie każdy, kto moim zdaniem miałby powód, żeby działać na szkodę banku. W związku z tym wszystkie działania, które zechcę podjąć, są usprawiedliwione. Łącznie z zaglądaniem do twojego gabinetu i do twoich papierów, gdy tylko najdzie mnie ochota.

– Działać na szkodę banku? – powtórzył Nick, cofając się o krok. – Co takiego zrobiłem, że odniósł pan takie wrażenie? Moje czyny mówią same za siebie.

– Może nawet aż za bardzo. – Schweitzer położył dłoń na ramieniu Nicka i szepnął mu do ucha: – Powiedz mi, Neumann, za czyje grzechy pokutujesz?

– O co panu chodzi?

Twarz Schweitzera przybrała tajemniczy wyraz.

– Mówiłem już, pracuję dla banku od trzydziestu pięciu lat. Wystarczająco długo, żeby pamiętać twojego ojca. Prawdę mówiąc, dobrze go znałem. Wszyscy go znaliśmy. I mogę cię zapewnić, że nikt na czwartym piętrze nie zapomniał o jego żenującym zachowaniu.

– Mój ojciec był człowiekiem honoru – odparł Nick.

– Oczywiście. Ale skąd ty miałbyś o tym wiedzieć? – Uśmiechnął się złośliwie i podszedł do drzwi. Otwierając je, dodał: – Jeśli sądzisz, że ja balansuję na linie, to chyba dawno nie spoglądałeś w dół. Z czwartego piętra długo się spada. Będę cię miał na oku.

– Proszę bardzo!

Schweitzer skłonił się lekko i wyszedł.

Nick opadł na krzesło. Peter Sprecher miał rację, nazywając Schweitzera niebezpiecznym, zapomniał tylko wspomnieć, że jest również psychotyczny. Co, do cholery, Schweitzer miał na myśli, mówiąc o żenującym zachowaniu ojca? Co takiego zrobił ojciec, że naraził się na krytykę banku? Nick znał karierę ojca tylko w zarysie. Alex Neumann rozpoczął pracę w banku w wieku szesnastu lat i przez cztery lata był praktykantem. Potem awansował kolejno na zastępcę i pełnego specjalistę od inwestycji. Według Cerrutiego na obu stanowiskach był podwładnym Kaisera. Czy wtedy zrobił coś kompromitującego? Raczej nie. Schweitzerowi nie chodziło o drobną wpadkę, jakiej mógłby się dopuścić pracownik niższego szczebla. Mówił o czymś poważnym, co mogło się zdarzyć po przeniesieniu Aleksa Neumanna do Los Angeles, gdzie otworzył filię USB.

Jedyne wskazówki co do działań ojca w Los Angeles mieściły się w dwóch terminarzach znalezionych w Hannibal. Najpierw notatki o niejakim Allenie Soufim, prywatnym kliencie, którego każda wizyta wywoływała ostry komentarz. Raz ojciec użył słowa *schlitzor*, oznaczającego oszusta, innym razem zanotował, że to „niepożądany" klient. Była też niepokojąca uwaga: „Bydlak groził mi", zapisana wielkimi drukowanymi literami. A to nie wszystko. O firmie Goldluxe, którą odwiedził, najwyraźniej w odpowiedzi na prośbę o udzielenie kredytu, napisał: „Podejrzana", „Niemożliwy poziom sprzedaży", „Nie dotykać". Mimo to, jeśli prawidłowo zrozumiał zapiski, ojciec był zmuszony z nią współpracować.

Nick zastanawiał się, jak bank mógł uznać za „żenujące" działania podjęte w celu uchronienia go przed niepożądanymi klientami. W kontekście oskarżeń Thorne'a o długotrwałe związki Kaisera z Alim Mevlevim odpowiedź wydawała się oczywista. Bank po prostu chciał robić interesy z podejrzanymi klientami.

Nick zdawał sobie sprawę, że jeśli chce poznać wszystkie szczegóły, musi dotrzeć do miesięcznych raportów ojca z Los Angeles. Ale żeby je zdobyć, musiał wpisać do Cerbera swoje dane albo poprosić kogoś, by go wyręczył. Pierwszy sposób był zbyt ryzykowny, drugi – niewykonalny, przynajmniej na razie. Musiał uzbroić się w cierpliwość i czekać, aż nadarzy się inna sposobność.

Cierpliwości, nakazywał sobie. Kontroluj się.

Rozłożył na biurku listę, na której tak bardzo zależało Schweitzerowi. Zawierała nazwiska udziałowców – instytucjonalnych i indywidualnych – będących w posiadaniu dużych pakietów akcji USB. Uśmiechnął się, kiedy doszedł do Eberharda Senna, hrabiego Languenjoux. Staruszek miał pakiet akcji wart ponad dwieście pięćdziesiąt milionów franków – sześć procent udziałów banku. Jego głos mógł być decydujący.

Na liście znajdowało się wiele innych nazwisk. W przypadku udziałowców, którzy trzymali akcje na rachunkach w USB, trzeba zamówić ich akta. Potem przejrzeć dokumenty, starając się zapamiętać jak najwięcej istotnych szczegółów o kliencie, i odbyć rozmowę telefoniczną, by zasugerować poparcie dla aktualnego kierownictwa.

Ale znaczna większość akcjonariuszy USB nie miała rachunku w banku. W tych przypadkach należy skontaktować się z akcjonariuszem lub – częściej – z funduszem posiadającym prawo do głosowania i przedstawić bankową doktrynę zwiększonej dochodowości. Na liście przeważali amerykańscy inwestorzy instytucjonalni: Fundusz Emerytalny Nauczycieli stanu Nowy Jork, Fundusz Emerytalny Kalifornijskich Pracowników, Europejski Fundusz Akcyjny Morgan Stanley.

Nick zaczął wypełniać wnioski o wydanie akt. Nazwisko specjalisty, dział, data, podpis. Każdy wniosek musiał być podpisany także przez Kaisera. Informacje o kliencie traktowano równie poufnie w murach banku, jak i poza nim. Nick zastanawiał się, czy kiedykolwiek zdoła wydobyć miesięczne raporty ojca z Dokumentation Zentrale. Nigdy, jeśli będzie potrzebował podpisu Kaisera. Nigdy, jeśli Schweitzer będzie śledził każdy jego ruch w banku.

Do gabinetu wszedł listonosz Yvan i podał Nickowi kilka szarych kopert. Nick pokwitował odbiór. Przypomniał sobie słowa Thorne'a: „Sprawdź pocztę". Zaczął rozrywać koperty.

W pierwszej znalazł memorandum od Martina Maedera zaadresowane do wszystkich specjalistów od inwestycji. Dotyczyło możliwości powiększenia portfeli klientów o akcje zwykłe USB. Była to taktyka mająca na celu zacieśnienie kontroli banku nad własnymi akcjami. Praktycznie rzecz biorąc, chodziło o sforsowanie uświęconego „chińskiego muru", niewidzialnej granicy oddzielającej świat inwestycji od świata bankowości handlowej, które koegzystują pod dachami wszystkich szwajcarskich banków. W świecie kierowanych rachunków, gdzie inwestycji dokonują wedle swego uznania wyłącznie specjaliści, bank miał możliwość manipulowania cenami akcji, uzyskiwania odpowiednich gwarancji rozprowadzenia nowej emisji papierów wartościowych lub przenoszenia wartości walut.

Nick wrzucił memorandum Maedera do kosza i otworzył drugą kopertę. Zawierała kopie dokumentu potwierdzającego zwolnienie go z Korpusu Piechoty Morskiej i orzeczenie komisji śledczej z uzasadnieniem, dlaczego został usunięty. Kryminalna napaść z zamiarem poważnego uszkodzenia ciała. Z zamiarem? Boże, złoił Keely'emu skórę, aż wióry leciały. Ten tłusty sukinsyn ledwo uszedł z życiem. Zemsta na agencie Keelym z ręki porucznika Nicholasa A. Neumanna z Korpusu Piechoty Morskiej.

Nick rzucił papiery na biurko. Był wściekły, a jednocześnie nie mógł uwierzyć, że Thorne je zdobył. Zgodnie z prawem, zostały sklasyfikowane jako ściśle tajne i zapieczętowane w kwaterze głównej Korpusu Piechoty Morskiej w Waszyngtonie. Nikomu nie powiedział o zwolnieniu dyscyplinarnym, a już na pewno nie Kaiserowi. Według oficjalnych dokumentów, po prostu odszedł z wojska. Służył dobrze ojczyźnie, wykonywał swoje obowiązki. Jako człowiek postępował honorowo. Jako żołnierz – może mniej. Ale była to sprawa jego i Jacka Keely'ego, nikogo innego.

Wsunął rękę pod prawe udo i wymacał nienaturalne wgłębienie pod kolanem, gdzie brakowało ponad pół kilo ciała i mięśni. Thorne i Keely. Inni ludzie, inne czasy, ale z tym samym zadaniem, z ta samą motywacją. Żadnemu nie można było zaufać.

Nick zerknął na list od Thorne'a i zmrużył oczy, jakby patrzył na promienie porannego słońca. Przypomniał sobie zakurzony plac, gdzie leżał martwy Arturo Cruz Enrile z amerykańską kulą w głowie. Zobaczył Gunny'ego Ortigę biegnącego przez otwartą przestrzeń, a potem kciuk Enrilego w oliwkowej bandanie, cenny dowód śmierci buntownika. Przez sekundę mógł przysiąc, że słyszy szelest kroków nadchodzącego Gunny'ego, ale w rzeczywistości był to odgłos kroków listonosza sunącego korytarzem.

Gdy Yvan się oddalił, znowu wrócił do dżungli. Nic innego nie istniało. Ani Thorne, ani Schweitzer, ani cały ten pieprzony bank. Leżał na brzuchu w ciepłym czerwonym błocie przed poprowadzeniem oddziału z powrotem na pokład „Guama". I z perspektywy czasu doskonale wiedział, że czekało go piekło.

Rozdział 29

Na kilka sekund zapada cisza. Rozśpiewane sklepienie dżungli milknie. Spocony Ortiga leży w błotnistym rowie.

– Czysty strzał – mówi. – Zanim padł na ziemię, już nie żył.

Nick odbiera Ortidze obrzydliwe trofeum, starając się nie myśleć o odciętym kciuku zawiniętym w lepką szmatkę. Daje znak swoim ludziom, żeby się wycofali i uformowali szyk. Czeka ich trzynastomilowy odwrót przez parującą dżunglę. Żołnierze jeden po drugim wyczołgują się z rowu, oddając się pod opiekę tropikalnego lasu.

Poranne powietrze przeszywa kobiecy krzyk.

Nick woła do swoich ludzi, żeby się zatrzymali i ukryli.

Znowu słychać głos kobiety. Głośny płacz. Szloch.

Nick podnosi do oczu lornetkę i obserwuje plac, ale widzi tylko ciało Enrilego. Pada na nie słońce, a nad kałużą krwi przy głowie zbiera się chmara much. Zza białej chaty wyłania się drobna ciemnoskóra kobieta. Zrywa się do biegu, przystaje i znowu biegnie w stronę ciała. Jej wrzask potęguje się z każdym krokiem. Macha rękami nad martwym Enrilem, a potem zaczyna rwać włosy z głowy. Z domu wychodzi dziecko i drepcze za matką. Razem stają nad martwym mężczyzną i rozpaczają.

Nick spogląda na Ortigę.

– A ona skąd się, kurwa, wzięła?

Ortiga wzrusza ramionami.

– Pewnie była w samochodzie. Recon mówił, że dom jest pusty.

Nick czuje czyjąś obecność obok siebie. Johnny Burke powstał z martwych. Patrzy przez lornetkę.

– Trudno powiedzieć, czy dzieciak to chłopiec, czy dziewczynka – mówi. Podnosi się na jedno kolano, nie przestając obserwować placu. – Zabiłeś tego gościa, prawda?

Nick ciągnie go za koszulę.

– Padnij! – rozkazuje.

Burke się opiera.

– Tutaj nie ma nikogo prócz tej biedaczki i dzieciaka, poruczniku. Nikogo prócz tej kobiety i… – Urywa w pół zdania, jest w szoku. – Zabił pan jej męża, poruczniku.

Trzask drewna. Po obu stronach rowu wzbijają się chmury kurzu. W dżungli pojawiają się kłęby dymu. Z gęstej ściany liści naprzeciw linii Amerykanów leje się ogień z drobnej broni.

Burke stoi i krzyczy:

– Padnij! Połóż dziecko! Na ziemię, do cholery!

Nick łapie Burke'a za spodnie i każe mu schować się do rowu. Ale młody oficer odtrąca nachalną rękę i nie przestaje wołać do kobiety i dziecka, żeby padli na ziemię.

Nick czuje na uchu coś mokrego.

Burke opada na jedno kolano. Na mundurze pojawia się plama krwi. Dostał w brzuch. Kaszle, z ust bucha mu krew.

– Kryć się! Nie odpowiadać ogniem! – ryczy Nick i sam wychyla głowę z rowu. Kobieta i dziecko stoją nieruchomo przy zwłokach, zasłaniając głowy rękami. – Padnijcie! Do cholery, padnijcie!

Śmigają kule. Niektóre wbijają się w ziemię, inne przelatują kilka centymetrów nad głowami żołnierzy. Burke jęczy. Nick spogląda na niego i podnosi się.

– Na ziemię! – wrzeszczy. – Na ziemię!

Kula przecina powietrze obok jego ucha i Nick pada na ziemię. Lecz kobieta i dziecko nie ruszają się. Stoją pochylone nad ciałem Enrilego.

Po chwili jest już za późno.

Nick słyszy strzały. Kobieta i dziecko leżą obok Enrilego. Poruszają się za każdym razem, gdy przeszywa ich nabój.

Nick daje sygnał do odwrotu. Spogląda na Burke'a. Z ust cieknie mu krew. Jego koszula jest mokra i czarna. Ortiga rozdziera ją i zakłada bandaż. Marszcząc brwi, kręci głową.

Samo południe w filipińskiej dżungli. Nick i jego ludzie pokonali dwanaście kilometrów, kierując się do punktu docelowego. Ściga ich niewidoczny wróg. Jedynym dowodem obecności partyzantów są pojedyncze strzały w kierunku marines. Teraz żołnierze muszą odpocząć. Nick kładzie Johnny'ego Burke'a w miejscu, które na mapie zaznaczono jako rzekę Azul. Burke ma przebłyski świadomości.

– Dzięki za przejażdżkę, poruczniku – mówi. – Dalej nie idę. Możecie mnie tu zostawić.

– Gęba na kłódkę – mówi Nick. – Zabierzemy cię do domu. Ściskaj mnie za rękę. Będę wiedział, czy jesteś z nami.

Przechodzi na czworakach do „0330", kaprala odpowiedzialnego za transport radia. Bierze maleńki nadajnik i wybiera częstotliwość operacyjną. Ma nadzieję, że wywoła „Guam". Już trzy razy próbował skontaktować się z okrętem, aby przysłali po nich helikoptery. Ale „Guam" wciąż milczy. Nick zmienia częstotliwość i wyłapuje wieżę kontrolną lotniska w Zamboanga. A więc sprzęt działa bez zarzutu. Po prostu jego wezwania są ignorowane. Keely.

Czwarta po południu. Pas plaży, z której zostaną odebrani, jest kilkaset metrów przed nimi za kępą gęstych zarośli. Burke jeszcze żyje. Nick klęczy przy nim. Nadstawia uszu, nasłuchując cichego szumu dwóch łodzi desantowych z „Guama". Godzinę temu Ortidze udało się skontaktować z okrętem za pośrednictwem kontrolera z wieży w Zamboanga, który na otwartej częstotliwości przekazał wiadomość pułkownikowi Sigurdowi Andersenowi.

Nie pozostało im nic innego, jak tylko czekać. I modlić się, żeby Burke przeżył.

Ortiga dostrzega łodzie w odległości pół mili od brzegu. Z gardeł wyczerpanych żołnierzy wydobywa się okrzyk.

Johnny Burke patrzy na Nicka.

– *Semper fi* – mówi słabym głosem.

Nick ściska rękę chłopaka z Kentucky.

– Już dobrze. Zaraz będziesz na pokładzie.

Ortiga rozkazuje grupie zająć pozycje. Muszą zostać w zaroślach, aż łodzie wylądują na piasku. Kiedy wychodzą z ukrycia, spośród palm po lewej stronie zalewa ich grad kul. Kolejne strzały padają od strony kępy drzew kauczukowych za nimi. Zostają schwytani w klasyczny ogień skrzydłowy, który skutecznie odcina ich od plaży.

Nick rozkazuje swoim ludziom, żeby się okopali.

– To ich ostatni taniec! – woła. – Strzelać do woli!

Siedmiu marines rozpoczyna ostrzał ukrytego wroga. Powietrze huczy od eksplodujących pocisków. Ortiga ciska granat z miotacza. Nick opróżnia magazynek, celując w palmy, i zbliża się do plaży. Słyszy okrzyki wroga. Cieszy go całe to zamieszanie.

Pierwsza łódź desantowa jest już na plaży. Pierwsza grupa biegnie w jej stronę. Nick i Ortiga zapewniają osłonę ogniową. Łódź odpływa, zostawiając za sobą ślad białej piany.

Na plaży ląduje druga łódź. Nick zarzuca sobie Burke'a na plecy. Wynurza się z zarośli i ciężkim krokiem sunie po piasku. Ortiga przykłada M-16 do ramienia i miarowymi seriami ostrzeliwuje drzewa. Nick stęka, gdy jego buty grzęzną w drobnym białym piasku. Widzi przed sobą łódź, macha do szypra. Jest prawie na miejscu. Po chwili szybuje w powietrzu, plecy smaga mu gorące powietrze. Połknął go potężny huk, pochłonął piec ognia i żwiru. Z płuc wyssało mu powietrze. Czas staje w miejscu.

Ląduje twarzą w piasku. Ortiga ciągnie go za ramię.

– Jest pan cały?

– Gdzie Burke? – pyta Nick. – Gdzie Burke?

– Nic z niego nie zostało – odpowiada Ortiga. – Musimy wejść do łodzi, poruczniku. Natychmiast!

Nick patrzy w prawo. Ciało Burke'a leży na czarnym od krwi skrawku plaży – bez rąk i nóg, które oderwało mu tuż przy tułowiu. Plecy ma podziurawione odłamkami, stopiony ołów przypieka ciało. Ten zapach przyprawia Nicka o mdłości. Wie, że powinien pędzić do łodzi, biec co sił w nogach, ale nogi odmawiają mu posłuszeństwa. Coś jest z nim nie tak. Zerka na prawe kolano. O Boże, myśli, trafili mnie. Chwyta karabin strzelca i wciska lufę w piasek – prowizoryczna kula. Wstaje i widzi tylko biel, a potem puszystą zasłonę szarości. Uszy wypełnia mu wewnętrzny krzyk, głośniejszy od wszystkiego, co do tej pory słyszał. Otacza go ramię Ortigi. Razem pokonują ostatnie metry do łodzi desantowej. Szyper wciąga do gumowego pontonu czarny korpus, pozostałość po ciele Burke'a.

Oddalają się.

Strzelanina milknie.

Ból zaczyna się sto metrów od brzegu.

Nick jest przytomny podczas długiej przeprawy na „Guam". Każda fala to nowy spazm bólu, każde bujnięcie to nowy atak mdłości. Ma zmiażdżone prawe kolano. Poniżej noga jest poharatana. Biała kość wystaje spod mięsa, jakby chciała poczuć na sobie ciepłe popołudniowe powietrze. Nick nie skarży się. Ból oczyszcza mu umysł. Pozwala mu wyciągnąć wnioski z wydarzeń mijającego dnia.

Śmierć Enrilego. Śmierć jego żony i córki. Brak odzewu z „Guama". Wszystko zaplanowano. Wszystko przewidziano.

Nick wyobraża sobie Keely'ego ukrytego w pokoju łącznościowym. Słyszy, jak Keely przekazuje mu wiadomość o przybyciu Enrilego i obiecuje, że buntownik jest sam. Wyobraża sobie, jak Keely wyłącza radio i pozostaje głuchy na prośby o pomoc dla ośmiu żołnierzy, z których jeden jest ciężko ranny. Dlaczego, zastanawia się Nick. Dlaczego?

Przysięga sobie, że znajdzie odpowiedź. Że dopilnuje, by osoby odpowiedzialne za usankcjonowanie morderstwa Enrilego i zdradę, która kosztowała życie Johnny'ego Burke'a, nie unikną kary.

Nick nie usłyszał pukania do drzwi. Patrzył na dokument na biurku, ale widział tylko mgliste obrazy z przeszłości. Dopiero gdy pukanie rozległo się po raz drugi, zamrugał oczami i poprosił gościa, żeby wszedł. W drzwiach gabinetu zobaczył jasnowłosą głowę Sylvii Schon.

– Dobrze się czujesz? – spytała. – Pukam od dziesięciu sekund.

Wstał, żeby się z nią przywitać.

– Nic mi nie jest. Po prostu mam mnóstwo spraw na głowie. Wchodź. – Chciał powiedzieć, że cieszy się z jej wizyty, ale uznał, że nie powinien okazywać nadmiernej życzliwości. Nie wiedział, co ma myśleć o wczorajszych telefonach Sylvii. Najpierw zachowywała się, jakby serdecznie go nienawidziła. Potem zadzwoniła jeszcze raz, żeby go przeprosić. Brzmiało to szczerze, ale szybko się rozłączyła.

Sylvia zamknęła za sobą drzwi i oparła się o nie. Pod pachą trzymała wyblakłą żółtą teczkę.

– Chciałam cię przeprosić za moje wczorajsze zachowanie. Wiem, że zrobiłam z siebie idiotkę. Trudno mi się do tego przyznać, ale szczerze mówiąc, trochę ci zazdroszczę. I mam wrażenie, że nie doceniasz tego, co zdobyłeś.

Nick zamaszystym ruchem ręki ogarnął swój pozbawiony okna gabinet. Wymiary dwa i pół metra na trzy. Na dwóch ścianach półki z książkami, na trzeciej szafa.

– Mówisz o tym?

– Wiesz, o czym mówię. O czwartym piętrze. O pracy z prezesem.

Wiedział, o czym mówiła.

– Mam sporo szczęścia – odparł – ale i tyle roboty, że nie miałem czasu sobie powinszować.

– Potraktuj to jako prezent z okazji awansu. – Rzuciła żółtą teczkę na biurko.

– Co to jest? Może ankieta pod tytułem: „ Czy podobają mi się meble"? Do wypełnienia w trzech egzemplarzach.

Uśmiechnęła się szelmowsko.

– Niezupełnie.

– Zestawienie szkół, do których chodziłem, wszystkich nieobecności i informacja o tym, co robiłem podczas kolejnych letnich wakacji.

Roześmiała się.

– Cieplej, cieplej. Zajrzyj do środka.

Nick wziął do ręki teczkę i przeczytał napis na grzbiecie: „United Swiss Bank, filia w Los Angeles. Raporty miesięczne 1975".

– Nie powinienem był w żadnym wypadku prosić cię o nie. W ogóle nie pomyślałem o twojej pozycji w banku. Zachowałem się nie fair i po chamsku. Nie chcę, żebyś się dla mnie narażała.

– Czemu nie? Mówiłam już, że jestem ci winna przysługę, a poza tym chciałam to zrobić.

– Dlaczego? – zapytał trochę głośniej, niż zamierzał. Bał się, że jednego dnia pomoże mu, a drugiego wyda.

– To ja zachowałam się wtedy egoistycznie, nie ty. Czasem nie mogę się opanować. Ciężko pracowałam na to, co mam teraz, więc przeraża mnie najmniejsza przeszkoda. – Spojrzała mu w oczy i wyznała otwarcie: – Szczerze mówiąc, było mi wstyd i dlatego nie oddzwoniłam. Myślałam o twojej prośbie i doszłam do wniosku, że syn ma pełne prawo wiedzieć jak najwięcej o swoim ojcu. Mam już dość roli biernego obserwatora.

Nick zastanowił się nad tak szczęśliwą odmianą losu.

– Powinienem być podejrzliwy?

– A ja? – Zrobiła krok w jego stronę i położyła mu rękę na ramieniu. – Obiecaj mi jedno: że powiesz mi, o co w tym wszystkim chodzi.

Nick odłożył teczkę na biurko.

– Dobrze. Obiecuję. Może dzisiaj wieczorem?

Sylvia wyglądała na zaskoczoną.

– Dziś wieczorem? – Zagryzła wargę, lecz po chwili uśmiechnęła się. – Byłoby cudownie. Może u mnie o siódmej trzydzieści? Chyba pamiętasz adres?

– Umowa stoi.

Gdy wyszła, Nick przez długą chwilę wpatrywał się w miejsce, gdzie przed chwilą stała, jakby jej wizyta przywidziała mu się. Potem spojrzał na wyblakłą żółtą teczkę. Starannie wykaligrafowany tytuł, a obok niego numer magazynowy i kod.

Wszystko starannie i dokładnie. I przez następne dwadzieścia cztery godziny – wszystko jego.

Rozdział 30

Gdy Nick rozmawiał z Sylwią, w cieplejszym rejonie świata, jakieś trzy tysiące mil na południowy wschód, Ali Mevlevi jechał swoim bentleyem ulicą Clemeneau. Zmierzał do hotelu St Georges, gdzie był umówiony na lunch. Był spóźniony piętnaście minut. Biała brama wjazdowa hotelu obiecywała schronienie przed szkodliwymi spalinami, które w południe unosiły się w centrum miasta. Bejrut stał się tak cywilizowanym miejscem, że mógł się poszczycić południowym bouchon, tak jak jego bardziej modni bracia: Paryż i Mediolan.

Mevlevi tupnął w podłogę samochodu i krzyknął na pojazdy przed nim, żeby przejechały kolejne piętnaście metrów. Rothstein będzie wściekły za spóźnienie. Właściciel Little Maxim's słynął z niewolniczego oddania dawno wyrobionym nawykom. Mevlevi błagał go o zaproszenie na cotygodniowy lunch w St Georges. Na wspomnienie tych próśb poczuł w ustach gorzki smak.

Zrobiłeś to dla Liny, przypomniał sobie. Aby oczyścić jej imię. Aby udowodnić raz na zawsze, że nie może być szpiegiem, którego podrzucono do twojego gniazda.

Mevlevi stanął w korku i odprężył się na chwilę. Pomyślał o Linie. Na wspomnienie ich pierwszego spotkania uśmiechnął się.

Lokal Little Maxim's mieścił się na ulicy Al Ma'aqba, dwie przecznice od wybrzeża. Przypominał podejrzany burdel gdzieś na afrykańskim wybrzeżu Morza Śródziemnego. Wszędzie rozstawione były aksamitne kanapy i skórzane sofy. Przed każdym siedziskiem stał szklany stolik, najczęściej pobrudzony wyplutymi pestkami oliwek i rozlaną mezzą po poprzednich gościach. Max nie zwracał większej uwagi na umeblowanie lokalu, interesowały go bowiem zatrudniane tu dziewczęta. Ponad dwadzieścia ponętnych kobiet zdobiło salę jak diamenty na górze węgla.

Tamtej nocy dotarł do lokalu około drugiej, wykończony po dniu spędzonym przy telefonie. Wybrał ten sam stolik co zwykle i ledwie usiadł, podeszła do niego szczupła Azjatka o lakierowanych, obciętych na pazia włosach i wydatnych wargach. Zapytała, czy może się dosiąść, a on grzecznie odmówił. Potem odmówił jeszcze rudowłosej piękności z Tbilisi o krągłych pośladkach i platynowej modliszce z Londynu, której przerośnięte piersi prześwitywały przez siatkowy materiał bluzki. Nie potrzebował wyrafinowanej piękności, lecz zmysłowego objawienia: surowego i pierwotnego. Atawistycznej reinkarnacji prymitywnego pożądania.

Trzeba przyznać, że miał wysokie wymagania.

Ale nie był przygotowany na ukazanie się Liny.

Dudniący rytm zapowiadał rozpoczęcie nocnego programu rozrywkowego. Pomimo niechęci do amerykańskiej muzyki rockowej poczuł przypływ energii i z niecierpliwością czekał, co przyniesie ten utwór. Kiedy Lina wyszła na scenę, aż zamarł z zachwytu. Tańczyła z pasją uwięzionej w klatce pantery, jej płynne ruchy rozbudziły w nim dziką żądzę. Zdjęła skórzany stanik podtrzymujący obfite piersi, i przeszła do końca wybiegu. Uniosła ręce, zbierając bujne czarne włosy i kołysząc biodrami w rytm muzyki. Patrzyła na niego dłużej, niż wypadało, czarnymi oczami pełnymi niesamowitego blasku. Miał wrażenie, że przejrzała go na wylot. I że pożądała go tak, jak on pożądał jej.

Dźwięk klaksonu przeniósł Mevleviego do teraźniejszości. Podjechał kilka metrów do przodu i znów stanął.

– Niech to diabli – zaklął. Nacisnął dwa razy klakson, wysiadł z bentleya i przecisnął się między pojazdami w stronę hotelu. Chłopak ubrany w liberię zbiegł po podjeździe na główną ulicę. Mevlevi wcisnął mu do ręki banknot studolarowy i kazał zaparkować samochód blisko wejścia.

Bejrut. Improwizacja w obliczu przeciwności losu była powszechnym zjawiskiem.

– Max, dziękuję ci, że zgodziłeś się na wspólny lunch. Tak bez uprzedzenia. Czuję się zaszczycony.

Rześki siwowłosy mężczyzna wstał od stołu. Był bardzo szczupły i bardzo opalony. Miał na sobie rozpiętą do połowy jedwabną koszulę.

– Czarujesz, Ali. Teraz widzę, że jestem w poważnym kłopocie. Mamy tutaj takie powiedzenie: „Kiedy lew się uśmiecha, nawet jego młode uciekają". Kelner!

Ali Mevlevi i Max Rothstein wybuchnęli głośnym śmiechem.

– Dobrze wyglądasz, Maksie. Już dawno nie widziałem cię w dziennym świetle.

Rothstein przytknął białą serwetkę do oczu.

– Nieźle jak na starego zrzędę. Za to ty wyglądasz na zmartwionego. Chcesz od razu przejść do rzeczy?

Mevlevi uśmiechnął się blado.

– „Zaprawdę, ci, którzy okazują cierpliwość, ujrzą królestwo Allaha" – zacytował werset z Koranu. – Przyszedłem na lunch ze starym przyjacielem. Ta sprawa może poczekać.

Pojawił się szef sali z oprawionymi w zieloną skórę menu.

– Okulary – rozkazał Rothstein podniesionym głosem. Potężny mężczyzna przy sąsiednim stoliku pochylił się i podał szefowi parę dwuogniskowych okularów.

– To co zwykle? – zapytał Mevlevi, rzucając ukradkowe spojrzenia w stronę mięśniaków zgromadzonych przy stoliku obok.

– Znasz mnie – odparł Max, uśmiechając się. – Mam swoje przyzwyczajenia.

Wrócił kelner i spisał zamówienie. Mevlevi wybrał angielską solę. Rothstein – wysmażony dwustugramowy mielony stek wołowy z sadzonym jajkiem. Zawsze jadał na lunch i kolację ten sam wstrętny zestaw.

Maxim Andre Rothstein. Niemieckie nazwisko, libańskie wychowanie. Śliski jak jesiotr na lodzie. Odkąd Mevlevi pamiętał, hazard i rozpusta w Bejrucie w znacznej mierze znajdowały się w jego rękach. Na pewno na długo, zanim on się tam zjawił w 1980 roku. Kluby Maksa działały nawet w najgorętszym okresie wojny domowej. Żołnierze nie chcieli się narażać na odwet dowódców, więc żadna krzywda nie mogła spotkać Maksa i jego dziewcząt. Max wysyłał krupierów do wszystkich frakcji, umożliwiając grę w kości, ruletkę i bakarata żołnierzom po obu stronach „zielonej linii". A przy okazji zgarniał swoją część z każdego zakładu.

W czasie, kiedy niemal wszyscy mieszkańcy Bejrutu tracili nie tylko krewnych, lecz także sporą część majątku, Max Rothstein zbijał ogromną fortunę. Obecność dobrze ubranych ochroniarzy świadczyła o tym, że łobuz czuł się bezpieczniej podczas wojny niż po jej zakończeniu. Wzmagała też niepokój Alego Mevleviego – był przecież sam, bez ochrony, w centrum miasta, które od anarchii dzielił ledwie wybuch samochodowej bomby.

Panowie przedyskutowali szereg problemów, które wciąż nękały Liban. Żaden z nich nie wypowiadał skrajnych opinii. Obaj wiedzieli, że jako biznesmeni powinni opowiadać się za tymi, którzy aktualnie są przy władzy. Wczoraj Gemayel. Dzisiaj Hariri. Jutro kto wie?

Kelner przyniósł tacę z deserami i obaj panowie dokonali wyboru. Mevlevi poprosił o eklera z czekoladowym kremem. Rothstein – pudding z tapioki.

Mevlevi przełknął pierwszy kęs ciastka i wyraziwszy zachwyt, odłożył widelec i zadał Rothsteinowi pytanie.

– Samochody czy wielbłądy, Max?

– Możesz powtórzyć?

Mevlevi powtórzył pytanie. Uznał za rozsądne przedstawić swój problem w formie metafory. Dzięki temu gdyby Rothstein się zdenerwował, mógłby dyplomatycznie się wycofać.

Rothstein spojrzał na swoich ochroniarzy, podniósł oczy do nieba i wzruszył obojętnie ramionami.

– Samochody – powiedział. – Do zwierząt jakoś nie mogę się przekonać. Nie mam nawet psa.

Świta Rothsteina roześmiała się z obowiązku. Dołączył do nich Mevlevi.

– Mam mały problem z samochodem – zaczął. – Może mi pomożesz.

Znowu wzruszenie ramion.

– Nie jestem mechanikiem, ale wal. Czym jeździsz?

– Piękna maszyna. Ciemny lakier, czysta linia i co za silnik. Kupiłem ją dziewięć miesięcy temu.

Rothstein uśmiechnął się ze zrozumieniem.

– Wiem, o którym modelu mówisz.

– Powiedzmy, Maksie, że ten samochód był nowy, kiedy go kupowałem.

– Wiesz, nowy nowemu nierówny. Czasem nowy to nowy, czasem prawie nowy, a czasem ... – Rothstein zachichotał – cóż, czasem nowy może być całkiem stary.

– A jeśli samochód, który wydawał mi się nowy, był tak naprawdę stary? Z wymiany. Może sprzedawałeś go jakiemuś przyjacielowi?

Pomarszczona twarz wyrażała zatroskanie.

– Miałbym sprzedać tobie, jednemu z najstarszych klientów, używany wóz?

– Proszę, Maksie, nie w tym rzecz. Nie o to mi dzisiaj chodzi.

– Masz kłopoty z tym modelem? Odeślij go. Jeśli to ten, o którym myślę, od razu znajdzie się kupiec.

– Nigdy nie odsyłam tego, co do mnie należy. Wiesz o tym, Maksie. Nigdy nie dokonuję zwrotów. Jeśli czegoś nie potrzebuję, wyrzucam.

Rothstein wsunął łyżkę puddingu do ust. Połowa spadła mu na brodę. Nie zwrócił na to większej uwagi.

– Więc w czym problem? Traci moc? – Roześmiał się do swojej koterii i czterech bandziorów zawtórowało mu.

Mevlevi poczuł, że traci cierpliwość. Mocniej ścisnął ukryty róg obrusu.

– Nie twoja sprawa. Gdzie znalazłeś ten samochód? Odpowiedź jest warta więcej niż sam wóz.

Przesunął po stole grubą kopertę zawierającą sto studolarowych banknotów. Rothstein wsunął do środka kciuk i sprawdził grubość pliku. – Nieźle – powiedział, wkładając kopertę do kieszeni. Odłożył sztućce i jeszcze raz wytarł usta, nareszcie usuwając uparte ziarenko ryżu przyklejone do policzka. – Ali, przyjąłem ten samochód w ramach przysługi dla starego przyjaciela. Powiedział mi, że samochód potrzebuje nowego domu. Miejsca, gdzie mógłby zostać odpowiednio doceniony. Na poziomie, rozumiesz. Samochód potrzebował jednego właściciela. Wypożyczanie wykluczone.

– Doskonały pomysł – powiedział Mevlevi. – Ale nawet wśród nas nie ma wielu dżentelmenów, którzy mogliby sobie pozwolić na taki wóz.

– Jest kilku – odparł tajemniczo Rothstein.

– Kto był na tyle miły, że sprawił ci tak rewelacyjną maszynę?

– Jest twoim bliskim przyjacielem. Nie żebym się interesował, ale może być jednym z twoich partnerów. A partnerzy nie powinni mieć przed sobą tajemnic.

– Ach, Max. Jak zwykle nie brakuje ci rozsądku.

Mevlevi pochylił się i nadstawił uszu, gdy Max Rothstein szeptał mu do ucha, kto sprowadził Linę do jego lokalu. Kiedy usłyszał nazwisko, zamknął oczy i zapragnął, żeby jego łzy zamieniły się w ogień. Znalazł zdrajcę.

Rozdział 31

Nick znalazł się przed domem Sylvii Schon punktualnie o dziewiętnastej trzydzieści. Ledwie sześć dni wcześniej pokonał tę samą trasę, ale odkąd wsiadł do tramwaju na Paradeplatz wydawało mu się, że robi to po raz pierwszy.

Sylvia mieszkała w nowoczesnym apartamentowcu na szczycie Zurichberg. Spacer pod górę od przystanku tramwajowego na Raemistrasse zajął Nickowi dziesięć minut. Gdybym uskuteczniał taki spacerek dwa razy dziennie, pomyślał, dożyłbym setki.

Nacisnął guzik przy jej nazwisku i czekał, aż go wpuści. Przyjechał prosto z biura. W jednej ręce niósł teczkę, a w drugiej bukiet kolorowych kwiatów. Nie planował kupować kwiatów. Pomysł ten wpadł mu do głowy, gdy mijał kwiaciarnię po drodze na przystanek. Teraz czuł się głupio, trzymając je w ręku – jak nastolatek na pierwszej randce. Nagle posmutniał. Ciekawe, kto dzisiaj będzie stał z bukietem przed drzwiami Anny. Nie twoja sprawa, zbeształ samego siebie i po chwili zazdrość odeszła.

Rozległ się brzęczyk i Sylvia zaprosiła go do mieszkania. Otworzył drzwi i znów się rozejrzał, jakby to była jego pierwsza wizyta. Ściany wewnątrz były tylko otynkowane, a na podłodze leżała szara wykładzina. Same mieszkania były usytuowane po trzech stronach otwartej klatki schodowej, która ciągnęła się dwa piętra do góry i piętro w dół. Zszedł po schodach i dwa razy zapukał do drzwi.

Sylvia otworzyła narychmiast. Miała na sobie wytarte niebieskie dżinsy i zieloną koszulkę z Pendleton. Włosy uczesała z przedziałkiem pośrodku. Pomyślał, że próbowała ubrać się po amerykańsku. Przenosiła wzrok z kwiatów na niego i z powrotem.

– Są piękne. Cudowny pomysł.

Nick starał się wymyślić jakąś wymówkę. Czuł, że się czerwieni.

– Zobaczyłem je na wystawie. Niegrzecznie jest przychodzić w gości z pustymi rękami. – A już na pewno nie dwa razy, dodał w myślach.

– Wchodź, wchodź. – Pocałowała go w policzek, uwolniła od kwiatów i zaprowadziła do salonu. – Usiądź, a ja wstawię je do wody. Kolacja będzie gotowa za kilka minut. Mam nadzieję, że lubisz wiejskie jedzenie. Zrobiłam *Spatzeli mit Käse überbacken*.

– Brzmi wspaniale. – Nick podszedł do półek i zanim usiadł, obejrzał parę zdjęć. Na kilku z nich Sylvia obejmowała wysokiego, atletycznego blondyna.

– To moi bracia – wyjaśniła, wchodząc do pokoju z wazonem pełnym kwiatów. – Rolf i Eric. Bliźniacy.

– Naprawdę? – Nick ze zdziwieniem zauważył, że jej słowa przyniosły mu ulgę. Myślał o niej więcej, niż chciał przed samym sobą przyznać. Podszedł do sofy i usiadł. – Gdzie mieszkają? W Zurychu?

– Rolf jest instruktorem narciarskim w Davos. Eric jest prawnikiem, mieszka w Bernie – odpowiedziała lakonicznie i Nick domyślił się, że nie ma ochoty o nich rozmawiać. Postawiła wazon z kwiatami na stole. – Czego się napijesz?

– Proszę o piwo.

Sylvia otworzyła przesuwane szklane drzwi na taras. Pochyliła się i wyjęła jedną butelkę.

– Może być löwenbräu? Miejscowa produkcja.

– Tak, świetnie. – Nick oparł ręce o poduszki i rozsiadł się wygodnie na sofie. Sylvia miała bardzo ładne mieszkanie. Drewniana, wypastowana podłoga z dwoma perskimi dywanami. Niewielka wnęka ze stołem przy salonie. Na stole dwa nakrycia i butelka białego wina. Wydawało mu się, że widzi jej prawdziwe oblicze, i podobało mu się to, co zobaczył. Odwrócił się i spojrzał na krótki korytarz. Na jego końcu dostrzegł zamknięte drzwi. Sypialnia. Jeśli kiedykolwiek do tego dojdzie, zastanawiał się, która Sylvia zjawi się w łóżku: wyrachowana profesjonalistka, znana mu z pracy, czy beztroska dziewczyna, która przywitała go w drzwiach pocałunkiem i uśmiechem? Myśl o każdej z nich podniecała go.

Sylvia wróciła do salonu z dwoma piwami. Podała jedno Nickowi i usiadła obok niego.

– Podoba ci się w Szwajcarii? – spytała.

Nick roześmiał się, omal nie rozlewając piwa.
– Co cię tak śmieszy?
– Dokładnie o to samo zapytał mnie w piątek Martin Maeder.
– No więc podoba ci się czy nie?
– Właściwie tak. Jest tu zupełnie inaczej, niż pamiętałem z poprzednich wizyt. I chyba lepiej. Jestem pełen podziwu, że wszystko odbywa się zgodnie z planem, a wszyscy tak sumiennie wykonują swoje obowiązki – od śmieciarza do…
– Wolfganga Kaisera.
– Dokładnie. U nas trochę tego brakuje. – Pociągnął łyk piwa. Nie czuł się swobodnie, mówiąc o swoich wrażeniach. Wolałby porozmawiać o niej. – Powiedz, dlaczego podjęłaś pracę w banku? Widać, że bardzo ją lubisz.
Sylvia wydawała się zaskoczona pytaniem.
– Odpowiedziałam na ogłoszenie wywieszone na uniwersytecie. Początkowo myślałam, że nie chcę mieć nic wspólnego z jakimś nudnym starym bankiem. Rozglądałam się raczej za czymś w reklamie lub public relations. No wiesz, za czymś ekscytującym. Potem zaproszono mnie na drugą rozmowę kwalifikacyjną, tym razem w samym banku. Oprowadzono mnie po budynku, pokazano parkiet, skarbiec. Nie zdawałam sobie sprawy, że za okienkiem kasjera tyle się dzieje. Popatrz tylko na to, co robimy w dziale finansowym. Obracamy miliardami dolarów. Subskrybujemy obligacje, które pomagają rozwijać się firmom i całym państwom. Ile w tym dynamizmu. Uwielbiam to.
– Pamiętaj, Sylvio, że ja też tam pracuję. Próbujesz nawrócić księdza. – Podzielał jej entuzjazm. Z tych samych powodów podjął pracę w banku inwestycyjnym na Wall Street.
– Chyba trochę mnie poniosło. – Uśmiechnęła się i ciągnęła dalej: – Kolejnym powodem był fakt, że w bankowości nie pracuje zbyt wiele kobiet, a przynajmniej nie zajmują wysokich stanowisk. – Pochyliła się nad stolikiem i podniosła plik papierów, których Nick wcześniej nie zauważył. – Dostałam dzisiaj program mojej wizyty w Stanach. Z wyjazdem będę musiała poczekać do zakończenia walnego zgromadzenia, co utrudni mi trochę zadanie. Ale lepsze to niż nic.
Podała Nickowi kartkę z programem wizyty. Miała polecieć do Nowego Jorku, zobaczyć się z absolwentami Uniwersytetu Nowojorskiego, Wharton i Columbii. Potem ruszała dalej do Harvardu i Massachusetts Institute of Technology. Na koniec wizyta w Chicago i północno-wschodnich stanach.
– Tyle kilometrów, żeby zatrudnić jednego lub dwóch absolwentów?
Sylvia odebrała od niego plan podróży.

– Bardzo poważnie traktujemy werbowanie odpowiedniego personelu. Dlatego lepiej, żebyś został. Wy Amerykanie musicie zacząć dawać dobry przykład.

– Nie martw się, zostaję. Za nic nie chciałbym podnieść ci wskaźnika rotacji pracowników.

– Szatan! – Klepnęła go żartobliwie po nodze, wstała i oświadczyła, że musi dokończyć przygotowania do kolacji.

Dziesięć minut później talerze były już na stole. Złocistobrązowe drobne kluski polane stopionym szwajcarskim serem i posypane papryką. Nick jadł z apetytem. Od przyjazdu przed ponad sześcioma tygodniami nie miał w ustach nic równie pysznego. Namawiał Sylvię, żeby opowiedziała mu o swoim dzieciństwie. Na początku trochę się wstydziła, ale kiedy już zaczęła, zapomniała o powściągliwości. Dorastała w Sargans, małym miasteczku osiemdziesiąt kilometrów na południowy wschód od Zurychu. Jej ojciec był naczelnikiem miejscowej stacji kolejowej. Był jedną z najbardziej szanowanych osobistości w miasteczku. Filarem obywatelskiej cnoty, jak go nazwała. Po śmierci pierwszej żony nie ożenił się po raz drugi. Sylvia zajęła się prowadzeniem domu, biorąc na siebie pełną odpowiedzialność za wychowanie młodszych braci.

– Wygląda na to, że byliście zżyci – wtrącił Nick. – Mieliście szczęście.

– Mieliśmy piekło – wypaliła i roześmiała się. – Przepraszam.

– Nie przepraszaj. Dlaczego piekło?

Położyła dłonie na kolanach, skubiąc serwetkę, i wpatrywała się w Nicka, jakby próbowała ustalić, czy jego zainteresowanie jest szczere. W końcu odwróciła wzrok i powiedziała:

– Ojciec był trudnym człowiekiem. Całe życie spędził na kolei, więc wszystko musiało być idealnie zorganizowane – tak jak rozkład jazdy pociągów – inaczej był niezadowolony. Chyba dlatego nigdy nie przebolał straty matki. Nie pogodził się z tym. Bóg nie pytał go, czy może mu ją odebrać. Możesz sobie wyobrazić, na kim skrupiało się jego niezadowolenie. Na mnie. Głównie dlatego, że nie wiedział, jak postępować z małą dziewczynką.

– Co robił?

– Nie był złym człowiekiem. Nigdy mnie nie uderzył, nic z tych rzeczy. Był tylko bardzo wymagający. Musiałam wstawać o piątej, żeby podać mu śniadanie i przygotować drugie śniadanie do pracy. No i oczywiście były bliźniaki, cztery lata młodsze ode mnie. Musiałam ich wyciągać z łóżek i wyganiać z domu do szkoły. Sporo jak na dziewięcioletnią dziewczynkę. Kiedy teraz o tym myślę, nie wiem, jak sobie poradziłam.

– Byłaś silna. Nadal jesteś.

– Nie jestem pewna, czy to komplement.

Nick uśmiechnął się.

– U mnie było podobnie. Po śmierci ojca zawsze wydawało mi się, że muszę dorównać innym. Pilnie się uczyłem. Chciałem być we wszystkim najlepszy. Czasem wstawałem w nocy, wyciągałem zeszyty i sprawdzałem, czy praca domowa jest na swoim miejscu. Bałem się, że ktoś mi ją ukradł. Szaleństwo, co?

– Ja nie miałam takiego problemu. Nie cierpiałam tylko, że odgrywamy rolę doskonałej rodzinki. Sargans to małe miasteczko. Wszyscy znali mojego ojca. Oczywiście, musieliśmy zachowywać się bez zarzutu. Nie mogliśmy pokazać, że jest nam trudniej żyć bez żony i matki. Może tylko ja nie byłam szczęśliwa. Moi bracia mieli raj. Sprzątałam ich pokoje, prałam ubrania, pomagałam w pracach domowych. Mieli sprzątaczkę na cały etat.

– Muszą cię za to kochać.

– Jak parę dni temu powiedział Rudy Ott: „W najlepszym ze wszystkich możliwych światów, oczywiście". – Posłała Nickowi ironiczny uśmiech. – Niestety, poszli w ślady ojca i nie doceniali moich starań. Myśleli, że nie wychodzę w piątkowe wieczory, bo nie chcę, a nie dlatego, że jestem zbyt zmęczona. Chyba nawet byli przekonani, że uwielbiam zmieniać im co tydzień pościel.

– Nie utrzymujecie bliskich kontaktów?

– Och, staram się jak mogę, wysyłam kartki urodzinowe, prezenty na święta. Ale nie widziałam Rolfa i Erica od trzech lat. Tak jest łatwiej.

– A ojciec?

Sylvia podniosła palec.

– Z nim nadal się widuję.

Nick kiwnął głową, odczytując z wyrazu jej twarzy, że tego tematu nie zamierza drążyć. Odwrócił wzrok i zauważył w przedpokoju swój neseser. Przyniósł w nim wyblakłą żółtą teczkę, którą wcześniej dostał od Sylvii. Rozmowa tak go pochłonęła, że zupełnie o niej zapomniał. Uśmiechnął się w duchu, był rozgrzany i zadowolony. Zapomniał już, jak przyjemne może być towarzystwo interesującej i atrakcyjnej kobiety. Tęsknił za tym.

Po kolacji Nick położył teczkę na stole i otworzył ją. W środku znajdowały się chronologicznie uporządkowane miesięczne raporty sporządzane przez ojca w okresie od stycznia do czerwca 1975 roku. Wątpił, czy znajdzie coś interesującego w raportach napisanych pięć lat przed śmiercią Aleksa Neumanna.

Raport miesięczny ze stycznia 1975 roku był podzielony na cztery części: podsumowanie działalności przynoszącej prowizję, ocena możliwości ekspansji, prośba o przysłanie personelu i materiałów biurowych, a na koniec punkt zatytuowany „Różne".

Nick przeczytał raport.

„Podsumowanie działalności za okres 1.01.75 – 31.01.75. A. Przyjęcie depozytów w wysokości 2,5 miliona $, z czego 1,8 $ od nowych klientów (zob. w załączeniu arkusze charakterystyki klientów).

Opłaty za usługi: pobrano 21 700 $ prowizji.

Sprawozdanie finansowe pro forma za rok podatkowy 1975.

B. Nowe kontakty: Swiss Graphite Manufacturing, Inc.

CalSwiss Ballbearing Company

Atlantic Maritime Freight

C. Propozycja powiększenia personelu z siedmiu (7) do dziewięciu (9) osób.

1. Prośba o nowe maszyny do pisania IBM Selectric (4).

D. Różne: kolacja w konsulacie szwajcarskim (zob. raport)".

Nick podniósł głowę znad teczki. Wydawało się, że raporty nie zawierają nic ciekawego. Mimo to zamierzał przeczytać uważnie każdą stronę. Może akurat w tym zestawie nie znajdzie istotnych wskazówek, ale na pewno był na dobrym szlaku. A co ważniejsze, miał chętnego przewodnika.

Z przedpokoju dobiegł go odgłos kroków.

Sylvia położyła mu rękę na ramieniu.

– Czego szukasz?

Westchnął i przetarł oczy.

– Naprawdę chcesz się w to angażować?

– Obiecałeś, że powiesz mi, czego szukasz. Chyba po to się spotkaliśmy?

Nick roześmiał się, ale coś ścisnęło go w gardle. Nadeszła godzina prawdy. Czas sobie zaufać. Wiedział, że bez pomocy Sylvii nie zajdzie daleko, i w głębi serca pragnął tej pomocy. Może dlatego, że z każdą minutą był coraz bardziej oczarowany jej złocistymi włosami i uroczym uśmiechem. Może dlatego, że dostrzegł tak wiele podobieństw między nimi: oboje w dzieciństwie musieli szybko dorosnąć; oboje zawsze niezmordowanie do czegoś dążyli i nigdy nie byli zadowolonymi ze swoich osiągnięć. A może dlatego, że Anna przestała się nim interesować.

– Szukam dwóch rzeczy – powiedział. – Wzmianek o kliencie, który nazywał się Allen Soufi. Podejrzany gość, robił interesy z bankiem w Los Angeles. I wzmianek o Goldluxe, Incorporated.

– Co to za Goldluxe?

– Nic o nich nie wiem. Tyle tylko, że decyzja ojca o zerwaniu współpracy z Goldluxe wywołała w centrali w Zurychu małą burzę.

– Więc to klient banku?

– Przynajmniej przez jakiś czas.

– Czemu zainteresowałeś się akurat panem Soufi i firmą Goldluxe?

– Poczekaj, zaraz coś ci pokażę.

Poszedł wyjąć coś z nesesera. Wrócił z cienką czarną książką. Położył ją na stole i powiedział:

– Terminarz ojca z siedemdziesiątego ósmego roku. Pochodzi z filii USB w Los Angeles.

Sylvia przyjrzała się terminarzowi i powąchała go.

– Gdyby pochodził z biura, nie śmierdziałby tak – orzekła.

– To przez powódź – wyjaśnił Nick. Już dawno przyzwyczaił się do zapachu spleśniałej skóry. – Znalazłem ten terminarz w starej szopie. Był na górze śmieci, które matka trzymała całe lata. W tym czasie szopę dwa razy zalało. Powódź zniszczyła wszystko, co składowano poniżej metra wysokości. Kiedy matka zmarła, poleciałem tam, żeby zająć się jej rzeczami i zadysponować nimi. Wtedy znalazłem ten terminarz. Jest jeszcze jeden, z siedemdziesiątego dziewiątego.

Przekartkował terminarz, zatrzymując się na zapiskach, które jego zdaniem zasługiwały na uwagę. „12 października. Kolacja z Allenem Soufim. Niepożądany." „10 listopada – Soufi w biurze". Pod spodem: „kontrola kredytowa", a dalej pełne niedowierzania „Nic?!" I w końcu oburzająca notatka z trzeciego września: „Bydlak groził mi" – lapidarny komentarz do spotkania o 12.00 na lunchu w Beverly Wilshire Hotel z jakże często wspominanym Allenem Soufim.

– W następnym terminarzu jest tego więcej.

– Masz tylko dwa?

– Znalazłem tylko te. Na szczęście to ostatnie dwa, które prowadził. Ojciec zginął trzydziestego pierwszego stycznia 1980 roku.

Sylvia skuliła się, jakby nagle zrobiło jej się zimno. Nick patrzył w jej ciepłe brązowe oczy. Kiedyś widział w nich obojętność i egoizm. Teraz odnalazł w nich troskę i współczucie. Odchylił się do tyłu na sztywnym drewnianym krześle i przeciągnął się. Wiedział, co go czeka: musi opowiedzieć całą historię. Nagle zdał sobie sprawę, jak niewielu osobom powiedział o zabójstwie ojca: paru kolegom ze szkoły, Gunny'emu Ortidze i oczywiście Annie. Zazwyczaj perspektywa opowiedzenia komuś o tym przyprawiała go o zdenerwowanie i zażenowanie. Ale dzisiaj, siedząc blisko Sylvii, czuł spokój. Słowa przychodziły mu łatwo.

– Najgorzej było, kiedy musieliśmy tam pojechać – zaczął cicho. – Wiedzieliśmy, że coś mu się stało. Zadzwonili z policji. Powiedzieli, że zdarzył się wypadek. Przysłali po nas samochód policyjny. Ojciec nie mieszkał wtedy w naszym domu. Nie chciał nas narażać. Chyba wiedział, że ktoś na niego poluje.

Sylvia siedziała nieruchomo jak skała i słuchała.

– Tamtej nocy padało – ciągnął dalej powoli, a przed oczami przesuwały mu się obrazy z przeszłości. – Jechaliśmy wzdłuż Stone Canyon. Matka tuliła mnie mocno i płakała. Musiała wiedzieć, że ojciec nie żyje. Intuicja. Ale ja nie wiedziałem. Policjanci nie chcieli, żebym jechał, lecz matka się uparła. Już wtedy nie była zbyt silna. Wyglądałem przez okno wozu. Patrzyłem na deszcz i zastanawiałem się, co się stało. Z radia cały czas płynęły wiadomości w skrótowym policyjnym żargonie. Wyłapałem słowo „zabójstwo" i adres domu, w którym mieszkał ojciec. Policjanci z przednich siedzeń nie odezwali się do nas ani słowem. Czekałem, aż powiedzą „proszę się nie martwić" albo „wszystko będzie w porządku". Ale nic nie powiedzieli.

Nick pochylił się do przodu i splótł swoje dłonie z dłońmi Sylvii. Zauważył w jej oczach łzy i przez chwilę był na nią wściekły. Jeśli ktoś płakał, zazwyczaj czuł pogardę dla słabości tej osoby. Wiedział, że ta złość wynika ze strachu przed skonfrontowaniem własnych uczuć, i że nie powinien dać się jej ponieść. Przez moment jednak burzyła się w nim i musiał odczekać, aż przejdzie.

– Wiesz, co wtedy czułem? Że teraz wszystko się zmieni. Wiedziałem, że mój świat legnie w gruzach i nic już nie będzie takie samo.

– Co się stało? – szepnęła Sylvia.

– Policja ustaliła, że ktoś zjawił się przed drzwiami domu około dziewiątej wieczorem. Ojciec wiedział, kto to. Nie było śladów włamania ani szamotaniny. Ojciec otworzył drzwi, wprowadził zabójcę do domu, prawdopodobnie rozmawiał z nim przez chwilę. Dostał trzy kule w klatkę piersiową. Z bliskiej odległości, jakieś pół metra, metr. Ktoś zabił mojego ojca, patrząc mu prosto w oczy. Umarł tam, na marmurowej posadzce. Zdziwiłabyś się, że człowiek może mieć w sobie tyle krwi. Cały korytarz był czerwony. Policjanci jeszcze go nie przykryli. Nie zamknęli mu nawet oczu. – Nick odwrócił wzrok do szerokiego okna widokowego, za którym nie dostrzegł nic, prócz ciemności. Odetchnął i odpędził wspomnienie. – Boże, ale wtedy lało.

Sylvia położyła mu rękę na policzku.

– Wszystko w porządku?

– Tak, w porządku. – Uśmiechnął się lekko i kiwnął głową na potwierdzenie swoich słów. Marine nigdy nie płacze, a on nie zasługuje na jej współczucie. – No więc ojciec zginął. Stało się. Przykra sprawa. Oczywiście zastanawiałem się, kto to zrobił. Odbyło się dochodzenie, ale bez świadków i narzędzia zbrodni policja nie miała podstaw, żeby ciągnąć sprawę. Umorzono ją sześć miesięcy później. Życie toczy się dalej. Sprawę podciągnięto pod przypadkowy akt przemocy. Gliny powiedzą ci, że w wielkim mieście, takim jak Los Angeles, takie rzeczy zdarzają się często. – Nagle uderzył dłonią w stół. – Ale, do cholery, nie mnie.

Odsunął krzesło od stołu, wstał i zapytał, czy może wyjść na taras. Otworzył przesuwane szklane drzwi i wyszedł na lodowate nocne powietrze.

W śniegu wycięto idealne półkole, więc można było stanąć na tarasie i popatrzeć na ścianę lasu. Zimny oddech nocy nie zdusił zapachu sosen i dębów. Nick oddychał głęboko i patrzył, jak para wodna z jego ust odcina się w ciemności. Starał się o niczym nie myśleć, oczyścić umysł, obserwować i czuć świat wokół siebie, jakby nie istniało nic innego.

– Pięknie tu.

Drgnął na dźwięk głosu Sylvii. Nie słyszał jej kroków.

– Nie mogę uwierzyć, że jesteśmy w mieście – powiedział.

– Wystarczy wyjść i przejść kawałek ulicą.

– Czuję się, jakbym był w górach.

– Mmm – zgodziła się. Objęła go i przytuliła się do niego od tyłu. – Nick, tak mi przykro.

Położył ręce na jej dłoniach i przycisnął mocno do siebie.

– Mnie też.

– I dlatego tu przyjechałeś? – szepnęła, ale była to raczej odpowiedź, nie pytanie.

– Chyba tak. Odkąd znalazłem te terminarze, nie miałem wyboru. Czasem myślę, że niczego się nie dowiem, nie mam szans. – Wzruszył ramionami. – Może tak, może nie. Wiem tylko, że muszę spróbować.

Przez chwilę milczeli. Nick napawał się ciepłem i dotykiem jej ciała, i zapachem jej perfum w zimnym powietrzu. Odwrócił się do Sylvii i przysunął do niej twarz. Dotknęła jego policzka. Gdy ich usta się spotkały, Nick zamknął oczy.

Wrócili do mieszkania i Sylvia zapytała Nicka, co dalej.

– Muszę obejrzeć raporty ojca z siedemdziesiątego ósmego i siedemdziesiatego dziewiątego roku.

– To będzie osiem tomów. Po cztery z każdego roku.

– Trudno.

Odgarnęła pasemko włosów za ucho i kiwnęła głową, jakby godziła się na trudne zadanie.

– Zrobię, co będę mogła. Naprawdę chcę ci pomóc. Ale minęło tyle czasu. Kto wie, co twój ojciec mógł napisać w tych raportach? Nie oczekuj zbyt wiele. Możesz się tylko rozczarować.

Nick chodził po pokoju, zatrzymując się co parę kroków, żeby popatrzeć na jakieś zdjęcie lub bibelot.

– Ktoś kiedyś powiedział, że człowiek sam decyduje, jak bardzo będzie szczęśliwy. Cała sprawa sprowadza się do prostego równania. Szczęście równa się rzeczywistość dzielona przez oczekiwania. Jeśli nie spodziewasz się zbyt wiele, wtedy rzeczywistość przerośnie twoje oczekiwania i będziesz szczęśliwy. Jeśli natomiast oczekujesz nie wiadomo czego, zawsze będziesz rozczarowany. Problem mają ci, którzy zawsze chcą być szczęśliwi. Marzyciele, którzy do podstawy tego równania wpisują maksymalną dziesiątkę.

– A ty czego oczekujesz, Nick?

– Kiedy byłem młodszy, oczekiwałem dziesiątki. Chyba wszyscy tak robią. Ale gdy zginął ojciec i sprawy przybrały gorszy obrót, byłbym zadowolony z trójki. Teraz jestem większym optymistą. Oczekuję piątki, a może nawet szóstki. Jeśli sześć dni na dziesięć jest pomyślnych, będę zadowolony.

– Ale czego tak naprawdę oczekujesz? Co chcesz zrobić ze swoim życiem?

– No cóż, oczywiście chciałbym definitywnie rozwiązać zagadkę śmierci ojca. A potem, nie jestem pewien. Może zostanę na jakiś czas w Szwajcarii. Zakocham się. Założę rodzinę. Przede wszystkim chciałbym poczuć, że gdzieś należę. – Kiedy zwierzał się Sylvii, ogarniało go uczucie intymnej błogości, zupełnie jakby zaczął na niego działać łagodny środek odurzający. Prawie jej nie znał, a już dzielił się z nią najbardziej intymnymi pragnieniami, których spełnienie miał mu przynieść związek z Anną. Marzeniami o innym świecie, o innym życiu. – A ty? – spytał.

– Ja zmieniam się z dnia na dzień, z minuty na minutę. Kiedy dorastałam, nie byłam zbyt szczęśliwa. Zawsze chciałam, żeby wróciła mama. Wybrałabym cztery. Kiedy zaczęłam pracować w banku, moje oczekiwania wzrosły do dziewięciu. Wszystko wydawało mi się możliwe. Dzisiaj, gdy tak siedzimy przy stole, wciąż oczekuję dziewiątki. Wolałabym trochę się rozczarować, niż w ogóle na nic nie liczyć.

– A czego konkretnie chcesz?

– To proste. Być pierwszą kobietą w zarządzie wykonawczym USB.

Nick skończył obchód salonu i opadł na sofę.

– Marzycielka z ciebie, co?

Sylvia usiadła obok niego.

– A niby po co pomagam ci z tymi teczkami? Są cholernie ciężkie.

– Biedna Sylvia, co my z nią zrobimy? – Nick zaczął masować jej plecy. – Boli kręgosłup?

Kiwnęła głową.

– Mm – mruknęła.

Położył jej nogi na swoich kolanach i zaczął masować łydki.

– W nogach też pewnie czujesz potworny ból. – Przesuwając rękami po jej gładkich łydkach, poczuł, jak jego ciało przeszywa dreszcz pożądania. Przypomniał sobie dotyk kobiecego ciała i radosną niecierpliwość uwodzenia.

– Prawdę mówiąc, tak. – Sylvia wskazała miejsce wymagające specjalnej uwagi. – Teraz dużo lepiej.

– A stopy? – Nick zrzucił jej kapcie. – Pomyśleć, że musiały dźwigać tak ogromny ciężar.

– Przestań! – zawołała Sylvia. – Łaskocze. Przestań.

– Co, to cię łaskocze? – Połaskotał jej palce przez rajstopy. – Nie wierzę.

– Proszę, przestań. – Ale jej rozkaz przeistoczył się w chichot. – Błagam cię.

Nick przerwał na chwilę, pozwalając Sylvii opuścić nogi na podłogę.

– Co mi za to dasz?

Uśmiechnęła się wstydliwie.

– Może spróbuję podnieść twój poziom oczekiwań?

– Nie wiem. To poważna sprawa. Jak wysoko możesz je wywindować? Do ósemki?

– Zdecydowanie wyżej. – Sylvia delikatnie ugryzła dolną wargę Nicka i zaczęła masować jego szyję.

– Do dziewiątki?

Usiadła na nim. Zaczęła powoli rozpinać bluzkę.

– Wyżej.

– Powyżej dziewięciu? Nikt nie jest doskonały.

Sylvia rozpięła stanik i delikatnie musnęła piersiami jego wargi.

– Odwołaj to.

Nick zamknął oczy i kiwnął głową. Postanowił sięgnąć po dziesiątkę.

Rozdział 32

Nazajutrz rano Nick zjawił się w biurze z mocnym postanowieniem rozpoczęcia pracy nad listem, który miał być rozesłany do udziałowców instytucjonalnych – oczywiście w imieniu prezesa – i który miał zawierać opis kroków podejmowanych przez bank w celu ograniczenia kosztów, zwiększenia wydajności i ulepszenia marż operacyjnych. Wszystkie te środki miały poprawić finansowe wyniki banku w ciągu kolejnych pięciu lat. Nick przystąpił do sporządzania wersji na brudno, ale po kilku minutach przerwał. Nie był w stanie się skupić. Myśli o Sylvii nie dawały mu spokoju. Widział linię jej talii. Czuł twardość jej brzucha. Gładził jej nieskończenie długie nogi. Bez słów sprawiała, że się uśmiechał; bez żadnego ruchu przyprawiała go o dreszcze i pozbawiała tchu.

Nick odsunął fotel od biurka i powoli potarł rękami uda. Potrzebował jakiegoś fizycznego potwierdzenia, że to on ma te myśli. Ten sam człowiek, który ledwie dwa miesiące wcześniej zostawił kochającą go kobietę i – choć bał się do tego przyznać – mógł nadal ją kochać. Zachowujesz się jak dureń, rzucając się na pierwszą napotkaną kobietę, pomyślał. Zdradziłeś Annę. Nie, zaoponował spokojniejszy głos. Anna należy do przeszłości. Jest tam bezpieczniejsza. Nauczyła cię doceniać wartość silnej kobiety i znaczenie sojusznika w trudnych czasach. A ty, zapytał siebie oskarżycielskim tonem, czego ty ją nauczyłeś?

O wpół do dziesiątej do jego gabinetu zajrzała Rita Sutter.

– Dzień dobry, panie Neumann. Wcześnie pan dzisiaj zaczął.

Nick podniósł wzrok zaskoczony. Nie widział jej nigdzie poza biurem Kaisera od czterech dni, odkąd rozpoczął pracę na czwartym piętrze.

– Nie mam wyboru, jeśli chcę dotrzymać kroku prezesowi.

– On w nas wszystkich wyzwala to, co najlepsze – powiedziała, wchodząc do środka. Miała na sobie granatową sukienkę, sznur pereł i biały rozpinany sweter, a pod pachą plik papierów. Wyglądała szykownie, dojrzale i zarazem seksownie. – Nie miałam jeszcze okazji pogratulować panu awansu. Musi pan być wniebowzięty.

Nick odchylił się w fotelu, zdezorientowany jej zainteresowaniem. Nie należała do osób, które marnują czas na pogaduszki. Jej zadaniem była organizacja czasu prezesa i wykonywała je z mistrzostwem godnym doświadczonego oficera sztabowego. Bez wiedzy i aprobaty Rity nic nie mogło dotrzeć do Kaisera. Dotyczyło to rozmów telefonicznych, listów i gości (z wyjątkiem Sterlinga Thorne'a). W najbardziej zwariowane dni wszystko odbywało się zgodnie z wyznaczonym planem, a ona nigdy nie traciła zimnej krwi.

– To dla mnie honor – zgodził się. – Chociaż wolałbym, żeby okoliczności były trochę inne.

– Jestem pewna, że Herr Kaiser doskonale sobie poradzi. Nie odda banku bez walki.

– Na pewno.

Rita Sutter podeszła bliżej biurka.

– Mam nadzieję, że nie będzie mi pan miał za złe, jeśli powiem, jak bardzo jest pan podobny do swojego ojca.

– Ależ skąd. – Od dawna był ciekaw, jak dobrze go znała, ale nie miał jeszcze okazji, żeby o to zapytać. – Pracowała pani z nim?

– Oczywiście. Zatrudniłam się w banku rok po nim. W tamtych czasach tworzyliśmy małą grupę, około stu osób. Był dobrym człowiekiem.

– Wreszcie ktoś przyznaje, że go lubił – burknął pod nosem. Wstał i wskazał Ricie krzesło po drugiej stronie biurka. – Proszę spocząć… to znaczy, jeśli ma pani parę minut.

Przycupnęła na skraju krzesła i zaczęła sią bawić swoim naszyjnikiem. Jej ostrożna pozycja zapowiadała krótką wizytę.

– Wiedział pan, że wszyscy pochodzimy z tej samej okolicy? Herr Kaiser, pański ojciec i ja?

– Pani też mieszkała na Eibenstrasse?

– Manessestrasse. Za rogiem. Ale pan Kaiser mieszkał w tym samym domu co pański ojciec. W dzieciństwie nie trzymali się razem. Pański ojciec był dużo lepszym sportowcem. Wolfganga bardziej pociągały książki. Wtedy był jeszcze bardzo nieśmiały.

– Prezes nieśmiały? – Nick wyobraził sobie drobnego chłopca z bezwładnym ramieniem bez garnituru za tysiąc dolarów, którym mógłby zamaskować defekt. Potem pomyślał znów o ojcu i próbował wyszperać z pamięci jakieś sportowe wspomnienie. Ojciec grał w golfa, ale ani razu nie zagrał z Nickiem w bejsbol ani w piłkę nożną.

– Nie wracamy tutaj często do przeszłości – ciągnęła Rita. – Czułam jednak, że muszę panu powiedzieć, jak bardzo podziwiałam pańskiego ojca. Wywarł bardzo pozytywny wpływ na moje życie. Miał w sobie dużo wiary. Dla niego wszystko było możliwe. Czasem zadaję sobie pytanie, czy nie pracowałabym teraz dla Aleksa, a nie Wolfganga, gdyby pański ojciec wciąż… – nie dokończyła. Uśmiechnęła się i znów spojrzała na Nicka. – Właśnie on zmusił mnie, żebym skończyła HSG – Hochsschule St Gallen. Zawsze będę mu za to wdzięczna. Chociaż wątpię, czy spodobałoby mu się, jak wykorzystuję swój dyplom.

Nick był pod wrażeniem. HSG była najbardziej szanowaną szkołą biznesu w Szwajcarii.

– Praktycznie rzecz biorąc, pani prowadzi ten bank – powiedział szczerze. – Więc jest chyba całkiem nieźle, prawda?

– No nie wiem, Nicholasie. Nie widziałam, żeby Rudolf Ott przynosił prezesowi kawę i ciastka. – Wstała i wygładziła sukienkę.

Nick wyszedł zza biurka i odprowadził ją do drzwi. Myślał, że skieruje rozmowę na temat obowiązków ojca w banku, ale teraz wydawało się, że nie zdąży.

– Chciałbym panią zapytać o coś, co ma związek z moim ojcem – powiedział z wahaniem, niezadowolony, że musi wywoływać ten temat ni stąd, ni zowąd. – Słyszała pani, żeby zrobił coś, co mogło zaszkodzić bankowi? Coś, co mogło narazić na szwank reputację USB?

Rita Sutter zatrzymała się nagle.

– Kto panu o tym powiedział? Nie, proszę mi nie mówić. Domyślam się. – Spojrzała Nickowi prosto w oczy. – Pański ojciec nigdy nie zrobił niczego, co splamiłoby dobre imię tego banku. Był człowiekiem honoru.

– Dziękuję. Słyszałem tylko, że…

– Cii. – Podniosła palec do ust. – Niech pan nie wierzy we wszystko, co usłyszy na tym piętrze. A co do listu, który pisze pan dla prezesa, prosił, żeby cięcia kadrowe utrzymać na minimalnym poziomie. Oto jego propozycje.

Wręczyła Nickowi plik papierów i wyszła. Nick spojrzał na pierwszą z wierzchu kartkę. Rozpoznał pismo Rity.

Godzinę później Nick skończył pisać ostateczną wersję listu. Uwzględnił sugestie Rity Sutter dotyczące zminimalizowania cięć kadrowych. Czytał dokument po raz kolejny, zastanawiając się nad ewentualnymi poprawkami, kiedy zadzwonił telefon.

– Mówi Neumann.

– Nie dali ci sekretarki, chłopcze? Królewski sługa oczekiwałby czegoś więcej.

Nick odrzucił ołówek i rozparł się w fotelu. Na jego twarz wypłynął szeroki uśmiech.

– Ja pracuję dla cesarza. To ty, mój przyjacielu, służysz jakiemuś podrzędnemu królowi.

– Poddaję się.

– Cześć, Peter. Jak tam sprawy po drugiej stronie?

– Po drugiej stronie? – Sprecher zachichotał. – Czego? Linii Maginota? Prawdę mówiąc, cholernie dużo roboty. Trochę za dużo, jak na moje zmęczone członki. A ty, nie masz lęku wysokości? No proszę, czwarte piętro. A ja myślałem, że jesteś pszczołą robotnicą.

Nick tęsknił za beztroską paplaniną kolegi i jego ciętym językiem.

– Opowiem ci o tym przy piwie. Teraz możesz spokojnie sobie na nie pozwolić.

– Racja. Keller Stubli o siódmej.

Nick zerknął na stertę papierów na biurku.

– Może o ósmej, tam, gdzie zwykle. No dobrze, czym mogę służyć?

– Nie domyślasz się? – Sprecher sprawiał wrażenie zaskoczonego. – Chcę kupić pakiet akcji twojego banku. Nie leży ich tam parę tysięcy na twoim biurku?

– Muszę cię rozczarować, Peter, ale spóźniłeś się. Trzymamy je na czarną godzinę. Właściwie to mamy chrapkę na akcje Adler Bank.

– Daj mi parę tygodni, a osobiście je dla ciebie zaklepię. Oszczędzam na nowe ferrari.

– Powodzenia, ale…

– Możesz chwilę zaczekać? – przerwał mu Sprecher. – Mam drugi telefon.

Zanim Nick zdążył odpowiedzieć, Peter rozłączył się. Nick wziął do ręki ołówek i zaczął stukać nim o biurko. Zastanawiał się, co teraz robi Sylvia. Na pewno zamartwia się arcyważnym wskaźnikiem rotacji pracowników. Albo marzy o podróży do Stanów po walnym zgromadzeniu.

Cichy trzask i wrócił Sprecher.

– Przepraszam, Nick. Pilna sprawa. Jak zawsze, co?

– Odkąd to zajmujesz się papierami wartościowymi? Myślałem, że zatrudnili cię po to, żebyś założył dział bankowości prywatnej.

– I słusznie. Ale tutaj wszystko się szybko zmienia. Można powiedzieć, że realizuję plan Neumanna. Zostałem przydzielony do zespołu Koniga od przejęć.

– Jezu Chryste! – zawołał Nick. – Powiedz, że nie żartujesz. Prowadzisz sprawę USB? Przeszukujesz rynek w poszukiwaniu naszych akcji.

– Nie bierz tego do siebie. Konig pomyślał, że mogę wiedzieć, gdzie je zdobyć. Robi najlepszy użytek z narzędzi, którymi dysponuje. Prawdę mówiąc, wczoraj wydobyliśmy parę tysięcy akcji od waszych chłopców.

– Słyszałem – rzekł Nick. – Ale nie oczekiwałbym, że to się jeszcze powtórzy.

Kilku specjalistów od inwestycji w USB, troszcząc się bardziej o duży zwrot z inwestycji klientów niż o bezpieczeństwo banku, sprzedało akcje banku, które osiągnęły najwyższy w swojej historii kurs. Wiadomość o ich zachowaniu szybko dotarła na czwarte piętro i prezes się wściekł. Wpadł do ich biur i z miejsca wyrzucił ich z pracy.

Sprecher przybrał poważny ton.

– Posłuchaj, kolego, paru naszych chce z tobą porozmawiać na osobności. – Pozwolił wybrzmieć ostatniemu słowu. – Chcieliby zaproponować jakiś układ.

– Po co? – Nagle Nick przypomniał sobie słowa prezesa, który ostrzegł go, że Sprecher zechce wykorzystać ich przyjaźń. Wtedy pomysł ten wydawał mu się niedorzeczny.

– Muszę być aż tak dosłowny? – Sprecher udawał obrażonego. – Domyśl się.

– Nie – powiedział Nick; jego zdziwienie zamieniło się w gniew. – Ty mi powiedz.

– Rozmawialiśmy już o tym. Chodzi o pakiety akcji. Najlepiej spore. Chcemy to załatwić przed walnym zgromadzeniem. Ty wiesz, kto posiada największe udziały. Podasz nam nazwiska, a my się postaramy, żebyś nie pożałował.

Nick poczuł pieczenie na karku. Najpierw Schweitzer grzebie w jego biurku, szukając listy udziałowców, a teraz Sprecher.

– Mówisz poważnie?

– Śmiertelnie.

– No to słuchaj, Peter, bo nie będę dwa razy powtarzał, i nie zrozum mnie źle. Pieprz się.

– Spokojnie, Nick, spokojnie.

– Myślisz, że jak nisko mógłbym upaść? – zapytał Nick. – Tak nisko jak ty?

– Lojalność nie przynosi żadnego zaszczytu. – Sprecher przybrał poważny ton, jakby wybijał dziecku z głowy głupi pomysł. – Nie w dzisiejszych czasach. Przynajmniej nie wobec korporacji. Ja się w to bawię dla wypłaty i emerytury. Tobie też to radzę.

– Pracowałeś w tym banku przez dwanaście lat. Dlaczego tak bardzo ci zależy, żeby upadł?

– Nie jest tak, że jeden bank musi zginąć, żeby drugi mógł żyć. Mamy tu do czynienia z fuzją w najczystszym sensie tego słowa: siła USB w dziedzinie bankowości prywatnej połączy się ze sprawdzonymi umiejętnościami Adler Bank w dziedzinie obrotu papierami wartościowymi. Razem możemy kontrolować cały szwajcarski rynek.

Nickowi ta perspektywa nie wydawała się wcale zachwycająca.

– Moja odpowiedź brzmi „nie".

– Odpuść sobie, Nick. Jeśli nam pomożesz, dostaniesz bardzo dobrą posadę, kiedy już wchłoniemy USB. W przeciwnym razie twoja głowa powędruje na pieniek, jak głowy wszystkich z czwartego piętra. Podczep się pod zwycięzcę!

– Jeśli Adler Bank pławi się w gotówce, to dlaczego nie złożycie oferty na całą firmę?

– Nie wierzyłbym w każdą zasłyszaną plotkę. Chwileczkę, kolego. – Zasłonił słuchawkę ręką, ale Nick słyszał stłumione słowa. – Hassan, podaj no mi cennik. Nie, ten różowy, cholerny arabusie. Tak, tak, ten. – Sprecher podniósł rękę ze słuchawki. – W każdym razie przemyśl naszą propozycję, Nick. Więcej powiem ci wieczorem. Spotykamy się o ósmej, tak?

– Nie sądzę. Piję tylko z przyjaciółmi.

Sprecher zaczął protestować, ale Nick odłożył słuchawkę.

O wpół do pierwszej Nick szedł do biura prezesa z ostateczną wersją listu w ręku. Sunął leniwie cichym korytarzem. O tej porze nawet najwięksi tytani pracy jedli lunch. Posadzka skrzypiała pod jego niespiesznymi krokami. Nagle poczuł za sobą czyjąś obecność.

– Zmęczony czy pijany? – warknął Armin Schweitzer.

Nick potrząsnął papierami trzymanymi w ręku, odwrócił się i powiedział:

– Jakoś mi nie szło z tą pisaniną, więc łyknąłem sobie kapkę najlepszej szkockiej. Szklaneczka dobrej whisky może zdziałać cuda, jeśli chodzi o natchnienie.

Schweitzer uśmiechnął się ironicznie.

– Wygadany jesteś, nie ma co. Ale na tym piętrze chodzimy prosto i żwawym krokiem. Wałęsać możesz się po parku. Co tam masz?

– Parę pomysłów prezesa, jak poprawić formę banku. List do akcjonariuszy. – Wręczył Schweitzerowi kopię. Czemu nie wyciągnąć gałązki oliwnej? Nadal chciał się dowiedzieć, co ten drań miał na myśli, mówiąc o żenującym zachowaniu ojca.

Schweitzer przeczytał pobieżnie list.

– Ciężkie czasy, Neumann. Nigdy nie dopasujemy się do modelu Koniga. On woli maszyny. A nam nadal podoba się wersja żyjąca i oddychająca.

– Konig nie ma szans. Będzie potrzebował góry gotówki, żeby nas przejąć.

– To prawda. Ale nie lekceważ go. Nigdy nie spotkałem kogoś równie chciwego. Kto wie, gdzie sięgną jego macki? Jest hańbą dla nas wszystkich.

– Jak mój ojciec? – zapytał Nick. – Proszę mi powiedzieć, co on takiego zrobił?

Schweitzer zacisnął usta, jakby zastanawiał się, co odpowiedzieć. Westchnął i położył rękę na ramieniu Nicka.

– Ty, mój chłopcze, jesteś zbyt inteligentny, żeby choćby o czymś takim pomyśleć. – Oddał Nickowi list. – Biegnij już. Jestem pewien, że prezes nie może się doczekać spotkania ze swoim beniaminkiem.

Nick nie mógł się powstrzymać i rzucił na odchodnym:

– Moje biuro jest otwarte, jeśli jest pan zainteresowany. Proszę się nie krępować. Nigdy nie wiadomo, co można znaleźć!

Rozdział 33

Rada wojenna odbyła się w sali posiedzeń zarządu. Czterej mężczyźni zebrani w przestronnym pomieszczeniu okazywali – każdy na swój sposób – zaniepokojenie. Reto Feller stał pod ścianą z założonymi rękami i wydawało się, że próbuje wywiercić obcasem dziurę w dywanie. Rudolf Ott i Martin Maeder siedzieli przy ogromnym stole konferencyjnym zupełnie jak dwaj spiskowcy: naprzeciw siebie, przygarbieni, z pochylonymi głowami, szepcząc coś. Armin Schweitzer chodził po sali. Twarz miał mokrą od potu. Co kilka kroków wyciągał z kieszeni spodni chusteczkę i zdecydowanym ruchem ocierał czoło. Wszyscy czekali na przybycie pana. Na tym statku był tylko jeden kapitan.

Punktualnie o drugiej Wolfgang Kaiser otworzył wysokie mahoniowe drzwi i wkroczył do sali. Podszedł energicznym krokiem do swojego miejsca przy stole. Nick, który mu towarzyszył, usiadł obok. Ott i Maeder wyprostowali się i odchrząknęli. Feller rzucił się do najbliższego krzesła. Tylko Schweitzer nie usiadł.

Kaiser przystąpił do rzeczy bez żadnych ceremonii.

– Panie Feller, jak wygląda sytuacja, jeśli chodzi o skup akcji przez Adler Bank? – spytał suchym i poważnym tonem, jakby szacował zniszczenia dokonane przez ogień artyleryjski.

Feller odpowiedział piskliwym głosem.

– Dwadzieścia osiem procent akcji w obiegu. Jeszcze pięć procent i Konig dostanie dwa miejsca w naszym zarządzie.

– *Scheiss*! – padła niecenzuralna odpowiedź.

– Chodzą plotki, że Adler Bank złoży w pełni fundowaną ofertę przejęcia – powiedział Schweitzer. – Dranie nie chcą dwóch miejsc, chcą przejąć całe pieprzone przedstawienie.

– Nonsens – rzekł Maeder. – Wystarczy spojrzeć na ich bilans. Nie ma mowy, żeby zaciągnęli taki dług, zastawili wszystkie swoje aktywa.

– Komu potrzebny kredyt, skoro wystarczy gotówka? – pisnął Feller.

– Pan Feller ma rację – orzekł Wolfgang Kaiser. – Siła nabywcza Klausa Koniga raczej nie zmalała. Skąd, na litość boską, ten sukinsyn bierze pieniądze? Nikt nie wie?

Nikt się nie odezwał. Maeder i Ott pochylili głowy, jakby wstyd wystarczająco usprawiedliwiał ich niewiedzę. Schweitzer wzruszył ramionami. Nick nie pamiętał, kiedy ostatnio czuł się tak niezręcznie. Co ja tutaj robię, zastanawiał się. Nie powinienem tu siedzieć ze ścisłym kierownictwem banku. Czego oni ode mnie chcą?

– To nie wszystkie niepokojące wiadomości – powiedział Ott. – Dowiedziałem się, że Konig stara się namówić Huberta Senna, wnuka hrabiego, do przyjęcia miejsca w zarządzie Adler Bank. Nie muszę chyba nikomu przypominać, że firma Senn Industries od dawna gorliwie wspierała obecne kierownictwo.

– I że kontroluje pakiet akcji, dając sześć procent głosów – dodał Kaiser. – Głosów, które do tej pory zaliczaliśmy do pewnych.

Nick przypomniał sobie bladego, szczupłego mężczyznę w przydużym granatowym garniturze. Rzeczywiście miał upoważnienie do rachunku hrabiego. Podpis chłopaka był wymagany przy głosowaniu. Jeszcze jedna przeszkoda.

Feller podniósł rękę jak uczeń szkoły podstawowej.

– Chętnie zadzwonię do hrabiego i przedstawię mu plan restrukturyzacji banku. Jestem przekonany…

– Moim zdaniem z hrabią powinien porozmawiać prezes – wtrącił Nick, przerywając podlizującemu się koledze. – Senn to człowiek, dla którego liczy się przede wszystkim tradycja. Powinniśmy spotkać się z nim osobiście.

– Hrabia pozostanie lojalny – wyjąkał Schweitzer, ocierając czoło. – Teraz skoncentrujmy się na skupowaniu naszych akcji.

– Czym, Armin, twoimi oszczędnościami? – Kaiser pokręcił głową, jakby uważał Schweitzera za idiotę. – Neumann ma rację. Powinienem spotkać się z hrabią. – Odwrócił się do Nicka i powiedział: – Zajmij się tym. Powiedz mi tylko, gdzie mam się zjawić.

Nick kiwnął głową. Poczuł się trochę pewniej. Wysunął propozycję i przyjęto ją. Kątem oka zauważył, że Reto Feller się czerwieni.

Kaiser zabębnił palcami po stole.

– Na tym skrzyżowaniu nie mamy wielu możliwości. Przede wszystkim Neumann i Feller muszą nadal kontaktować się z najważniejszymi udziałowcami. Marty, chcę, żebyś do nich dołączył. Trzeba porozmawiać ze wszystkimi, którzy mają ponad pięćset akcji.

– Lista takich osób nie ma końca – jęknął Maeder.

– Wykonać! – rozkazał Kaiser.

– *Jawohl*. – Maeder pochylił głowę.

– Ale nasze wysiłki na tym polu mogą nie wystarczyć – ciągnął prezes. – Potrzebujemy gotówki, i to natychmiast.

Mężczyźni pokiwali głowami. Doskonale zdawali sobie sprawę z braku płynności banku.

– Mam dwa pomysły – rzekł Kaiser. – Pierwszy pociąga za sobą udział pewnego prywatnego inwestora, mojego starego przyjaciela; drugi to twórcze wykorzystanie zasobów naszych klientów. Nad tym planem kilku z nas mocno się głowiło przez ostatnich parę dni. Jest ryzykowny, ale nie mamy wyboru.

Nick rozejrzał się po zebranych. Maeder i Ott wyglądali na dość spokojnych i mało zaciekawionych tym, co teraz nastąpi. Schweitzer zaś przestał chodzić po sali, znieruchomiał jak posąg. A więc koledzy odcięli cię od ścisłego kręgu wtajemniczonych. Biedny Armin, czym sobie zasłużyłeś na taką niełaskę?

– To jedyne wyjście – przyznał Martin Maeder. Wstał i chwycił oparcie krzesła. – Portfele naszych klientów.

Schweitzer pochylił się do przodu, jakby źle usłyszał.

– *Nein, nein, nein* – mamrotał pod nosem.

– Prowadzimy ponad trzy tysiące dyskrecjonalnych rachunków – ciągnął Maeder, ignorując sprzeciw kolegi. – Sprawujemy bezpośrednią kontrolę nad ponad sześcioma miliardami franków szwajcarskich w gotówce, papierach wartościowych i metalach szlachetnych. Możemy kupować i sprzedawać w imieniu naszych klientów, co tylko chcemy. Mówiąc najprościej, musimy przetasować portfele naszych dyskrecjonalnych klientów. Wyprzedać słabo stojące akcje, pozbyć się niektórych obligacji i zdobyte środki przeznaczyć na zakup tylu naszych akcji, ile zdołamy znaleźć. Wypchać te portfele akcjami USB serii A.

– Nie wolno nam! – zaprotestował Schweitzer.

Maeder posłał mu gniewne spojrzenie i mówił dalej:

– Większość naszych dyskrecjonalnych klientów prosi o zatrzymanie korespondencji w banku. Jeśli nas odwiedzają, to raz, najwyżej dwa razy do roku. Nie będą mieli pojęcia, co robimy z ich rachunkami. Zanim znowu sprawdzą swoje portfele, pokonamy Adler Bank, sprzedamy nasze akcje i po staremu przekonfigurujemy portfele. Jeżeli ktoś się zorientuje, powiemy, że nastąpiła pomyłka. Błąd administracyjny. Przecież nie kontaktują się między sobą. Są anonimowi – dla świata zewnętrznego i dla siebie nawzajem.

Nick zadrżał. To, co proponował Maeder, było nielegalne – przekręt na wielką skalę. Brali wszystkie żetony klientów i stawiali je na jedno pole.

Schweitzer zdjął marynarkę. Przemoczona koszula przykleiła mu się do pleców.

– Jako kierownik działu do spraw poufności stanowczo protestuję – powiedział. – Takie działania stanowią pogwałcenie fundamentalnych praw bankowych. Fundusze na rachunkach dyskrecjonalnych nie są nasze. Należą do naszych klientów. Nie możemy nimi swobodnie dysponować. Naszym obowiązkiem jest tylko inwestować jedynie tak, jakby były nasze.

– Dokładnie to proponuję – rzekł Maeder. – Inwestujemy ich pieniądze tak, jakby należały do nas. A w tej chwili musimy skupować akcje USB. Dziękuję ci, Armin.

Sarkastyczną uwagę kolegi Ott przyjął z obłudnym uśmiechem.

Schweitzer zaapelował bezpośrednio do Kaisera.

– Przeznaczenie funduszy klientów na wykup naszych akcji to czyste szaleństwo. Sprzedaje się je teraz po rekordowo wysokim kursie. Ich wartość jest znacznie zawyżona. Kiedy pokonamy Koniga, cena spadnie na łeb na szyję. Musimy przestrzegać strategicznych wytycznych inwestycyjnych. Takie jest prawo.

Nikt nie zwrócił uwagi na argument Schweitzera. A już najmniej sam Kaiser. Prezes splótł dłonie na biurku i odwrócił wzrok od odszczepieńca. Nie powiedział ani słowa. Nick zastanawiał się, co by powiedziała Sylvia? Czy poparłaby tak drastyczne środki? Kilka razy zauważył w jej oczach stalowy błysk: coś bezlitosnego, nawet okrutnego – i pomyślał, że chyba tak. Kolejny obraz Sylvii wywołał w nim nagły przypływ podniecenia. Sprawiło mu to przyjemność, ale i zirytowało ze względu na okoliczności. Sylvia siedziała na nim okrakiem, powoli poruszając się w górę i w dół. On pieścił jej piersi i czuł, jak twardnieją jej sutki. Był w niej głęboko. Przyciągnęła jego dłoń do swej twarzy i zaczęła lizać jego palce. Znowu jęknęła, tym razem głośniej, i zagubił się w jej rozkoszy.

Feller znowu podniósł rękę.

– Jedno pytanie. Czy kiedy już pokonamy Adler Bank, nie narazimy się na utratę zbyt wielu klientów, jeśli nie będziemy w stanie wykazać się wzrostem wartości ich portfeli?

Maeder, Ott, a nawet Kaiser wybuchli gromkim śmiechem. Feller zerknął na Nicka, który odpowiedział mu takim samym zdziwionym spojrzeniem.

Na pytanie odpowiedział Maeder.

– To prawda, że odnotujemy mizerne wyniki, ale nasz główny cel to utrzymanie kapitału. Wzrost powyżej poziomu inflacji waluty bazowej każdego portfela jest... powiedzmy, że o wzrost będziemy się martwić później. Po pokonaniu Koniga nasze akcje mogą odnotować chwilowy spadek. Tu przyznam Arminowi rację. W konsekwencji możemy być zmuszeni do wykazania niewielkiej straty w wartości portfeli naszych klientów. Ale bez obaw. Zapewnimy ich, że następny rok zapowiada się dużo lepiej.

– Możemy stracić paru klientów – powiedział Kaiser. – Ale to lepsze niż stracić ich wszystkich.

– Dobrze powiedziane – wtrącił Ott.

– A jeśli Adler Bank przejmie kontrolę nad bankiem? – dopytywał się Schweitzer. – Co wtedy?

– Wygramy czy przegramy, przywrócimy portfelom ten sam skład co teraz – wyjaśnił Maeder. – Jeśli Konig wygra, ceny akcji pozostaną wysokie. Będzie mógł przypisać sobie zasługi za zyski, jakie przyniosło przejęcie jego najnowszym klientom. Zrobimy mu tylko prezent!

Kaiser walnął pięścią w stół.

– Konig nie wygra! – zawołał.

Przez chwilę panowała cisza.

Wreszcie Ott podniósł swą uczoną głowę i przemówił, jakby chciał przypomnieć zebranym o drobnym kłopocie.

– Jeśli choćby słowo o naszych planach wydostanie się na zewnątrz, nie muszę mówić, jakie grożą nam konsekwencje.

Schweitzer roześmiał się. Był na deskach, ale jeszcze się nie poddał.

– Trzy posiłki dziennie, kilka godzin ćwiczeń, dobrze ogrzana cela, wszystko na koszt państwa – zażartował Maeder.

– Nie ma nic gorszego niż przejście w ręce Adler Bank! – zawołał Feller, rozradowany rolą konspiratora.

– Idioci – prychnął Schweitzer. – Dwuletni pobyt w zakładzie St Galen to nie wczasy, które opisuje nam Marty. Będziemy zrujnowani. Zhańbieni.

Kaiser zignorował słowa szefa działu do spraw poufności.

– Rudy poruszył ważną sprawę. Ani słowo z naszego planu nie może wyjść poza te mury. Wszystkie transakcje kupna i sprzedaży zostaną przeprowadzone za pośrednictwem systemu Meduza. Tylko do naszego wglądu. Wszyscy jesteśmy patriotami. Obowiązuje nas przysięga. Mogę liczyć, że każdy z panów zachowa milczenie?

Nick patrzył, jak wszyscy kiwają głowami, nawet Schweitzer. Potem spojrzeli na niego. Zacisnął zęby, aby nie zdradzić wątpliwości, które nim targały. Kiwnął raz głową. Z przekonaniem.

– Świetnie – rzekł Kaiser. – Mamy wojnę. Pamiętajcie o karze za zdradę. Wierzcie mi, nadal obowiązuje.

Nick czuł na sobie świdrujące spojrzenie jego zimnych oczu. Jako najnowszy członek kręgu zaufanych prezesa wiedział, że te słowa są skierowane do niego.

Kaiser westchnął ciężko i kontynuował wypowiedź, ale już w lżejszym tonie.

– Jak już wspomniałem, mam kontakt z pewnym inwestorem, który może zechce kupić w imieniu banku część akcji. To mój stary przyjaciel i jestem pewien, że można go namówić na pięcioprocentowy udział. Koszty będą jednak wysokie. Proponuję zagwarantować mu dziesięcioprocentowy zysk w ciągu dziewięćdziesięciu dni.

– Czterdzieści procent rocznie – zawołał Schweitzer. – Toż to rozbój w biały dzień!

– Biznes to biznes – powiedział Kaiser. Zwrócił się do Maedera. – Zadzwoń do Seppa Zwickiego. Niech rozpocznie program skupu akcji. Rozliczenie w ciągu dwóch dni.

– Dwieście milionów franków wystarczy? – zapytał Maeder.

– Na początek.

Maeder uśmiechnął się do Nicka i Fellera, najwyraźniej podniecony czekającym ich wyzwaniem.

– Będziemy musieli sprzedać całą masę akcji i obligacji, żeby uzyskać taką sumę – powiedział.

– Nie mamy wyboru – orzekł Kaiser. Wyskoczył z fotela rozpromieniony jak skazaniec, któremu w ostatniej chwili odroczono wykonanie wyroku. – Aha, Marty, powiedz Zwickiemu, żeby sprzedał akcje Adler Bank. Za sto milionów. To powinno dać Konigowi do myślenia. Jeśli przegra tę bitwę, jego inwestorzy ukrzyżują go.

Rozdział 34

Dlaczego dałem się w to wciągnąć?

Nick stał na gnijących deskach opuszczonego mola, zadając sobie co i raz to samo pytanie. Pod nim wirowały zielone wody Limmat. Po drugiej stronie rzeki z mgły wyłaniały się bliźniacze wieże katedry Grossmünster. Była dopiero piąta i nie powinien wychodzić z pracy. Martin Maeder chciał wprowadzić swoich „chłopców" – jak teraz nazywał Nicka i Reta Fellera – w zawiłości nowego systemu komputerowego Meduza.

– Meduza wie wszystko – rzekł Maeder. – Umożliwia bezpośredni dostęp do wszystkich kont. – A potem jak pijak, który wypaplał o jeden sekret za dużo, zrobił się gburowaty i ostrożny. – Przypominam wam o obietnicy złożonej prezesowi. Strzeżecie tych tajemnic jak oka w głowie.

Pewnie w tej chwili Meader szukał Nicka, żeby jak najszybciej wydać polecenia sprzedaży i zgromadzić jak najwięcej gotówki, która pozwoli Wolfgangowi Kaiserowi utrzymać się przy bankowym sterze. Nick żałował, że nie może powiedzieć mu prawdy. „Przepraszam, Marty, ale muszę zaczerpnąć świeżego powietrza i zastanowić się, co wyprawiam ze swoim życiem" albo „Jezu, Marty, daj mi parę minut, żebym mógł znaleźć wyjście z tej łajby. Mówiłeś, że jak się nazywa? »Titanic«?" Obmyślił kilka wymówek, które usprawiedliwiały jego ucieczkę z duszących korytarzy banku. W końcu powiedział Ricie Sutter, że wychodzi na chwilę coś załatwić.

Nie wspomniał, że chodzi o jego własną duszę.

Spoglądając na pokryte śniegiem dachy starówki, zaczął powoli dopuszczać do siebie myśl, że posunął się za daleko. Że w poszukiwaniu informacji, które mogłyby rzucić światło na morderstwo ojca, przekroczył granice przyzwoitości. Kiedy zajął miejsce Petera Sprechera, tłumaczył sobie, że robi to, co jego poprzednicy. Ochrona Paszy przed DEA była jedynie konsekwencją tej filozofii, choć skrycie liczył na to, że swoim postępkiem zdobędzie też zaufanie przełożonych. Próbował usprawiedliwiać się przed samym sobą: przecież nie znał prawdziwej tożsamości właściciela konta numerowanego 549.617 RR, a złamanie instrukcji podanych na liście nadzorowanych rachunków było naturalną reakcją po gorzkich doświadczeniach związanych z Jackiem Keelym.

Nie mógł jednak pozwalać sobie na takie moralne rozchwianie. Skala oszustwa zaproponowanego podczas popołudniowej narady rozwiała resztki wątpliwości. Nicholas A. Neumann stał po ciemnej stronie granicy prawa. Nie mógł się dłużej oszukiwać. Świadomie pomógł przestępcy poszukiwanemu przez organizacje antynarkotykowe kilku zachodnich państw. Skłamał agentowi rządu Stanów Zjednoczonych, który stara się o wymierzenie przestępcy sprawiedliwej kary. A teraz miał pomóc bankowi popełnić akt malwersacji.

Dosyć tego, przysiągł sobie. Naprawi to, co popsuł. Przez chwilę zastanawiał się, czy nie zrezygnować z posady i nie zwrócić się do szwajcarskich władz. Wyobraził sobie, jak zjawia się w komendzie głównej policji, gotów ujawnić korupcję, która przeżera United Swiss Bank. Wyśmiał samego siebie. To dopiero plan. Słowo człowieka pracującego w banku od zaledwie siedmiu tygodni, a w dodatku cudzoziemca przeciw słowu Wolfganga Kaisera, najbliższego ideałowi bohatera ludowego w tym kraju złota i czekolady.

Dowody, młody człowieku! Gdzie są dowody?

Nick zdał sobie sprawę, że ma tylko jedno wyjście. Musi zostać w banku i kontynuować prywatne śledztwo. Podzieli swoją duszę i pokaże Kaiserowi jej ciemniejszą część. Zagłębi się w intrygach knutych w „Cesarskim Szańcu". I przez cały ten czas będzie czekał na odpowiednią chwilę. Nie wiedział, jak to się stanie i kiedy. Wiedział tylko, że musi się postarać o dowody, które pozwolą zamrozić rachunki Paszy.

Obrócił się na pięcie i zaczął iść po chybotliwym molo. Za nim ruszyła para głodnych łabędzi i samotna kaczka. Podniósł głowę i zauważył czarnego mercedesa sedana, który wjeżdżał na krawężnik. Po chwili otworzyły się drzwi po stronie pasażera i z wozu wysiadł Sterling Thorne. Miał na sobie trencz z podniesionym kołnierzem.

– Witaj, Neumann. – Thorne nie wyciągał rąk z kieszeni.

– Pan Thorne.

– Mów mi Sterling. Czas, żebyśmy zostali przyjaciółmi.

Nick nie mógł powstrzymać się od uśmiechu.

– Nie jestem zainteresowany zacieśnianiem naszej znajomości.

– Przykro mi z powodu listu.

– Czyżbyś chciał go z powrotem? Może by tak dorzucić małe przeprosiny?

Thorne uśmiechnął się ponuro.

– Wiesz, czego chcemy.

Nick odwrócił wzrok. Zastanawiał się, kiedy ten facet w końcu zmądrzeje.

– Czego? Ukrzyżować człowieka, dla którego pracuję? Pomóc w pogrążeniu USB? – Wiedział, że przed chwilą właśnie do tego się zobowiązał. Ogarnęło go zmęczenie. Był zmęczony obroną banku przed zakusami Koniga, zmęczony uporem Thorne'a, i dręczącymi go wątpliwościami. Mimo to, jakby miał alergię na Thorne'a, powiedział: – Żałuję, ale nic z tego.

– Miałem nadzieję, że dzisiaj porozmawiamy spokojnie – rzekł Thorne. – Nie będziemy drzeć kotów. Słyszałeś, co wtedy powiedziałem Kaiserowi. I wiem, że mi uwierzyłeś.

Chryste, pomyślał Nick, ten facet nigdy się nie poddaje.

– Niezłą scenę zrobiłeś. Wuj Sam byłby z ciebie dumny.

– Nawijałem jak jakaś encyklopedia, co? Wszystkie te dane i liczby. Ale mówiłem tylko prawdę. Nie mam powodów, żeby kłamać. Po prostu taką mam robotę.

– I szantaż ci pomoże?

– Jeśli to konieczne – odparł Thorne. – Przykro mi, że cię uraziłem, ale dużo mniej zależy mi na twojej dumie niż na dorwaniu Alego Mevleviego. Wspominałem ci o Błaźnie: agencie, którego podłożyliśmy Mevleviemu.

– Odezwał się? – Ktokolwiek był Błaznem, Nick współczuł mu. Sam kiedyś był w podobnie paskudnej sytuacji.

– Nie, i martwimy się o niego. Twierdzi, że twój szef i Mevlevi są bliskimi przyjaciółmi. Od dawna. Mevlevi był jednym z pierwszych klientów twojego szefa w Bejrucie, kiedy Kaiser organizował filię na Bliskim Wschodzie. Kaiser temu zaprzeczy. A ty? Jak ci się podoba, że twój szef zadaje się z jednym z największych przemytników heroiny?

Nickowi nie podobało się to ani trochę, ale nie chciał, żeby Thorne o tym wiedział.

– Dosyć tego – powiedział, kładąc rękę na ramieniu agenta.

Thorne chwycił go za nadgarstek.

– Pracujesz dla człowieka, który liże dupę gnidzie odpowiedzialnej za śmierć jego syna! Ten prymityw bardziej ceni sobie pieniądze niż własną rodzinę. Pomagasz najgorszym kreaturom, które chodzą po ziemi.

Nick wyrwał się i cofnął kilka kroków.

– Może masz rację, ten facet Mevlevi, Pasza, czy jak mu tam, jest przemytnikiem heroiny i korzysta z usług USB. Zgadzam się, sprawa śmierdzi. Ale chyba nie oczekujesz, że będę grzebał w bankowych papierach, kopiował potwierdzenia jego przelewów i wykradał ze skrzynki jego listy?

Thorne spojrzał Nickowi w oczy.

– Widzę, że już o tym myślałeś.

– Tego nikt się nie podejmie – powiedział Nick. – Ani ja, ani nikt inny, chyba że Kaiser, Ott lub ktoś z tej grupy. Zresztą nawet gdybym zdobył dla was informacje, przekazanie ich byłoby przestępstwem. Trafiłbym do więzienia.

– Możemy cię wsadzić do pierwszego samolotu do Stanów.

– Już to słyszałem. A potem co? Ameryka nie przyjmuje z otwartymi ramionami kapusiów.

– Zapewnilibyśmy ci anonimowość.

– Bzdura!

– Cholera jasna, tutaj chodzi nie tylko o twoją karierę w banku.

– A co z Mevlevim i jego ludźmi? – zapytał Nick. – Myślisz, że mi darują? Jeśli jest tak zły, jak twierdzisz, nie pozwoli mi odejść w pokoju. Skoro tak bardzo ci na nim zależy, czemu nie polecisz tam i go nie aresztujesz?

– Powiem ci dlaczego. Bo pan Mevlevi mieszka w Bejrucie i nigdy stamtąd nie wyściubia nosa. Bo nie możemy podejść na dziesięć mil do granicy libańskiej bez pogwałcenia kilkunastu traktatów. Bo zaszył się w posiadłości uzbrojonej lepiej niż pierwsza dywizja piechoty morskiej. Oto dlaczego! Zasrana sytuacja. Możemy go dostać tylko przez zamrożenie jego pieniędzy. A do tego potrzebujemy twojej pomocy.

Nick już wiedział, co zrobi, ale nie zamierzał zapraszać do współpracy Thorne'a. Agent był jego przykrywką. Nick nie chciał, żeby traktował go jak jednego ze swoich podwładnych.

– Przykro mi, nic z tego. Nie zamierzam rujnować sobie życia, żebyś mógł przyszpilić jednego z dziesięciu tysięcy bandytów. A teraz, wybacz, muszę już iść.

– Do cholery, Neumann, daję ci słowo agenta rządu Stanów Zjednoczonych. Ochronimy cię.

Nick próbował znaleźć odpowiedź, która zniechęci Thorne'a. Ale stracił koncentrację. Obietnica Thorne'a rozbrzmiewała mu w głowie.

„Słowo agenta rządu Stanów Zjednoczonych. Ochronimy cię".

Patrzył na Sterlinga Thorne'a i przez chwilę zdawało mu się, że widzi twarz Jacka Keely'ego.

– Neumann, dobrze cię widzieć – mówi Jack Keely. Jest zdenerwowany, przestępuje z nogi na nogę. – Pułkownik Andersen kontaktował się z moimi przełożonymi, wspominał coś o pańskich zamiarach. Chce pan zostać w wojsku na dłużej, co? Gratulacje. Podobno jest pan zainteresowany wywiadem? Może funkcja łącznika między Quantico i Langley?

Porucznik Nicholas Neumann siedzi przy stole w sali odwiedzin w centrali CIA w Langley w stanie Wirginia. To duże pomieszczenie z wysokim sufitem i jarzeniowym światłem. W ten upalny czerwcowy dzień pracują hałaśliwie klimatyzatory, utrzymując w budynku chłód. Nick ma na sobie zielony mundur. Pierś zdobią mu nowe odznaczenia – jedno za akcję w rejonie Pacyfiku, drugie za ofiarną służbę. To drugie jest odpowiednikiem Brązowej Gwiazdy, przyznawanym za odwagę podczas operacji, które oficjalnie nigdy się nie odbyły. W prawym ręku trzyma czarną laskę. To już postęp: przez cztery miesiące w Szpitalu imienia Waltera Reeda musiał posługiwać się kulami. Okazało się, że jest fizycznie niezdolny do dalszej służby. Nawet gdyby chciał, nie może zostać. Za dziesięć dni zwolnią go z Korpusu Piechoty Morskiej. Pułkownik Sigurd Andersen oczywiście wie o tym. Wie też o wszystkich intrygach Keely'ego.

– Dziękuję, że znalazł pan dla mnie czas – mówi Nick, próbując się podnieść.

Keely macha ręką, żeby nie wstawał.

– Rany się zagoiły? – pyta beztrosko, jakby ćwierć funta szrapnela było jak zła fryzura: chwilową niedogodnością.

– Prawie – mówi Nick. Pociera nogę, sygnalizując, że to jeszcze długo potrwa.

Keely rozluźnia się. Przyjrzał się Neumannowi i widzi, że nie stwarza fizycznego zagrożenia.

– Ma pan na myśli jakieś konkretne stanowisko?

– Interesowałaby mnie funkcja, którą pan wykonywał na „Guamie" – mówi Nick. – Koordynacja wypadów na terenie wroga. Marines czują się pewniej, kiedy operację prowadzi jeden z nich. Pomyślałem, że może opowie mi pan, co jest potrzebne do wykonywania tego typu zadań. Tak świetnie poradził sobie pan z moim oddziałem.

Keely krzywi się.

– Rany, to była dopiero fuszerka. Żałuję, że nie mogliśmy tego dokładniej omówić na pokładzie. Przepisy. No i oczywiście nie był pan w stanie z nikim rozmawiać, kiedy wciągnęli pana na pokład.

– Jasne – mówi Nick, mrużąc oczy na wspomnienie tego dnia.

– Awaria radia – ciągnie dalej Keely. – Na pewno pułkownik Andersen panu wyjaśnił. Nie odbieraliśmy waszych sygnałów, dopóki Gunny nie skorzystał z otwartego pasma lotniska. W przyszłości proszę pamiętać, żeby uciekać się do tego tylko w ostateczności. Wymóg bezpieczeństwa.

Nick tłumi nienawiść do tego człowieka. Już nie może się doczekać. Powtarza sobie, że to nie potrwa długo.

– Straciliśmy jednego żołnierza – mówi opanowanym głosem. – Ścigały nas przeważające siły wroga. Dowództwo operacji nie odpowiadało na nasze sygnały od siedmiu godzin. Czy to nie była ostateczność?

Keely sięga do kieszeni po papierosy. Pochyla się w fotelu, przybierając charakterystyczną dla niego arogancką pozę.

– Proszę posłuchać, poruczniku, nikt nie lubi rozgrzebywać przeszłości. Podstawowy cel został osiągnięty. Zlikwidowaliście Enrilego. Misja wykonana. Nadal nie mamy pojęcia, kto mógł zorganizować zasadzkę. W każdym razie wasi chłopcy spieprzyli ewakuację. Zadaniem marynarki jest utrzymanie sprzętu łącznościowego w stanie używalności. Jeśli radio nawaliło, co ja mogłem poradzić?

Nick mówi, że rozumie. Z uśmiechem na ustach dokładnie obmyśla kolejne fazy ataku. Planuje każdy cios, który zada temu człowiekowi. Wybrał Langley z określonego powodu – żeby Keely już nigdy nie czuł się bezpiecznie, żeby przez resztę życia bał się wyjść za róg, otworzyć drzwi, żeby zawsze się zastanawiał, kogo spotka, i modlił się, aby to nie był porucznik Nicholas Neumann.

– To już przeszłość – mówi Nick pojednawczo. – Przyjechałem tu po to, panie Keely, żeby obejrzeć urządzenia łącznościowe marynarki. Na pewno pułkownik Andersen wspominał o tym. Może też poradziłby mi pan, do kogo powinienem się zwrócić z moim podaniem.

– Ma się rozumieć, Neumann. Proszę za mną. – Keely wrzuca niedopałek do zimnej kawy w kubku, który zostawiono na stole. Wstaje i wciska wylewający się brzuch w spodnie. – Z nogą wszystko w porządku?

Nick idzie za Keelym ponurym korytarzem: podłoga z linoleum, ściany w kolorze skorupki jajka, wszystko na zamówienie rządu. Wracają do sali odwiedzin po wizycie w departamencie łączności satelitarnej, prowadzonym przez byłego marine Billa Stackpole'a, bliskiego przyjaciela pułkownika Andersena. Wizyta była udana. Nick i Keely są teraz przyjaciółmi. Keely nalega, żeby zwracał się do niego po imieniu.

– Muszę się załatwić, Jack – mówi Nick, gdy zbliżają się do toalety. – Może będę potrzebował pomocy.

– Pomocy? – pyta Keely, a kiedy Nick posyła mu pełen zażenowania uśmiech, ulega. – Ma się rozumieć Nick.

Nick czeka, aż Keely wejdzie do toalety. Porusza się błyskawicznie. Odrzuca laskę, odwraca się i chwyta niczego nie podejrzewającego mężczyznę za ramiona, obraca go i jedną ręką zamyka jego głowę w klamrze. Keely piszczy ze strachu. Nick drugą ręką odszukuje jego tętnicę szyjną i blokuje przez pięć sekund dopływ krwi do mózgu. Keely pada na podłogę, nieprzytomny. Nick wyciąga z kieszeni gumowy klin i wsuwa go pod drzwi. Puka dwa razy i słyszy w odpowiedzi ten sam sygnał. Na drzwiach powieszono informację, że toaleta jest zepsuta. Stackpole wykonał swoje zadanie.

Nick podchodzi, kulejąc, do rozciągniętego na podłodze Keely'ego. Pomimo bólu w nodze pochyla się i dwa razy uderza go w twarz.

– Obudź się – mówi – mamy gorącą randkę.

Keely kręci głową, odruchowo unikając trzeciego uderzenia.

– Co się, do diabła, dzieje? Jesteś w chronionej instytucji rządowej.

– Wiem, że jest chroniona – mówi Nick. – Jesteśmy tu bezpieczni. Gotowy?

Keely unosi głowę i pyta:

– Na co?

– Na odwet, bracie. – Prawa ręka Nicka błyskawicznie chwyta go za kości policzkowe i popycha z powrotem na podłogę.

– To było pieprzone radio – dyszy Keely. – Już ci mówiłem.

Nick kopie agenta lewą nogą w twarz. Krew spryskuje wyłożoną płytkami podłogę.

– Czekam na dobrą wiadomość – mówi.

– Daj sobie spokój, Neumann. Sprawa cię przerasta. Tu chodzi o politykę, która decyduje o losach milionów ludzi.

– Pieprzę twoją politykę, Keely. A co z moim oddziałem? A co z Johnnym Burke'em?

– A kim był Burke? Zielonym żołnierzykiem, który dostał w brzuch. To była jego wina, nie moja.

Nick chwyta Keely'ego za włosy i podnosi, żeby spojrzeć mu prosto w oczy.

– John Burke był dobrym chłopakiem. I dlatego zginął. – Łamie Keely'emu nos uderzeniem z czoła. – Brzydzę się tobą. Czułem twój smród już na pokładzie „Guama" przed akcją, ale byłem zbyt naiwny, żeby coś z tym zrobić. To ty nas wrobiłeś. Wiedziałeś o zasadzce. Celowo zablokowałeś łączność.

Keely przyciska ręce do nosa, usiłując powstrzymać strumień krwi.

– Ależ skąd, Neumann. Było inaczej. Sprawa jest poważniejsza, niż myślisz.

– Nie obchodzi mnie to – mówi Nick. – Wrobiłeś moich ludzi i chcę wiedzieć dlaczego. – Zamierza się do kopnięcia, ale nieruchomieje, przerażony nagle swoim agresywnym zachowaniem. Marzył o tej chwili od dziewięciu miesięcy. Wyobrażał sobie, jak jego pięść ląduje na twarzy Keely'ego. Powtarzał sobie, że kieruje nim tylko chęć odwetu i że Johnny Burke zasługuje choćby na takie zadośćuczynienie. Ale teraz, widząc roztrzęsionego Keely'ego z krwawiącym nosem, nie jest już tego taki pewien.

– No dobra – mówi Keely, zasłaniając twarz przed ciosem, który nie nadchodzi. – Powiem ci wszystko. – Podczołguje się do kąta toalety i opiera o ścianę. Wydmuchuje z nosa skrzep, kaszle. – Likwidacja Enrilego została usankcjonowana przez NRB, Narodową Radę Bezpieczeństwa. Chcieliśmy pokazać rządowi w Filipinach, że popieramy ich wysiłki umacniania demokracji w amerykańskim stylu. Czyli bez kumoterstwa i korupcji Marcosa. Jasne?

– Na razie tak.

– Ale niektórzy członkowie filipińskiego rządu uznali ten plan za nieskuteczny. Chcieli zrealizować swoje cele.

– Jakie cele?

– Chcieli sprowadzić więcej Amerykanów na Filipiny. No wiesz, jak za dawnych czasów. Inwestycje, nowe interesy, strumień forsy. Potrzebowali pretekstu, żeby Ameryka znowu przeprowadziła szarżę na Filipiny.

– A tym pretekstem miała być przelana amerykańska krew?

Keely wzdycha.

– Prośba o pomoc siostrzanej demokracji. Nasi chłopcy giną, zatykając flagę wolności. Boże, to działa za każdym razem. Gdybyście zginęli tak jak było w planie, w zatoce Subic stacjonowałoby już dziesięć tysięcy żołnierzy. Na lotnisku Clark stałaby eskadra F-16, a połowa największych amerykańskich firm wyłamywałaby drzwi, próbując dostać się z powrotem na Filipiny.

– Ale wrobienie nas to już było twoje zadanie? NRB nic o tym nie wiedziała. Zgadza się, Keely? To była sprawa między tobą i twoimi kolesiami z Filipin?

– Propozycja była korzystna dla obu stron. Niektórzy z nas trochę sobie dorobili, a te dranie z Filipin miały zarobić dużo więcej.

– Korzystna dla obu stron? Czy ja dobrze słyszę, ty podła gnido? Wrobiłeś ośmiu marines, żebyś sobie wymościć wygodne gniazdko? Przez ciebie jeden dobry chłopak zginął, a drugi został kaleką. Mam dwadzieścia pięć lat, Keely. Ta noga zostanie mi do końca życia.

Samozadowolenie Keely'ego pozbawia Nicka litości. Skrupuły znikają. Widzi okaleczone ciało Burke'a na filipińskiej plaży; przypomina sobie potworną ranę na prawej nodze, czuje ból i nie wierzy, że to jego noga. Słyszy głos lekarza, który mówi, że już nigdy nie będzie mógł normalnie chodzić, i w ułamku sekundy przeżywa na nowo bolesne miesiące rehabilitacji, kiedy chciał udowodnić lekarzowi, że się myli. Obraca się i zdrową nogą z całej siły kopie Keely'ego w krocze. Keely traci oddech i kuli się. Jego twarz przybiera kolor purpury, kiedy wymiotuje, a oczy sprawiają wrażenie, jakby miały wyskoczyć z orbit.

– Odwet, Keely. To było za Burke'a.

Wspomnienia Nicka zniknęły tak szybko jak się pojawiły. Minęła sekunda, może mniej.

– Przykro mi, Thorne. Nie mogę ci pomóc.

– Neumann, zastanów się. Jeśli powiem Kaiserowi o twoim zwolnieniu, będzie musiał cię wyrzucić. Nie może pozwolić, żeby jego asystentem był bandzior. Coś mi się widzi, że nie masz co liczyć na karierę w tej branży. A przecież mógłbyś zrobić coś pożytecznego, póki nadal tam jesteś.

Nick minął agenta.

– Nic z tego – powiedział. – Rób, co musisz. Tak jak ja.

– Nie podejrzewałem cię o tchórzostwo, Neumann! – zawołał Thorne. – Już raz pozwoliłeś Paszy się wymknąć. Masz na sumieniu jego zbrodnie!

Rozdział 35

W gabinecie było ciemno, paliła się tylko lampka na biurku. Blade światło padało na stos dokumentów. W budynku panowała cisza, korytarze opustoszały. Ciszę zakłócał tylko elektroniczny oddech komputera.

Wolfgang Kaiser był sam.

Bank znów należał do niego.

Prezes stał z policzkiem przyciśniętym do szyby i wyglądał przez łukowate okno. Patrzył na solidny szary budynek, pięćdziesiąt metrów dalej, przy Bahnhofstrasse: Adler Bank. Za zasłoniętymi oknami nie paliło się żadne światło. Gmach stał przyczajony i groźny, z zamkniętymi na noc oczami. Drapieżnik – tak jak jego ofiara – pogrążony był we śnie.

Kaiser oderwał policzek od zimnej szyby i okrążył biurko. Od roku zdawał sobie sprawę, że Adler Bank gromadzi akcje USB. Tu tysiąc, tam pięć tysięcy. Tyle, żeby nie zakłócić przeciętnego wolumenu obrotów. Tyle, żeby nie podbić ceny. Niewielkie pakiety. Powoli i konsekwentnie. Odgadł zamiary Koniga, ale nie jego możliwości. Wymyślił skromny plan, który miał mu zapewnić utrzymanie stanowiska prezesa United Swiss Bank.

Przed rokiem bank obchodził sto dwudzieste piąte urodziny. W hotelu Baur au Lac urządzono uroczyste przyjęcie. Zaproszono byłych i obecnych członków zarządu z osobami towarzyszącymi. Wznoszono toasty, wspominano sukcesy, a jeden z emerytowanych członków zarządu uronił nawet łzę. Aktywni współpracownicy Kaisera byli zbyt zaaferowani, żeby docenić wysiłki poprzedników. Myśleli tylko o pieniądzach. A dokładnie, jaką sumę zgarnie każdy z nich przed zakończeniem wieczoru.

Kaiser przypomniał sobie chciwość malującą się na ich twarzach. Kiedy ogłosił, że każdy członek zarządu otrzyma rocznicową premię w wysokości stu tysięcy franków, zapadła cisza. Goście zamarli – zarówno kobiety, jak i mężczyźni. Przez kilka sekund siedzieli nieruchomo jak posągi. Wystarczyłoby pierdnięcie jednej myszy, żeby zwalić ich z krzeseł na podłogę. Potem rozległ się aplauz. Burzliwe oklaski przypominające ostrzał artyleryjski. Owacja na stojąco. Okrzyki: „Niech żyje USB!" i „Zdrowie prezesa!"

Jak mógł uwierzyć, że zarząd siedzi mu bezpiecznie w kieszeni?

Kaiser uśmiechnął się szyderczo. Nie minął rok, a wielu dyrektorów, którzy tak chętnie zainkasowali sto tysięcy, dołączyło do ujadającej sfory Klausa Koniga. Odrzucali jego „przestarzałe" strategie zarządzania. Twierdzili, że przyszłość należy do Adler Bank, który stosuje agresywne metody, z większościowym udziałem w niezwiązanych ze sobą firmach, z kredytowaniem zakładów na przyszłe kursy walut.

Do Zurychu zawitał Dziki Zachód. Minęły dni negatywnej stopy procentowej, kiedy cudzoziemcy pragnący zdeponować środki w szwajcarskim banku nie tylko rezygnowali z odsetek, ale jeszcze płacili bankowi prowizję za przyjęcie ich pieniędzy. Szwajcaria nie była już jedynym bezpiecznym schronieniem dla zagrożonego kapitału. Konkurencja podniosła bandery. Liechtenstein, Luksemburg i Austria oferowały usługi stabilnych i dyskretnych instytucji, stanowiących konkurencję dla szwajcarskich sąsiadów. Kajmany, Bahamy i holenderskie Antyle zapewniały usługi bankowe na wysokim poziomie biznesmenom, którzy pilnie potrzebowali skrytki dla funduszy zwędzonych ufnym partnerom lub pałającej żądzą zemsty skrzywdzonej małżonce. Szwajcarskie banki nie były już bezkonkurencyjne.

W tak nieprzyjaznym środowisku Wolfgang Kaiser usiłował utrzymać USB na szczycie hierarchii bankowości prywatnej. I udało mu się. To prawda, że dochodowość banku spadła. Kluczowe wskaźniki siły finansowej – rentowności majątku i zwrotu kapitału – ucierpiały wskutek inwestowania w te sfery, które zapewniały trwałą supremację w bankowości prywatnej. Ale zyski netto wzrastały dziewiąty rok z rzędu: oczekiwano rocznego wzrostu na poziomie siedemnastu procent. Kiedy indziej takie zyski spotkałyby się z aplauzem. Ale w tym roku uznano je za porażkę. Jak można porównywać wzrost rzędu siedemnastu procent z dwustuprocentowym zyskiem odnotowanym przez Adler Bank?

Kaiser uderzył ręką w udo. Kurs, jaki wyznaczył dla United Swiss Bank, był słuszny. Liczył się z tradycją banku i skutecznie wykorzystywał mocne punkty USB. Dlaczego nikt nie chciał go słuchać?

Przez pierwsze sto lat bank prosperował jako jedna z kilkunastu średnich lokalnych instytucji, które spełniały wymogi mniejszych krajowych koncernów, a na rynku międzynarodowym realizowały dyskretne zlecenia zagranicznych klientów, głównie z Niemiec, Francji i Włoch, pragnących przechowywać swoje środki w warunkach maksymalnego bezpieczeństwa i minimalnego nadzoru. Nie chcąc ograniczać działalności do ciasnego kantonu zuryskiego, w 1964 roku bank rozpoczął dynamiczną politykę ekspansji. Banki o wielkości i aktywności zbliżonej do centrali zakładano w Lucernie, Bazylei, Bernie i Genewie. Filie otwierano w całej Szwajcarii, a kolejnym bardzo śmiałym posunięciem, które świadczyło o umiejętności trafnego przewidywania, było założenie filii w Bejrucie, Dubaju i Dżuddzie. W 1980 roku USB był już niezależnym graczem na rynku międzynarodowym. I do tego silnym.

Dzięki bazom na Bliskim Wschodzie odegrał ważną rolę w finansowaniu wydobycia ropy w Arabii Saudyjskiej, Kuwejcie i byłych posiadłościach brytyjskich: Abu Zabi, Dubaju i Szardży, znanych obecnie pod nazwą Zjednoczonych Emiratów Arabskich. Podobnie jak jego arabscy klienci,

USB zgarnął pokaźne zyski w 1973 i 1979 roku, kiedy mądrzy beduini z Półwyspu Arabskiego doszli do wniosku, że cenny surowiec, w który obfitują ich pustynie, jest zdecydowanie niedowartościowany. Konsekwentne podwyżki cen pozwoliły wzbogacić się tym państwom i wszystkim, którzy z nimi współpracowali. Petrodolary wypełniły państwowe skarbce i kieszenie lojalnych obywateli. Wielu zdeponowało świeżo zdobyte fundusze w odległej Szwajcarii, w oddziale bankowości prywatnej United Swiss Bank. Inni poszli w ich ślady.

Kaiser stał samotnie na środku ciemnego gabinetu, napawając się wspomnieniami. Przysiągł sobie, że nie dopuści do przejęcia USB przez Klausa Koniga i ten jego cholerny Adler Bank. Ale sytuacja nie wyglądała dobrze. Nawet specjaliści od inwestycji, chcąc zapewnić porządny zwrot ze środków klientów, uciekli się do sprzedaży akcji USB. A Adler Bank kontynuował ich skup na otwartym rynku, choć w wolniejszym tempie. Czy jest nadzieja, że niewyczerpane zasoby gotówki Koniga się skończą?

Prezes wrócił do biurka, usiadł i spojrzał na schludnie ułożone dokumenty. Spod papierów wystawał róg fotografii. Wyciągnął ją i spojrzał na martwego syna. Stefan Wilhelm Kaiser. Jedyny owoc krótkiego i burzliwego związku. Matka Stefana mieszkała w Genewie i wyszła ponownie za mąż za innego bankiera. Kaiser nie rozmawiał z nią od pogrzebu.

– Stefan – wyszeptał do duchów unoszących się w biurze. Jego jedyny syn zmarł w wieku dziewiętnastu lat na skutek przedawkowania heroiny.

Całe lata Kaiser zmagał się z bólem. Ale nigdy nie myślał o ostatnich latach życia Stefana. Jego syn miał nadal dziesięć lat. Uwielbiał jeździć na łyżwach na lodowisku Dolder. Chciał pływać na miejscowym *hallenbad*. Nie znał tego mężczyzny na metalowym stole, tego niechlujnego chuligana o zmierzwionych włosach i pryszczatej twarzy. Narkomana, który zamienił strój do gry w piłkę na skórzaną kurtkę, który woli papierosy od lodów.

Teraz Kaiser miał drugą szansę. Syn człowieka, który był mu bliski jak brat, mógł zająć miejsce Stefana. Myśl o młodym Neumannie na czwartym piętrze pocieszała go. Podobieństwo chłopaka do ojca było uderzające. Widząc go codziennie, zaglądał w przeszłość. Widział każdą szansę, którą wykorzystał i zmarnował. Czasami chciał zapytać Nicholasa, czy te jego wysiłki na coś się zdały. I dostrzegał w oczach Neumanna, że odpowiedziałby „tak". Zdecydowanie tak. A czasami wydawało mu się, że zagląda do własnego sumienia, i modlił się, żeby nigdy go nie zdradziło.

Wyłączył lampkę, usiadł w fotelu i zastanawiał się, dokąd to wszystko zmierza. Nie chciał dołączyć do szefów usuniętych ze stanowiska. Oddałby ostatniego franka, żeby pozostać prezesem United Swiss Bank aż do śmierci.

Zamknął oczy i siłą woli zmusił się, żeby nic nie czuć, tylko być. Był bankiem. Jego granitowymi murami i niedostępnymi skarbcami; jego cichymi salonami i zatłoczonym parkietem; jego zarozumiałymi dyrektorami i ambitnymi praktykantami. Był bankiem. Jego krew płynęła w żyłach banku, oddał mu swoją duszę.

– Adler Bank nie przejdzie – powiedział na głos, parafrazując słowa słynnego generała. – Nie przejdzie.

Rozdział 36

Ale się najadłem – wyznał Ali Mevlevi, podnosząc do ust ostatni kęs duszonej jagnięciny. – A ty, kochanie?

Lina nadęła policzki.

– Czuję się jak balon, który zaraz pęknie.

Mevlevi spojrzał na jej talerz. Prawie nie tknęła południowego posiłku.

– Nie smakowało ci? Myślałem, że przepadasz jagnięciną.

– Była świetna. Po prostu nie jestem głodna.

– Nie jesteś głodna? A to czemu? Może masz za mało ruchu?

Lina uśmiechnęła się figlarnie.

– Raczej za dużo.

– Dla młodej kobiety takiej jak ty? Wątpię. – Mevlevi odsunął krzesło od stołu i podszedł do szerokiego okna widokowego. Tego ranka wręcz się na nią rzucił. Zachowywał się jak mężczyzna wypuszczony z więzienia. Ostatni raz, powiedział sobie. Ostatnie chwile w jej ramionach.

Niebo pokrywały ciemne chmury. Burza znad Morza Śródziemnego przetaczała się przez przybrzeżną równinę, podchodząc pod niskie wzgórza. Smagany wiatrem deszcz zacinał na taras i bębnił o szyby.

Lina podeszła do Mevleviego, objęła go od tyłu i zaczęła pocierać głową o jego plecy. Zazwyczaj podobały mu się jej pieszczoty. Ale czas na podobne przyjemności minął. Uwolnił się z jej objęć.

– Teraz widzę wyraźnie – oświadczył. – Widzę drogę. Świetlisty szlak.

– Co widzisz, Al-Mevlevi?

– Przyszłość, rzecz jasna.

– I? – Lina znowu oparła głowę na jego plecach.

Odwrócił się i przycisnął jej ręce do boków.

– Na pewno wiesz, co przyniesie.

Ich spojrzenia się spotkały. Widział, że jego zachowanie ją dziwi. Jej niewinność była rozbrajająca. Prawie.

– Co? – zapytała. – Ty wiesz, co przyniesie przyszłość?

Ale Mevlevi już nie słuchał. Jego uszy wychwyciły stukot kroków Josepha na korytarzu. Zerknął na zegarek, wyszedł z jadalni i ruszył w stronę swojego gabinetu.

– Dołącz do nas, Lino! – zawołał przez ramię. – Twoje towarzystwo będzie bardzo mile widziane.

Wszedł do gabinetu i stanął twarzą w twarz z szefem ochrony. Joseph stał na baczność i patrzył prosto przed siebie. Mój dumny pustynny jastrząb, pomyślał Mevlevi.

Chwilę później pojawiła się Lina i usiadła się na sofie.

– Jakie wieści? – zapytał Mavlevi.

– Wszystko idzie zgodnie z planem. Sierżant Rodenko szkoli dwie kompanie na południowym placu. Ćwiczą z prawdziwymi granatami. Iwłow prowadzi wykład o zastosowaniu i detonacji min odłamkowych kierunkowego działania. Wartownicy nie zauważyli żadnych ruchów.

– Na froncie zachodnim spokój – skomentował Mevlevi. – Bardzo dobrze. – Minął Josepha, chwycił oparcie fotela i uporządkował parę kartek na biurku. Podszedł do półki, zdjął jakąś książkę, spojrzał na grzbiet, skrzywił się i odłożył ją. Wreszcie stanął bezpośrednio za Josephem.

– Twoje uczucie do mnie osłabło? – zapytał.

Lina już otwierała usta, ale szybko podniesiona ręka powstrzymała ją. Powtórzył pytanie, tym razem szepcząc je do ucha Josepha.

– Twoje uczucie do mnie osłabło? Odpowiadaj.

– Nie, proszę pana – odparł pustynny jastrząb. – Kocham i szanuję pana jak ojca.

– Kłamca. – Silny cios w nerki.

Joseph padł na jedno kolano.

Mevlevi wykręcił mu ucho i podniósł.

– Żaden syn nie mógłby bardziej zaszkodzić ojcu. Żaden nie mógłby go bardziej rozczarować. Jak mogłeś mnie tak zawieść? Kiedyś oddałbyś za mnie życie. – Przesunął palcem po szramie biegnącej przez policzek jastrzębia. Otwartą dłonią uderzył go w twarz. – Nadal byłbyś do tego zdolny?

– Tak, Al-Mevlevi. Zawsze.

Pięść trafiła go w brzuch.

– Wstawaj – warknął wściekle Mevlevi. – Jesteś żołnierzem. Kiedyś mnie chroniłeś. Ocaliłeś przed samobójczym atakiem oprawców Monga. Kiedyś służyłeś mi z wielką dumą i żarliwością. A teraz? Nie możesz mnie obronić?

Lina chwyciła poduszkę i przycisnęła ją do piersi.

Mevlevi położył ręce na ramionach ochroniarza.

– Nie możesz ochronić mnie przed żmiją w moim własnym domu? Żmiją, którą wyhodowałem na własnym łonie?

– Zawsze robię wszystko, co w mojej mocy.
– Wiem, że nigdy mnie nie zdradzisz.
– Nigdy – zapewnił pustynny jastrząb.

Mevlevi prawą ręką chwycił Josepha za brodę, a lewą gładził jego krótkie włosy. Pocałował go w usta – twardy, beznamiętny pocałunek.

– Tak, w głębi serca wiem o tym. Teraz już wiem. – Puścił go i równym krokiem podszedł do sofy, na której siedziała Lina. – A ty, *cherie*? Kiedy mnie zdradzisz?

Patrzyła na niego szeroko otwartymi oczami.

– Kiedy? – szepnął Mevlevi.

Lina skoczyła na nogi i wybiegła na korytarz.

– Joseph – rozkazał Pasza. – Basen Sulejmana!

Pięćdziesiąt metrów od głównej rezydencji Alego Mevleviego stał niski prostokątny budynek, nijaki pod każdym względem. Bielone cementowe ściany, dach z terrakoty, fasada obrośnięta bugenwillą. Dokładniejsza inspekcja ujawniłaby jednak kilka ciekawych detali. Przez otaczający dom przystrzyżony trawnik nie biegł żaden chodnik. W zewnętrznych ścianach nie wybito ani jednych drzwi. Podwójnie szklone, dźwiękoszczelne okna były zasłonięte i zabite gwoździami. Ale najbardziej dziwił i porażał odór wydobywający się z wewnątrz. Agresywna woń, która sprawiała, że oczy łzawiły, a w gardle drapało. Środek ściągający lub czyszczący? Odtrutka? Środek konserwujący? Niezupełnie. Paskudne połączenie najgorszych składników wszystkich trzech.

Ali Mevlevi szedł podziemnym korytarzem. Miał na sobie białą dishdashę, sandały i haftowany muzułmański turban ozdobiony perłami i przetykany złotą nicią. W ręku trzymał Koran, otwarty na odpowiedniej do okazji modlitwie – Pochwale Życia. Czytał ją na głos. Po pierwszej zwrotce dotarł do końca wyłożonego płytkami korytarza. Oczy, reagując na ostry zapach drażniący drogi oddechowe, zaczęły łzawić. Przerwał czytanie. Musiał zignorować te niedogodności, żeby dopełnić dzieła wszechmogącego Allaha. Wspiął się po betonowych schodkach prowadzących do przestronnej sali.

Przed nim rozciągał się basen Sulejmana: dziedzictwo największego z otomańskich władców, Sulejmana Wspaniałego. Miał długość trzydziestu, a szerokość piętnastu metrów i wypełniony był słoną mieszaniną wody, formaldehydu i trójfosforanu sodowego. Tureccy władcy uwielbiali konserwować na wiele miesięcy, a nawet lat, ciała ulubionych konkubin. Później obyczaj ten przeistoczył się z formy oddawania czci w narzędzie tortur, a potem mordu. Jedno od drugiego dzielił tylko mały krok.

– Al-Mevlevi! – krzyknęła Lina na jego widok. – Błagam cię! Zaszła jakaś pomyłka. Proszę...

Mevlevi podszedł powoli do Liny. Siedziała naga na rattanowym krześle z wysokim oparciem. Ręce i nogi miała związane. Pogłaskał jej piękne czarne włosy.

– Cii, cii, dziecino. Niczego nie musisz wyjaśniać. Pytałaś o przyszłość. Teraz ją widzisz.

Odwrócił wzrok od Liny i spojrzał na basen. Pod powierzchnią dostrzegał zarysy kilkunastu ciał. Włosy wyglądały jak podwodna roślinność na rafach koralowych. Związane stopy przytwierdzone były do ciemnych, podłużnych kamieni.

Lina wciągnęła powietrze i znów zaczęła błagać.

– Al-Mevlevi, nie pracuję dla Makdisich. Tak, to oni sprowadzili mnie do klubu. Ale nigdy cię nie szpiegowałam. Nic im nie powiedziałam. Kocham cię.

Mevlevi roześmiał się szyderczo. Zamknął serce w najdalszym zakątku duszy. Zastąpił je oddaniem wyższej sprawie.

– Kochasz mnie? Makdisi byliby rozczarowani. Ale ja jestem zachwycony. Mam ci uwierzyć?

– Tak, tak. Musisz. – Łzy przestały płynąć. Desperacko walczyła o życie. Jedyną monetą przetargową, która jej została, była szczerość.

– Powiedz mi prawdę, Lino. Całą prawdę. Muszę wiedzieć o wszystkim. – Zazwyczaj Mevlevi czerpał przyjemność z tych ostatnich chwil. Lubił drażnić i naigrawać się. Kusić ostatnimi nadziejami. Ale nie dzisiaj. Pocałował ją. Miała twarde i suche usta. Wyjął chusteczkę i otarł jej łzy z policzków.

– Powiedz mi prawdę – powtórzył, tym razem cicho, jakby ją usypiał.

– Tak, tak. Przysięgam. – Lina kiwała żarliwie głową. – Makdisi znaleźli mnie w Jounieh. Najpierw rozmawiali z matką. Zaproponowali jej dużo pieniędzy. Tysiąc dolarów. Amerykańskich. Matka wzięła mnie na stronę i powiedziała mi, co proponują. „Co mam dla nich robić?", zapytałam. Odpowiedział mi jeden z nich. Był niski, gruby, z siwymi włosami i wielkimi oczami, oczami jak ostrygi. „Chcemy, żebyś się tylko rozglądała. Obserwowała. Poznawała". „Co mam poznawać?", zapytałam. „Po prostu miej oczy szeroko otwarte, odpowiedział. Skontaktujemy się z tobą".

– Nie chcieli nic konkretnego?

– Nie. Tylko żebym cię obserwowała.

– I?

Lina oblizała usta i jak najszerzej otworzyła oczy.

– No i obserwowałam cię. Wiem, że zaczynasz pracę o siódmej rano i gdy kładę się spać, często jeszcze jesteś w gabinecie. Czasem nie odmawiasz południowych modlitw. Chyba dlatego, że cię nudzą, a nie przez zapominalstwo. W dniach odpoczynku oglądasz telewizję. Piłkę nożną przez cały dzień.

Mevleviego dziwiła otwartość, z jaką wyjawiała mu swe zbrodnie. Dziewczyna naprawdę uważała się za niewinną.

– Raz, przysięgam, tylko raz przeszukałam twoje biurko, kiedy nie było cię w domu. Przepraszam. Ale nic nie znalazłam. Zupełnie nic. Za dużo cyfr. Nie rozumiałam ich, nic dla mnie nie znaczyły.

Mevlevi złożył ręce jak do modlitwy.

– Szczere dziecko! – zawołał. – Niech będą dzięki Allahowi. Wspominałaś o liczbach. Mów dalej.

– Nie rozumiałam ich. Co jeszcze mogłam zobaczyć? Pracujesz i pracujesz. Cały dzień rozmawiasz przez telefon.

Mevlevi uśmiechnął się, jakby jej wyznanie zadowoliło go.

– A teraz, Lino, musisz powiedzieć mi dokładnie, co mówiłaś Makdisim.

– Nic, przysięgam. – Spuściła wzrok. – Troszeczkę. Czasem dzwonił w niedzielę, kiedy byłam u matki.

– Kto?

– Pan Makdisi. Chciał wiedzieć, co robisz przez cały dzień. O której wstajesz, kiedy jesz, czy wychodzisz. Nic innego, przysięgam.

– A ty, oczywiście, mówiłaś mu to wszystko – zasugerował Mevlevi, jakby była to najbardziej rozsądna rzecz na świecie.

– Tak, oczywiście. Płacił matce tyle pieniędzy. Co to komu szkodziło?

– Oczywiście, kochanie, rozumiem. – Gładził Linę po miękkich włosach. – Powiedz, czy pytał cię o moje pieniądze? O banki? Ile płacę moim partnerom?

– Nie, nigdy o to nie pytał. Nigdy.

Mevlevi zmarszczył brwi. Był pewien, że to Albert Makdisi przekazywał amerykańskiej agencji informacje o przelewach. Makdisi od dawna chciał współpracować bezpośrednio z Mongiem. Wyeliminować pośrednika.

– Lino, wolę, kiedy mówisz prawdę.

– Błagam, Al-Mevlevi, musisz mi uwierzyć. Nie było żadnych pytań o pieniądze. Chciał tylko wiedzieć, co robisz. Czy podróżujesz. Nie pytał o pieniądze.

Mevlevi wyciągnął z kieszeni srebrny aparat Minox. Podsunął go Linie do oczu, a potem do nosa, jakby to było wyborne cygaro.

– A co to jest, kochanie?

– Nie wiem. Mały aparat? Chyba widziałam taki w sklepie.

– Nie, *cherie*. Takiego na pewno nie widziałaś w sklepie.

– To nie moje.

– Oczywiście, że nie – potwierdził czule. – A to urocze urządzonko? – Pokazał jej pudełko z czarnego metalu, nie większe od talii kart. Z jednego końca wyciągnął krótką gumową antenę.

Lina wpatrywała się w metalowy przedmiot.

– Nie wiem, co to jest – obruszyła się. – Ty mi powiedz.

– Ja mam ci powiedzieć? – Mevlevi spojrzał przez ramię na Josepha. – Chce, żebyśmy my jej powiedzieli?

Joseph patrzył obojętnie przed siebie.

– Wyjawię ci pewien sekret. Kiedy Max Rothstein powiedział mi, że do Little Maxim's sprowadził cię Albert Makdisi, przeszukałem z Josephem twój pokój. Widzisz, moja droga, słowo Maksa po prosto mi nie wystarczyło. Nie mogłem od razu cię potępić. Musiałem się upewnić. Znaleźliśmy ten śliczny drobiazg – dokładnie rzecz biorąc, radio – razem z aparatem w skrytce, którą sprytnie sobie zmajstrowałaś pod podłogą. – Mevlevi trzymał mały nadajnik przed jej oczami. – Opowiedz mi o tym radiu. Takie maleńkie, poręczne. Mówiąc szczerze, myślałem, że taka zabaweczka jest poza zasięgiem tych prymitywów Makdisich.

Lina niepokoiła się coraz bardziej. Wykręcała ręce i pocierała związanymi stopami.

– Przestań! – zawołała. – W moim pokoju nie ma żadnych skrytek. To nie mój aparat. Radio też. Nigdy ich nie widziałam. Przysięgam.

– Prawdę, Lino. – Głos Mevleviego przyjął aksamitny ton. – Tutaj mówimy tylko prawdę. Postaraj się. Przed chwilą tak dobrze ci szło.

– Nie jestem szpiegiem. Nigdy nie słuchałam tego radia. Nie mam aparatu.

Mevlevi przysunął się do Liny.

– Co powiedziałaś? – W jego głosie pojawił się nieobecny dotąd niepokój, zesztywniał nagle.

– Nigdy nie słuchałam tego radia – jęknęła Lina. – Jak chcę posłuchać muzyki, idę do salonu. Po co mi tranzystor?

Mevlevi popatrzył na nią, jakby widział ją pierwszy raz.

– Tranzystor – powiedział z uznaniem. – Ona nigdy nie słuchała tego radia. – Zerknął na Josepha i znowu na Linę, jakby przez moment nie wiedział, do kogo się zwrócić. Urządzenie, które trzymał w ręku, miało niewiele wspólnego z tranzystorem. Było to ultrakrótkofalowe, jednopasmowe dwukierunkowe radio zdolne wyłapywać z eteru najdrobniejsze sygnały – ale tylko takie, które wysłano na ustawionej częstotliwości. Nie można go było używać do odbierania komercyjnych stacji.

– Czarująca – zwrócił się do Josepha. – I dobrze wyszkolona. Nie sądzisz? Przez chwilę prawie jej uwierzyłem. Kobiety są doskonałym materiałem na agentów. Mają wrodzoną wrażliwość. Można pomylić ich histerię ze szczerością. Jeśli płacze mężczyzna, to dlatego, że jest winny albo użala się nad sobą.

Joseph nic nie powiedział. Kiwnął tylko głową, jakby doskonale wiedział, o czym mówi jego pan.

Mevlevi stanął za rattanowym krzesłem i przesunął rękami po ciele Liny. Delikatnie ścisnął jej silne ramiona i pieścił jędrne piersi. Ogarnęło go przygnębienie.

– Lino, nadszedł czas rozstania. Wkrótce przekroczysz granicę. Niestety, nie mogę pójść z tobą, moje dzieło jest jeszcze nieskończone. Ale wkrótce może znów się spotkamy. Naprawdę cię kochałem.

Lina miała zamknięte oczy. Cicho płakała.

– Dlaczego? – pytała przez łzy. – Dlaczego?

Przez chwilę Mevlevi zadawał to samo pytanie Wszechmogącemu. Dlaczego muszę utracić osobę, która tyle dla mnie znaczy? Która wprowadzała do mojego życia tylko światło i radość. Jest jeszcze dzieckiem. Niewinnym. Nie powinna tak bardzo cierpieć za swoje grzechy. Po chwili poczuł jednak, że jego determinacja wraca, i wiedział, że przemawia przez niego Allah.

– Przysłano cię, żeby mnie wypróbować. Jeśli mogę rozstać się z tobą, moja najsłodsza, mogę też rozstać się z życiem. Allah domaga się ofiar od nas wszystkich.

– Nie, nie, nie – szeptała.

– *Adieu*, najdroższa. – Wstał i dał znak Josephowi.

Joseph podszedł powoli do Liny i poprosił ją, żeby zachowała spokój.

– Odejdź spokojnie – radził jej. – Odejdź godnie. Tak jak nakazuje Allah. Nie możesz się opierać. – I kiedy wziął ją w ramiona, nie stawiała oporu.

Przeniósł Linę do niskiej ławy na końcu sali. Pod nią leżał podłużny kamień o długości pół metra i wysokości dwudziestu centymetrów. Ważył piętnaście kilogramów – wystarczy, żeby zakotwiczyć drobne ciało kobiety na dnie basenu. Rozwiązał stopy Liny i umieścił każdą z nich w płytkim wgłębieniu wyżłobionym w kamieniu. Spomiędzy stóp wystawały obręcze z nierdzewnej stali przytwierdzone do kamienia mosiężnymi śrubami. Skuł jej nogi.

– Dlaczego to robisz? – zapytała Lina. Jej spuchnięte oczy były już suche.

– Muszę być posłuszny Al-Mevleviemu. Przyświeca mu wyższy cel niż nam.

Lina próbowała uderzyć Josepha w twarz związanymi rękami.

– Nie wierzę ci. Wszystko przez ciebie, kłamco. To ty podłożyłeś mi to radio pod łóżko. Ty!

– Ciii! – Joseph przykląkł i podał jej kielich wina.

– Jest tu silny środek uspokajający. Al-Mevlevi nie chciał, żebyś cierpiała. Spójrz w wodę. Nie chcesz tak umierać, nie kiedy jesteś w pełni przytomna.

– To koniec mojego życia. Muszę czuć każdą chwilę.

Joseph podniósł ją szybko.

Ali Mevlevi stał na drugim końcu basenu z głową zwróconą do nieba, a z jego ust płynęły słowa cichej modlitwy. Przerwał i spojrzał na Josepha. Skinął głową i wznowił modlitwę. Naprawdę ją kochał.

Lina próbowała wyrwać się z pęt. Jęczała w poczuciu bezsilności.

Joseph szepnął dziewczynie do ucha, że Allah będzie wiecznie ją kochał. Zaniósł ją na wąską kładkę, która łączyła brzegi basenu, a potem podniósł najwyżej jak mógł i wrzucił do basenu. Krzyk Liny zmieszał się z pluskiem wody. Gdy już znikła pod powierzchnią, echo jeszcze przez kilka sekund niosło jej głos.

Na zewnątrz na głównym trawniku posiadłości stał helikopter bell jet ranger z włączonym silnikiem i obracającym się śmigłem. Niebo było pochmurne. Padał drobny deszcz.

Mevlevi i Joseph podeszli do śmigłowca. Melevi położył rękę na ramieniu ochroniarza.

– Lina naraziła Chamsin. Rozumiesz, że nie było innego wyjścia.

– Oczywiście, Al-Mevlevi.

– Zamieniam się w sentymentalnego głupca. Współczułem jej. W moim wieku trudniej jest żyć bez uczuć. – Przerwał i w rzadkim wybuchu gniewu przeklął Wszechmogącego. – Nasze cele są jasne. Chamsin musi dojść do skutku. Wylatujesz natychmiast, żeby zająć się najnowszym transportem. Dostaniesz się na frachtowiec płynący po Adriatyku niedaleko Brindisi u włoskich wybrzeży.

– Mogę zabrać swoje rzeczy?

– Obawiam się, że nie. Nie ma czasu.

Joseph zaprotestował, po raz pierwszy.

– To mi zajmie tylko parę minut.

– Wylatujesz w tej chwili – rozkazał Mevlevi. – Weź tę torbę. Znajdziesz w niej paszport, trochę ubrań i pięć tysięcy dolarów. Kiedy już dotrzesz bezpiecznie na pokład, skontaktuję się z tobą i podam dalsze instrukcje. Zyski z tej transakcji mają decydujące znaczenie. Czy to jasne?

– Tak, Al-Mevlevi.

– Doskonale. – Mevlevi chciał powiedzieć Josephowi więcej. Chciał mu powiedzieć, że za dwa dni jego ludzie ruszą na południe w stronę izraelskiej granicy; że zostaną podzieleni na dwie grupy, każda po trzystu żołnierzy; że będą się poruszać pod osłoną nocy między drugą a szóstą, kiedy amerykańskie satelity nie mają w swym zasięgu południowego Libanu. A przede wszystkim chciał powiedzieć Josephowi, że bez zysków z tej transakcji i dużo większych sum, które staną się dzięki nim natychmiast dostępne, Chamsin z pewnością upadnie – zamieni się w jeszcze jeden próżny i ostatecznie samobójczy graniczny najazd. Ale niestety, ciężar tej wiedzy musiał znosić samotnie.

– Ludzie, którzy spotkają się z tobą w Brindisi...

– Tak?

– Nie wiem, czy są godni zaufania. Mogli ich zwerbować Makdisi. Zachowaj ostrożność. Nasz transport musi dotrzeć do Zurychu jak najszybciej. Gdy towar zostanie wyładowany, nie dopuść do żadnych opóźnień.

Joseph sięgnął po torbę, ale Mevlevi nie puszczał jej. Patrzył słudze głęboko w oczy.

– Ty mnie nie zdradzisz.

Joseph wyprostował się.

– Nigdy, Al-Mevlevi. Jestem pańskim sługą. Ma pan moje słowo.

Rozdział 37

Marco Cerruti usiadł na łóżku. Oddychał szybko i płytko. Cały był zlany potem. Otworzył szeroko oczy i powoli zaczął rozpoznawać swój pokój. Cienie czające się w ciemności nabrały kształtu. Zjawy schroniły się za ciężkimi zasłonami i antycznymi komodami.

Cerruti wyplątał się z kołdry i włączył lampkę przy łóżku. Z fotografii na szafce nocnej wpatrywała się w niego matka w swoim ukochanym fotelu. Położył zdjęcie płasko na szafce i wstał z łóżka. Musiał się napić wody. Zimne płytki na podłodze łazienki przyprawiły go o dreszcz, który ulżył nieco jego nerwom. Wypił dwie szklanki wody i zdecydował się na obchód mieszkania. Lepiej się upewnić, czy wszystkie okna i drzwi windy są dobrze zamknięte. Gdy wszystko sprawdził, wrócił do łóżka. Poprawił pościel, zapiął pod szyją wełnianą piżamę i wsunął się pod kołdrę. Sięgnął do lampy, ale jego ręka znieruchomiała w połowie drogi. Przypomniał sobie koszmar. Może rozsądniej będzie zostawić zapalone światło.

Położył głowę na poduszce i wbił wzrok w sufit. Ten sen nie nawiedzał go od kilku tygodni. Wracał do zdrowia. Nie musiał już bać się nocy. Powrót do pracy nie był wykluczony. I wtedy pojawił się Thorne.

Amerykanin przerażał go. Zadawał tyle pytań. O pana Mevleviego, o prezesa, a nawet o młodego Neumanna, którego widział tylko raz. Cerruti przyjął go grzecznie, jak wszystkich swoich gości. Poczęstował coca-colą i ciasteczkami. Z uszanowaniem odpowiadał na jego pytania. Oczywiście kłamał. Ale robił to dyplomatycznie i z zachowaniem zimnej krwi – taką przynajmniej miał nadzieję. Nie, zapewniał, nie znam człowieka, który nazywa się Ali Mevlevi. Nie, nie znam klienta banku o przydomku Pasza. Dostawca heroiny na kontynent europejski? Bank nie współpracuje z takimi ludźmi.

– Ma pan moralny obowiązek pomagać nam w dochodzeniu – twierdził Thorne. – Nie jest pan tylko pracownikiem banku. Jeśli nadal będzie pan milczał, stanie się pan współpracownikiem Mevleviego, przestępcą tak jak on. Nie spocznę, dopóki go nie powstrzymam. A kiedy już będzie siedział w czarnej dziurze kilka metrów pod ziemią, dobiorę się do pana. Może pan na mnie liczyć.

Cerruti podniósł fotografię matki z szafki i przysunął ją do oczu. Mama Cerruti. Ostatnie zdjęcie, zanim upadła w wannie i uszkodziła oba stawy biodrowe. Spiralne pęknięcia okazały się trudne do wyleczenia. Trzy miesiące później już nie żyła. Chciał ją zapytać, czy ten potwór też może się do niego dobrać. Wpatrywała się w niego wytrzeszczonymi od niedoboru jodu oczami. Nawet na zdjęciu wyglądała jak łysiejący tyran, jakby rzucała fotografowi wyzwanie. Na głowie sterczały przerzedzone czarne włosy, a pod potężną szczęką zwisała cała seria podbródków. Wole dopiero zaczęło być widoczne. Boże, jak on jej nienawidził.

– Tylko bez wymówek! – ryknął Thorne. – Nie ma pan wyboru, musi pan nam pomóc powstrzymać Paszę. – Nawet Amerykanin używał tego przydomka. Dziwne, że tak bardzo przejmował się uczestnictwem Mevleviego w handlu heroiną. Nie wiedział nic o broni? Cerruti był majorem w armii szwajcarskiej – oczywiście w służbach wywiadowczych – ale znał się na standardowym uzbrojeniu batalionu lekkiej piechoty. Nie spodziewał się, że osoba prywatna może zgromadzić takie zapasy broni i amunicji, prawdziwą górę materiałów. Widział ją ledwie dwa miesiące temu w posiadłości Paszy: skrzynki karabinów maszynowych, amunicji, pistoletów, granatów – przeciwpiechotnych i zapalających. A to tylko drobnica. Widział też kilka rakiet ziemia-powietrze Stinger, trzy działa przeciwpancerne i co najmniej tuzin moździerzy, niektóre tak duże, że mogły wystrzelić pocisk na pięć kilometrów. Wystarczyłoby, stwierdził Cerruti, na małą wojnę.

Wspomnienia ostatniej wizyty w posiadłości Alego Mevleviego u stóp wzgórz pod Bejrutem nieuchronnie doprowadziły do zaburzeń nerwowych. Basen Sulejmana.

Nigdy w życiu nie widział czegoś równie potwornego. Skrzywił się na wspomnienie zapachu: odoru setki chemicznych laboratoriów. Zamknął oczy, żeby nie widzieć bladych ciał pływających w basenie. Zasłonił uszy przed tym dźwiękiem. Pan Mevlevi wył ze śmiechu, kiedy biedny Marco mdlał.

Cerruti znowu usiadł w łóżku. Może Thorne miał rację? Może Mevlevi ego trzeba powstrzymać? Broń, basen, a według DEA również heroina. Czego jeszcze potrzeba, żeby uznać kogoś za złoczyńcę? Spojrzał na matkę, szukając u niej rady. Była mistrzynią moralizatorstwa. Albo Bóg, albo szatan – wybieraj.

Podciągnął kołdrę pod brodę, gdy koszmar wrócił. Czarna woda. Demony majaczące tuż poza zasięgiem jego wzroku. Nie mógł zasnąć, wiedząc, że czeka na niego ten sen. Kołysał się lekko i mamrotał pod nosem „basen Sulejmana". Powtarzał te słowa jak mantrę. Basen Sulejmana. W szwajcarskim prawie istniał przepis regulujący tego typu sytuację. Choć wykorzystywano go rzadko, Cerruti wiedział, że nikt bardziej niż Ali Mevlevi nie zasługuje na miano „klienta, którego działalność wzbudza w pracowniku podejrzenia o nielegalne praktyki".

Zrobił kilka głębokich wdechów. Jutro rano zadzwoni do pana Thorne'a i pokaże mu schowane w biurku papiery. Dostarczy mu dowodów o rachunkach Paszy w United Swiss Bank i potwierdzenia przelewów dokonywanych dwa razy w tygodniu. Pomoże międzynarodowym organizacjom w wymierzeniu sprawiedliwości temu łajdakowi Mevleviemu.

– Nie, panie Thorne, nie jestem przestępcą – powiedział głośno i ciszej dodał: – Nie chcę iść do więzienia.

Usiadł prosto, dumny z podjętej decyzji. Powoli jednak tracił pewność. Nie może podjąć sam tak ważnej decyzji. Musi sprawę przedyskutować. Ale z kim? Nie miał krewnych, przynajmniej nikogo, kto zrozumiałby tak złożone problemy. Przyjaciele? Żadnych. Koledzy? Wolał nie.

Cerruti leżał w łóżku i rozmyślał. Wreszcie uznał, że może o tym porozmawiać tylko z jedną osobą. Z człowiekiem, który już wiele razy pomagał mu podejmować ważne decyzje. Tylko on może pomóc pozbyć się koszmaru. Koszmaru Paszy.

Po raz drugi w ciągu kwadransa Cerruti odrzucił kołdrę i wstał z łóżka. Podreptał do łazienki po aksamitny szlafrok, a potem przeszedł przez mieszkanie, włączając po drodze wszystkie światła. Zatrzymał się w swoim gabinecie i usiadł za biurkiem. Otworzył szufladę, wyjął z niej szary notes i położył go obok aparatu. Ręka mu się trzęsła tylko trochę, gdy znalazł odpowiednią stronę i odszukał numer. Choć w mieszkaniu było ciepło, zaczął drżeć. Pierwszy numer na tej stronie wykręcał setki razy podczas swej długiej kariery, ale drugiego jeszcze nigdy. „Do najpilniejszych spraw, Marco, przypomniał sobie tubalny baryton. Dla najbliższych przyjaciół w najtrudniejszych sytuacjach".

Zastanawiał się, czy to najpilniejsza sprawa i najtrudniejsza sytuacja. Kiedy po kilku minutach stwierdził, że nie potrafi powstrzymać potoku łez, znał już odpowiedź.

Była pierwsza trzydzieści siedem w nocy, gdy podniósł słuchawkę i wybrał numer swego wybawcy.

Wolfgang Kaiser podniósł słuchawkę po drugim dzwonku.

– Co jest? – zapytał, nie podnosząc głowy z poduszki i nie otwierając oczu. Odpowiedział mu ciągły sygnał w słuchawce. Po chwili zadzwonił drugi telefon.

Kaiser odrzucił kołdrę i postawił stopy na podłodze. Czarny aparat stał na wysuwanej półce. Zdążył zadzwonić jeszcze raz, zanim Kaiser podniósł słuchawkę.

– Kaiser – powiedział burkliwym tonem.

– Aktywizacja – zabrzmiał rozkaz.

Przycisnął przezroczystą kostkę u podstawy specjalnego telefonu, aktywizując system zakłócający Motorola Viscom III. W słuchawce zatrzeszczało. Na linii dało się słyszeć szum. Po chwili połączenie odzyskało poprzednią czystość.

– Kaiser. – Tym razem jego głos był spokojny, ugrzeczniony.

– Przyjeżdżam za dwa dni – powiedział Ali Mevlevi. – Przygotuj wszystko jak zwykle. Jedenasta rano na lotnisku w Zurychu.

Kaiser oparł słuchawkę o lewy bark i zasłonił jej dolną część prawą ręką.

– Zmiataj – syknął w stronę wybrzuszenia po drugiej stronie łóżka. – Idź do łazienki, zamknij drzwi i puść wodę do wanny. W tej chwili! – Odsłonił słuchawkę. – Jedenasta – powtórzył. – Niestety, nie będę mógł przywitać cię osobiście.

– Nie przyszłoby mi do głowy, żeby przeszkadzać tak wpływowemu człowiekowi. Mam nadzieję, że teraz też niczego nie przerywam. – Chrapliwy śmiech.

Kaiser przycisnął słuchawkę do piersi i warknął do leżącej na łóżku postaci.

– Pospiesz się. *Raus*!

Kobieta wstała i naga poszła do łazienki. Odprowadził ją wzrokiem. Minęło tyle czasu, a jemu wciąż podobały się jej krągłe kształty. Kobieta zamknęła drzwi ani razu nie oglądając się za siebie.

– Ali, to szaleństwo, żeby teraz przyjeżdżać do Zurychu – rzekł Kaiser. – Thorne i jego zespół na pewno będą obserwować bank.

– Thorne'a łatwo można się pozbyć. Chyba nie sądzisz, że może być groźny?

– Ten człowiek jest agentem rządu Stanów Zjednoczonych. Kiedy indziej moglibyśmy go przepędzić. Ale teraz? – Kaiser westchnął. – Przecież doskonale się orientujesz, w jakiej jesteśmy sytuacji.

– Nie szkodzi. Trzeba go zneutralizować.

– Nie chcesz chyba powiedzieć…

– Zaczynamy być wrażliwi? – zadrwił Mevlevi. – Nie trać cech, które kiedyś w tobie podziwiałem. Bezwzględność. Nieustępliwość. Brak skrupułów. Byłeś niezrównany.

Kaiser chciał powiedzieć, że nie stracił tych cech. Ale taka reakcja zostałaby odczytana jako obrona, a co za tym idzie – jako słabość. Więc nic nie powiedział.

– Uwolnij mnie od tego faceta – polecił Mevlevi. – Nie obchodzi mnie, jak to zrobisz. Jeśli wolisz bardziej delikatne metody, niech i tak będzie. Ale pamiętaj, jesteś za niego odpowiedzialny.

Kaiser wyobraził sobie Paszę, jak siedzi w swoim gabinecie o piątej nad ranem, pali obrzydliwe tureckie papierosy i duma nad przyszłością.

– Zrozumiałem. A co do twego przyjazdu, wyślę Armina Schweitzera, niech odbierze cię z lotniska.

– Nie. Przyślij Neumanna. Chcę poznać młodego gniewnego. Wiedziałeś, że spotyka się z Thorne'em? A raczej Thorne spotyka się z nim. Jeszcze nie wiem, co mam o tym myśleć.

– Widywał się z Thorne'em? – zapytał Kaiser, nie kryjąc zaskoczenia.

– Z moich wyliczeń wynika, że trzy razy. Ale opiera się. Nie ma się czym martwić. Przynajmniej na razie. Przyślij Neumanna. Chcę, żeby był jednym z nas.

– Potrzebuję go – powiedział stanowczo Kaiser. – Oby tylko nie stało mu się coś złego.

– O tym ja zadecyduję. Musisz mieć mnóstwo innych ogierów w swoich stajniach.

– Powiedziałem, że Neumann jest mi potrzebny. Odgrywa kluczową rolę w próbach zdobycia poparcia niezdecydowanych akcjonariuszy.

Mevlevi odkaszlnął.

– Powtarzam, o tym ja zadecyduję – powiedział od niechcenia.

Kaiser się zdenerwował.

– Czasem sprawiasz takie wrażenie, jakby działania Adler Bank cieszyły cię.

– Bądź spokojny, martwię się. Niech to będzie dowód mojego szacunku dla naszej długiej znajomości. – Mevlevi odchrząknął. – Jakieś inne wiadomości? – zapytał.

Kaiser przetarł oczy. Skąd on wie? W jaki sposób dowiedział się tak szybko, w ciągu zaledwie kilku minut?

– Mamy problem. Cerruti się załamał. Porządnie go nastraszyłeś. Zdaje się, że naciska go Thorne.

– Cerruti jest słaby – powiedział Mevlevi.

– To prawda. Ale i godny zaufania. Całe życie poświęcił bankowi.

– A teraz? Chce oczyścić sumienie? Stara się o rozgrzeszenie z rąk amerykańskiej Agencji do Walki z Narkotykami?

– Może by tak wysłać biedaka na Kanary – zaproponował Kaiser. – Mam tam mieszkanie. Wystarczająco daleko, a służba będzie miała go na oku.

– Chwilowe rozwiązanie długotrwałego problemu. To do ciebie niepodobne, przyjacielu.

Kaiser spojrzał w stronę łazienki, słysząc stłumiony plusk wody lecącej do wanny. Co ona pomyślałaby o tym wszystkim, gdyby tylko wiedziała? Czy po tylu latach razem zdziwiłaby się, że jest związany z kimś innym?

– Jaka jest pozycja tego bankowego renegata? – zapytał Mevlevi.

– Silna. Adler Bank ma nieograniczone zasoby gotówki. Każdy otrzymany dolar idzie na kupno akcji USB. Zastanawiałeś się nad moją propozycją?

– Dwieście milionów franków szwajcarskich to chyba coś więcej niż „propozycja".

– Pożyczka. Spłacimy całą sumę w dziewięćdziesiąt dni. Odsetki czterdzieści procent rocznie. Dziesięcioprocentowy wzrost nakładu w trzy miesiące.

– Przecież nie jestem Rezerwą Federalną.

Kaiser miał trudności z utrzymaniem obojętnego tonu.

– Pokonanie Adler Bank jest sprawą zasadniczą.

– Dlaczego? – zapytał wesoło Mevlevi. – Czy w świecie finansów nie jest to naturalna kolej rzeczy? Porwać i pożreć? Wcale nie jest bardziej cywilizowany od mojego.

Kaiser wybuchł, a w jego głosie drżało napięcie ostatnich dni.

– Tu chodzi o dorobek całego mojego życia, do cholery.

– Uspokój się – rozkazał Mevlevi. – Rozumiem twoje położenie, Wolfgang. Zawsze je rozumiałem, prawda? Posłuchaj mnie uważnie, a jestem pewien, że znajdziemy wyjście korzystne dla wszystkich stron. – Zniżył głos. – Jeśli chcesz, żebym udzielił ci tymczasowego kredytu w wysokości dwustu milionów franków, zajmiesz się panem Cerrutim przed moim przyjazdem. Rozwiązanie trwałe. Opracujesz również plan, jak uwolnić mnie od Thorne'a. Zrozumiałeś?

Kaiser zacisnął powieki. Przełknął z trudem ślinę.

– Tak.

– To dobrze. – Mevlevi roześmiał się, znów pełen niewinności i radości. – Wyświadcz mi te drobne przysługi, a porozmawiamy o pożyczce, kiedy przyjadę. I nie zapomnij o Neumannie. Spodziewam się go na lotnisku.

Chryste, jak łatwo jest przyjmować rozkazy, kiedy człowiek się do tego przyzwyczai, pomyślał Kaiser.

– Tak, oczywiście – rzekł głośno.

– Dobranoc, przyjacielu. Możesz pozwolić swojej towarzyszce, żeby do ciebie dołączyła. Śpij dobrze.

Rozdział 38

Nick zaplanował swoją wycieczkę na dziesiątą. Była to bowiem pora największego porannego ruchu. Sekretarki biegały od biura do biura z misjami wątpliwej wagi. Praktykanci wracali tłumnie na swoje stanowiska po piętnastominutowej przerwie. Dyrektorzy spiskowali na słabo oświetlonych korytarzach. Bank tętnił aktywnością i Nick postanowił to wykorzystać.

Wyszedł z gabinetu, minął sekretariat prezesa i dotarł korytarzem do drzwi na wewnętrzne schody. Otworzył je pewnym ruchem. Schodził na dół z pochyloną głową, przytrzymując się zewnętrznej ściany. Minęło go parę osób, ale nie zauważał ich. Jego tam nie było. Przynajmniej oficjalnie.

Zwolnił tempo, zbliżając się do podestu na pierwszym piętrze. Zatrzymał się przy nieoznaczonych żelaznych drzwiach i przez chwilę oddychał głęboko, zbierając siły przed czekającym go zadaniem. Kiedy był gotowy, wcisnął głowę w ramiona, spuścił wzrok i pociągnął za ciężkie drzwi. Wyszedł na korytarz i ruszył do celu. Jego kroki odbijały się echem od ścian. Liczby na metalowych tabliczkach przy drzwiach malały. Minął szereg nieoznaczonych wejść i już był na miejscu. Pokój 103. Dokumentation Zentrale.

Otworzył drzwi i wszedł do środka. Biuro było pełne ludzi. Dwie równe kolejki utworzyły się przed kontuarem, za którym stał przygarbiony staruszek z burzą siwych włosów na głowie. Słynny Karl, strażnik DZ.

Karl pracował bardzo sprawnie. Petent wręczał mu komputerowy wydruk zamówienia, a on przekazywał formularz jednej z siedzących za nim sześciu sekretarek, która weryfikowała prośbę. Najpierw sprawdzała, czy akta są dostępne. Potwierdziwszy to, kładła oryginalny formularz na tackę przed archiwum. Anonimowy praktykant przechodził obok tacki i zbierał jej zawartość. Kilka minut później składał dokumenty, które zamówiono, na innej tacce, bezpośrednio za Karlem. Karl zgarniał łupy i wzywał petenta. Najpierw porównywał zamówienie z dostarczonymi aktami, a potem sprawdzał, czy tożsamość petenta zgadza się z danymi wpisanymi na formularzu zamówienia. Dopiero wtedy wydawał dokumenty.

Czekając w kolejce, Nick myślał o ojcu pracującym w tym samym biurze czterdzieści lat temu. Miejsce sprawiało wrażenie, jakby nie zmieniło się ani na jotę. Za kontuarem ustawiono w dwóch bliźniaczych kolumnach po cztery metalowe biurka, rocznik sprzed wojny. Zdarte linoleum na podłodze łuszczyło się przy ścianach i pod kaloryferami. Może tylko oświetlenie się poprawiło – jeśli lampy jarzeniowe można uznać za poprawę. W pomieszczeniu unosił się zapach stęchlizny. Nick był pewien, że tak samo śmierdziało w 1956 roku, kiedy Alex Neumann rozpoczynał tu swoją karierę. Wyobraził sobie ojca, jak zbiera formularze zamówień i przeszukuje sterty papierzysk w poszukiwaniu jednego lub dwóch dokumentów. Spędził tu dwa lata, pracując dla Karla. Dwa lata w tej dziurze. Pierwszy etap jego edukacji. Pierwszy szczebel drabiny.

Kobieta przed Nickiem odebrała zamówione dokumenty i ruszyła do wyjścia. Nick zrobił krok do przodu i podał Karlowi zamówienie. Wpatrując się w staruszka, zaczął odliczać od dziesięciu do jednego, jakby czekał na eksplozję.

– Nie słyszałem słowa „proszę" – warknął Karl, nakładając na nos dwuogniskowe okulary zawieszone na łańcuszku.

– Proszę – powiedział Nick. Siedem, sześć, pięć...

Karl przysunął zamówienie bliżej oczu. Pociągnął nosem.

Cztery, trzy, dwa...

Rzucił formularz na kontuar jak bezwartościową walutę.

– Młody człowieku – fuknął – na tym zamówieniu nie ma danych osobowych. Nie wiadomo, kto zamawia. Nie ma danych, nie ma dokumentów. Przykro mi.

Nick już wcześniej przygotował wyjaśnienie. Zerknął przez ramię, pochylił się nad kontuarem i szepnął:

– Te zamówienia zostały sporządzone przez nowy system komputerowy. Nie został jeszcze wszędzie wprowadzony. Działa tylko na czwartym piętrze. Na pewno słyszał pan o nim. System Meduza.

Karl wbił wzrok w kartkę i zmarszczył krzaczaste brwi. Nie wyglądał na przekonanego.

– Nie ma danych, nie ma dokumentów. Przykro mi – powtórzył.

Nick podetknął mu formularz pod oczy. Czas podnieść stawkę.

– Jeśli ma pan jakiś problem, proszę natychmiast zadzwonić do Herr Kaisera. Właśnie od niego wyszedłem. Jego numer wewnętrzny to...

– Znam jego numer wewnętrzny – oświadczył strażnik archiwum. – Nie ma danych, nie ma dokumentów. Tak mi...

– ...przykro – dokończył Nick. Spodziewał się takiego uporu. Znał kilku starszych sierżantów, przy których Karl prezentował się bardzo niewinnie. Drogą prób i błędów zorientował się, że jedynym sposobem namówienia ich do obejścia uświęconej procedury była technika nazywana przez niego „uderz i przytul”. Dyskretna, lecz zdecydowana forma groźby, a następnie okazanie szacunku dla ich pozycji i ogromna wdzięczność za przysługę, którą mieli wyświadczyć. Skutkowało najwyżej w połowie przypadków.

– Proszę mnie uważnie posłuchać – zaczął Nick. – Zdaje pan sobie sprawę, co się tam na górze dzieje? Pracujemy dzień i noc, żeby obronić nasz bank przed człowiekiem z tej samej ulicy, który ma zamiar nas wykupić. Wie pan, co się stanie, jeśli nas wchłonie?

Karl najwyraźniej się tym nie przejmował.

– Nie będzie już żadnych papierków. Wszystkie dokumenty zostaną zeskanowane i zapisane na dysku komputera. Wywiozą pańskie cenne papiery, wszystko razem – Nick wykonał zamaszysty ruch ręką, obejmując nim całe pomieszczenie – i zmagazynują je w Ebmatingen. Już nigdy ich nie zobaczymy. Jeśli będę chciał obejrzeć jakiś dokument, usiądę przy swoim biurku na czwartym piętrze i wyświetlę sobie na monitorze.

Uderzenie wykonane. Nick przyglądał się uważnie Karlowi, sprawdzając, jak staruszek przyjmuje te informacje. Nie minęło dużo czasu, a zrzedła mu mina.

– A co ze mną?

Mam cię, pomyślał Nick.

– Jestem pewien, że Klaus Konig znajdzie jakąś posadę dla pana. O ile, rzecz jasna, ceni sobie doświadczenie i lojalność, tak jak Herr Kaiser. A wszystko to zniknie. – I teraz przytulić. – Przepraszam, że nie wpisałem danych tak jak trzeba, ale Herr Kaiser czeka na informacje z tych dokumentów. Wiem, że będzie bardzo wdzięczny za pańską pomoc.

Karl wygładził formularz zlecenia i wziął do ręki długopis.

– Pański trzyliterowy symbol identyfikacyjny?

– S... P... R – powiedział Nick, wymawiając każdą literę, jakby była osobnym słowem. Jeśli dojdzie kiedyś do dochodzenia, symbol Petera Sprechera da mu dwie, może trzy godziny. Może tyle wystarczy, żeby się ulotnić z banku? A może nie. W każdym razie nie mógł zostawić po sobie śladów.

Karl wpisał trzy litery do formularza.

– Poproszę dokument tożsamości.

– Naturalnie. – Uśmiechając się, Nick sięgnął za pazuchę. Jego uśmiech zamienił się w zdziwienie, a potem w konsternację. Przeszukał spodnie i znowu marynarkę. Zmarszczył przepraszająco brwi, zły i zarazem skruszony. – Zdaje się, że zostawiłem dokumenty na górze. Proszę znaleźć dla mnie tę teczkę, a ja pobiegnę po nie.

Zawahał się przez chwilę, odwrócił się i ruszył do drzwi. Przez cały czas energicznie kręcił głową, jakby łajał się za zapominalstwo.

– Nie, nie – rzekł Karl. – Proszę zostać. Akta posiadaczy kont numerowanych i tak nie mogą opuścić tego pokoju. Proszę usiąść i poczekać, a ja będę miał na pana oko. Dla prezesa zrobię wyjątek. – Spojrzał na mały stolik z dwoma krzesłami po obu stronach. – O tam. Proszę usiąść. Zawołam pana, kiedy teczka będzie do odbioru.

Nick wykonał polecenie. Podszedł posłusznie do stolika, wciąż kręcąc głową z powodu swojego roztrzepania. Prawdopodobnie przesadzał.

Ruch w archiwum zwiększył się. W kolejce czekało osiem lub dziewięć osób. Mimo to panowała tu całkowita cisza. „Myszy kościelne", mawiał Nick do plutonu piechoty, kiedy cisza była wymogiem operacyjnym. Spokój burzył tylko szelest kartek i pokasływanie jednej z sekretarek.

– Herr Sprecher?

Nick skoczył na nogi, obawiając się cały czas, że ktoś mógłby go rozpoznać. Rozejrzał się po pokoju. Nikt nie przyglądał mu się podejrzliwie.

Karl trzymał w rękach teczkę w kolorze sepii.

– Oto pańskie akta. Nie wolno z nich nic zabierać. Nie wolno zostawiać ich bez nadzoru, nawet jeśli musi pan wyjść do toalety. Kiedy pan skończy, proszę odnieść je bezpośrednio do mnie. Czy to jasne?

Nick skinął głową, wziął teczkę od Karla i ruszył z powrotem do stolika.

– Herr Sprecher? – zapytał niepewnie Karl. – Tak się pan nazywa?

Nick odwrócił się.

– Tak – potwierdził z przekonaniem, czekając, aż ktoś nazwie go oszustem.

– Przypomina mi pan chłopaka, którego znałem dawno temu. Pracował ze mną. Ale nie nazywał się Sprecher. – Karl wzruszył ramionami i wrócił do pracy.

Teczka była gruba jak studencki podręcznik i dwa razy cięższa. Nick odwrócił ją, żeby spojrzeć na grzbiet. Czarnymi literami wydrukowano symbol 549.617 RR. Odprężył się i otworzył teczkę. Z lewej strony podczepiono listę z nazwiskami pracowników banku, którzy wcześniej ją zamawiali. W dziesięciu lub jedenastu linijkach wpisano nazwisko Cerrutiego i tylko raz Petera Sprechera. Nazwisko Becker pojawiło się sześć razy w ciągu pół roku. Potem znowu Cerruti, a przed nim coś nieczytelnego. Następna strona, zamówienia z połowy lat osiemdziesiątych. Kolejna strona, kolejne nazwiska. I jeszcze dalej. W końcu na górze pierwszej strony podpis, który dobrze znał. Data: 1980. Przesunął długopisem po zamaszystych zawijasach podpisu. Wolfgang Kaiser. Kolejny punkt dla Sterlinga Thorne'a, pomyślał Nick. Niepodważalny dowód, że prezes zna Alego Mevleviego.

Zwrócił uwagę na szary folder z napisem „korespondencja klienta", który leżał luzem z prawej strony. Zawierał plik nieodebranej korespondencji: oficjalne potwierdzenia każdej transakcji dokonanej na rzecz Paszy. W przypadku kont numerowanych całą korespondencję przechowywano w banku do czasu, gdy posiadacz rachunku zechciał ją przejrzeć. Plik nie był gruby. Marco Cerruti musiał dostarczyć sporą partię podczas ostatniej wizyty. Nick doliczył się około trzydziestu kopert. Większość zawierała potwierdzenie przelewu, a dwie – miesięczne wyciągi, w tym ostatni, lutowy, z wczorajszą datą.

Zamknął folder i odłożył go na listę z podpisami. Do okładki teczki podczepiono plik potwierdzeń gruby na cztery palce. Były to kopie wszystkich potwierdzeń wysłanych do właściciela rachunku 549.617 RR. Potwierdzenia wszystkich operacji od otwarcia konta. Pod spodem znalazł kopie siedmiu list z nazwami banków i numerami rachunków, na które miały być przelewane fundusze Paszy. Dla Sterlinga Thorne'a listy te byłyby cenniejsze niż jakakolwiek mapa prowadząca do skarbu, bardziej obciążające niż jakakolwiek spowiedź. Dzięki nim mógłby prześledzić przepływ środków z USB do kilkudziesięciu banków na całym świecie. Z pewnością byłby to tylko pierwszy krok na drodze, która bez wątpienia okazałaby się okrężna. Ale byłby to pierwszy krok i jako taki – najważniejszy.

Nick przestudiował przelewy z ostatnich trzech miesięcy poprzedniego roku. Kopiowanie wszelkich informacji z tych teczek było zabronione. Próbował zapamiętać sumy wpływające w każdy poniedziałek i czwartek. Podsumowywał dolarową wartość transakcji z danego tygodnia i wpisywał do kolumny w swojej głowie. Kiedy doszedł do października, pamięć go zawiodła. Zupełnie jakby zgasł ekran, nastąpiło chwilowe krótkie spięcie. Zaczął od początku, odczytując w odwrotnej kolejności przelewy dokonane od trzydziestego pierwszego grudnia do trzydziestego września i sumując tygodniowe dane. Trzynaście liczb zapamiętał. W myślach przejrzał całą kolumnę, sumując ośmiocyfrowe liczby. Skończył i zapamiętał wynik. W ciągu trzech miesięcy przez konto Paszy przewinęło się sześćset siedemdziesiąt osiem milionów dolarów.

Podniósł głowę i zauważył, że Karl bezpardonowo wpatruje się w niego. „Kim ty naprawdę jesteś? – zdawał się pytać.

Nick wrócił do przeglądania zawartości teczki. Przyszedł tu, żeby wykraść nieodebrane potwierdzenia operacji. Były to dowody, że klient narusza wyznaczone przez DEA przepisy dotyczące prania brudnych pieniędzy. I że USB świadomie ułatwia mu tego typu wykroczenia. W kieszeni miał dwanaście kopert identycznych z tymi, które mieściły się w teczce. Na każdej wydrukował numer konta Paszy i włożył do środka czystą kartkę papieru. Nie odwracając wzroku od teczki, wyjął z kieszeni fałszywe potwierdzenia i wcisnął je pod udo. Teraz musiał poczekać, aż ktoś wejdzie i odwróci uwagę Karla.

Zerknął na zegarek. Była dziesiąta trzydzieści pięć. Powinien siedzieć teraz przy biurku i wyprzedawać akcje. Feller pewnie już zauważył jego nieobecność. Ten mały zelota zapisywał wartość akcji sprzedanych przez Nicka, w związku z czym wydzwaniał do niego co piętnaście minut. Dziś rano Nick sporządził polecenia sprzedaży akcji wartości ponad ośmiu milionów dolarów i wydał polecenia kupna podobnej ilości akcji USB. Plan Maedera był realizowany bez zakłóceń.

Czas mijał wolno. Archiwum jeszcze dziesięć minut wcześniej pełne petentów, teraz było puste. Gdzie, do diabła, wszyscy się podziali? Nie mógł czekać w nieskończoność. Zerknął ukradkiem na Karla. Stary bałwan wciąż się na niego gapił.

Kilka minut później drzwi skrzypnęły, uchyliły się i zamknęły. Fałszywy alarm. Nick odetchnął niespokojnie. Jeszcze tego brakowało, żeby Feller zaczął go szukać. Musiał wracać na czwarte piętro. Podniósł rękę ze stołu i zauważył, że zostawił wilgotny ślad. Wytarł dłoń o szew spodni.

O jedenastej pięć do archiwum wszedł ciemnowłosy mężczyzna. Nick odczekał, aż dojdzie do kontuaru, policzył do trzech i wyjął z teczki Paszy potwierdzenia operacji. Starając się nie podnosić głowy, wsunął listy między nogi. Prawą ręką wyciągnął kilkanaście fałszywych potwierdzeń spod uda i włożył je do teczki. Potem jednym szybkim ruchem schował skradzione listy do kieszeni. Jedna koperta wciąż wystawała. Nick próbował ją wcisnąć. Udało mu się dopiero za czwartym razem.

Czekał, aż zawyje alarm. Karl musiał przecież coś zauważyć. A jeśli nie on, to jedna z jego sekretarek. Nic się nie stało. Zerknął w stronę kontuaru i zobaczył, że Karl patrzy prosto na niego. Jakim cudem ten stary dziwak nie zauważył tak bezczelnej grabieży?

Nick uporządkował dokumenty w teczce Paszy. Podchodząc do kontuaru, zauważył, że sekretarki siedzące za Karlem śmieją się. Przeniósł wzrok na strażnika Dokumentation Zentrale. Karl pochylał się nad kontuarem z brodą opartą na dłoni. Okulary tkwiły na samym końcu nosa. Miał zamknięte oczy.

Karl drzemał, pochrapując.

Nick wyszedł z biura punktualnie o siódmej. Szybkim krokiem zbliżał się do Paradeplatz, mając nadzieję, że złapie następny tramwaj. Padał drobny śnieg, dzięki któremu tego wieczora Zurych był najpiękniejszym miastem na świecie. Nick szedł raźnym krokiem, skrzydeł dodawał mu wytyczony cel. Nie czuł się tak umotywowany od pierwszego dnia pracy w banku. Minął przystanek, z którego dostałby się do ponurego mieszkania w Personnelhaus USB. Przeciął plac i w ostatniej chwili zdążył na jadącą w przeciwnym kierunku dwójkę.

Wybrał miejsce przy drzwiach i usiadł. Powtarzał w myślach adres Sylvii, gdy tramwaj toczył się po Universitätstrasse. Miał nadzieję, że zastanie ją w domu i że nie będzie miała nic przeciwko tej niezapowiedzianej wizycie. Wcześniej próbował się do niej dodzwonić, ale jej asystent poinformował go, że doktor Schon nie będzie w pracy cały dzień. Ogarnęła go fala zadowolenia i uśmiechnął się. Nie wiedział, dlaczego czuje się tak rozradowany. Częściowo dlatego, że powiodła mu się mała kradzież; może też dlatego, że dotrzymywał słowa i stawiał konkretne kroki na drodze do rehabilitacji ojca. Cokolwiek było powodem, czuł, że rozpiera go życiowa energia. Jak powiedziałby jego ojciec: ikra i wigor. Musiał zobaczyć się z Sylvią. Musiał zobaczyć się z kimś, kto rozumie obcy świat, do którego się sprowadził.

Dotarł na szczyt Frohburgstrasse dwadzieścia minut później. Spojrzał na mieszkanie Sylvii. W oknie paliło się światło. O mało nie puścił się biegiem, żeby pokonać krótki dystans dzielący go od drzwi. Jeszcze dwa tygodnie temu nie wiedział, co mu się w niej podoba. Teraz już tak. Kontrolowała swoje życie bardziej niż on. Przy niej mógł sobie odpuścić, zachowywać się po wariacku, nawet kapryśnie, wiedział bowiem, że Sylvia wszystko kontroluje. No i oczywiście był seks. Nie chciał się do tego przyznać, ale pociągał go zakazany owoc, czyli uwiedzenie przełożonej. Kiedy był z nią, czas zatrzymywał się w miejscu. Świat przestawał istnieć. Dzięki niej czuł się pełnym człowiekiem.

Podszedł do drzwi i nacisnął dzwonek. Modlił się, żeby Sylvia była w domu. Nie chciał spędzić piątkowego wieczoru samotnie. Nerwowo tupnął nogą. Odpowiedz, popędzał ją w myślach. Otwórz te cholerne drzwi. Znowu nacisnął dzwonek, zaczął się niepokoić. Zrobił krok do tyłu, wtedy z głośnika popłynął głos:

– Kto tam?

Poczuł, że serce zatrzymało mu się na chwilę. Był zdenerwowany i podniecony zarazem.

– Nick. Wpuść mnie.

– Nick? Wszystko w porządku?

Roześmiał się. Pewnie zastanawiała się, czy jest tak skonany jak tamtej piątkowej nocy.

– No pewnie.

Zadźwięczał brzęczyk i Nick wpadł na klatkę. Wbiegał po dwa schody naraz, zapominając o sztywnym kolanie. Czekała na niego przy drzwiach. Miała na sobie biały aksamitny szlafrok i suszyła ręcznikiem włosy. Zatrzymał się na sekundę, żeby na nią popatrzeć. Ostatnie kilka kroków przeszedł powoli. Czuł, że jeszcze nigdy w życiu nie potrzebował nikogo tak bardzo. Nie wiedział dlaczego i nie obchodziło go to.

– Właśnie się kąpałam. Na pew...

Nick wsunął rękę pod szlafrok, przyciągnął ją do siebie i pocałował mocno w usta. Próbowała go odsunąć, ale objął ją drugą ręką i przytulił mocniej. Rozluźniła się, odchyliła do tyłu głowę i otworzyła usta, żeby poczuć jego smak. Jęknęła. Nick zamknął oczy.

Wreszcie puścił ją. Weszli do mieszkania. Zamknął drzwi i cofnął się, żeby spojrzeć w jej ciepłe brązowe oczy. Przez chwilę obawiał się, że Sylvia go wyprosi, ale nie odzywała się. Podniosła palec do ust i przesunęła nim po wargach. Potem wzięła go za rękę i poprowadziła do sypialni. Pchnęła go na łóżko i zsunęła z siebie szlafrok. Patrzył na jej nagie ciało. Pragnął pieścić jej piersi, brzuch, a potem zejść jeszcze niżej. Podniósł ręce do jej piersi, pieszcząc kciukiem brodawki, aż stwardniały. Zaczęła pocierać wybrzuszenie w jego spodniach. Zdjęła mu marynarkę, a potem niecierpliwie rozpięła pasek i zsunęła spodnie. Uklękła. Pieściła go przez chwilę, smakowała językiem, w końcu wzięła do ust.

Nick obserwował ją, a rozkosz unosiła mu biodra do góry. Chciał znaleźć się w niej, wziąć ją w ramiona, poczuć jej oddech.

Sylvia puściła go i pociągnęła na łóżko. Usiadła na nim, wprowadzając go powoli w siebie. Miała zamknięte oczy i za każdym razem, gdy jej dotykał, pojękiwała. Nick ściskał w dłoniach prześcieradło. Próbował oddychać wolniej, odczuwać mniej. Wreszcie opadła na niego i zadrżała. Usiadł, objął ją i zaczął całować. Jego ciało zesztywniało, a gdy już nie mógł się powstrzymać, wygiął plecy w łuk i wcisnął w nią głębiej. Zaczęła drżeć, położyła obie ręce na jego piersiach. Po chwili rozluźniła się, odetchnęła głośno i opadła na łóżko.

Gdy oddech jej się uspokoił, roześmiała się chrapliwie, oparła na łokciu i przesunęła dłonią po jego torsie.

– Teraz odpocznij, tygrysie. Mamy przed sobą cały weekend.

Rozdział 39

Sterling Thorne nie mógł powstrzymać uśmiechu. Wiedział, że musi wyglądać jak idiota, ale nic nie mógł na to poradzić. Po raz pierwszy czytał tekst z listą wszystkich zarzutów postawionych porucznikowi Nicholasowi Neumannowi z Korpusu Piechoty Morskiej. I ta lektura sprawiała mu przyjemność. Jeden fragment był szczególnie interesujący.

„... po czym oskarżony ze złej woli połączonej z premedytacją pobił powoda. Rzeczony powód doznał poważnych stłuczeń pleców i biodra, pęknięcia czternastego i piętnastego kręgu, krwawienia podtwardówkowego, dużego opuchnięcia jąder i towarzyszącego temu obrzęku".

Zakończenie sprawiło, że Thorne poruszył się w fotelu. „Duże opuchnięcie jąder i towarzyszący temu obrzęk". Stary Jack Keely dostał porządny wpierdol; na wpół złamany kręgosłup, prawie pęknięta czaszka, a co najgorsze, jaja tak obite, że spuchły mu do rozmiarów grejpfrutów. A do tego z nich ciekło.

Przerzucił kartkę, potem wrócił na pierwszą stronę. W dokumencie ani razu nie wymieniono powodu tak brutalnego ataku. Nigdzie nie wspomniano, dlaczego Neumann tak bardzo wściekł się na Keely'ego, którego określono mianem „cywilnego pracownika kontraktowego". Czytaj „agent", poprawił Thorne.

Wreszcie dostał wojskowe akta osobowe Neumanna. Kolega przesłał mu je z kwatery głównej Korpusu Piechoty Morskiej w Dystrykcie Kolumbia. Ten sam gość wcześniej przefaksował mu kopię dokumentu zwolnienia Neumanna i ostateczne postanowienie wojskowej komisji śledczej, które już wykorzystał, żeby chłopaka nastraszyć. Mówiąc szczerze, Thorne chciał obejrzeć całą teczkę, zanim znów zacznie wywierać na niego presję. Lista obrażeń odniesionych przez Jacka Keely'ego była tym, czego potrzebował.

Zamknął teczkę. Jeszcze raz powtórzył sobie główne punkty. Nick jak burza przeszedł przez szkołę wojskową, kończąc ją z wyróżnieniem. Podczas szkolenia podstawowego zdobywał najlepsze wyniki we wszystkich testach sprawnościowych, więc wysłano go do szkoły dla żołnierzy specjalnego przeznaczenia. Ukończył ją nie z najlepszymi wynikami, ale w klasie, gdzie siedemdziesiąt procent uczestników szkolenia wykrusza się przed jego zakończeniem i samo dotrwanie do końca w jednym kawałku jest cholernie imponujące. Później nastąpił przydział do Camp Pendleton i obowiązki oficera plutonu piechoty. Spędził tam rok. Potem zniknął. Ani słowa o jego działaniach przez trzy lata. Bez raportów sprawnościowych, bez ocen starszych oficerów, bez próśb o przeniesienie, zupełnie nic. Tylko wnioski komisji śledczej i kopia dokumentów potwierdzających usunięcie go z wojska. Zwolnienie dyscyplinarne. Nic dziwnego, że chłopak uciekł za ocean. Pewnie nie mógł dostać pracy w Stanach z taką plamą na życiorysie.

Thorne znowu się uśmiechnął. Kiedy Wolfgang Kaiser przeczyta ten raport, za bardzo będzie się bał o własną skórę, żeby trzymać przy boku Neumanna. Kogo obchodziło zwolnienie dyscyplinarne? Bladło w porównaniu ze zdolnościami Neumanna w sztuce zadawania ran. Teoretycznie Thorne miał Nicka w garści. Musiał tylko wzmocnić uścisk. Pomacha mu raportem przed nosem i chłopak zmięknie. Dzięki temu zdoła go nakłonić, przekonać, zmusić, żeby pomógł mu w przyszpileniu Alego Mevleviego.

Czy aby na pewno? Thorne zaczynał zdawać sobie sprawę, że Neumann jest tak samo uparty jak on. Frontalny atak może nie poskutkować.

Drzwi za nim otworzyły się gwałtownie i huknęły o ścianę.

– Dobry wieczór – powiedział Terry Strait. – A może raczej „dzień dobry", bo jest już po północy. – Stanął z rękami wspartymi na biodrach i obrzydliwym uśmiechem na ustach.

Thorne obrócił się w fotelu i spojrzał na mężczyznę w drzwiach. Czy ten facet nie potrafi pukać?

– Cześć Terry. Tak szybko z powrotem?

– Niestety tak. Misja wykonana.

– A co to za misja? Wepchnąć nos w pochwę pani ambasador najgłębiej jak się da?

– Tobie też przesyła serdeczne pozdrowienia. – Strait wmaszerował do pokoju i usadowił się na biurku Thorne'a. – Spędziliśmy bardzo aktywny wieczór. Kieliszek sherry w ambasadzie, kolacja w Pałacu Bellevue. Dołączył do nas nasz szwajcarski kolega Franz Studer.

– Kolega, akurat. Ten facet jest najbardziej małomównym i opieszałym prokuratorem, jakiego znam.

– Opieszały? Być może. Ale małomówny? – Strait pokręcił głową. – Chyba nie znasz go zbyt dobrze. Dzisiaj pan Studer był szalenie rozmowny. Gęba mu się nie zamykała.

– Domyślam się, że zamierzasz mi przekazać jego mądrości.

– Byłeś jego ulubionym tematem. Miał w zanadrzu kilka ciekawych anegdot. Niezapowiedziana wizyta u prezesa United Swiss Bank. Zajęcie siłą windy, bójka z sekretarką, a potem próba szantażu na Wolfgangu Kaiserze. Studer uważa, że doszło do pogwałcenia umowy między naszymi rządami. Pani ambasador w pełni się z nim zgodziła.

Thorne oparł się w fotelu i przewrócił oczami. Niech się wielebny wygada.

– Mów dalej.

– Taki miałeś zamiar? Nagłośnić śmierć jego syna z przedawkowania heroiny, jeśli nie wyda Alego Mevleviego? A ja myślałem, że to mnie nie lubisz.

– Mówiąc szczerze, nie lubię.

Strait rzucił mu spojrzenie pełne niedowierzania.

– Co się z tobą dzieje? Prowadzisz wojnę z całym światem?

Thorne roześmiał się.

– Może i prowadzę.

Strait też się roześmiał.

– Więc pewnie spodoba ci się to, co zrobiłem. Ponieważ panią ambasador zaczął opuszczać dobry nastrój, a Studer popsuł nam wieczór, nie mogłem się oprzeć i wystrzeliłem parę salw od siebie. Najlepiej skopać leżącego. Żadnej litości. Prawda, Thorne? Czy to nie twoja dewiza?

– No dobra, Terry, aż się podnieciłem od tego czekania. Siedzę tu cały napalony. Więc albo pieprz mnie, albo wsadź sobie tego grubego kutasa w gacie i spadaj stąd.

– Z przyjemnością. Chyba wybiorę to pierwsze, więc wstań i pochyl się. Chyba tak lubicie to robić wy z Południa, co?

Thorne wyskoczył z fotela i wyciągnął rękę do gardła Straita.

Strait odchylił się i zeskoczył z biurka. Przed rozwścieczonym agentem zasłonił się krzesłem.

– Żeby wszystko było jasne, Thorne – powiedział – pozwól mi przedstawić zarzuty. Po pierwsze, zastosowanie przemocy wobec jednego z najbardziej szanowanych biznesmenów tego kraju. Po drugie, namówienie Studera do umieszczenia numeru konta Mevleviego na liście rachunków nadzorowanych bez zgody dyrektora. A po trzecie, czego dowiedziałem się wczoraj, napaść na amerykańskiego obywatela na obcej ziemi. Na niejakiego Nicholasa Neumanna.

Thorne zamarł. Nie przypuszczał, że chłopak jest skarżypytą.

– Wiem z dobrych źródeł, że dwa razy zatrzymałeś i nękałeś tego człowieka z zamiarem zebrania informacji o Alim Mevlevim – ciągnął Strait.

– A jakie to źródła? Neumann zadzwonił do ciebie i wypłakał ci się w rękaw?

Strait wyglądał na zaskoczonego.

– Neumann? Oczywiście, że nie. Dzieciak jest pewnie mocno przestraszony. Musisz się rozejrzeć bliżej. – Posłał Thorne'owi uśmiech. – Twój kierowca, agent Wadkins. Następnym razem staranniej dobieraj sobie współpracowników. Co za niespodzianka, że twoi koledzy nie palą się tak jak ty do łamania praw kraju, w którym stacjonują. Że nie lubią sprzeciwiać się rozkazom.

Thorne z ulgą przyjął wiadomość, że to nie Neumann na niego doniósł. Widział w tym chłopaku ostatnią szansę dorwania Mevleviego. A co do Wadkinsa, później skopie mu tyłek.

– Więc o to chodzi? O złamanie paru przepisów podczas wykonywania zadania?

– Nie, Sterling. Tu chodzi o „Wschodnią Błyskawicę". Nie pozwolimy ci narażać tej operacji na jeszcze większe niebezpieczeństwo.

– Większe niebezpieczeństwo? – Thorne miał ochotę paść na kolana i ryć paznokciami podłogę. Oni nigdy nie zrozumieją, co jest potrzebne do wykonania zadania. – A mnie się wydaje, że właśnie ja próbuję ocalić tę operację. Wy jesteście gotowi siedzieć bezczynnie przez następne sześć miesięcy i modlić się, żeby któregoś dnia dotarł do was strzęp informacji o którymś z transportów.

– A ty jesteś gotów zaprzepaścić całą naszą pracę, żeby zarekwirować trochę broni i móc się pochwalić, jak to powstrzymałeś następnego pułkownika Kadafiego. My się zajmujemy narkotykami, a nie bronią, Sterling, i naszym zdaniem nie panujesz nad sytuacją. Ta operacja nie należy wyłącznie do ciebie. Nie starcza ci cierpliwości, żeby doprowadzić ją do końca.

– Cierpliwości? – zawołał Thorne. – Gówno prawda. Jestem realistą. Jedynym w promieniu kilku kilometrów.

– Od dziesięciu dni nie mamy żadnych wiadomości od Błazna. Jeśli został zdemaskowany, jeśli nie żyje... – Strait westchnął – a modlę się, żeby tak nie było... winę ponosisz ty i tylko ty.

– Błazen jest moim agentem. Prowadzę go, odkąd się zaciągnął osiemnaście miesięcy temu. Wie o wszystkich moich decyzjach. W razie czego potrafi zadbać o swój tyłek.

– Tak jak pan Becker zadbał o swój?

Thorne zagryzł wargę. Tylko ostry ból powstrzymywał go od zmasakrowania Terry'ego Straita.

– Robił to, co podpowiadało mu sumienie.

Strait uśmiechnął się ironicznie.

– Możesz w to wierzyć, jeśli chcesz. Ale od tej chwili „Wschodnia Błyskawica" jest oficjalnie moim dzieckiem. Z polecenia szefa. Nie tylko przejmę łączność z Błaznem, ale będę też kierował całym przedstawieniem. – Wyjął z kieszeni marynarki kopertę i rzucił ją na biurko obok Thorne'a. – Od tej pory robimy wszystko po mojemu. Jeśli ktoś cię przyłapie na rozmowie z Neumannem albo kimkolwiek innym z USB, dostajesz bilet do Stanów w jedną stronę. Miejsce docelowe do wyboru, bo będziesz już należał do historii.

Thorne podniósł kopertę i przyjrzał jej się. Wiedział, jaka jest treść listu. Zejdź z drabiny szczebel niżej. Wykonuj polecenia i trzymaj gębę na kłódkę. Rozdarł kopertę i zajrzał do środka. Faks z biura szefa. Cholera, nawet nie list. Przeczytał tekst. Potwierdzał jego podejrzenia. Powinien był zgadnąć w chwili, gdy ujrzał uśmiechniętą gębę Straita. Oddelegowanie do drugiego szeregu.

Thorne cisnął list do kosza.

– A więc tak to będzie?

– Nie – odparł Strait. – Tak już jest.

– Gratulacje, Terry. Witamy z powrotem na polu bitwy. – Thorne wyciągnął rękę. – Wychodziłeś już kiedyś zza biurka?

Strait machnął ręką.

– Wynocha z mojego biura. Zabieraj swoje śmieci i do widzenia. Twoje biurko stoi po drugiej stronie korytarza. Przy koszu na śmieci.

– Potrafisz być prawdziwym sukinsynem – mruknął Thorne.
– Dobrze ci zrobi wykonanie paru rozkazów. A wierz mi, mam ich dla ciebie mnóstwo. Jutro spotykam się z Franzem Studerem. Będziemy się zastanawiać, jak uprzątnąć bałagan, który zostawiłeś.
– Pamiętaj, żeby dać mu numer konta na wypadek, gdyby jego koledzy chcieli ci zrobić wczesny prezent gwiazdkowy.
– Pieprz się, Thorne.
– Uważaj, Terry. Bóg nie wpuści cię do nieba, jeśli będziesz używał słowa na „p".
Strait wyszedł z biura.
Sterling Thorne założył ręce za głowę i wyjrzał przez okno. Śnieg wciąż padał. Przez chwilę pomyślał, czy nie dać za wygraną. Strait chciał „Wschodniej Błyskawicy", więc niech ją ma.
– Nie, do cholery! – zawołał i walnął pięścią o blat. – Pasza jest mój.
Patrzył, jak wielebny sunie po chodniku, powoli i ostrożnie. Ucieleśnienie rutyny. Posłać go do Zurychu, przekazać odpowiedzialność za operację i co wtedy? Niezawodny przepis na katastrofę. Ni mniej, ni więcej. Jeśli Błaznowi groziło kiedyś niebezpieczeństwo, to właśnie teraz. Ściśle tajna operacja kierowana przez zielonego agenta terenowego. Czyżby efekt cięć budżetowych?
Jedno wiedział na pewno. Nie będzie pracował pod rozkazami Terry'ego Straita. Co to, to nie!
Był tak zaabsorbowany myślami, że nie usłyszał telefonu w drugim pokoju. Dopiero kiedy zadzwonił po raz drugi, przeszedł do biura Wadkina i podniósł słuchawkę.
– Tak? – Był zbyt zmęczony, żeby się zastanawiać, kto może dzwonić o pierwszej w nocy.
– Chciałbym rozmawiać ze Sterlingiem Thorne'em.
– Thorne przy telefonie. – Usłyszał brzęk monety wrzuconej do automatu.
– Agencie Thorne, tu Joe Habib.
Thorne poczuł się jak rażony piorunem.
– Błazen? To ty? Żyjesz? – W myślach dodał: sądziłem, że Mevlevi się do ciebie dobrał. – Dlaczego się nie zgłaszałeś? Opuściłeś dwa terminy.
– Nie mam za dużo monet, więc słuchaj. Jestem w Brindisi we Włoszech. Wyładowujemy ponad dwie tony towaru. Schowany w transporcie paneli cedrowych. Za dwa lub trzy dni będzie przerzut przez granicę. Przez Chiasso, a potem do Zurychu.
– Powoli, chłopcze. – Thorne znów wyjrzał przez okno. Strait zniknął za rogiem. – Zapisz ten numer. To na moją komórkę. Nie dzwoń więcej na główny numer. Nigdy. Możliwe, że linia jest na podsłuchu. Musimy

zaryzykować z komórką. Kontaktuj się bezpośrednio ze mną. Czy to jasne? – Podał mu numer.

– Dlaczego? Powiedziano mi, że w sytuacji kryzys...

– Nie sprzeczaj się ze mną, Joe. Rób, co ci każę.

– Tak. Zrozumiałem.

W słuchawce zaczęło pikać. Błaznowi kończyły się drobne.

– Powiedz mi jeszcze o tym transporcie. Co robisz we Włoszech?

– Decyzja Mevleviego. Nie ufa już Makdisim. Mam być jego psem stróżem. Thorne, to nasza szansa. Transport ma trafić do Zurychu.

– Gdzie on jest? – zapytał Thorne. – Gdzie jest Mevlevi? Co z jego armią?

– Mevlevi jest...

– Joe? – Połączenie zostało przerwane.

Thorne odłożył słuchawkę. Choć nie zdążył zapytać Błazna o Mevleviego i broń, czuł się, jakby właśnie rozmawiał z Bogiem. Do Zurychu jedzie transport. Alleluja!

Pobiegł do swego gabinetu i z błyskiem w oku przystąpił do pracy. Zebrał wszystkie papiery, których potrzebował. Wiadomości Błazna, akta dotyczące Mevleviego, przechwycone ściśle tajne informacje z Wojskowej Agencji Wywiadu potwierdzające operacje na rachunku Mevleviego w USB. Wszystko, co mogło mu się przydać w nadchodzących dniach, wcisnął do zniszczonej teczki. Na koniec skreślił notatkę do Straita, w której informował o dobrowolnej rezygnacji ze sprawy. „*Adios*, Terry – zapisał. – Jest cała twoja".

Włożył płaszcz, chwycił wysłużoną teczkę i wyszedł na wąski chodnik prowadzący od domu przy Wildbachstrasse 58. Cały czas powtarzał jedno słowo. Słowo, które brzmiało słodko i czysto. Obiecywało mu cały świat. Dawało kolejną szansę z Neumannem i ostateczny cios zadany Mevleviemu. Boże, jak on kochał to słowo!

Odkupienie.

Rozdział 40

Ledwie Nick usiadł przy swoim biurku, zadzwonił Reto Feller.

– Adler Bank przekroczył granicę trzydziestu procent – powiedział drżącym głosem.

– Fatalna wiadomość.

– Katastrofa. Konig potrzebuje jeszcze trzech procent, żeby dostać swoje miejsca. Musimy powstrzymać drania. Zacząłeś sprzedawać?

– Zaraz zaczynam.

– To do roboty. Zadzwoń do mnie o dziesiątej. Daj mi znać, ile zrealizowałeś poleceń.

Feller odłożył słuchawkę, zanim Nick zdążył odpowiedzieć.

Trzy godziny później Nicka piekły już oczy od wpatrywania się w ekran komputera. Jedna sterta wydruków z portfeli sięgała blatu biurka, druga była niewiele mniejsza. Każdy portfel należał do inwestora, który upoważnił bank do prowadzenia jego rachunku. Nick miał sprzedać pięćdziesiąt procent papierów wartościowych z tych portfeli, a za uzyskane kupić akcje USB. Do tej pory „wyzwolił" – tak Martin Maeder nazywał jego zadanie – ponad dwadzieścia siedem milionów franków szwajcarskich z siedemdziesięciu kont numerowanych. Dwadzieścia trzy konta na godzinę, czyli jedno na dwie minuty i czterdzieści pięć sekund. Była to praca na akord, kiedy już robiło się ją mechanicznie.

Nick opracował prosty system: w porządku rotacyjnym sprzedawał akcje od A do F, od G do P i od Q do Z. Sprzedawał Asea Brown Boveri i Chryslera, Mannesmanna i Philipa Morrisa, Telefonos de Mexico i Jardine Mathesona. Był wszechstronnym międzynarodowym brokerem. Sprzedawał akcje amerykańskie i niemieckie, meksykańskie i z Hongkongu. Sprzedawał akcje koncernów spożywczych i samochodowych, przedsiębiorstw użyteczności publicznej i firm produkujących towary konsumpcyjne. Jego topór nie oszczędził żadnej firmy.

Sięgnął po następny portfel. Ten, o dziwo, miał nazwisko. Włoch, niejaki Renato Castilli. Nick przejrzał zawartość. Sprzeda Metallgesellschaft, Morgan Stanley, Nestle i Lonrho. Akcje dwóch firm były niewiele warte. Mała strata. Wpisał polecenia sprzedaży do Meduzy i rzucił portfel na podłogę. W ciągu dwóch minut wyzwolił ponad czterysta tysięcy franków z portfela signora Castilliego. Skwapliwie wprowadził polecenie zakupu odpowiedniej liczby akcji USB. *Finito*!

Odsunął krzesło od biurka i przeciągnął się. Musiał zrobić sobie przerwę. Miał załzawione oczy i sztywny kręgosłup. Pięć minut. Pójść do łazienki, napić się wody. I z powrotem do kieratu. Jak maszyna.

Na jedenastą miał umówioną konferencyjną rozmowę telefoniczną z Hambros Bank z Londynu. Hambros był w posiadaniu akcji USB o wartości około dziesięciu milionów funtów. Nick znał już na pamięć treść swojego przemówienia. USB ograniczy koszty, proponując wcześniejsze emerytury i zwalniając niepotrzebnych pracowników, poprawi wydajność poprzez zwiększoną komputeryzację, utworzy dział bankowości handlowej, a także rozszerzy działalność giełdową. Rezultat: wzrost wskaźnika operacyjnego na poziomie od dwóch do czterech procent w ciągu dwunastu miesięcy. A potem, kto wie? Bankructwo lub rekordowy rok.

O dwunastej był umówiony na lunch z Sylvią. Obiecała przynieść następne raporty miesięczne ojca. Pierwsza dostarczona przez nią teczka okazała się niewypałem. Rok 1975 był zbyt zamierzchłą przeszłością. Nick potrzebował wszystkiego, co mogła znaleźć z okresu od stycznia 1978 do stycznia 1980 roku. Najwyraźniej nie miała problemów ze zdobyciem raportów. Nawet jeśli się bała, że zaczną ją o nie wypytywać, nie dawała tego po sobie poznać.

Nick spojrzał na ekran komputera, ale zamiast przeglądać dane z kont numerowanych, widział Sylvię w najwspanialszych chwilach spędzonego razem weekendu.

Spotykał się z nią już od dwóch tygodni. Za każdym razem przeżywał chwilę głębokiego niepokoju; obawiał się, że Sylvia zakończy ich związek. Wciąż o niej myślał. Gdy słyszał coś śmiesznego, chciał się z nią tym podzielić; gdy czytał interesujący artykuł, chciał do niej dzwonić i prosić, żeby też go przeczytała. Wciąż nie wiedział, jak Sylvia zapatruje się na pewne sprawy. Ukrywała przed nim część siebie. I wiedział, że nigdy jej nie ujawni.

Zadzwonił telefon. Felix Bernath z parkietu.

– Masz pakiet pięciu tysięcy akcji USB po trzy siedemdziesiąt – poinformował.

Nick podziękował mu i sięgnął po kolejny portfel. Otworzył teczkę i zaczął szukać kandydatów do sprzedaży, kategoria Q-Z. Telefon zadzwonił znowu i Nick natychmiast podniósł słuchawkę.

– Następny pakiet dla mnie, Felix? – zapytał.

– Co jest, Nick? Napełniacie worki z piaskiem czy co?

Nick rozpoznał głos.

– Cześć, Peter. Czego chcesz? Jestem zajęty.

– Ekspiacji, przyjacielu. Dzwonię, żeby się pogodzić. Popełniłem fatalny błąd, prosząc cię o tamto, no wiesz. Wiedziałem o tym wtedy i wiem o tym teraz. Przepraszam.

– To miło, Peter. Może spotkamy się, kiedy ta rozgrywka dobiegnie końca. Zanim do tego dojdzie, zapomnij. Trzymaj się na dystans, dobrze?

– Jesteś nieustępliwy. Spodziewałem się tego. Ale teraz mam coś dla ciebie. Siedzę tutaj, delektuję się podwójnym espresso w Sprungli na piętrze. Może do mnie dołączysz?

– Chyba żartujesz? Oczekujesz, że wyrwę się stąd, bo masz coś dla mnie?

– Właściwie nie proszę, tylko żądam. Tym razem musisz mi zaufać. Zapewniam cię, że chodzi o twoje dobro. I banku, jeśli już o tym mowa – Kaisera, nie Koniga. Musimy się spotkać jak najszybciej. Przyjście tu zajęło mi trzy minuty, tobie zajmie cztery. Pospiesz się.

Cztery minuty później Nick wspinał się po schodach do głównej sali Sprungli. Lokal pełen był południowych klientów, głównie kobiet w średnim wieku, nieskazitelnie ubranych i śmiertelnie znudzonych. Wiadomo było, że panie spożywające tu samotnie śniadanie między dziewiątą i jedenastą szukają towarzystwa panów do nieco mniej niewinnych rozrywek niż wspólne zakupy.

Sprecher machnął do Nicka od stolika w rogu. Przed nim stała pusta filiżanka.

– Espresso?

Nick nie siadał.

– Co ci chodzi po głowie? Nie mogę na długo odchodzić od biurka.

– Przede wszystkim, przepraszam. Chcę, żebyś zapomniał, że kiedykolwiek prosiłem cię o te piekielne akcje. Konig stwierdził, że nie mogę przepuścić tak dobrej okazji. Zmusił mnie, żebym do ciebie zadzwonił. Wystarczy wskazać mi kieruńek, a ja maszeruję. Cały ja. Lojalny żołnierz.

– Żałosne usprawiedliwienie.

– Przestań, Nick. Pierwsze dni w nowej pracy. Zależało mi, żeby zadowolić tych z góry. Jestem pewien, że wiesz, o czym mówię. O Jezu, przecież sam praktycznie zrobiłeś to samo.

– Nie zdradziłem przyjaciela.

– Wiem, to była beznadziejna propozycja. Więcej się nie powtórzy.

Nick wysunął krzesło i usiadł.

– Do rzeczy. Co masz dla mnie?

Sprecher podał mu białą kartkę papieru.

– Przeczytaj. Znalazłem to dziś rano na biurku. Myślę, że dzięki temu rachunki między nami wyrównają się.

Nick przysunął kartkę bliżej. Fotokopia, i to niezbyt dobra. Lista pięciu instytucjonalnych udziałowców USB, orientacyjna liczba posiadanych akcji, nazwisko specjalisty od inwestycji i jego numer telefonu.

– Ja zrobiłem tę listę – powiedział Nick.

Sprecher uśmiechnął się triumfalnie.

– Bingo. Twoje inicjały są na górze. „NXM". Ten, kto to skopiował, odwalił perfidną robotę. Widać pół logo USB.

Nick rzucił Peterowi sceptyczne spojrzenie.

– Skąd to masz?

– Jak powiedziałem, znalazłem na biurku. – Sprecher sięgnął po papierosa. – Jeśli chcesz wiedzieć, przyniósł ją George von Graffenried. Jest prawą ręką Koniga. Wybąkał coś o inwestycji, która wreszcie przynosi dywidendy. Zdaje się, kolego, że macie bardzo niegrzecznego kreta w swojej organizacji.

– Jezu Chryste – wymamrotał Nick. – To dokument z mojego biurka. Widziało go tylko kilka osób.

– Wystarczy jedna.

Nick wyliczył nazwiska tych, którzy posiadali kopie dokumentu: Feller, Maeder, Rita Sutter i oczywiście Wolfgang Kaiser. Kto jeszcze mógł widzieć tę listę? Przypomniał sobie skruszony wyraz twarzy marudera, przyłapanego na przeglądaniu jego papierów. Armin Schweitzer był tak bezczelny – albo zdesperowany – że poprosił go o kopię właśnie tego dokumentu.

Peter złożył kartkę i wsunął za pazuchę.

– Muszę się skontaktować z tymi inwestorami. Nie da się tego uniknąć. Ale mam wrażenie, że paru tych gości może być dziś rano zajętych. Najlepiej poczekać do popołudnia lub jutra rana. Znasz te międzykontynentalne połączenia. Czasem są cholernie kiepskie.

Nick wstał i wyciągnął rękę.

– Dzięki, Peter. Myślę, że to wyrównuje nasze rachunki.

Sprecher uścisnął mu dłoń.

– Ciągle jeszcze nie wiem, czy jestem bohaterem, czy dziwką.

Gdy Nick wracał do banku, w głowie kłębiły mu się konspiracyjne myśli. Mijając Hugo Brunnera, rzucił mu krótkie powitanie i windą zarezerwowaną dla klientów wjechał na czwarte piętro.

– Ta gra jest dla dwóch osób – szepnął do siebie.

Wpadł do swojego gabinetu i od razu podszedł do biurka. Odsunął stertę portfeli klientów i usadowił się bezpośrednio przed komputerem. Wszedł do systemu Meduza i zalogował się do Cerbera, by wejść do edytora tekstu. Szlachetna misja „repatriacji" akcji USB musiała poczekać kilka minut. Miał pilniejsze zadanie: zdemaskowanie zdrajcy.

Najpierw wyświetlił listę instytucjonalnych udziałowców, mających duże pakiety akcji USB. Tę, która teraz była w posiadaniu Petera Sprechera – wykradzioną mu z biurka.Wymazał datę i wszystkie informacje związane z udziałowcami: nazwiska, numery telefonów, adresy. Wpisał aktualną datę i przeniósł się do danych o udziałowcach. Dodał nazwę dotychczas nieznanego udziałowca – grupy, której z Martinem Maederem i Reto Fellerem nie zlokalizowali podczas początkowej weryfikacji. Obgryzał długopis, usiłując wymyślić nazwę tej instytucji. Ach tak, już ją miał. Zuryski Fundusz na Rzecz Wdów i Sierot. Wpisał nazwę, a obok niej: „140 000 akcji na funduszu powierniczym w J.P. Morgan, Zurych. Kontakt: Edith Emmenegger".

Zadowolony z tej konfabulacji, wsunął firmową kartkę do drukarki i wydrukował dokument. Wziął go do ręki i sprawdził informacje. Zauważył, że zapomniał dopisać numer telefonu poczciwej pani Emmenegger. Z czyjego numeru mógł skorzystać? Nie mógł wziąć pod uwagę własnego. Początkowe cyfry numeru *Personnelhaus* USB były takie same jak banku. Tylko jeden numer przychodził mu na myśl. Wybrał go i czekał na odpowiedź. Jak oczekiwał, odezwała się automatyczna sekretarka. Kobiecy głos poinformował: „Tu numer 555-3131. Nikt nie może teraz odebrać telefonu. Po usłyszeniu sygnału proszę zostawić nazwisko, numer telefonu i wiadomość. Dziękuję".

– Dziękuję ci, Sylvio – szepnął Nick. – A raczej Frau Emmenegger.

Wpisał jej numer telefonu i ponownie wydrukował dokument. Jeszcze raz przejrzał wszystkie dane. Wszystko było na swoim miejscu. Dla większej autentyczności dopisał na marginesie: „Dzwoniłem o dziesiątej i dwunastej". Dodał wczorajszą datę i: „Nie odebrano. Zostawiłem wiadomość". Wyszedł zza biurka z kartką w ręku, zastanawiając się, gdzie najlepiej ją położyć. Gdzieś na widoku, ale żeby nie wyglądała na podłożoną. Postanowił wsunąć dokument pod dolny róg telefonu, żeby widoczne były tylko litery U i S z nagłówka. Zrobił parę kroków do tyłu, podziwiając swoje *petit chef-d'oeuvre*, swoje małe dzieło sztuki. Swój klejnot dezinformacji.

Wolfgang Kaiser krążył po gabinecie. Delektował się aromatycznym kubańskim cygarem i słuchał relacji Nicholasa Neumanna o tym, jak przekonał Hambros Bank do głosowania za kierownictwem USB podczas walnego zgromadzenia.

– Wspaniała wiadomość – skomentował, kiedy jego asystent skończył. – A zatem, jaka jest teraz sytuacja?

Głos Neumanna dobywał się z głośnika.

– Mamy jakieś czterdzieści procent. Feller dysponuje szczegółowymi danymi. Dziś rano Adler przekroczył granicę trzydziestu procent, ale wygląda na to, że ich siła nabywcza zaczyna się wyczerpywać.

– Dzięki Bogu – odparł Kaiser z ulgą. – A hrabia? Umówiłeś go już na spotkanie?

– Może się z panem spotkać rano w dniu walnego zgromadzenia. O dziesiątej?

– Wykluczone. O ósmej mam śniadanie z radą. – Senn zawsze był kłopotliwy. Co za tupet! Żeby proponować spotkanie w dniu zgromadzenia.

– Wraca z Ameryki parę dni wcześniej. Proponuje dziesiątą.

Kaiser zdał sobie sprawę, że nie ma wyboru.

– No dobrze, niech będzie dziesiąta. Ale nie przestawaj go naciskać. Może uda ci się przesunąć to spotkanie o dzień lub dwa.

– Tak jest.

– I jeszcze jedno, Neumann. Muszę z tobą porozmawiać. Przyjdź do mnie za dziesięć minut.

– Tak jest.

Kaiser zakończył rozmowę. Ten chłopak był cudotwórcą. Dziś rano zwerbował głosy Hambros Bank, a wczoraj po południu Banker's Trust –

największej niewiadomej na Wall Street. Przekonał matematycznych geniuszy na Manhattanie, że akcje USB – rzecz jasna pod obecnym kierownictwem – są skutecznym zabezpieczeniem przed zmiennością dochodów Banker's Trust. Połknęli ten argument razem z haczykiem, spławikiem i linką. Czy to nie był cud? Ziejący ogniem bracia Koniga, zwolennicy bankowości agresywnej, zobowiązali się stanąć po stronie starych nudziarzy z USB. Kaiser wydał z siebie okrzyk radości. Pieprzony cud!

Podniósł słuchawkę i zadzwonił do Fellera, żeby uzyskać dokładne informacje o podziale głosów. Zapisał liczby na kawałku bibuły. USB czterdzieści sześć procent. Adler trzydzieści i cztery dziesiąte procent. Chryste, będzie ciężko. Pożyczka Mevleviego zakończy wszelkie spekulacje. Kaiser gotów był zrobić wszystko, byle tylko skłonić swego tureckiego przyjaciela do wyłożenia pieniędzy koniecznych do uwolnienia United Swiss Bank z uścisku Klausa Koniga. Jeśli trzeba będzie posłać Neumanna, żeby zajął się gościem, pośle go. Ale to był najmniejszy problem.

Prezes zastanawiał się, jak powiedzieć Neumannowi o swojej przyjaźni z Mevlevim. Trudno będzie odeprzeć oskarżenia Sterlinga Thorne'a. Gdyby ojciec Neumanna był świadkiem rażącej, wręcz teatralnej obłudy Kaisera, z miejsca by odszedł. Co zresztą zrobił – dwukrotnie. W obu przypadkach Kaiser musiał się mocno nagimnastykować, żeby uspokoić delikatne sumienie Aleksa Neumanna. „To zwykłe nieporozumienie. Nie mieliśmy pojęcia, że ten klient zajmuje się handlem bronią. To się już nigdy nie powtórzy. Wprowadzono nas w błąd, Alex. Przykro mi".

Kaiser zmarszczył brwi na wspomnienie tamtej rozmowy. Dzięki Bogu, Nicholas był bardziej pragmatyczny. Cholernie trudno się przyznać do dwudziestoletniej znajomości z kimś, jeśli wcześniej uparcie wypierało się wiedzy na jego temat. Posunął się nawet do celowego zniekształcenia jego nazwiska. Ale wystarczyło, że Kaiser pomyślał o działaniach Neumanna, które ochroniły Mevleviego przed Thorne'em i jego listą, aby poczuć się lepiej. Jeśli ten młody człowiek jest choć w połowie tak bystry, jak wszyscy sądzą, już się domyślił.

Rozległ się dzwonek telefonu. Płynny głos Rity Sutter zawiadamiał, że przyszedł pan Neumann. Poprosił, żeby go wpuściła.

Wolfgang Kaiser powitał Nicka na środku swego gabinetu.

– Fantastyczne wiadomości, Neumann. Po prostu świetne. – Objął Nicka zdrowym ramieniem i poprowadził do kanapy. – Cygaro?

– Nie, dziękuję – powiedział Nick. W jego głowie wyły syreny alarmowe.

– Kawa, herbata, espresso?

– Woda mineralna.

– Woda mineralna – zachwycił się Kaiser, jakby żadna inna odpowiedź nie mogła go bardziej zadowolić. Podszedł do otwartych drzwi i kazał Ricie Sutter przynieść wodę mineralną i podwójne espresso.

– Neumann – zaczął – chcę, żebyś coś dla mnie zrobił. Coś bardzo ważnego. Przydadzą się twoje zdolności. – Usadowił się na kanapie i wypuścił z ust chmurę dymu. – Potrzebuję dyplomaty. Kogoś z dobrymi manierami. I odrobiną światowej ogłady.

Nick usiadł i niepewnie kiwnął głową. Cokolwiek zamyślał Kaiser, było to coś ważnego; Nick jeszcze nigdy nie widział, żeby zachowywał się tak życzliwie.

– Jutro rano przyjeżdża ważny klient naszego banku – powiedział prezes. – Będzie potrzebował opiekuna, który pomoże mu w załatwianiu interesów.

– Przyjedzie do banku?

– Jestem pewien, że na którymś etapie tak. Ale chciałbym, żebyś powitał go na lotnisku.

– Na lotnisku? – Nick potarł kark. Nie czuł się dobrze. Za dużo czasu przy komputerze. Czuł, że sztywnieje mu szyja. Wkrótce będzie mu pękała głowa. – Zdaje pan sobie sprawę, że dopiero co rozpoczęliśmy realizację planu sprzedaży Martina Maedera. Muszę przebrnąć jeszcze przez pięćset portfeli.

– Rozumiem – rzekł łagodnie Kaiser – i doceniam twoją sumienność. Masz na to czas dzisiaj do końca dnia. A skończysz jutro wieczorem i pojutrze, dobrze?

Nick nie był zachwycony tą perspektywą, ale kiwnął głową.

– Świetnie. A teraz parę szczegółów o człowieku, którego poznasz. – Kaiser zaciągnął się cygarem. Kilka razy zaczynał mówić, ale przerywał, najpierw żeby wyskubać z ust kawałek tytoniu, potem, żeby zmienić pozycję na kanapie. Wreszcie rzekł:

– Nicholasie, obawiam się, że nie powiedziałem ci prawdy. A raczej skłamałem temu draniowi Thorne'owi. Naprawdę nie miałem wyboru… w tych okolicznościach. Powinienem ci był powiedzieć wcześniej. Nie wiem, dlaczego jeszcze tego nie zrobiłem. Wiem, że zrozumiałbyś. Jesteśmy ulepieni z tej samej gliny, ty i ja. Robimy, co trzeba, żeby wykonać zadanie. Mam rację?

Nick znów kiwnął głową, nie spuszczając oczu z prezesa. Kaiser męczył się pod wpływem narastającego napięcia. Jego twarz zdradzała wewnętrzny niepokój. Oczy, zwykle czyste i pewne, były spuchnięte i podkrążone.

– Ja znam Alego Mevleviego – przyznał się Kaiser. – Człowieka, którego ściga Thorne, a którego ty nazywasz Paszą. Prawdę mówiąc, znam go dobrze. To jeden z moich pierwszych klientów z Bejrutu. Pewnie nie wiedziałeś, że dawno temu otwierałem nasze przedstawicielstwo w Bejrucie.

– Jeszcze w osiemdziesiątym, tak?

– Dokładnie. – Kaiser uśmiechnął się; Nick zaimponował mu. – W osiemdziesiątym i osiemdziesiątym pierwszym. Pan Mevlevi był wtedy i jest do tej pory biznesmenem szanowanym w Libanie i na całym Bliskim Wschodzie.

– Sterling Thorne oskarżył go o przemyt heroiny.

– Znam Alego Mevleviego od dwudziestu lat. Nie słyszałem choćby najmniejszej pogłoski, że był zamieszany w narkotyki. Zajmuje się artykułami przemysłowymi, dywanami, tekstyliami. Jest szanowanym członkiem społeczności handlowej.

Powtarzasz się, pomyślał Nick, tłumiąc sarkastyczny uśmiech. Marco Cerruti z pewnością szanował Mevleviego – do tego stopnia, że na dźwięk jego nazwiska dostawał ataku apopleksji. Sterling Thorne szanował Mevleviego tak bardzo, że wpadł do banku jak zraniony nosorożec. Jak zachowywali się ludzie, którzy go nie szanowali?

– Nie ma za co przepraszać – powiedział Nick. – Trzeba dbać o zaufanie klientów. Nie Thorne'a sprawa, czym się zajmują.

– Thorne chce, żebyśmy wszyscy wstąpili w szeregi jego policji. Widziałeś zdjęcie mojego syna. Myślisz, że mógłbym współpracować z potworem, który utrzymuje się z międzynarodowego handlu śmiercią? Thorne myli się co do naszego Mevleviego. Z pewnością przekonasz się o tym jutro, kiedy go poznasz. Pamiętaj, Neumann, nie jesteśmy policjantami.

Już to gdzieś słyszałem, pomyślał Nick. Teraz już naprawdę źle się czuł. A poczuł się jeszcze gorzej, kiedy usłyszał własny głos: „W pełni się z panem zgadzam". Przemówił obrońca wiary.

Kaiser poklepał go po kolanie.

– Wiedziałem, że zrozumiesz. Mevlevi przylatuje prywatnym samolotem jutro rano o jedenastej. Odbierzesz go z lotniska. Oczywiście dostaniesz samochód i kierowcę. Jestem pewien, że będzie miał mnóstwo spraw do załatwienia.

Nick wstał.

– To wszystko? – spytał.

– Wszystko, Neumann. Wracaj do planu Maedera. Niech Rita zarezerwuje ci stolik na lunch. Gdzie tylko chcesz. Może spróbujesz Kronenhalle?

– Mam inne plany... – zaczął Nick.

– Ach tak, zupełnie zapomniałem – powiedział Kaiser. – No to wszyscy wracamy do roboty.

Gdy Nick wychodził z gabinetu, zastanawiał się, kiedy wspominał prezesowi o swoich planach na lunch.

Rozdział 41

Udało ci się zdobyć raporty? – zapytał Nick, wchodząc do mieszkania Sylvii Schon. Była ósma, przyjechał do niej prosto z banku.

– Co? Tak bez przywitania? A gdzie: „jak ci minął dzień”? – Sylvia udawała obrażoną. – Miło pana widzieć, panie Neumann. – Pocałowała go w policzek.

Nick zdjął płaszcz i powiesił na wieszaku.

– Udało ci się zdobyć miesięczne raporty? – ponowił pytanie.

– Przecież obiecałam, że ci pomogę, prawda? – Sylvia podniosła błyszczący neseser oparty o sofę. Otworzyła go i wyjęła dwie grube teczki w tym samym odcieniu wyblakłej żółci jak ta, którą przeczytali kilka dni wcześniej. Podała mu jedną. – Zadowolony? Przepraszam, że zapomniałam przynieść je na lunch.

Nick wziął teczkę do ręki i przeczytał napis na grzbiecie. „Styczeń-marzec 1978”. Zerknął na drugą. „Kwiecień-czerwiec 1978”. Przynajmniej jedna rzecz dzisiaj się udała.

– Przepraszam, jeśli zachowałem się nie tak, jak należy.

Był zmęczony i poirytowany. Jedyną przerwą przez cały dzień był półgodzinny lunch z Sylvią w Kropf Bierhalle. Zdążył zjeść *schubli* i frytki i wypić dwie cole, ale nie miał już czasu, żeby zagadnąć, czy wspominała komuś o ich wspólnym lunchu. Postanowili nic nie mówić o swoim związku. Nie żeby od razu robić z tego wielką tajemnicę – to by źle się kojarzyło. Po prostu milczeć. Żadne z nich nie pomyślało o tym, żeby uzgodnić, co odpowiedzieć, jeśli ktoś ich zapyta o wspólne spotkania.

Sylvia wspięła się na palce i pogłaskała go po policzku.

– Chcesz o tym porozmawiać? Nie wyglądasz najlepiej.

Nick wiedział, że wygląda mizernie. Sypiał po pięć godzin na dobę, czasem nawet krócej.

– Mam masę pracy. Na czwartym piętrze sytuacja robi się naprawdę gorąca. Walne zgromadzenie za pięć dni. Konig nie daje nam odetchnąć.

– Co Kaiser każe ci robić?

– Normalka – wyjaśnił, świadomy tego, że jest bardzo daleki od prawdy. Pomimo swych uczuć do Sylvii nie mógł się zdobyć na wyznanie, jaki szwindel ma miejsce na czwartym piętrze. Pewne rzeczy musiał zatrzymać dla siebie. – Gromadzimy głosy. Odpowiadamy na telefony analityków inwestycyjnych. Wszyscy odczuwamy presję. Nadchodzi chwila próby.

– Wszyscy odczuwamy wielką presję – potwierdziła. – Nie tylko te ważniaki z czwartego piętra. Nikt nie chce, żeby Konig zdobył te miejsca.

Perspektywa zmian wzbudza strach, zwłaszcza wśród maluczkich pod „Cesarskim Szańcem".

– Szkoda, że nie możemy zlecić wszystkim pracownikom banku, żeby kupili po sto naszych akcji – powiedział Nick. – Jeśli nie mają pieniędzy, żaden problem. Moglibyśmy je ściągnąć z ich przyszłych pensji. Dużo łatwiej byłoby się obronić przed zakusami Adler Bank. Przynajmniej nie musiałbym... – urwał w pół zdania.

– Nie musiałbyś czego? – zapytała Sylvia. Oczy jej rozbłysły i Nick zauważył, że zwęszyła jakiś skandal.

– Wtedy nie musielibyśmy toczyć tak ciężkiej walki z Konigiem – odpalił, nie tracąc rezonu.

– Jak aktualne wyniki?

– Czterdzieści sześć procent dla tych dobrych, trzydzieści procent dla złych. Trzymaj kciuki, żeby Konig nie zaatakował z całym impetem.

– Co go powstrzymuje?

– Gotówka. A raczej jej brak. Musiałby zaproponować znaczną premię do ceny rynkowej. Ale gdyby tak zrobił, w rękach arbitrażystów jest tyle akcji, że nie miałby problemów ze zdobyciem sześćdziesięciu sześciu procent głosów. Nawet nasi zwolennicy przeszliby na jego stronę. W ten sposób zdobyłby pełną kontrolę nad zarządem. Bilet w jedną stronę do Walhalli dla Wolfganga Kaisera.

– A dla całej reszty? – zapytała Sylvia. – Co z nami? Dobrze wiesz, że po fuzji pierwsze cięcia dotyczą dublujących się stanowisk w księgowości, logistyce. Adler Bank nie potrzebuje dwóch szefów kadr w dziale finansowym.

– Nie martw się. Walczymy, żeby nie dopuścić Koniga do zarządu. Nikt nie mówi o pełnym przejęciu.

– Na razie. – Zmrużyła oczy, jakby nie podobało jej się to, co widzi. – Nigdy nie zrozumiesz, co ten bank dla mnie znaczy. Ile poświęciłam mu czasu. Ile energii zmarnowałam na tę głupią pracę.

– Zmarnowałaś? – zdziwił się. – Dlaczego zmarnowałaś?

– Nie zrozumiesz – powtórzyła. – Nie potrafiłbyś. Nie wiesz, jak to jest, kiedy pracuje się dwa razy dłużej od facetów, wykonuje pracę lepiej, i widzi, jak wszyscy dookoła awansują szybciej, bo mają włosy na piersiach i mówią grubszym głosem. Wysyłają cię na spotkania z klientami, żeby mogli przechwalać się między sobą wymyślonymi podbojami. Wyobraź sobie, jak to jest, kiedy trzeba znosić codziennie setki idiotycznych komplementów. „To nowa szarfa? Fräulein Schon, wygląda pani dziś wyjątkowo korzystnie". Albo pytają cię o zdanie w sprawie proponowanego projektu, a kiedy jest inne niż opinia starszego wiceprezydenta, on uśmiecha się i puszcza oczko. Puszcza oczko, do cholery! Czy Armin Schweitzer kiedykolwiek puszczał do ciebie oczko?

Zdumiony tym potokiem słów, Nick wcisnął głowę w ramiona i powiedział:

– Nie.

– Muszę pracować dwa razy ciężej, dwa razy szybciej. Jeśli ty zrobisz błąd, przełożeni mówią: „Nic takiego, wszystkim się zdarza". Jeśli ja popełnię błąd, mówią: „Typowa baba. Czego można się spodziewać? Hi, hi, hi". I cały czas myślą: „O rany, ale chciałbym z nią pofiglować".

Sylvia przechwyciła spojrzenie Nicka i posłała mu uśmiech pełen godności i rezygnacji.

– Nie po to przez dziewięć lat znosiłam to wszystko, żeby teraz jakiś drań mnie wyrzucił. Jeśli Konig przejmie USB, ze mną koniec.

Przez kilka sekund panowała cisza. Przerwała ją Sylvia.

– Przepraszam, niepotrzebnie się uniosłam.

– Nie musisz mnie przepraszać. Wszystko, co powiedziałaś, jest prawdą.

– Cieszę się, że zdajesz sobie z tego sprawę. Prawdopodobnie jako jedyny w całym banku. Chłopcy na czwartym piętrze wolą kobiety w typie Rity Sutter. Jest sekretarką Kaisera od zawsze, umawia go na spotkania, przygotowuje kawę. Powinna być wiceprezydentem. Jak można dawać się wykorzystywać tak długo?

– Ludzie sami dokonują wyborów, Sylvio. Nie lituj się nad Ritą Sutter. Jeśli tam jest, to z jakiegoś powodu. – Przypomniał sobie zdjęcie, które widział w mieszkaniu Marco Cerrutiego. Kaiser całował Ritę Sutter w rękę. Pewnie już dawno wygrał współzawodnictwo z Klausem Konigiem o jej serce.

– Nie lituję się nad nią. Zastanawiam się tylko, co ona z tego ma.

– To jej zmartwienie, nie nasze.

Nick podszedł do sofy i usiadł.

– Chryste – powiedział nagle. – Prawie zapomniałem.

Sylvia podeszła do niego.

– Nie strasz mnie. O czym?

– Jeśli jutro usłyszysz na sekretarce dziwną wiadomość, nie kasuj jej. – Nick opowiedział jej o spotkaniu z Peterem Sprecherem i odkryciu, że kret w USB dostarcza Adler Bank informacje istotne dla efektywnej obrony United Swiss Bank. Podzielił się swoimi podejrzeniami co do tożsamości winowajcy.

– Jeśli to Schweitzer – oświadczyła Sylvia – przysięgam, że osobiście kopnę go wiadomo gdzie.

– Jeśli to on, masz moją zgodę. Ale na razie zachowaj każdą wiadomość, która brzmi dziwnie. Będziesz wiedziała, że to ta, kiedy ją usłyszysz.

– Obiecuję.

Nick podniósł ręce w geście kapitulacji i nadął policzki.

– Nie przełknę już ani kęsa. Czuję się jak Henryk Ósmy.

– Zjadłeś tylko sześć talerzy – łajała go Sylvia, wyciągając z piecyka tackę wielkości pocztówki ze złocistym serem raclette. – Moi braciszkowie nie wstawali od stołu, dopóki nie pochłonęli po dziesięć porcji każdy.

Nick spojrzał na falujący ser, którego bogaty aromat unosił się w powietrzu. Gdyby co wieczór jadł jej posiłki, wkrótce musiałby sobie kupić szersze spodnie.

– Sześć talerzy to i tak niezłe osiągnięcie. Nie zapominaj o ziemniakach, piklach i cebuli. Jestem tak najedzony, że nie mogę nawet o tym dłużej rozmawiać.

Sylvia nałożyła seŕ na swój talerz i sięgnęła po smukłą butelkę przezroczystego napoju z elegancką czerwoną kokardą na szyjce.

– Jeszcze kieliszeczek wiśniówki. Pomaga na trawienie.

Nick wybuchnął śmiechem.

– A palenie wzmacnia układ oddechowy.

– To prawda. Wiśniówka wyżera dziurę w serze, dzięki czemu jedzenie łatwiej się przemieszcza. Wiesz, o czym mówię. – Machnęła ręką. – Lepiej nie wdawać się w anatomiczne szczegóły.

– Zgoda. – Wstał, podnosząc ze stołu talerz i sztućce. – Zaniosę to do kuchni.

– Siadaj. Jesteś gościem.

Nick posłuchał jej rozkazu. Pochyliła się, pocałowała go w policzek i odniosła talerze do kuchni. Gdy sprzątnęła ze stołu, Nick wstał i sięgnął po teczki ze stolika przy sofie. Miał nadzieję, że tym razem będzie miał więcej szczęścia i znajdzie jakieś znaczące informacje w miesięcznych raportach ojca.

Poczekał, aż Sylvia do niego dołączy. Kiedy już usiadła, wyciągnął terminarz ojca z 1978 roku i położył go na stole. Razem przeglądali kolejne strony. Ojciec zawsze zapisywał dokładną godzinę przyjazdu i odjazdu. W zewnętrznym rogu każdej strony widniały krótkie notatki dotyczące pogody. Na przykład: „dwudziesty siódmy, czyste niebo". Ładna pogoda była obsesją Aleksa Neumanna. Osiem tygodni po przyjeździe do Szwajcarii Nick zaczynał rozumieć dlaczego. Wiele stron było prawie czystych, inne zapełnione były terminami spotkań, komentarzami i uwagami od góry do dołu.

– Gdy czytałem wpisy ojca po raz pierwszy – powiedział Nick – robiłem to z nostalgii. No wiesz, chciałem sprawdzić, czy zostawił jakieś osobiste notatki, które mogłyby dać mi jakieś wyobrażenie o tym, jakim był człowiekiem. Ale nie zostawił – cały ojciec. Tylko i wyłącznie praca. Dopiero kiedy przejrzałem terminarze kilka razy, zauważyłem, że zapisy dotyczące niejakiego Allena Soufiego i firmy Goldluxe różnią się od pozostałych.

– Czy jest między nimi jakiś związek?

– Nie. Przynajmniej nie wydaje mi się. Soufi był prywatnym klientem banku, facetem, który założył sobie konto numerowane. Chciał, żeby ojciec pomógł mu w jakiejś śliskiej sprawie. Nic więcej nie wiem.

– No to szukajmy Soufiego – zaproponowała Sylvia.

– Pierwsza wzmianka o Soufim jest z piętnastego kwietnia siedemdziesiątego ósmego. – Nick otworzył terminarz na właściwej stronie. Jego ojciec napisał: „Kolacja. A. Soufi. Bistro. 215 Canon Dr."

Sylvia spojrzała na tę stronę.

– To wszystko?

– Na razie tak. – Nick pomyślał o pełnych oburzenia komentarzach ojca: „Soufi jest niepożądany. Bydlak groził mi", a potem otworzył teczkę z raportami miesięcznymi za okres od stycznia do marca 1978 roku. – W każdym razie musimy zacząć od początku roku. Wzmianki o nim mogły wystąpić wcześniej. Ojciec musiał wysyłać do centrali kopie informacji o nowym rachunku każdego zwerbowanego klienta. Jeśli zwerbował Soufiego, będą kopie potwierdzenia otwarcia rachunku, nazwisko, adres, blankiety z wzorami podpisów, wszystko.

– A Goldluxe?

– Pojawia się później.

Nick przeczytał styczniowy raport od pierwszej do ostatniej strony. Dowiedział się, że wyniki filii w Los Angeles za rok 1977 były o trzydzieści trzy procent lepsze od przewidywanych; że w 1978 nowo zatrudniona sekretarka mogła liczyć na pensję w wysokości siedemset pięćdziesiąt dolarów miesięcznie; i że najlepsza stopa procentowa lądowała w stratosferze na poziomie szesnastu procent. Jak można było pozwolić sobie na kredyt przy takich stopach? Wszystkiemu winna inflacja.

Raport za luty zawierał poprawiony projekt budżetu, trzecią prośbę o większą powierzchnię biurową i propozycję otwarcia dwuosobowej filii w San Francisco.

Nick potarł grzbiet nosa.

– Gdzie on jest, Sylvio? Gdzie jest Soufi?

Sylvia pomasowała mu plecy.

– Znajdzie się, kochanie. Trochę cierpliwości. Ten raport mamy już prawie z głowy.

Raport marcowy był nadzwyczaj krótki. Nick zwrócił uwagę na dodatek, w którym omówiono podwyżki czynszu w biurach mieszczących się na South Flower Street w Los Angeles. Biuro o powierzchni sześciuset metrów kwadratowych było pierwotnie wynajęte za pięć tysięcy dolarów miesięcznie. Nowa umowa najmu przewidywała wzrost czynszu o trzydzieści pięć procent. Alex Neumann wysłał do zarządców budynku jadowity list, grożąc, że opuści lokal z dniem wygaśnięcia aktualnej umowy najmu. Kopię listu dołączył do raportu. Ale nadal ani słowa o Soufim.

Wrócili do sekcji omawiającej nowe kontakty. Sylvia przesunęła palcem po liście z nazwiskami nowych klientów. Alphons Knups, Max Keller, Ethel Ward. Nagle zawołała:

– Patrz, jest! – Wskazała ostatnie nazwisko na liście.

Nick przysunął teczkę bliżej. Faktycznie, było. „Pan A. Soufi". Obok nazwiska widniała gwiazdka. Znalazł też gwiazdkę u dołu strony i przeczytał, że Soufi został polecony przez pana C. Burkiego (wiceprezydenta) z londyńskiej filii USB.

– Bingo – zawołał. – Znaleźliśmy go. – Przekartkował raport, żeby dotrzeć do dokumentacji, która towarzyszyła każdemu nowemu rachunkowi. Owszem, dołączono formularz z nazwiskiem Allena Soufiego w nagłówku, ale nie podano żadnych informacji o jego zawodzie, miejscu pracy, adresie zamieszkania. Był przynajmniej podpis. Soufi zostawił zamaszystą i zapętloną sygnaturę. W rubryce „komentarze" wpisano: „Depozyt gotówkowy $250K".

Nick sprawdził formularze z informacjami o innych klientach. Na każdym podano pełne dane: nazwisko, adres, datę urodzenia, numer paszportu. Tylko formularz Soufiego był niewypełniony. Trącił Sylvię w ramię.

– Ciekaw jestem, kim jest C. Burki z Londynu.

Sylvia zdjęła okulary i wytarła je o rąbek bluzki.

– Jeśli pracował w Londynie, jest całkiem prawdopodobne, że był pracownikiem działu finansowego. Nie pamiętam jego nazwiska. Ale sprawdzę w naszym archiwum osobowym. Może coś się wyjaśni.

– Może. – Nick zachował wątpliwości dla siebie. Szukał informacji o Soufim w Cerberze, a potem w Meduzie i niczego nie znalazł.

Przez następne dwie godziny przeczytali pozostałe raporty, zaglądając raz po raz do terminarza. Pojawiały się liczne odniesienia do kwestii budżetowych: bieżące a planowane dochody, tabele sprzedaży, wydatki ogólne i administracyjne. Nieprzerwany łańcuszek nowych klientów instytucjonalnych wydłużał się z każdym miesiącem. I oczywiście wspominano o nowych klientach prywatnych, zawsze wymieniając nazwisko i dołączając starannie wypełniony formularz z danymi klienta. Nick zadawał sobie pytanie, dlaczego formularz Soufiego był pusty.

Skończył czytać raport z maja i spojrzał na Sylvię. Miała zamknięte oczy, głowa kiwała jej się niepewnie. Poczuł się zmęczony jak ona.

– Sylvio – szepnął – starczy na dzisiaj. – Zamknął teczki najciszej jak potrafił, zabrał terminarz ojca i wyszedł do przedpokoju, żeby schować go do teczki.

– Nie wychodź – usłyszał słaby głos. – Możesz zostać tutaj.

– Bardzo bym chciał, ale jutro mam ciężki dzień. Nie mogę. – Pomyślał, jak wspaniale byłoby zasnąć, czując na piersiach jej plecy. Zastanawiał się, czy nie zmienić zdania, ale pozostał stanowczy. Jutro o jedenastej będzie ściskał dłoń Alemu Mevleviemu, Paszy, i w imieniu banku usługiwał międzynarodowemu handlarzowi narkotykami... przepraszam, „szanowanemu biznesmenowi". Postanowił porządnie się wyspać. – Muszę uciekać, jeśli mam zdążyć na ostatni tramwaj.

– Nick... – zaprotestowała sennie.

– Zadzwonię do ciebie rano. Możesz zwrócić te teczki i ściągnąć następne z kolejnych sześciu miesięcy?

– Spróbuję. Mam przygotować dla ciebie miejsce na jutro wieczór?

– Nie wiem, czy mi się uda. Kaiser zaplanował mi cały dzień i całą noc.

– Zadzwoń, jeśli zmienisz zdanie. Pamiętaj, że w sobotę jadę do ojca.

Nick klęknął przy niej i odgarnął jej za ucho pasmo włosów.

– Jeszcze jedno, Sylvio. Dziękuję.

– Za co?

Patrzył na nią jeszcze przez kilka sekund. Tak bardzo pragnął spędzić z nią noc. Pocałował ją lekko. Wyciągnęła rękę i próbowała przyciągnąć go do następnego pocałunku. Delikatnie odsunął jej dłoń. Jeszcze jeden pocałunek zgubiłby go.

– Po prostu dziękuję.

Rozdział 42

Wolfgang Kaiser pędził swoim BMW 850 wzdłuż General Guisan Quai. Na prawo paliły się światła w oknach Tonhalle, stuletniej sali koncertowej Zurychu. Na lewo powłoka lodu sięgała trzydziestu metrów od brzegu jeziora. Dalej powierzchnię wody marszczył silny północny wiatr.

Kaiser zadrżał mimowolnie, zadowolony, że przy włączonej klimatyzacji w wozie jest ciepło i sucho. Sytuacja wyglądała lepiej. Dzięki szybkiemu wprowadzeniu planu zaproponowanego przez Maedera, bank zdobył dzisiaj dodatkowe trzy procent głosów. Młody Neumann dodał jeszcze jeden procent, nakłaniając Hambros Bank do opowiedzenia się po stronie aktualnego kierownictwa USB. A już najbardziej optymistyczna była wiadomość, że przez cały dzień Adler Bank milczał. Ich maklerzy biernie się przyglądali, jak USB gromadzi wszystkie dostępne akcje własnego banku: pakiet wart ponad sto milionów franków szwajcarskich po kursie zamknięcia.

Może Konig wreszcie dał za wygraną. Biedny Klaus. Nie przychodzi się na aukcję bez książeczki czekowej w ręku.

Kaiser pozwolił sobie na chwilę cichej satysfakcji. Skręcił w Seestrasse, przyspieszając na dwupasmówce, która miała zaprowadzić go do Thalwil, piętnaście kilometrów dalej na zachodnim brzegu jeziora. Zerknął na cyfrowy zegarek w samochodzie. Była dwudziesta pierwsza osiem. Spóźniał się.

A teraz próba. Zadanie. Ostatnia powinność kapryśnego barona przed zdobyciem lenna.

Gdy zadanie zostanie wykonane, Mevlevi nie będzie miał żadnych powodów, by nie przekazać dwustu milionów franków, których potrzebował Kaiser. Fundusze te zagwarantują mu pozycję na czele banku i skażą Klausa Koniga na sromotną porażkę.

Najpierw jedna próba.

Kaiser spojrzał na bryłowaty przedmiot zawinięty w ceratę, który leżał na siedzeniu pasażera. Był zaskoczony jego wagą, kiedy wyjął go z prywatnego sejfu. Wydawał się dużo cięższy niż wtedy, gdy użył go po raz pierwszy. Ale wtedy był znacznie młodszy.

Jedno zadanie.

Zerknął w lusterko wsteczne, żeby sprawdzić, czy ktoś za nim nie jedzie, i zobaczył w nim nieznajomego. Mężczyznę o martwych oczach. Opuścił go dobry humor. Miejsce samozadowolenia zajął wstręt do samego siebie. Jak do tego doszło, pytał mężczyznę. Dlaczego jadę do Thalwil z naładowanym pistoletem? Dlaczego jadę do domu człowieka, który pracował ze mną przez trzydzieści lat, a moim jedynym celem jest wpakowanie mu kulki w czaszkę?

Kaiser znów spojrzał na jezdnię. Minął zjazd do Wollishofen. Wzruszył ramionami i przestał rozczulać się nad sobą. Odpowiedź jest prosta, wyjaśnił swemu słabszemu „ja". Moje życie należy do Alego Mevleviego, znanego handlowca z Bejrutu. Oddałem mu je wiele lat temu.

„Chciałbym skorzystać z usług szwajcarskiego banku".

Pędząc przez noc, Kaiser słyszy te słowa wyraźnie, jakby wypowiedział je niewidzialny pasażer. Są to słowa z innej ery, z innego życia. Z minionych czasów, kiedy był wolnym człowiekiem. Przypomina sobie postać Alego Mevleviego sprzed osiemnastu lat. I zamiast pokonać ostatni odcinek śliskiej drogi wiodącej do morderstwa, on jest na jej początku, a droga, tak jak pogoda, jest sucha. Nawet ciepła. Bo nie jest już w Szwajcarii, tylko w Bejrucie, i jest rok 1980.

– Chciałbym skorzystać z usług szwajcarskiego banku – mówi wytworny klient, ubrany w granatowy blezer, kremowe spodnie i krawat w paski. Jest jeszcze młody, nie przekroczył czterdziestki, ma gęste czarne włosy i wąski, prosty nos. Tylko skóra zdradza, że jest tubylcem.

– Jestem do pańskiej dyspozycji – odpowiada świeżo przybyły dyrektor filii, pragnąc dogodzić klientowi.

– Chciałbym otworzyć konto.

– Naturalnie. – Teraz uśmiech. Pokaż klientowi, że postąpił rozsądnie, wybierając United Swiss Bank, chcąc powierzyć swoje pieniądze pieczy młodego i jeszcze nie całkiem wyrobionego Wolfganga Kaisera.

– Dokona pan przelewu czy wpłaci fundusze czekiem?

– Obawiam się, że ani jedno, ani drugie.

Zmarszczenie brwi. Ale tylko przez ułamek sekundy. W końcu istnieje wiele sposobów rozpoczęcia współpracy z klientem, a nowy dyrektor jest ucieleśnieniem ambicji.

– Chciałby pan wpłacić gotówkę?

– Właśnie.

Problem. W zagranicznych instytucjach finansowych w Libanie nie wolno dokonywać depozytów gotówkowych.

– Do naszego oddziału w Szwajcarii?

– Do waszego oddziału przy ulicy Al Muteeba 17 w Bejrucie.

– Rozumiem. – Szef filii informuje nienagannie ubranego klienta, że nie może przyjąć depozytu gotówkowego. Operacja ta naraziłaby bank na utratę licencji.

– Zamierzam zdeponować nieco ponad dwadzieścia milionów dolarów.

– To duża suma. – Kaiser uśmiecha się, lecz nie ustępuje. – Niestety, mam związane ręce.

Klient ciągnie dalej, jakby nic nie słyszał:

– Cała suma w amerykańskich banknotach. Głównie studolarówki. Znajdzie pan też trochę pięćdziesiątek i dwudziestek, ale nie mniejsze nominały. Obiecuję.

Co za rozsądny człowiek z tego klienta, ten pan... Kaiser zerka na srebrną tackę z wizytówką... ten pan Ali Mevlevi. Żadnych dziesiątek. Żadnych piątek.

– Gdyby zechciał pan zdeponować tę sumę w Szwajcarii, jestem pewien, że moglibyśmy się dogadać. Niestety... – Dyrektor wykonuje gest zdrową ręką: docenia okazję, ale w tym przypadku musi ją przepuścić.

Mevlevi jest nieugięty.

– Czy już wspomniałem o prowizji, jaką jestem gotów zapłacić, jeśli przyjmiecie ten depozyt? Cztery procent wystarczy?

Kaiser nie potrafi ukryć zdumienia. Cztery procent? Osiemset tysięcy dolarów. Suma dwa razy większa od planowanego zysku za cały rok! Co ma teraz zrobić? Spakować forsę do walizki i osobiście przetransportować ją do Szwajcarii? Myśl ta kołatała mu się po głowie chwilę dłużej, niż nakazywał rozsądek. Zaschło mu w gardle, musi napić się wody. Zapomina zaproponować coś do picia swemu bajecznie zamożnemu klientowi.

Mevlevi nie zwraca uwagi na to małe *faux pas*.

– Może powinien pan najpierw omówić sprawę z przełożonymi. Da się pan dzisiaj zaprosić na późną kolację? Pan Rothstein, mój bliski przyjaciel, prowadzi czarujący lokal. Little Maxim's. Zna go pan?

Kaiser uśmiecha się uprzejmie. Czy go zna? W Bejrucie każdy, kto może sobie pozwolić na studolarową wejściówkę i cieszy się odpowiednimi wpływami, zna Little Maxim's. Zaproszenie? Dyrektor filii nie waha się. Bank chciałby, żeby je przyjął.

– Będzie mi bardzo przyjemnie.

– Mam nadzieję, że wtedy otrzymam pozytywną odpowiedź. – Mevlevi ściska mu delikatnie dłoń, *ein toter Fisch*, i wychodzi.

Little Maxim's w najgorętszym okresie libańskiej wojny domowej. Ciepły piątkowy wieczór. Wolfgang Kaiser ma na sobie szyty na miarę jedwabny smoking w kolorze kości słoniowej, który podkreśla jego opaleniznę. Z kieszeni wystaje chusteczka w kolorze burgundzkiego wina. Włosy błyszczą od brylantyny, wąsy są starannie przystrzyżone. Czeka przy bocznym wejściu. Umówili się na dziesiątą. Jest dwanaście minut przed czasem. Na liście cnót bankiera punktualność zajmuje wyższą pozycję niż uczciwość.

O umówionej porze wchodzi na schody. Klub jest słabo oświetlony, niektóre zakątki niemal toną w ciemności. Jego oczy rejestrują kilkanaście obiektów jednocześnie – zmysłową blondynkę na scenie wirującą całkiem nago wokół srebrnego drążka, witającą go hostessę w kusej srebrnej tunice zakrywającej tylko jedną pierś, dżentelmena w smokingu zaciągającego się głęboko dymem z nargili gigantycznych rozmiarów. Kaiser rozgląda się, aż na jego ramieniu ląduje mocna dłoń i prowadzi go do zadymionego kąta. Ali Mevlevi nie wstaje, wskazuje mu wolne krzesło po drugiej stronie stołu.

– Rozmawiał pan już ze swoimi kolegami z Zurychu? Z panem Gautschim, jak sądzę?

Młody szef filii uśmiecha się nerwowo i rozpina marynarkę. Mevlevi jest dobrze poinformowany.

– Tak, skontaktowałem się z nimi późnym popołudniem. Z przykrością muszę pana zawiadomić, że nie możemy panu pomóc w tym przypadku. Ryzyko utraty licencji bankowej jest po prostu zbyt duże. Proszę mi wierzyć, jest nam bardzo przykro, że musimy przepuścić okazję nawiązania współpracy z tak wybitnym biznesmenem jak pan. Gdyby jednak zechciał pan zdeponować swoje środki w Szwajcarii, z przyjemnością zaspokoilibyśmy pańskie bankowe potrzeby.

Kaiser boi się odpowiedzi swego gospodarza. Rozpytywał się o Mevleviego. Podobno jest zamieszany w interesy różnego rodzaju, z których część jest nawet legalna: handel walutami, nieruchomościami, tekstyliami. Ale plotki głoszą, że jego głównym źródłem dochodu jest międzynarodowy handel heroiną. Niewątpliwie jest niebezpieczny.

– Pieniądze są tutaj! – Mevlevi wali ręką w stół, przewracając szklankę szkockiej. – Nie w Szwajcarii. Jak mam je przetransportować do waszego banku? Myśli pan, że urzędnicy celni powitają Turka z Libanu z otwartymi ramionami? – Prycha. – Myślicie, że wszyscy jesteśmy członkami Czarnego Września. Jestem uczciwym biznesmenem. Dlaczego nie chcecie nam pomóc?

Kaiser już podał przygotowane wcześniej wyjaśnienie. Nie wie, co ma powiedzieć. Przeszywa go intensywne spojrzenie Mevleviego. Gdy w końcu się odzywa, mówi z twardym ojczystym akcentem.

– Musimy przestrzegać przepisów. Nie ma zbyt wielu opcji.

– Chce pan powiedzieć: nie ma żadnych opcji. Oczekuje pan, że zostawię swoje pieniądze tutejszym złodziejom?

Kaiser kręci głową, jest zakłopotany. Pierwsza lekcja zakręconej logiki bliskowschodniej praktyki biznesu.

Mevlevi pochyla się nad stołem i chwyta bezwładne ramię Kaisera.

– Widzę, że pan chce mi pomóc.

Kaiser jest zaszokowany gestem, który godzi w jego kalectwo. Ale to jego oczy, nie ręka, czują uścisk Mevleviego i jak zahipnotyzowany kiwa głową.

Mevlevi woła kelnera i zamawia butelkę Johnny Walkera Black Label. Szkocka zostaje podana. Wznosi toast.

– Za ducha przedsiębiorczości. Świat należy do tych, którzy kształtują go na własną modłę!

Godzinę, dwie lub trzy później Kaiser delektuje się pieszczotami szczupłej dziewczyny, która wygląda jak zagubione dziecko. Długie czarne włosy otaczają zmysłową twarz. Pod gęstymi rzęsami błyszczą zalotne ciemne oczy. Jeszcze jeden drink i ramiączko wieczorowej sukni z cekinów spada z miękkiego, lecz prężnego ramienia. Jej angielski jest bez zarzutu. Prosi gardłowym głosem, żeby przysunął się bliżej. Nie może się oderwać od jej ciekawskich palców i słodkiego oddechu. Dziewczyna nie przestaje opowiadać największych sprośności.

Mevlevi pali kolejnego ze swych obrzydliwych tureckich papierosów. Z czarnego tytoniu unoszą się kłęby niebieskiego dymu. Ma pełny kieliszek. Chyba zawsze jest pełny?

Czarnowłosa panienka nalega, żeby Kaiser odprowadził ją do mieszkania. Dlaczego miałby odmówić? W końcu to tylko trzy przecznice od klubu, a wielki Mevlevi udzielił mu błogosławieństwa. Braterskim klepnięciem w plecy i porozumiewawczym mrugnięciem dał do zrozumienia, że w Little Maxim's wszystko zostanie załatwione. Dziewczyna prosi o drinka i wskazuje na bar. Kaiser rozlewa hojnie szkocką do dwóch szklanek. Wie, że wypił za dużo, ale nie jest pewien, czy go to obchodzi. Może z lekkomyślnością mu do twarzy. Dziewczyna podnosi szklankę do jego ust i Kaiser wypija trochę. Resztę połyka ona jednym haustem. Zatacza się i wyciąga niepewnie rękę po torebkę. Coś jest nie tak. Nieprzyjemny grymas wykrzywia jej twarz. Nagle uśmiecha się. Problem rozwiązany. Pod idealnie wypielęgnowanym paznokciem widać biały proszek. Wącha i proponuje to samo swemu nocnemu towarzyszowi. On kręci głową, lecz dziewczyna nalega. W końcu Kaiser pochyla się i wącha.

– Biały kucyk – chichocze cicho dziewczyna i proponuje mu następną porcję.

Bankier z Zurychu jest coraz bardziej zdezorientowany. Nigdy jeszcze nie czuł, żeby krew tak szybko przetaczała się przez jego żyły. Ciśnienie narasta w głowie, ale chwilę później następuje ulga. Swędzi go tors. Ciepło rozlewa się po całym ciele. Chce spać, ale jakaś chciwa ręka rozbudza go, a jej mocny chwyt przenosi gorąco z piersi między nogi. Przez załzawione oczy widzi cudowną dziewczynę z Little Maxim's, która rozpina mu spodnie i bierze go do ust. Jeszcze nigdy nie miał takiej erekcji. Mąci mu się wzrok i zdaje sobie sprawę, że zapomniał, jak ona się nazywa. Otwiera oczy, chce zapytać. Stoi przed nim z sukienką opuszczoną do pasa. Ma małe i blade sutki, otaczają je kępki czarnych włosów. Kaiser siada, krzyczy, żeby przestała... przestała, ale inna para rąk przytrzymuje go. Wyrywa się na próżno, jest pijany. Nie widzi ani nie czuje igły, która wbija się w błękitną żyłę na jego lewej zasuszonej ręce.

– Jeśli podpisze pan ten dokument, będziemy mogli zapomnieć o tej kłopotliwej sytuacji.

Ali Mevlevi wręcza Wolfgangowi Kaiserowi kwit wydany przez przedstawicielstwo United Swiss Bank w Bejrucie na sumę dwudziestu milionów dolarów amerykańskich. Skąd wziął oficjalny druk, pozostaje tajemnicą. Tak jak cała reszta.

Kaiser starannie składa chusteczkę i wsuwa ją do kieszeni, zanim sięga po dokument. Kładzie kwit na stercie kolorowych zdjęć formatu osiem na dziesięć. Zdjęć, których on, Wolfgang Andreas Kaiser, jest głównym bohaterem, a nawet można powiedzieć – gwiazdą. On i potwornie okaleczony transwestyta, który – o czym dowiedział się później – nazywał się Rio.

Kaiser podpisuje dokument, wiedząc, że ta „kłopotliwa sytuacja" nigdy nie przestanie go prześladować. Mevlevi obserwuje go obojętnie. Wskazuje na trzy wypchane worki, które leżą przy wejściu.

– Albo w ciągu kilku dni znajdzie się sposób zdeponowania pieniędzy, albo doniosę o ich kradzieży. W waszym kraju surowo traktuje się defraudantów, prawda? W Libanie nie jest inaczej. Ale obawiam się, że tutejsze więzienia nie są tak wygodne jak wasze.

Kaiser prostuje się. Ma podpuchnięte oczy i zapchany nos. Odrywa górną część kwitu, kładzie ją na plastikowej tacce i oddaje żółtą kopię Mevleviemu. Schronieniem szwajcarskiego bankiera jest porządek, a procedura jego sanktuarium. Różowa kopia, mówi, zostanie w tym biurze. Biała powędruje do Szwajcarii.

– Z pieniędzmi – dodaje i sili się na uśmiech.

– Niezwykły z pana człowiek – mówi Mevlevi. – Widzę, że wybrałem właściwego partnera.

Kaiser kiwa odruchowo głową. Teraz są partnerami. Jakie czekają go w związku z tym tortury?

Mevlevi znowu się odzywa:

– Może pan przekazać przełożonym, że zgodziłem się zapłacić specjalną prowizję w wysokości dwóch procent zdeponowanych funduszy na pokrycie kosztów administracyjnych związanych z otwarciem rachunku. Nieźle. Czterysta tysięcy dolarów za dzień pracy. A może raczej powinienem powiedzieć: noc?

Kaiser nie komentuje. Stara się nie odrywać pleców od oparcia. Jeśli straci kontakt z twardą powierzchnią, jeśli nacisk na jego kręgosłup osłabnie, wpadnie w szał.

Nazajutrz rano dyrektor filii odbywa lot do Zurychu przez Wiedeń. Cztery walizki ma wypchane dwudziestoma milionami i stu czterdziestoma trzema tysiącami dolarów. Mevlevi skłamał. Były tam trzy jednodolarowe banknoty.

Celnicy nie zatrzymują Kaisera, choć ten pcha wózek z górą wypchanych walizek. Pasażer idący za nim ma tylko jedną małą walizkę, ale zostaje zatrzymany. Kaiser posyła pełne zrozumienia spojrzenie urzędnikowi imigracyjnemu. Co innego można zrobić z brudnym Arabem?

Gerhardowi Gautschiemu, prezesowi United Swiss Bank, zdumienie odbiera głos. Kaiser wyjaśnia, że nie mógł odrzucić tak intratnej propozycji. Owszem, istniało ryzyko. Nie, nie zamierza zrobić czegoś równie szalonego w przyszłości. W każdym razie pieniądze są bezpiecznie zdeponowane w banku. Zainkasowano sporą prowizję. A w dodatku, klient ten pragnie zainwestować w papiery wartościowe. Jego pierwszy zakup? Akcje United Swiss Bank.

– Kim on jest? – pyta Gautschi, mając oczywiście na myśli nowego klienta.

– Szanowanym biznesmenem – odpowiada Kaiser.

– Naturalnie – śmieje się Gautschi. – Wszyscy nimi są.

Kaiser opuszcza salę tronową prezesa, ale dopiero kiedy Gautschi wypowiada ostatnie słowo:

– Następnym razem, Wolfgang, przyślemy po ciebie samolot.

Na przednią szybę samochodu spadła bryłka śniegu i wyrwała Wolfganga Kaisera z zamyślenia. Znak przed nim wskazywał, że dojechał do Thalwil. Parę sekund później mijał fabrykę czekolady Lindt i Sprungli, industrialne brzydactwo pomalowane na lawendowy kolor. Zwolnił, opuścił szybę i wyłączył ogrzewanie. Do środka wdarł się przejmujący chłód.

Masz już go dosyć, co? Kaiser zadał sobie to pytanie, mając na myśli Alego Mevleviego, człowieka, który zniszczył mu życie. Oczywiście, że tak. Mam dosyć telefonów o północy, podsłuchu, apodyktycznych rozkazów. Mam dosyć życia pod czyimś obcasem.

Westchnął. Przy odrobinie szczęścia to się może zmienić. Jeśli Nicholas Neumann jest tak nieustępliwy, jak go oceniał, i tak mściwy, jak wskazywały jego wojskowe doświadczenia, Mevlevi może wkrótce stać się tylko wspomnieniem. Jutro młody Neumann pozna podstępny charakter Alego Mevleviego. Mevlevi sam stwierdził, że się postara, aby Neumann został jednym z nich. Kaiser wiedział, co oznaczają te słowa.

Przez ostatni miesiąc wyobrażał sobie, że pozbędzie się Mevleviego, wykorzystując do tego Neumanna. Wiedział, że Neumann przez jakiś czas służył w Korpusie Piechoty Morskiej, ale przebieg jego służby był tajemnicą. Niektórzy z lepszych klientów banku byli wysoko postawionymi urzędnikami w amerykańskim Departamencie Obrony – analitykami zaopatrzenia, jeśli się nie mylił. Bogate dranie. Małe dochodzenie przyniosło zadziwiające wyniki. Informacje o służbie Neumanna oficjalnie zakwalifikowano do kategorii „ściśle tajnych". Co ciekawsze, chłopak został zwolniony dyscyplinarnie. Trzy tygodnie przed zwolnieniem brutalnie zaatakował cywilnego kontrahenta, niejakiego Johna J. Keely'ego. Najwyraźniej skatował go do nieprzytomności. Chodziły pogłoski, że był to odwet za nieudaną operację. Sprawę zatuszowano.

Więcej informacji nie dostał, ale tyle w zupełności wystarczyło. Impulsywny żołnierz. Szkolony zabójca, który szybko wpada w złość. Oczywiście nie mógł od razu poprosić chłopaka, żeby kogoś zabił, do tego klienta.

Ale mógł się postarać, aby ktoś ze skłonnością do krwawego rozwiązywania sporów sam wpadł na ten pomysł.

Przydzielił Neumanna do FKB4. Dał mu trochę czasu, żeby popracował z kontem 549.617 RR. Choroba Cerrutiego i odejście Sprechera były cudownymi zbiegami okolicznościami. Pojawienie się Sterlinga Thorne'a – jeszcze lepszym. Kto mógłby lepiej poinformować Neumanna o Mevlevim od agenta DEA? A teraz Mevlevi przyjeżdża do Zurychu. Pierwsza wizyta od czterech lat. Gdyby Kaiser był religijny, nazwałby to cudem. Będąc cynikiem, nazwał to darem losu.

Była dwudziesta pierwsza piętnaście, kiedy zaparkował samochód na prywatnym parkingu nad jeziorem. Położył ciężką ceratę na kolanach i zaczął ją rozwijać, aż srebrna powłoka broni błysnęła w ciemności. Ścisnął pistolet w lewej dłoni, odciągnął kurek i umieścił nabój w komorze. Kciukiem odbezpieczył broń. Spojrzał w lusterko i poczuł ulgę na widok swego odbicia: mężczyzny o obojętnych, martwych oczach.

Najpierw pierwsza próba.

Przecznicę przed budynkiem Kaiser zwolnił kroku i głęboko odetchnął rześkim powietrzem. Światła paliły się we wszystkich oknach apartamentu na ostatnim piętrze. Wydało mu się, że dostrzegł cień w jednym z okien. Pochylił głowę i ruszył dalej. Gładził dłonią metalowy przedmiot w kieszeni, jakby miał go wybawić z tej sytuacji niczym magiczny talizman. Doszedł do drzwi. Głos, który popłynął z głośnika, był niespokojny.

– Dzięki Bogu, jesteś – powiedział Marco Cerruti.

Rozdział 43

Ali Mevlevi siedział sam w przestronnej kabinie. Pilot właśnie zapowiadał rychłe lądowanie na lotnisku w Zurychu. Mevlevi odłożył stertę papierów, które przeglądał przez ostatnie trzy godziny, i zapiął pasy. Piekły go oczy, bolała głowa. Zastanawiał się, czy postąpił słusznie, wybierając się do Szwajcarii, ale po chwili pozbył się wszelkich wątpliwości. Nie miał przecież wyboru. Jeśli Chamsin ma zwyciężyć.

Znowu zainteresował się papierami, które trzymał na kolanach. Jego spojrzenie wędrowało od góry do dołu. Najpierw nagłówek wydrukowany cyrylicą. Wiedział, że napis ten oznacza: „Magazyn nadwyżek broni". Pod spodem umieszczono po angielsku wstęp. „Sprzedajemy broń nową i używaną, tylko najwyższej jakości, w doskonałym stanie". Ze sporym zdziwieniem przeczytał uwagę, że może zwrócić zakup po trzydziestu dniach, jeśli nie będzie zadowolony. Rosjanie brali z zasad handlu międzynarodowego to, co najlepsze. Przewrócił stronę i przejrzał listę zakupionych materiałów.

Sekcja I: Samoloty. Pozycja 1. Śmigłowiec Hind model VII A (latająca bestia znana z Afganistanu). Cena: piętnaście milionów dolarów sztuka. Kupił cztery. Pozycja 2. Helikopter bojowy Sukhoi. Cena: siedem milionów dolarów. Kupił sześć. Pozycja 3. Pociski rakietowe klasy powietrze-ziemia o niewymawialnej nazwie. Cena: pięćdziesiąt tysięcy dolarów sztuka. W jego hangarze znalazło się ich dwieście. Następna strona. Sekcja II: Pojazdy gąsienicowe. Czołgi T-52. Cena: trzy miliony dolarów sztuka. Miał ich całą cholerną flotę, w sumie dwadzieścia pięć. Ruchome wyrzutnie rakietowe Katiusza. Okazyjna cena: pół miliona dolarów za sztukę. Wziął dziesięć. Przy pozycji siódmej na drugiej stronie – transporter opancerzony Żukow z działami maszynowymi kaliber 50 za siedem milionów dolarów – naniesiono gwiazdkę i ręczną notatkę: „Nadal w użyciu w rosyjskich siłach zbrojnych – dostępne części zamienne!!!". Wziął ich tuzin. Lista ciągnęła się dalej. Szatański róg obfitości ze śmiercionośnymi zabawkami. Artyleria polowa, moździerze, karabiny maszynowe, granaty, miny, torpedy. Wystarczy, żeby w pełni wyposażyć dwie wzmocnione kompanie piechoty, kompanię kawalerii pancernej i eskadrę śmigłowców bojowych. W sumie sześciuset żołnierzy.

I pomyśleć, że to tylko dla odwrócenia uwagi.

Mevlevi roześmiał się chytrze, czytając ostatnią stronę dokumentu. Jakby to powiedzieć: danie główne. Słowa cieszyły go, jakby czytał je po raz pierwszy, a nie setny. Poczuł uścisk w kroku i gęsią skórkę.

Sekcja V. Broń nuklearna. 1 Kopinskaja IV bomba uderzeniowa o wadze dwóch kiloton. Wojskowa broń jądrowa. Pocisk atomowy nie większy od moździerzowego o sile rażenia dziesięć razy mniejszej od bomby zrzuconej na Hiroszimę i pięćdziesiąt razy mniejszej radioaktywności. Dwa tysiące ton trotylu praktycznie bez błądzących atomów.

Jedyna pozycja, której nie zdołał jeszcze kupić. Miała go kosztować około ośmiuset milionów franków szwajcarskich. Będzie miał pieniądze za trzy dni. A bombę za trzy i pół.

Mevlevi bardzo starannie wybrał cel. Ariel – odosobniona osada piętnastu tysięcy Żydów na okupowanym Zachodnim Brzegu, budowana nawet wtedy, gdy Izraelczycy demonstrowali dobrą wolę w negocjacjach dotyczących wycofania się z tych terenów. Uważali Arabów za głupców? Nikt nie buduje miasta, które ma opuścić za rok. Nawet nazwa była idealna. Ariel – bez wątpienia na cześć Ariela Szarona, najzagorzalszego wśród Izraelczyków wroga Arabów, bestię, która osobiście nadzorowała masakry w Shatilli i Sabrze w 1982 roku.

Ariel – nazwa, która stanie się symbolem żydowskiej klęski.

Mevlevi nieoczekiwanie ziewnął. Wstał o czwartej rano, żeby przed świtem dokonać przeglądu wojsk na terenie szkoleniowym. Wyglądali wspaniale, ubrani w pustynne mundury maskujące. Rzędy natchnionych wojowników, gotowych wprowadzać w życie słowa proroka; gotowych oddać życie za Allaha. Chodził między nimi i rzucał im słowa zachęty. Idźcie z Bogiem. Inszallah. Bóg jest wielki.

Z terenu szkoleniowego przeszedł do dwóch ogromnych hangarów, które pięć lat temu postawił u stóp wzgórz na południowym krańcu swej posiadłości. Wszedł do pierwszego hangaru i ogłuszył go ryk dwudziestu czołgów. Dokonywano właśnie ostatniego przeglądu systemów napędowych. Mechanicy uwijali się wokół potężnych maszyn, prosząc obsługujących, żeby uruchamiali silniki lub obracali wieżyczki. Do zbiorników śpiących olbrzymów wlewano ostatnie miarki paliwa, do stalowych pancerzy wkładano kanistry. Zatrzymał się i podziwiał doskonały efekt. Mosze Dajan przewróciłby się w grobie. Każdy czołg pomalowano według dokładnych specyfikacji armii izraelskiej. Każdy miał izraelską flagę. Flagi te zamierzano wznieść w chwili ataku. Chaos był największym sprzymierzeńcem agresora.

Mevlevi przeszedł do drugiego hangaru, w którym mieściły się śmigłowce. „Śmierć z nieba", wołali Amerykanie i ich żydowscy wasale. Teraz przekonają się o tym na własnej skórze. Spojrzał na helikoptery Hind o silnych skrzydłach uginających się pod ciężarem uzbrojenia. I na lżejsze śmigłowce bojowe Sukhoi. Samo spojrzenie na te instrumenty śmierci przyprawiało go o dreszcz. Helikoptery też zostały pomalowane w brudnych odcieniach khaki izraelskich sił zbrojnych. Trzy z nich wyposażono w urządzenia odzewowe wydobyte z zestrzelonych jednostek. Włączą się, kiedy ptaszki przekroczą izraelską granicę. Dla całego świata, a przynajmniej dla radarów w Galilei, będą to przyjazne siły.

Ostatnim przystankiem Mevleviego przed wejściem na pokład samolotu do Zurychu była wizyta w centrum operacyjnym, zbrojonym podziemnym bunkrze niedaleko hangarów. Chciał omówić sytuację taktyczną z porucznikiem Iwłowem i sierżantem Rodenką. Iwłow przedstawił plan operacji: w sobotę o drugiej wojska Mevleviego wtargną do Syrii i ruszą na południe w stronę granicy izraelskiej. Czas akcji zbiegnie się z rozpoczęciem antymuzułmańskich ćwiczeń przez armię Południowego Libanu. Spodziewano się syryjskich patroli rozpoznawczych. Wywiad potwierdził, że w tym czasie nad kluczowym rejonem nie będą przelatywać żadne satelity. Jedna kompania piechoty zajmie pozycje trzy mile od granicy niedaleko miasta Chebaa. Druga kompania, działając razem z kawalerią pancerną, będzie się posuwać siedem mil na wschód do Jazin. Czołgi zostaną przetransportowane w rejon etapowy przez siedem ciężarówek używanych zwykle do przewożenia traktorów. Każda ciężarówka zabierze cztery czołgi. Wszystkie wojska znajdą się na pozycjach przed świtem w poniedziałek. Ruszą do ataku na komendę dowódcy.

Mevlevi zapewnił Iwłowa i Rodenkę, że plan zostanie zrealizowany. Nie śmiał powiedzieć Rosjanom, że ich wypad przez granicę i atak na najnowsze osady żydowskie Ebarach i Nowy Syjon był tylko zwodniczym manewrem, krwawą szaradą mającą na celu odwrócić uwagę Żydów od małego korytarza powietrznego nad północno-wschodnim krańcem ich ojczyzny. Z pewnością kilkuset nieustraszonych hebrajskich osadników mogło zginąć. Atak Iwłowa będzie więc miał pewne pozytywne konsekwencje. Tyle że niezbyt istotne.

Mevlevi odesłał rosyjskich najemników i zszedł spiralnymi schodami do pomieszczenia łącznościowego. Poprosił żołnierza na służbie, żeby wyszedł, i kiedy był już sam, podszedł do jednego z trzech telefonów. Podniósł słuchawkę i wybrał dziewięciocyfrowy numer.

Odezwał się zmęczony głos z magazynu nadwyżek broni w Ałma-Acie w Kazachstanie.

– *Da?*

– Z generałem Dimitrem Marczenką. Proszę mu powiedzieć, że dzwoni jego przyjaciel z Bejrutu. – Mevlevi spodziewał się, że Marczenko śpi. Ale była to jego prywatna linia, a generał szczycił się, że oferuje usługi dwadzieścia cztery godziny na dobę – pomysł, który niewątpliwie podchwycił podczas jednej z podróży do Stanów Zjednoczonych w ramach wymiany wojskowej. Poza tym Mevlevi był jednym z lepszych klientów generała. Do tej pory zapłacił jemu i jego opiekunom w kazachskim rządzie sto dwadzieścia pięć milionów dolarów.

Dwie minuty później przełączono Mevleviego na drugą linię.

– Dzień dobry, towarzyszu – zadudnił głos Dimitra Marczenki. – Ranny z pana ptaszek. Mamy tu w Rosji przysłowie: „Rybak, który…

Mevlevi przerwał mu:

– Generale Marczenko, czeka na mnie samolot. Wszystko jest przygotowane do naszej ostatniej transakcji.

– Cudowna wiadomość.

– Przyjedźcie z dzieckiem. – Mevlevi mówił umówionym szyfrem. – Do niedzieli musi nas odwiedzić.

Marczenko nie odzywał się przez kilka sekund. Mevlevi słyszał, jak przypala papierosa. Jeśli generałowi uda się sfinalizować tę transakcję, stanie się dla swoich rodaków świętym na wiele pokoleń. Kazachstan nie opływał w zasoby surowców naturalnych. Był to górzysty kraj o jałowej ziemi. Miał trochę ropy, trochę złota, ale to wszystko. Jeśli chodzi o podstawowe produkty, takie jak zboże, ziemniaki, wołowina, musiał polegać na swych byłych radzieckich braciach. Ale teraz już nie rozdawano artykułów według centralnie ustalanego planu pięcioletniego. Potrzebna była gotówka. A czy nie najlepiej zacząć od sprzedaży państwowego uzbrojenia? Osiemset milionów franków szwajcarskich w ciągu jednego dnia mogło zmienić sytuację finansową tego ubogiego kraju. Niezupełnie przekucie mieczy w lemiesze, ale coś w tym rodzaju.

– To wykonalne – powiedział Marczenko. – Pozostaje jeszcze tylko sprawa zapłaty.

– Płatność zostanie uregulowana nie później niż w południe w poniedziałek. Gwarantuję.

– Proszę pamiętać, że dziecko nie może podróżować, jeśli nie podam mu ostatnich wskazówek.

Mevlevi powiedział, że rozumie. Bomba zostanie uzbrojona po wprowadzeniu do centralnego procesora zaprogramowanego wcześniej kodu. Wiedział, że Marczenko wprowadzi kod nie wcześniej niż po uzyskaniu informacji, że osiemset milionów franków wpłynęło do jego banku.

– Da – powiedział generał. – Przyprowadzimy do was nasze dziecko w niedzielę. A przy okazji, nazywamy go Małym Joe. Jest jak Stalin. Mały, ale podły sukinsyn!

Wspominając tę rozmowę, Mevlevi w myślach poprawił generała. Nie, nie nazywa się Mały Joe, ale Chamsin. A jego piekielny wiatr przyspieszy odrodzenie się mojego narodu.

Rozdział 44

Nick obserwował z tylnego siedzenia służbowego mercedesa, jak cessna citation kołuje w padającym śniegu. Ryk silników oscylował między wyciem i warczeniem, gdy samolot zjeżdżał z pasa startowego na wolny kawałek płyty lotniska. Odrzutowiec raptownie zahamował, podskakując na przednim kole, i stanął w miejscu. Wyłączono silniki. Drzwi odrzutowca zadrżały i opadły do wewnątrz. Z kadłuba wysunęły się schodki.

Na pokład wszedł samotny urzędnik celny i imigracyjny. Zniknął wewnątrz samolotu. Nick otworzył drzwi samochodu i wyszedł na płytę. Powtarzając w myślach ceremonię powitania z Paszą, przygotował najmilszy ze swych uśmiechów. Czuł się dziwnie, jakby nie był sobą. Chyba nie zamierzał spędzić całego dnia w roli przewodnika przemytnika heroiny. To musiał być ktoś inny. Jeszcze jeden były żołnierz piechoty morskiej, którego kolano tak bardzo zesztywniało, że z każdym krokiem czuł, jakby miał w stawach tłuczone szkło.

Podszedł na odległość dziesięciu metrów od samolotu i czekał. Kilka sekund później zjawił się urzędnik celny.

– Może pan wejść na pokład – oznajmił. – Można bezpośrednio opuścić lotnisko.

Nick podziękował, zastanawiając się, dlaczego nigdy tak szybko nie przeszedł przez odprawę celną.

Gdy odwrócił się do samolotu, Pasza stał już w otwartych drzwiach. Nick wypiął pierś i czterema szybkimi krokami pokonał dzielącą ich odległość.

– Dzień dobry. Herr Kaiser przesyła najserdeczniejsze pozdrowienia w imieniu własnym oraz banku.

Mevlevi uścisnął wyciągniętą dłoń.

– Panie Neumann. Wreszcie się spotykamy. Myślę, że należą się panu moje podziękowania.

– Ależ nic podobnego.

– Mówię serio. Dziękuję panu. Podoba mi się pański rozsądek. Mam nadzieję, że podczas tego pobytu znajdę jakiś lepszy sposób wyrażenia mojej wdzięczności. Staram się nie zapominać o tych, którzy oddali mi przysługę.

– To naprawdę zbyteczne – powiedział Nick. – Proszę tędy. Schrońmy się przed tym zimnem.

Pasza nie wyglądał na zatwardziałego kryminalistę, jak Nick sobie wyobrażał. Był szczupły i niezbyt wysoki – może metr siedemdziesiąt dwa, trzy – i ważył nie więcej niż siedemdziesiąt kilogramów. Ubrany był w granatowy garnitur, krwistoczerwony krawat i wypastowane pantofle. Niczym włoski arystokrata na ramiona miał narzucony płaszcz przeciwdeszczowy.

Gdybym spotkał go w tłumie, pomyślał Nick, wziąłbym go za wysoko postawionego biznesmena lub ministra spraw zagranicznych któregoś z krajów Ameryki Łacińskiej. Mógłby być starzejącym się francuskim playboyem lub księciem z saudyjskiej rodziny królewskiej. Nie wygląda na człowieka, który zajmuje się sprowadzaniem do Europy tysięcy kilogramów oczyszczonej heroiny.

Mevlevi owinął się w płaszcz i zadrżał teatralnie.

– Czułem ten chłód nawet na wysokości trzydziestu tysięcy stóp. Mam tylko dwie torby. Kapitan zabierze je z ładowni.

Nick zaprowadził Mevleviego do samochodu i wrócił do samolotu po bagaże. Torby były ciężkie i wypchane do pełna. Taszcząc je do limuzyny, przypomniał sobie napomnienia prezesa, żeby dokładnie wykonywać polecenia Mevleviego. Pasza miał na razie tylko jedno umówione spotkanie. Ze szwajcarskimi władzami imigracyjnymi w Lugano, za trzy dni, w poniedziałek o dziesiątej rano. Powód: wyrobienie szwajcarskiego paszportu.

Nick zorganizował to spotkanie na prośbę prezesa, ale nie miał zamiaru w nim uczestniczyć. Wcześniej przez parę godzin nakłaniał Eberharda Senna, hrabiego Languenjoux, żeby przesunął rozmowę z prezesem o co najmniej dzień. W końcu zdołał hrabiego przekonać. Godzina jedenasta w poniedziałek odpowiadała mu, ale tylko pod warunkiem, że spotkanie odbędzie się w należącym do niego małym hotelu nad jeziorem Lugano, gdzie urządził sobie zimową rezydencję. Kaiser zgodził się, twierdząc, że dla sześciu procent Senna warto odbyć trzygodzinną podróż do Tessin. Nick chciał być obecny na tym spotkaniu. Ale prezes pozostawał nieugięty. „Reto Feller będzie mi towarzyszył zamiast ciebie. Ty będziesz eskortował pana Mevleviego. Zaskarbiłeś sobie jego zaufanie".

Nick wsiadł do limuzyny, przeklinając dzień, w którym „zaskarbił sobie zaufanie" Paszy. Nie trzeba było geniusza, żeby wiedzieć, dlaczego Kaiser nie może towarzyszyć panu Mevleviemu. Oskarżenia Thorne'a były prawdziwe. Wszystkie co do jednego.

– Najpierw pojedziemy do Zug – oświadczył Mevlevi. – Międzynarodowy Fundusz Powierniczy, Grutstrasse 67.

– Grutstrasse 67, Zug – powtórzył Nick szoferowi.

Limuzyna ruszyła w drogę. Nick nie miał ochoty na prawienie zwyczajowych grzeczności. Nie będzie lizał dupy przemytnikowi narkotyków. Mevlevi zachowywał milczenie. Głównie wyglądał przez okno. Co jakiś czas zerkał na Nicka, nie bez życzliwości, ale z dystansem. Posyłał mu lekki uśmiech i odwracał wzrok.

Limuzyna pędziła przez dolinę Sihl. Droga wiła się do góry przez niekończący się sosnowy las. Mevlevi poklepał Nicka po kolanie.

– Widział pan ostatnio pana Thorne'a?

Nick spojrzał mu prosto w oczy. Nie miał nic do ukrycia.

– W poniedziałek.

– Ach – Mevlevi pokiwał z zadowoleniem głową, jakby rozmawiali o starym przyjacielu – w poniedziałek.

Nick zerknął na Mevleviego, wałkując w myślach jego proste pytanie i pozwalając jego milionom znaczeń potwierdzić to, czego powinien był się domyślić kilka tygodni temu. Człowiekowi pokroju Mevleviego nie wystarczyło obserwowanie Thorne'a. Chciałby też wiedzieć, co knuje Nick. Amerykanin w Szwajcarii. Były marine. Cokolwiek Nick dla niego zrobił, na pewno nie zasłużył sobie na jego zaufanie. Nick wiedział już, dlaczego Mevlevi zadał mu to pytanie. Thorne nie był jedynym, którego śledzono. Jechali na tym samym wózku. To Mevlevi przysłał człowieka w pelerynie i kapeluszu górskiego przewodnika. To Mevlevi zlecił przeszukanie jego mieszkania. Cały czas miał go na oku.

Międzynarodowy Fundusz Powierniczy mieścił się na trzecim i czwartym piętrze skromnego budynku w centrum Zug. Zwykła złota tabliczka nad dzwonkiem informowała, jaką działalność się tu prowadzi. Nick przycisnął dzwonek i drzwi natychmiast się otworzyły. Oczekiwano ich.

Przywitała ich lekko przygarbiona tyczkowata kobieta pod pięćdziesiątkę. Zaprowadziła ich do sali konferencyjnej wychodzącej na Zugersee. Na stole stały dwie butelki Passugger. Przed każdym krzesłem ustawiono szklankę, podstawkę, popielniczkę, serwetkę i dwa długopisy. Kobieta zaproponowała kawę. Goście skorzystali z propozycji. Nick miał niewielkie pojęcie o celu tego spotkania. Miał siedzieć i słuchać. Jako przedstawiciel Kaisera.

Uprzejme stuknięcie i drzwi się otworzyły. Weszło dwóch mężczyzn. Pierwszy był wysoki, z podwójnym podbródkiem i różową cerą. Drugi – niski, chudy i łysy, nie licząc pasma czarnych włosów zwiniętego na czubku głowy w dziwaczny kok.

– Affentranger – przedstawił się ten postawniejszy. Podszedł do Nicka, a potem do Mevleviego. Każdemu podał wizytówkę i rękę do uściśnięcia.

– Fuchs – powiedział ten drobniejszy, idąc za przykładem partnera.

Mevlevi zaczął mówić, gdy tylko cała czwórka zasiadła przy stole.

– Panowie, to dla mnie przyjemność znowu z wami współpracować. Kilka lat temu pracowałem z waszym wspólnikiem, panem Schmiedem. Bardzo mi pomógł w otwarciu wielu korporacji na holenderskich Antylach. Geniusz, jeśli chodzi o liczby. Mam nadzieję, że nadal u was pracuje. Może powinienem się z nim przywitać?

Affentranger i Fuchs wymienili skonsternowane spojrzenia.

– Pan Schmied zmarł trzy lata temu – powiedział Affentranger, ten z podwójnym podbródkiem.

– Utonął na urlopie – wyjaśnił Fuchs.

– Nie… – Mevlevi przytknął do ust wierzch dłoni. – Straszne.

– Zawsze mi się wydawało, że Morze Śródziemne jest spokojne – powiedział Fuchs. – Najwyraźniej u wybrzeży Libanu bywa czasem wzburzone.

– Co za tragedia – wyraził swoją opinię Mevlevi, a jego oczy uśmiechały się do Nicka.

Fuchs zbył nieistotną kwestię śmierci kolegi machnięciem ręki. Uśmiechnął się szeroko, żeby rozproszyć smutne myśli.

– Mamy nadzieję, że nasza firma i tym razem okaże się przydatna, panie…

– Malvinas. Allen Malvinas.

Nick spojrzał z zainteresowaniem na Alego Mevleviego, a raczej Allena Malvinasa.

– Potrzebuję kilku kont numerowanych – powiedział Mevlevi.

Fuchs odchrząknął przed odpowiedzią.

– Na pewno zdaje pan sobie sprawę, że może pan otworzyć takie konto w którymkolwiek z banków przy tej samej ulicy.

– Oczywiście – odparł uprzejmie Mevlevi. – Ale chciałbym uniknąć zbędnych formalności.

Affentranger w pełni go rozumiał.

– Rząd zrobił się ostatnio zdecydowanie za bardzo wścibski.

Fuchs przyznał mu rację.

– I nawet nasze najbardziej tradycyjne banki nie są tak dyskretne jak kiedyś.

Mevlevi rozłożył ręce, jakby chciał powiedzieć: taki już jest świat, w którym żyjemy. Westchnął.

– Widzę, że się zgadzamy.

– Niestety, musimy przestrzegać przepisów – utyskiwał Fuchs. – Wszyscy klienci, którzy chcą w tym kraju otworzyć nowe konto jakiegokolwiek typu, muszą dostarczyć wiarygodny dowód tożsamości. Wystarczy paszport.

Nicka zdziwiło, że Fuchs położył nacisk na słowo „nowe".

Natomiast Mevlevi ożywił się na dźwięk tego słowa, jakby było podpowiedzią, na którą czekał.

– Nowe konta, powiedział pan. Oczywiście rozumiem potrzebę przestrzegania przepisów na wypadek, gdyby ktoś zechciał założyć sobie nowe konto. Ale ja wolałbym starsze, może jakieś konto zarejestrowane na waszą firmę, którego nie używacie na co dzień.

Fuchs spojrzał na Affentrangera. Potem obaj spojrzeli na Nicka, który przybrał zatroskany wyraz twarzy. Affentranger potrafił im zapewnić to, czego szukali, bo po chwili zaczął mówić:

– Takie konta faktycznie istnieją – zaczął ostrożnie – ale uzyskanie ich jest bardzo kosztowne. Jak ciągnący się rozwód, można powiedzieć. Banki upierają się przy wypełnieniu pewnego minimum formalności przed pozwoleniem na przeniesienie na klienta konta numerowanego, które pierwotnie zostało otworzone przez nas.

– Naturalnie – rzekł Mevlevi.

Nick miał ochotę powiedzieć Fuchsowi i Affentrangerowi, żeby podali cenę i przechodzili do rzeczy.

– Pragnie pan otworzyć tylko jedno konto? – zapytał Fuchs.

– Właściwie to kilka – uściślił Mevlevi. – Mówiąc konkretnie: pięć. Posiadam oczywiście odpowiedni dokument tożsamości. – Wyjął z marynarki argentyński paszport i położył go na stole. – Wolałbym jednak, żeby konto pozostało anonimowe.

Nick przyjrzał się granatowemu paszportowi i stłumił uśmiech. Pan Malvinas z Argentyny – Malwiny były argentyńską nazwą Falklandów.

Mevlevi uważał się za spryciarza. Jasne, że był sprytny. Jego ludzie w USB poinformowali go, że DEA odkryła rachunek 549.614 RR. Ale musiał też być zdesperowany. Po co miałby opuszczać swoje bezpieczne schronienie w Bejrucie i narażać się na aresztowanie, żeby rozwiązać problem bankowy, którym równie dobrze mógłby się zająć ktoś inny? Kaiser, Maeder, nawet sam Nick mógł odbyć podróż do Zug. Trudno było uwierzyć, że tylko dlatego Pasza opuścił swoje ciepłe gniazdko.

– Byłby pan zainteresowany kontami w United Swiss Bank? – zapytał Fuchs.

– Nie ma w tym kraju lepszej instytucji – odparł Mevlevi, a Nick tylko kiwnął głową.

Fuchs podniósł słuchawkę i polecił sekretarce, żeby przyniosła kilka formularzy.

– Minimalna kwota ustalona przez USB dla klientów ubiegających się o otworzone wcześniej konto numerowane to pięć milionów dolarów. Oczywiście skoro potrzebuje pan pięciu kont, możemy negocjować warunki.

– Proponuję umieścić na każdym rachunku po cztery miliony dolarów – powiedział Mevlevi, ucieleśnienie rzeczowości.

Nick już widział, jak Affentranger i Fuchs obliczają prowizję, coś w granicach jednego, dwóch procent. Na tej jednej transakcji nobliwy Międzynarodowy Fundusz Powierniczy zarobi ponad dwieście tysięcy dolarów.

Fuchs i Affentranger odpowiedzieli jednocześnie.

– To się da załatwić.

Gdy pan Malvinas wypił kawę i uporano się z niezbędną papierkową robotą, rozmowa przestała się kleić. Nick przeprosił zebranych i wyszedł na korytarz do toalety. Chwilę potem dołączył do niego Affentranger.

– Kurewsko gruba ryba z niego, co?

Nick uśmiechnął się.

– Chyba tak.

– Jesteś nowy w banku?

Nick kiwnął głową.

– Kaiser zazwyczaj przysyła Maedera. Nie przepadam za nim. Za mocno gryzie. – Affentranger klepnął się w swój tłusty tyłek. – Tutaj. Wiesz, o co mi chodzi.

Nick wybąkał, że rozumie.

– A ty? W porządku? – zapytał Affentranger. Co oznaczało: czy oczekujesz prowizji z tej transakcji?

– Niczego mi nie brak.

Affentranger wyglądał na zbitego z tropu.

– No to dobrze. I pamiętaj, jeśli będziesz miał więcej takich klientów, przysyłaj ich do nas.

W sali konferencyjnej Fuchs grzebał w papierach. Mevlevi siedział obok niego i razem wpisywali odpowiednie informacje. Albo nie wpisywali, co zdarzało się częściej. Nie przypisano rachunkom żadnego nazwiska. Nie podano adresu. Cała korespondencja miała być przechowywana w centrali United Swiss Bank w Zurychu. Od pana Malvinasa wymagano tylko dwóch zestawów haseł. Te podał z radością. Głównym hasłem miał być pałac Ciragan. Dodatkowym, podawanym ustnie – data jego urodzin, czyli dwunasty listopada 1936 roku. Potrzebny był też podpis do weryfikacji wszelkich pisemnych zleceń i pan Malvinas również chętnie się podporządkował. Na dole formularza skwapliwie złożył podpis przypominający zapis sejsmograficzny. Spotkanie dobiegło końca, uwieńczone uśmiechami i uściskami dłoni.

Nick i jego klient nie odzywali się, zjeżdżając windą na parter. Kąciki ust Mevleviego wykrzywiał szeroki uśmiech. Nic dziwnego, pomyślał Nick. Facet trzymał w ręku pięć formularzy przeniesienia rachunków; miał pięć czystych kont numerowanych, z których mógł korzystać wedle uznania. Pasza wrócił do gry.

W limuzynie na drodze do Zurychu Mevlevi w końcu przemówił.

– Panie Neumann, będę musiał skorzystać z bankowych urządzeń. Mam trochę gotówki, którą trzeba przeliczyć.

– Naturalnie – odparł Nick. – Ile tego jest mniej więcej?

– Dwadzieścia milionów dolarów – rzekł obojętnie Mevlevi, wpatrując się w posępny krajobraz za oknem. – Chyba wie pan, dlaczego te walizki są tak cholernie ciężkie?

Rozdział 45

Tego samego dnia o jedenastej trzydzieści Sterling Thorne zajął miejsce pięćdziesiąt metrów od służbowego wejścia do United Swiss Bank. Stał w podpartym filarami wejściu opuszczonego kościoła, betonowej pudełkowatej konstrukcji przypominającej bardziej publiczny wychodek niż miejsce kultu. Czekał na Nicka Neumanna.

Jego opinia o Neumannie uległa radykalnej zmianie w ciągu ostatnich dwudziestu czterech godzin. Im częściej o tym myślał, tym bardziej był pewien, że Neumann jest po jego stronie. Wtedy nad jeziorem mógł przysiąc, że dostrzegł w oczach chłopaka błysk przychylności. Niewiele brakowało, a wskoczyłby do ekspresu „Pieprzyć Mevleviego". Thorne postanowił, że gdy już do tego dojdzie, powie mu o Beckerze. Nie żeby było dużo do opowiadania.

Skontaktował się z Beckerem w połowie grudnia tylko dlatego, że ten pracował w dziale prowadzącym rachunki Mevleviegio – FKB4, jak donosiła Wojskowa Agencja Wywiadu – i sprawiał wrażenie człowieka o słabej woli i wrażliwym sumieniu. Wiecznie się uśmiechał, a tacy ludzie zwykle lubią wspierać szlachetne cele. Nie trzeba go było długo namawiać do współpracy. Powiedział, że zastanawiał się nad tym od dawna i że postara się zdobyć dokumenty, które będą stanowić niezaprzeczalny dowód prania pieniędzy przez Mevleviego w United Swiss Bank. Tydzień później już nie żył: gardło poderżnięte od ucha do ucha i ani śladu po dokumentach, które mogłyby pomóc DEA. Thorne opowie o nim Neumannowi w swoim czasie. Nie trzeba odstraszać chłopaka.

Pracownicy zaczęli wysypywać się z banku, pojedynczo lub parami, głównie sekretarki. Thorne nie odrywał wzroku od schodów, czekając, aż zjawi się na nich Nick. Cieszył się, że Błazen sprowadza duży transport oczyszczonej heroiny przeznaczonej na rynek szwajcarski, ale pomoc Neumanna była konieczna, jeśli chciał udowodnić współudział USB w machlojkach Mevleviego. Pomyślał o Wolfgangu Kaiserze, który powiedział, że nie zna Mevleviego. „Alfie Merlani?", zapytał. Arogancki sukinsyn. Thorne zdał sobie sprawę, że chce się dobrać Kaiserowi do tyłka tak samo jak Mevleviemu. I poczuł się jeszcze lepiej.

Dwadzieścia minut później zadzwonił telefon komórkowy przy pasku Thorne'a. Głuchy elektroniczny sygnał zaskoczył go i przyprawił o dreszcz na plecach. Agent pogmerał przy guzikach skórzanej kurtki. Modlił się, żeby to był Błazen. Połącz się ze mną, przyjacielu. Uwolnił telefon z paska i nacisnął odpowiedni przycisk.

– Thorne – powiedział spokojnie.

– Thorne! – ryknął Terry Strait. – Masz natychmiast stawić się u mnie. Zabrałeś dokumenty należące do rządu Stanów Zjednoczonych. Akt trwających operacji nigdy, powtarzam: nigdy nie wolno wynosić. „Wschodnia Błyskawica" jest…

Thorne słuchał, jak dobry pastor się wścieka, jeszcze przez pięć, może dziesięć sekund i rozłączył się. Gorszy niż kleszcz w pępku.

Telefon zadzwonił znowu. Thorne ważył w dłoni mały aparat, jakby chciał w ten sposób ustalić, kto jest na drugim końcu linii. Śpij dalej, Terry. Chciałeś się mnie pozbyć, więc pozbyłeś się. Ale pewnego dnia przechwycę całe mnóstwo czystej heroiny bez twojej pomocy i wsadzę Paszę za kratki. „Wschodnia Błyskawica" odniesie większy sukces, niż przewidywaliśmy. Jeszcze wrócę. A wtedy cię znajdę i skopię ten twój żałosny tyłek.

Telefon zadzwonił po raz drugi. Co, u diabła? Jeśli to Strait, znowu się rozłączy. Trzeci sygnał.

– Mówi Thorne.

– Thorne? Tu Błazen. Jestem w Mediolanie. W domu Makdisich.

Mało brakowało, a Thorne przeżegnałby się i padł na kolana.

– Dobrze cię słyszeć. Możesz rozmawiać? Masz trochę czasu?

– Tak, trochę.

– Dobry chłopak. Masz dla mnie plan podróży?

– Przekraczamy granicę w Chiasso w poniedziałek rano między dziewiątą trzydzieści a dziesiątą trzydzieści. Prawym pasem. Ciężarówka z dwiema przyczepami na brytyjskich numerach. Długodystansowy routier. Na przednim zderzaku ma niebieską tabliczkę z napisem „TIR". Ładunek przykrywa szara plandeka. Odszukuje nas inspektor. Dostajemy zgodę na wolny przejazd.

– Mów dalej.

– Potem chyba jedziemy do Zurychu. Prowadzą chłopaki Makdisich. Zabieramy towar do stałego punktu wyładunku. Niedaleko Hardturm. To chyba stadion piłkarski. Coś się tutaj dzieje. Wszyscy jakoś dziwnie na mnie patrzą. Ciągle się uśmiechają. Mówiłem już, że biorę w tym udział, bo Mevlevi podejrzewa Makdisich o grę na dwa fronty. Za duży transport, żeby go puścić bez nadzoru przyjaciela. Kilka tysięcy kilogramów, może więcej. Bardzo mu zależy, żeby wszystko się udało.

Thorne przerwał Błaznowi.

– Zarekwirowanie tak dużego transportu byłoby wspaniałym osiągnięciem, ale musimy powiązać go z Mevlevim, w przeciwnym razie za dwa tygodnie przyśle jeszcze większą partię. Nie chcę ładunku kontrabandy bez właściciela. Rodzina Makdisich nic mnie nie obchodzi.

– Wiem, wiem... – Połączenie chwilowo urwało się i Thorne usłyszał tylko szum.

– Co powiedziałeś? Co z Mevlevim? Słyszysz mnie, Joe?

Głos Błazna powrócił.

– ...więc jak powiedziałem, nigdy nie będzie lepszej okazji. Nie możemy jej zmarnować.

– Powiedz jeszcze raz. Nie słyszałem cię.

– Jezu – wychrypiał Błazen, jakby zabrakło mu powietrza. – Powiedziałem, że jest w Szwajcarii. Tam gdzie pan.

– Kto?

– Mevlevi.

Thorne poczuł się, jakby ktoś walnął go w brzuch.

– Chcesz powiedzieć, że Ali Mevlevi jest w Szwajcarii?
– Przyleciał dziś rano. Zadzwonił do domu, w którym się zatrzymałem, i pytał, czy wszystko w porządku. Obiecał, że kiedy już ładunek bezpiecznie dotrze na miejsce, wybuduje mi dom na terenie swojej posiadłości. Na wtorek ma zaplanowany wielki występ. Spotkanie w banku. Ma konszachty z tym bankiem, tyle razy mówiłem.
– Chcę wiedzieć więcej – nalegał Thorne. – Co z jego armią?
– Chamsin. Operacja Mevleviego. Wypuszcza swoich ludzi jutro o czwartej rano. Nie wspominał o celu, ale będą szli na południe w stronę granicy. Ma sześciuset fanatyków przygotowanych do wielkiej akcji.
– Czwarta w sobotę – powtórzył Thorne. – Mówisz, że nie wspominał o celu?
– Nikomu. Po prostu ruszają na południe.
– Cholera – szepnął Thorne. Nie teraz! I co ma zrobić z tą informacją? Był tylko agentem rządowym w cywilu, na litość boską. Miał w Langley kumpla, którego informował o swoich podejrzeniach. Zadzwoni do niego, może przefaksuje najnowsze wiadomości. Musi zrzucić ten problem na ich barki i modlić się. Miał tylko nadzieję, że przy tak nasilonym ruchu wojsk na granicy libańsko-izraelskiej sześciuset żołnierzy będzie czymś więcej niż tylko kropką na mapie.
Myśli Thorne'a wróciły do bliższych mu problemów.
– Świetna robota, Joe. Ale potrzebuję czegoś, żeby przyszpilić go tutaj.
– Obserwuj bank. Prawdopodobnie złoży tam wizytę. Mówiłem, że jest zaprzyjaźniony z Kaiserem. Od bardzo dawna.
Thorne zauważył limuzynę mercedesa, która podjechała do bramy i zatrzymała się przed nią.
– Niemożliwe. Mevlevi wie, że na niego polujemy. Myślisz, że odważy się przejechać mi koło nosa?
– Decyzja należy do ciebie. Ale musisz dać mi znać, jak zamierzasz to załatwić. Nie chcę być z nimi, kiedy zrobi się gorąco. Będzie jatka.
– Wstrzymaj się i daj mi trochę czasu, żeby wszystko zorganizować. Musimy wysłać z naszej strony komitet powitalny.
– Ale pospiesz się. Nie mogę dzwonić co godzinę. Mam jeszcze jedną szansę, zanim stąd ruszymy.
Brama zazgrzytała i otworzyła się. Limuzyna powoli wjechała na podwórze banku.
– Spokojnie, Joe. Daj mi czas do niedzieli, a przygotujemy miłe przyjęcie. Wyciągnę cię z ogniska, zanim się poparzysz. Muszę znaleźć jakiś sposób, żeby towar nie trafił na ulice, a jednocześnie nakryć Mevleviego. Zadzwoń do mnie w niedzielę.
– Dobra, w porządku. Jeśli tak ma być. – Błazen rozłączył się.

– Trzymaj się – powiedział Thorne do głuchej słuchawki. Odetchnął i schował telefon. – Jesteś prawie w domu, chłopie.

Na podwórzu United Swiss Bank tylne światła mercedesa błysnęły czerwienią i limuzyna zatrzymała się. Thorne patrzył, jak otwierają się tylne drzwi wozu i wychyla się czyjaś głowa. Brama zaczęła się zamykać: długa kurtyna z czarnego metalu sunąca po stalowej szynie. Przypomniał sobie słowa Błazna. „Jest zaprzyjaźniony z Kaiserem. Obserwuj bank".

Najpierw z limuzyny wysiadł szofer. Poprawił marynarkę i założył czapkę. Tylne drzwi z lewej strony otworzyły się same. Wychyliła się ciemnowłosa głowa i znowu schowała za przyciemnioną szybą.

Thorne wyciągnął szyję, chcąc wyjrzeć za przesuwający się parawan. Para lśniących pantofli oparła się o chodnik. Słyszał stuknięcie obcasów o beton. I znowu wychyliła się głowa. Mężczyzna odwracał się w jego stronę.

Jeszcze chwila, błagał. Proszę!

Brama zatrzasnęła się.

Thorne pobiegł w stronę banku, chcąc się dowiedzieć, kto przyjechał limuzyną. Zza ogrodzenia dobiegł go śmiech. Ktoś odezwał się po angielsku. „Nie było mnie tu całe wieki. Rozejrzyjmy się". Dziwny akcent. Może włoski. Jeszcze przez minutę wpatrywał się w bramę i rozmyślał. A jeśli... Uśmiechnął się i odwrócił. Nie ma mowy. Niemożliwe. Nigdy nie wierzył w zbiegi okoliczności. Świat jest mały. Ale nie aż tak mały.

Rozdział 46

Kupiłem ją z myślą o tobie, Wolfgang – powiedział Ali Mevlevi, wchodząc do gabinetu Kaisera. Wskazywał na bajeczną mozaikę przedstawiającą Saracena na koniu, z mieczem wymierzonym w jednorękiego lichwiarza. – Nie widuję jej wystarczająco często.

Wolfgang Kaiser podszedł do drzwi swojej prywatnej windy, a jego szeroki uśmiech miał w sobie całą dobroduszność świata.

– Musisz więc wpadać tu częściej. Minęło trochę czasu od twojej ostatniej wizyty. Trzy lata?

– Prawie cztery. – Mevlevi chwycił wyciągniętą dłoń i przyciągnął Kaisera, żeby go uściskać. – Ostatnio trudniej jest podróżować.

– Ale to się niedługo zmieni. Miło mi cię poinformować, że na poniedziałek rano mam umówione spotkanie z moim kolegą, ekspertem w sprawach naturalizacji.

– Z administracji?

Kaiser uniósł ramiona, jakby chciał powiedzieć „A niby skąd?"

– Jeszcze jeden człowiek, który nie potrafi wyżyć z pensji.

– Dokładasz swoją cegiełkę do prywatyzacji, co?

– Niestety, ta osoba rezyduje w Tessin nad jeziorem Lugano. Neumann umówił nas na dziesiątą rano. Trzeba będzie wcześnie ruszyć.

– Będzie mi pan towarzyszył, panie Neumann?

Nick przytaknął i dodał, że wyjeżdżają w poniedziałek o siódmej rano.

Wcześniej nadzorował przeliczenie dwudziestu milionów dolarów gotówką. Przez dwie i pół godziny stał w małym, sterylnym pokoju dwa piętra pod ziemią, pomagając łamać pieczęcie na paczkach studolarówek. Podawał banknoty korpulentnemu urzędnikowi do przeliczenia. Na początku widok tylu pieniędzy przyprawił go o zawrót głowy. Ale z czasem, gdy jego palce coraz bardziej brudziły się farbą amerykańskiego ministerstwa skarbu, oszołomienie przeszło w nudę, a potem w złość. Nie mógł dłużej ciągnąć tej maskarady.

Mevlevi wszystko bacznie obserwował i ani przez chwilę nie okazał zniecierpliwienia. Ciekawe, pomyślał Nick, że jedyne osoby, które nie ufają szwajcarskim bankom, to korzystający z nich oszuści.

Kaiser zajął ulubione miejsce pod Renoirem.

– Jeśli szwajcarski paszport ochronił Marca Richa przed wściekłością amerykańskiego rządu, na pewno ochroni i ciebie.

Mevlevi usiadł na kanapie.

– Muszę w tym przypadku uwierzyć ci na słowo.

– Amerykańskie władze nie nękały Richa, odkąd osiedlił się w Zug – entuzjazmował się Kaiser.

Zanim Marc Rich zadarł z wymiarem sprawiedliwości, był prezydentem Phillipp Bros, największej na świecie korporacji handlowej. W 1980 roku nie mógł się oprzeć pozarynkowej cenie ropy, proponowanej przez niedawno utworzony rząd fundamentalistów w Iranie, i pomimo ścisłego embarga ustanowionego przez rząd amerykański na handel z ajatollahem Chomeinim sprowadził tyle ropy, ile mógł. Sprzedał ją za cenę o dolara niższą od ceny państw OPEC i zarobił krocie.

Wkrótce potem amerykańskie ministerstwo skarbu wyśledziło polecenia kupna nielegalnej ropy w Nowym Jorku, a stamtąd doszło do biur niejakiego Marca Richa. Prawnicy Richa przez ponad dwa lata osłaniali swojego klienta, zgadzając się na grzywny w wysokości pięćdziesięciu tysięcy dolarów dziennie, żeby uchronić go przed więzieniem. Ale wkrótce było już jasne, że rząd ma argumenty twarde jak skała, i jeśli sprawa trafi do sądu, Rich będzie musiał sobie zrobić przedłużone wakacje. Wolał nie ryzykować i czmychnął do Szwajcarii – państwa, które nie podpisało ze Stanami Zjednoczonymi układu o ekstradycji w przypadku przestępstw o charakterze finansowym i podatkowym. Z[illegible]edzibę nowej firmy w kantonie Zug, gdzie zatrudnił kilkunastu handlowców, włączył do zarządu parę miejscowych grubych ryb i przekazał kilka szczodrych dotacji na rzecz miejscowej społeczności. Wkrótce potem Richowi przyznano szwajcarski paszport.

Kaiser wyjaśnił, że Mevlevi ma podobny problem. Sterling Thorne próbował zamrozić jego konta, ponieważ naruszył przepisy zabraniające prania brudnych pieniędzy, co Szwajcaria dopiero niedawno uznała za przestępstwo. Ogólnie rzecz biorąc, żaden szwajcarski prokurator nie zamrozi konta bogatego obywatela tylko na podstawie oskarżeń o pranie pieniędzy wysuniętych przez zagraniczne władze, choćby dowody były najbardziej przekonujące. Najpierw podejrzanego należało osądzić i skazać. I żeby nie działać pochopnie, dopuścić apelację. Zdobycie szwajcarskiego paszportu uniemożliwi amerykańskiej agencji DEA uzyskanie nakazu zamrożenia rachunków Alego Mevleviego. W ciągu tygodnia Sterling Thorne stanie się tylko przykrym wspomnieniem.

– A nasz drugi problem? – zapytał Mevlevi. – Ten dokuczliwy, który groził dużymi kłopotami.

Kaiser zerknął nerwowo na Nicka.

– Skutecznie rozwiązany.

Mevlevi rozluźnił się.

– Bardzo dobrze. Ta podróż uwolniła mnie już od tylu zmartwień. Lecimy dalej? Mamy czas, żeby obejrzeć moje konto?

– Oczywiście. – Wolfgang Kaiser zwrócił się do swego asystenta. – Nicholas, pobiegnij łaskawie do DZ i przynieś korespondencję pana Mevleviego. Na pewno chciałby ją ze sobą zabrać. – Podniósł słuchawkę telefonu stojącego na stoliku przy kanapie i wybrał czterocyfrowy numer wewnętrzny. – Karl? Przysyłam ci pana Neumanna po teczkę konta numerowanego 549.617 RR. Tak, wiem, że nie wolno jej wynosić. Ale tym razem pójdź mi na rękę, Karl. Co takiego? Druga przysługa w tym tygodniu? Naprawdę? – Kaiser przerwał i spojrzał na Nicka. Nick domyślił się, że w tej chwili prezes zachodzi w głowę, co to była za przysługa. Ale Kaiser nie miał czasu na rozmyślania i po chwili wznowił rozmowę. – Dziękuję, to bardzo miło z twojej strony. Nazywa się Neumann. Może ci się wydać znajomy. Zadzwoń, jeśli go rozpoznasz.

Nick martwił się. Owszem, spodziewał się, że Mevlevi zechce przejrzeć swoją teczkę. Trzy dni temu przyniósł wszystkie potwierdzenia skradzione z teczki Mevleviego, ale jak jakiś głupiec zostawił je u siebie w gabinecie podczepione pod górną szufladę biurka. Teraz miał tylko jedną szansę włożenia potwierdzeń z powrotem do teczki, zanim Pasza odkryje ich brak. Musi wrócić do swojego gabinetu po odebraniu teczki i podmienić koperty.

Ale był pewien problem.

Żeby odzyskać korespondencję, musiał minąć wejście do sekretariatu Kaisera z grubą teczką Mevleviego w ręku. Mogła go zobaczyć Rita Sutter. Albo Ott, Maeder lub któryś z urzędników bywających w sekretariacie prezesa. Oczywiście nie był to jedyny problem. Podczas rozmowy telefonicznej z Karlem Kaiser dwa razy wymienił nazwisko Nicka. Rzucił mu nawet zagadkę co do tożsamości swego asystenta. „Zadzwoń, jeśli go rozpoznasz", powiedział. Ledwie trzy dni temu Nick przedstawił się Karlowi jako Peter Sprecher. Co staruszek teraz sobie pomyśli?

Nick czekał na windę, sfrustrowany brakiem innych możliwości. Bał się. Jeśli Mevlevi odkryje, że jego korespondencja przepadła, przewinienie Nicka wyjdzie na jaw. A potem? Jeżeli dopisze mu szczęście, natychmiastowe zwolnienie. A jeśli nie dopisze? Lepiej o tym nie myśleć.

Nick doszedł do wniosku, że prędkość jest jego jedynym atutem. Popędzi do DZ, chwyci teczkę i wybiegnie stamtąd. A gdy wróci na czwarte piętro, przemknie obok wejścia do „Cesarskiego Szańca" i podmieni skradzione listy, zanim ktokolwiek się zorientuje. Carl Lewis lepiej nadawałby się do tego zadania.

Nick podszedł raźnym krokiem do drzwi DZ. Oparł się plecami o framugę, zrobił trzy głębokie wdechy, otworzył drzwi i podszedł do kontuaru Karla.

– Przyszedłem po teczkę konta 549.617 RR dla Herr Kaisera.

Karl natychmiast zareagował na władczy ton głosu Nicka. Obrócił się, wziął do ręki grubą teczkę i podał ją asystentowi prezesa, a wszystko jednym płynnym ruchem. Nick wsunął teczkę pod pachę i ruszył do wyjścia.

– Chwileczkę – zawołał Karl. – Prezes pytał, czy pana poznam. Niech pan zaczeka!

Nick obrócił się w lewo, stając profilem do Karla.

– Przykro mi. Jesteśmy bardzo zajęci. Pan prezes z niecierpliwością czeka na te dokumenty. – Wypowiedziawszy te słowa, wyszedł z archiwum tak szybko, jak do niego wszedł. Cała wizyta trwała piętnaście sekund.

Rzucił się biegiem po schodach, przeskakując po dwa stopnie naraz. Trzymał teczkę w lewej ręce, a prawą przytrzymywał się poręczy. Po pięciu skokach dało o sobie znać kolano. Nadal mógł podnosić nogę, ale pod warunkiem, że był gotów znieść ostry ból. To tyle, jeśli chodzi o prędkość. Teraz musiał zamaskować utykanie.

Zatrzymał się przy wejściu na czwarte piętro. Pot zrosił mu czoło. Koszula przylgnęła do pleców. Nie mógł wparadować do gabinetu Wolfganga

Kaisera i podać Alemu Mevleviemu teczkę, z której skradziono prywatną korespondencję. Jak zareaguje, gdy otworzy listy zawierające rzekomo potwierdzenia jego licznych przelewów, a znajdzie tylko czyste kartki papieru?

Konsekwencje były niewyobrażalne.

Nick otworzył drzwi na korytarz czwartego piętra i wszedł prosto na Rudolfa Otta.

– Przepraszam – powiedział Ott z szeroko otwartymi ze zdziwienia oczami.

– Spieszę się do prezesa – rzucił Nick bez zastanowienia. Ott stał bezpośrednio przed nim, więc nie mógł stwierdzić, w którą stronę szedł. Jeśli wybierał się do pani Sutter, Nickowi nie pozostanie nic innego, jak mu towarzyszyć.

Ott zamrugał nerwowo oczami.

– Myślałem, że jesteś teraz u niego. No, na co czekasz? Biegnij.

Nick odetchnął z ulgą i ruszył dalej korytarzem. Widział już szerokie wejście do sekretariatu prezesa. Rita Sutter siedziała po prawej stronie. Oczekiwała jego powrotu w każdej chwili i zauważy go, jeśli szybko obok niej nie przemknie. Nie miał wyboru – musiał pochylić głowę i minąć wejście. Nakazał sobie zlekceważyć każdą usłyszaną uwagę. Jego gabinet mieścił się w dalszej części korytarza po lewej stronie. Wymiana korespondencji Paszy mogła mu zająć piętnaście, najwyżej dwadzieścia sekund.

Szedł dalej korytarzem, starając się utrzymać pewny krok. Noga strasznie go bolała. Jeszcze trzy kroki i znajdzie się w polu widzenia Rity Sutter. Dwa kroki. Podwójne drzwi były otwarte na oścież, tak jak wtedy, kiedy wychodził kilka minut temu. Kątem oka zauważył, że drzwi do gabinetu Kaisera są zamknięte i świeci się nad nimi czerwona lampka. Nie przeszkadzać. Pod żadnym pozorem!

Nick przemknął obok wejścia. Wydawało mu się, że ktoś rozmawia z Ritą Sutter, ale nie był pewien. W każdym razie teraz nie miało to znaczenia. Jeszcze kilka kroków i znajdzie się za rogiem, zejdzie jej z oczu. Zwolnił kroku i wyprostował się. Niepotrzebnie się martwił.

– Neumann! – zawołał za nim głęboki głos.

Nick nie zatrzymywał się. Jeszcze jeden krok i będzie za rogiem. Jeśli zajdzie taka potrzeba, zamknie się w swoim gabinecie.

– Cholera jasna, Neumann, wołałem cię – dudnił głos Armina Schweitzera. – Zatrzymaj się w tej chwili.

Nick zwolnił. Zawahał się.

Schweitzer toczył się za nim.

– Na Boga, człowieku, głuchy jesteś? Dwa razy cię wołałem.

Nick obrócił się na pięcie.

– Prezes mnie oczekuje. Muszę zabrać od siebie parę dokumentów.

– Bzdura – odparł Schweitzer. – Rita powiedziała mi, gdzie byłeś. Widzę, że masz to, po co cię posłali. Pewnie chciałeś zadzwonić do dziewczyny, co? Umówić się na piątkowy wieczór. Nie wypada, żeby prezes czekał. Cokolwiek chciałeś zrobić u siebie, to może poczekać.

Nick spojrzał w stronę swojego gabinetu, a potem na Schweitzera, który wyciągał gorliwie rękę, żeby osobiście zaciągnąć go do biura prezesa. Dokonanie wyboru między Alim Mevlevim i Arminem Schweitzerem nie było trudne.

– Powiedziałem, że muszę zabrać coś od siebie. Za minutę będę u Herr Kaisera.

Schweitzer był zaskoczony. Zrobił krok w stronę Nicka i zatrzymał się. Wydawał się zbity z tropu.

– Proszę bardzo. Nie omieszkam zawiadomić o tym prezesa.

Nick odwrócił się i doszedł do swojego gabinetu. Zamknął drzwi od środka i rzucił się do biurka. Otworzył górną szufladę i wsunął rękę pod jej dno. Niczego nie znalazł. Czyżby zapomniał, gdzie przykleił listy? Otworzył szuflady z drugiej strony, najpierw pierwszą, potem drugą i trzecią, choć wiedział, że tam nie schował listów. Pod żadną nic nie było. Ktoś musiał znaleźć skradzioną korespondencję.

Wchodząc do sekretariatu prezesa, zauważył, że Rita Sutter rozmawia przez telefon.

– Przykro mi, Karl, ale prezesowi nie można teraz przeszkadzać. – Wcisnęła guzik, żeby przerwać połączenie, i ruchem ręki zatrzymała Nicka przy swoim biurku. – Karl właśnie mnie zapytał, czy zamiast pana do DZ zszedł pan Sprecher.

– Naprawdę? – Nick wymusił niepewny uśmiech. A już był pewien, że mu się upiekło.

– Nie wiem, jak mógł was pomylić. Wcale nie jesteście do siebie podobni. Biedny Karl. Niestety, chyba się starzeje. A my razem z nim. – Wybrała dwucyfrowy numer i po chwili zakomunikowała:

– Pan Neumann wrócił z Dokumentation Zentrale.

– Niech wejdzie – burknął Kaiser na tyle głośno, że Nick go usłyszał.

Czekał, aż Rita Sutter przekaże prezesowi uwagę Karla, ale odłożyła słuchawkę i ruchem głowy wskazała mu podwójne drzwi.

Wszedł do gabinetu. Kaiser i Mevlevi nadal siedzieli na kanapie. Podszedł do nich, ale nie zwracali na niego uwagi.

– Jak ostatnio stoją moje inwestycje? – zapytał Pasza.

– Raczej dobrze – odparł Kaiser. – Przy wczorajszych kursach zamknięcia zarobiły w ciągu ostatnich dziesięciu miesięcy dwadzieścia siedem procent.

Nick słuchał, zastanawiając się, w co Kaiser zainwestował pieniądze Paszy.

– A jeśli ten cały Adler Bank zdobędzie miejsca w waszym zarządzie? – zapytał Mevlevi.

– Nie dopuścimy do tego.

– Ale niewiele brakuje, co?

Kaiser spojrzał na Nicka, dopiero teraz rejestrując jego powrót.

– Neumann, jak wygląda aktualna sytuacja? Siadaj. I podaj mi tę teczkę.

Nick niechętnie oddał teczkę Mevleviego prezesowi.

– Adler Bank zgromadził trzydzieści jeden procent głosów. My mamy pięćdziesiąt dwa procent. Reszta się nie zdeklarowała.

Mevlevi wskazał teczkę leżącą na kolanach Kaisera.

– A jaki procent głosów ja kontroluję?

– Masz dokładnie dwa procent naszych udziałów.

– Ale ważne dwa procent. Teraz rozumiem, dlaczego tak bardzo potrzebujesz pożyczki.

– Potraktuj ją jak gwarantowaną prywatną inwestycję.

– Pożyczka, inwestycja, nazywaj to jak chcesz. Warunki, które proponujesz, wciąż są aktualne? Dziesięć procent netto po dziewięćdziesięciu dniach?

– Za okrągłe dwieście milionów – potwierdził Kaiser. – Propozycja jest nadal aktualna.

Nick skrzywił się, słysząc, że prezes przyjmuje tak lichwiarskie warunki.

– Moja pożyczka będzie przeznaczona na zakup akcji? – spytał Mevlevi.

– Naturalnie – odpowiedział Kaiser. – Powiększy nasz pakiet akcji do sześćdziesięciu procent. I skutecznie zablokuje próby Koniga.

Mevlevi zmarszczył czoło, jakby został wprowadzony w błąd.

– Ale jeśli plan Adler Bank upadnie, cena waszych akcji pójdzie w dół. Może i zarobię dziesięć procent z pożyczonych dwustu milionów, ale wartość moich akcji spadnie. Obaj możemy stracić sporo pieniędzy.

– Tylko chwilowo. Podjęliśmy już kroki, by znacznie podnieść wskaźniki operacyjne i powiększyć roczny zysk netto. Gdy do tego dojdzie, cena naszych akcji znacznie przewyższy obecny poziom.

– Taką masz nadzieję – przestrzegł Mevlevi.

– Rynek jest nieprzewidywalny – powiedział Kaiser – ale rzadko zachowuje się nielogicznie.

– Może powinienem sprzedać moje akcje, póki są jeszcze coś warte. – Pasza wskazał na swoją teczkę. – Mogę?

Kaiser podał ją klientowi, ale po chwili cofnął rękę.

– Byłbym wdzięczny, gdybyśmy mogli sfinalizować sprawę pożyczki dziś po południu.

Nick wstrzymał oddech. Nie mógł oderwać wzroku od teczki. Chór wewnętrznych głosów dopytywał się, kto znalazł potwierdzenia przelewów pod szufladą.

– Dzisiaj po południu? – powtórzył Pasza. – Niemożliwe. Mam ważną sprawę. Będzie mi potrzebny pan Neumann. Obawiam się, że odpowiedź dam dopiero w poniedziałek rano. A teraz chciałbym przez chwilę zająć się moimi papierami. Sprawdzić korespondencję.

Kaiser wręczył Mevleviemu teczkę.

Nick potarł czoło i wbił wzrok w dywan. Wsłuchiwał się w równomierne bicie swego serca. Co dziwne, tętno nie było przyspieszone.

Mevlevi otworzył teczkę i wyjął kopertę, jedną z fałszywek Nicka. Przewrócił ją na drugą stronę i wsunął kciuk pod zaklejoną część.

Nick wpatrywał się w niego jak urzeczony. Słyszał dźwięk otwieranej koperty. Nie zdawał sobie sprawy z obecności Rity Sutter, dopóki nie znalazła się prawie na środku gabinetu prezesa.

Kaiser podniósł się raptownie z kanapy.

– Co się stało? – zapytał.

Rita wyglądała na wstrząśniętą. Miała poszarzałą cerę, a na jej twarzy malował się wyraz posępnej stanowczości. Zbliżając się, wyciągnęła rękę, jakby szukała ściany, o którą mogłaby się oprzeć.

– Co się stało? Mów, kobieto. Co się z tobą dzieje, na litość boską?

Rita Sutter cofnęła się o krok, najwyraźniej urażona jego szorstkością.

– Cerruti – szepnęła. – Marco Cerruti. Zabił się. Przyjechała policja.

Jak dwa jelenie oświetlone nagle samochodowymi reflektorami, Kaiser i Mevlevi popatrzyli po sobie przez trwającą wieczność sekundę. Wymienili porozumiewawcze spojrzenia. Kaiser, zamiast zareagować zdziwieniem i niedowierzaniem, okazał złość i irytację. Zmarszczył czoło i zacisnął szczękę. Pasza uniósł brwi i uśmiechnął się szyderczo.

Nagle w pokoju zapanowało poruszenie. Mevlevi wrzucił na wpół otwartą kopertę do teczki i zamknął ją.

– To musi poczekać do następnego razu.

Kaiser wskazał mu prywatną windę.

– Możemy porozmawiać dziś wieczorem?

Mevlevi podszedł miarowym krokiem do windy.

– Nie wiem. Mogę być zajęty innymi sprawami. Neumann, pan pójdzie ze mną.

Nick zawahał się. Coś mu mówiło, żeby nie opuszczać banku. Cerruti nie żył. Becker nie żył. Zadawanie się z Paszą jakoś nie wydłużało życia.

Rita Sutter skrzyżowała ręce na piersiach, jakby pocieszała samą siebie.

– Nie rozumiem. Marco Cerruti nie żyje. A mówił pan, że jest z nim dużo lepiej.

Kaiser nie zwracał uwagi na zrozpaczoną kobietę.

– Nicholas – rozkazał. – Pójdziesz z panem Mevlevim i będziesz wykonywał jego polecenia.

Nick zatrzymał się, nie wiedząc, co ma zrobić. Obrońca wiary nie miał wyboru. Podszedł do windy i stanął w niej obok Mevleviego. Drzwi zaczęły się zamykać i Nick po raz ostatni rzucił okiem na Wolfganga Kaisera. Prezes objął ramieniem Ritę Sutter i mówił coś do niej cicho. Nick zrozumiał tylko kilka słów.

– Mój drogi przyjaciel Marco. Dlaczego zrobił coś takiego? Nie wiedziałem, że jest do tego zdolny. Zostawił jakiś list? Co za tragedia.

I wtedy drzwi windy zamknęły się na dobre.

Rozdział 47

Przez następny kwadrans Nick czuł się jak we śnie. Miał wrażenie, że ogląda siebie przez zaparowane okno pędzącego pociągu. Oto jedzie z Paszą ciasną windą; wsiada do czekającej na nich limuzyny; wydaje stosowne westchnienia, gdy Mevlevi wyraża nieszczery żal z powodu śmierci Marco Cerrutiego. A kiedy Pasza każe szoferowi zawieźć ich do parku Platzspitz, zamiast zaprotestować, Nick milczy. Wciąż odtwarza w myślach sygnały przesyłane między Wolfgangiem Kaiserem i Alim Mevlevim w chwili, gdy Rita Sutter poinformowała ich o śmierci nieszczęsnego bankiera. Jest przekonany o ich współwinie.

Limuzyna pędziła wzdłuż Talackerstrasse. Nick siedział na tylnym siedzeniu i wyglądał przez okno. Gdy mijali Hauptbanhof, przypomniał sobie polecenie Paszy.

– Do Platzspitz nie ma już wolnego wstępu – powiedział. – Bramy są zamknięte. Nie wolno tam wchodzić.

Szofer zatrzymał limuzynę na chodniku.

– No właśnie – potwierdził. – Park jest zamknięty od ośmiu lat. Za dużo złych wspomnień.

Park Platzspitz cieszył się złą sławą. Jeszcze przed dziesięcioma laty był to raj dla narkomanów. Spotykali się tam nieszczęśliwi i odrzuceni z całej Europy. Prywatna kopalnia złota Paszy.

– Zapewniono mnie, że nie będzie kłopotów z wejściem – powiedział Mevlevi. Zwrócił się do szofera:

– Daj nam czterdzieści minut. Chcemy się przejść po parku.

Wysiadł z samochodu i podszedł do bramy z kutego żelaza. Nacisnął klamkę i brama otworzyła się. Obejrzał się na Nicka.

– Idzie pan? – spytał.

Nick wyskoczył z samochodu i ruszył za Paszą. Miał przeczucie, że stanie się coś złego. Jaką sprawę Mevlevi mógł mieć do załatwienia w parku? Kto go zapewnił, że brama będzie otwarta? I dopilnował, by tak się stało?

Nick przeszedł przez bramę i ruszył za Mevlevim żwirową ścieżką, która przecinała przyprószone śniegiem trójkątne trawniki. Nad ich głowami górowały potężne sosny. W oddali majaczyły zarysy gotyckiej wieży i zębate blanki Muzeum Narodowego.

Mevlevi zatrzymał się, żeby Nick mógł go dogonić.

– Postanowił pan do mnie dołączyć.

– Prezes prosił, żebym panu towarzyszył – odparł Nick spokojnie, choć w głębi duszy podjął już decyzję. Zrezygnuje z moralnie dwuznacznej kariery w bankowości, opowie się po stronie prawa i sprawiedliwości. Jeśli nawet nie zdoła zainterweniować bezpośrednio, będzie przynajmniej obserwował. Zamieni się w żywe świadectwo zbrodni tego człowieka. Jeżeli zaś będzie musiał stać się jego wspólnikiem i przyjdzie mu za to zapłacić, niech i tak będzie.

– Raczej rozkazał – sprostował Mevlevi i ruszył dalej spacerowym krokiem. – Bardzo pana ceni. Mówił mi, że kiedyś w banku pracował pański ojciec. Szanuje pan swoje korzenie, skoro posłusznie idzie pan w jego ślady. Mój ojciec zawsze oczekiwał ode mnie tego samego, ale ja nie mogłem zostać derwiszem. Te tańce i śpiewy. To nie dla mnie.

Nick szedł obok Paszy, ale ledwie słyszał jego słowa. Cały czas zastanawiał się, jak zakończyć panowanie tego człowieka.

– Rodzina jest ważna – ciągnął Mevlevi. – Ja traktuję Wolfganga jak brata. Wątpię, czy bez mojej pomocy bank rozwinąłby się tak szybko. I nie chodzi tylko o pieniądze. Zmotywowałem go do działania. Zadziwiające, co może zrobić odpowiednio zmotywowany inteligentny człowiek. Wszyscy jesteśmy zdolni do wielkich czynów. Często brakuje nam tylko zachęty. Zgodzi się pan ze mną?

Nick stłumił złośliwy uśmiech. Skinął głową, chociaż był pewien, że jego definicja „wielkich czynów" znacznie się różni od definicji Paszy. Czym Mevlevi zmotywował Kaisera? I co szykował dla niego?

– Wkrótce następne pokolenie przejmie bank. Miło jest wiedzieć, że część tej odpowiedzialności może spaść na pańskie barki, panie Neumann. Mogę zwracać się do pana po imieniu?

– Wolałbym, żeby zostało po staremu.

– Rozumiem. – Pasza pogroził Nickowi palcem, jakby go beształ. – Bardziej szwajcarski niż sami Szwajcarzy. Doskonała strategia. Dobrze ją poznałem. Musiałem. Całe dorosłe życie spędziłem w obcych krajach. Tajlandia, Argentyna, Stany, teraz Liban.

Nick zapytał, gdzie mieszkał w Stanach.

– Tu i tam – odparł Mevlevi. – Nowy Jork, Kalifornia. – Nagle przyspieszył kroku. – O, są już moi przyjaciele.

Na ławce stojącej nieopodal siedzieli dwaj grubo ubrani mężczyźni. Jeden był niski i krępy, drugi potężniejszy, wręcz otyły.

– To nie potrwa długo – obiecał Mevlevi. – Proszę mi towarzyszyć. Kaiser oczekuje, że zadbam o pańską edukację. Niech więc pan potraktuje to jako pierwszą lekcję biznesu. Jak utrzymać właściwe relacje między dostawcą i dystrybutorem.

Siedź cicho i bądź czujny, nakazał sobie Nick. A przede wszystkim zapamiętaj każde wypowiedziane słowo.

– Albert, Gino, wspaniale znowu was widzieć. *Salaam Aleikhum*. – Ali Mevlevi pocałował każdego trzy razy: w lewy, prawy i znowu w lewy policzek, nie przestając ściskać im dłoni.

– *Salaam Aleikhum*, Al-Mevlevi – odpowiedzieli po kolei.

Albert, ten drobniejszy, wyglądał jak emerytowany księgowy. Miał sztywne siwe włosy i upstrzoną znamionami żółtawą twarz.

– Powiedz nam, co się dzieje w kraju – poprosił. – Dochodzą do nas pozytywne wieści.

Siedzący obok niego zwalisty olbrzym kiwnął głową, jakby chciał zadać to samo pytanie.

– W większości są prawdziwe – przyznał Mevlevi. – Wszędzie wyrastają drapacze chmur. Nowa autostrada jest już prawie gotowa. Drogi wróciły do normy. A korki wciąż potworne.

– Jak zawsze – roześmiał się Albert, trochę za głośno. – Jak zawsze.

– A bodaj największą przyjemność sprawiło wszystkim otwarcie na nowo hotelu St Georges. Wygląda lepiej niż przed wojną.

– Popołudniowe dancingi? – zapytał Gino cichym głosem.

– Mów głośniej – napomniał go Albert. – Wielki jak słoń, a piszczy niczym mysz.

– Pytałem, czy w St Georges wciąż organizują popołudniowe dancingi.

– Wspanialsze niż kiedyś – potwierdził Mevlevi. – W czwartki i w niedziele na esplanadzie. Świetny kwartet smyczkowy.

Gino uśmiechnął się tęsknie.

– No proszę, uszczęśliwiłeś mojego brata – powiedział Albert. Zbliżył się do Paszy i szepnął mu coś do ucha.

– Ależ oczywiście – odparł Mevlevi. Cofnął się o krok, położył rękę na plecach Nicka i pchnął go lekko do przodu. – To mój nowy pracownik. Pan Nicholas Neumann. Zajmuje się finansowaniem naszych operacji. Panie Neumann, to bracia Albert i Gino.

Nick uścisnął im dłonie. Wiedział, kim są. Ich zdjęcia regularnie pojawiały się w lokalnych gazetach, i to nie w rubrykach towarzyskich.

Albert Makdisi poprowadził grupę w stronę rzeki.

– Rano rozmawialiśmy z naszymi kolegami w Mediolanie. Wszystko w porządku. W poniedziałek o tej porze transport będzie już w Zurychu.

– Joseph doniósł mi, że wasi ludzie zachowują się nerwowo. Są jacyś wystraszeni. Dlaczego?

– A kim jest ten Joseph? – zapytał Albert. – Po co wysyłasz kogoś do pilnowania transportu? Spójrz na mnie, Al-Mevlevi. Cieszy nas, że znowu cię widzimy. Minęło tyle czasu. Nie jesteśmy zdenerwowani, lecz pozytywnie zaskoczeni.

Pasza stracił dobry humor.

– Nie tak zaskoczeni jak ja, kiedy odkryłem, że podesłaliście Maksowi Rothsteinowi śliczną Linę. Wiedzieliście, że mam słabość do tego typu kobiet, prawda? Zawsze byłeś spryciarzem, Albercie.

Nick wyczuł, że napięcie między nimi wzrosło o jeden stopień.

Albert Makdisi podniósł białą chusteczkę do kącików oczu.

– O czym ty mówisz? Lina? Nie znam kobiety o imieniu Lina. Opowiedz mi o niej.

– Z przyjemnością – rzekł Mevlevi. – Ognista dziewczyna z Jounieh. Chrześcijanka. Przez ostatnie dziewięć miesięcy mieszkała u mnie, ale niestety, odeszła. Podobno rozmawialiście ze sobą co niedziela.

Albert Makdisi poczerwieniał.

– Kompletna bzdura. Kim jest Lina? Naprawdę nic z tego nie rozumiem. Pomówmy rozsądnie. Czekamy na transport. Mamy sprawy do omówienia.

Gino wyraził zgodę sapnięciem, nie spuszczając oczu z brata.

Mevlevi przyjął pojednawczy ton.

– Masz rację, Albercie. Bardzo ważne sprawy. Właśnie dla nich musimy się poświęcić. Osobiste niesnaski? Wyrzućmy je do kosza. Jestem gotów dać wam szansę zrehabilitowania się. Chciałbym, żebyśmy wznowili interesy na solidniejszym gruncie, tak jak dawniej.

Albert zwrócił się do Gino, jakby byli sami:

– Oto prawdziwy dżentelmen. Chce zwrócić nam to, czegośmy nie zgubili. – Prychnął ze złością. – Proszę bardzo, Al-Mevlevi. Czekamy na twoją propozycję z nadstawionymi tyłkami.

Mevlevi udał, że nie słyszy obraźliwych słów.

– Proszę o wypłacenie mi z góry czterdziestu milionów dolarów za transport, który dotrze w poniedziałek. Cała suma musi się znaleźć na moim rachunku w United Swiss Bank jeszcze dziś.

– Oczekujesz, że pobiegnę teraz do moich bankierów i dopilnuję, żeby jak najszybciej dokonali przelewu?

– Jeśli to konieczne.

Gino szturchnął Alberta.

– Może powinniśmy rozważyć tę propozycję. Przecież mamy gotówkę. To kwestia dwóch, trzech dni.

– Nonsens – burknął Albert Makdisi. – Gdybym słuchał twoich dobrych rad, już sto razy byśmy zbankrutowali. – Zrobił krok do przodu i zwrócił się bezpośrednio do Mevleviego: – Nigdy nie płacimy z góry za towar. Tu chodzi o czterdzieści milionów dolarów. A jeśli coś się stanie z transportem? Zapłacimy dopiero wtedy, gdy towar znajdzie się w naszym magazynie, zostanie zważony i sprawdzony. Póki co, przykro mi.

Mevlevi pokręcił powoli głową.

– Mnie jest jeszcze bardziej przykro. Myślałem, że po tylu latach współpracy mogę liczyć na małą przysługę. Myślałem, że mogę przymknąć oko na wasze występki. Lina. Wasz trujący kwiat. – Wzruszył ramionami. – Ale co zrobić? Na tym terenie nie mogę współpracować z nikim innym.

Albert Makdisi nie przestawał wpatrywać się w Mevleviego. Wciąż przyciskał chusteczkę do kącików oczu.

– Ostatnie słowo? – zapytał Mevlevi, najwyraźniej licząc na zmianę zdania.

– Jak najbardziej.

Pasza spojrzał na niego.

– Prawo do odmowy bywa często ostatnim zwycięstwem.

– Odmawiam.

Mevlevi spuścił wzrok.

– Zimno – mruknął i wyciągnął z kieszeni parę rękawiczek.

– Potworna zima – odezwał się Gino Makdisi. – Jeszcze nigdy nie było tu takiej pogody. Burza po burzy. Prawda, panie Neumann?

Nick kiwnął głową z roztargnieniem. Co, do diabła, Mevlevi miał na myśli, mówiąc o prawie do odmowy jako ostatnim zwycięstwie? – zastanawiał się. Czy nie była to przypadkiem zawoalowana groźba pod adresem Alberta Makdisiego?

Albert spojrzał na rękawiczki Mevleviego i powiedział:

– W takich nie będzie ci ciepło.

– Czyżby? – Mevlevi wyciągnął ręce przed siebie i sprawdził, czy rękawiczki są dobrze dopasowane. – Chyba masz rację. Ale nie założyłem ich, żeby się ogrzać.

Sięgnął za pazuchę i wyjął srebrny pistolet kaliber 9 milimetrów. Z zadziwiającą szybkością lewą ręką przyciągnął Alberta Makdisiego do siebie, przyłożył mu lufę do pleców i trzy razy nacisnął spust. Odgłos strzałów był przytłumiony, przypominał chrapliwy kaszel.

– Lina powiedziała, że masz oczy jak mokre ostrygi, *habibi* – wycedził Pasza.

Albert Makdisi osunął się na ziemię. Jego szare, wodniste oczy były szeroko otwarte. Z kącika ust sączyła się strużka krwi. Mrugnął ostatni raz. Gino klęknął przy nim i włożył rękę pod kurtkę brata. Gdy ją wyciągnął, była cała we krwi. Jego nalana twarz zastygła w szoku.

Nick stał nieruchomo. Nie przypuszczał, że do tego dojdzie. Zawiodły go zmysły, przeciążone wszystkim, co widział i słyszał tego dnia.

Mevlevi podszedł do ciała Alberta. Wciskał obcas buta w twarz zabitego, aż pękła chrząstka nosa i trysnęła krew.

– Ty głupcze – wycedził. – Jak śmiałeś?

Z lufy pistoletu unosiła się wstęga dymu.

– Neumann! – zawołał Pasza. – Łap! – Rzucił Nickowi broń.

Dzieliło ich półtora metra, może mniej. Zanim Nick zdążył zapanować nad odruchem, złapał broń w gołe ręce. Instynktownie położył palec na spuście i podniósł pistolet, celując w twarz Mevleviego.

Pasza rozłożył ręce.

– Teraz twoja szansa, Nicholas. Co, nie masz odwagi? Widziałeś za dużo jak na jeden dzień? Nie jesteś pewien, czy praca w banku ci odpowiada? Założę się, że nie spodziewałeś się takich emocji. Ale teraz musisz wybrać. Albo mnie zabijesz, albo na zawsze staniesz po mojej stronie.

– Czy inni widzieli to samo i milczeli? – spytał Nick.

– Widzieli gorsze rzeczy. Dużo gorsze. Ty też będziesz milczał.

Nick opuścił broń na wysokość torsu Paszy. Czy w taki sam sposób Mevlevi zmotywował Wolfganga Kaisera? – zastanawiał się. Czy uczynił prezesa współsprawcą morderstwa?

– Nie – powiedział. – Posunął się pan za daleko.

– Nie sądzę. Przez całe życie wykorzystywałem najciemniejsze zakamarki ludzkich dusz – rzekł Pasza. – A teraz oddaj mi broń. Przecież jesteśmy po tej samej stronie.

– Po jakiej?

– Po stronie biznesu, oczywiście. Wolnego handlu. Nieograniczonej wymiany towarów. Wielkich zysków i jeszcze większych premii. No, oddaj mi broń, raz dwa.

– Nigdy. – Nick przesunął palcem po spuście. Wciąż czuł zapach spalonego prochu. Zacisnął dłoń na pistolecie i uśmiechnął się. Chryste, to będzie łatwe.

Mevlevi stracił chęć do żartów.

– Nicholas, proszę cię. Nie czas na zabawę. Za tobą leży trup, a na narzędziu zbrodni są twoje odciski. Już się zdeklarowałeś. Mówiłem ci, że bardzo mi imponujesz. Widzę, że i ty potrafisz być niepokorny.

Czyżby Kaiser był niepokorny? A może Pasza mówił o kimś innym?

– Zabieram broń i odchodzę. Niech pan na mnie nie czeka w poniedziałek rano. A jeśli chodzi o to… – skinął głową w stronę martwego ciała Alberta Makdisiego – … mogę zrobić tylko jedno. Wyjaśnić wszystko na policji.

– Co wyjaśnić? – zapytał Gino Makdisi, który podniósł się i stanął obok Mevleviego. – Że zabiłeś mojego brata?

– Jest mi bardzo, bardzo przykro. – Mevlevi zwrócił się do Gino. – Zrobiłem tak, jak prosiłeś. Dałem mu szansę, żeby przeprosił.

– Albert? – żachnął się Gino. – On nigdy nikogo nie przeprosił.

Mevlevi spojrzał na Nicka.

– Coś mi się zdaje, przyjacielu, że to ty zabiłeś Alberto Makdisiego – powiedział.

– Właśnie – zgodził się Gino Makdisi. – Jest dwóch naocznych świadków. Obaj to widzieliśmy.

Nick zaśmiał się ponuro. Zdał sobie sprawę, że Mevlevi kupił Gino Makdisiego. Pieprzyć to wszystko, pomyślał. Skoro ma na sumieniu śmierć jednego człowieka. Czemu nie dwóch? Albo trzech? Zrobił krok w stronę Paszy i mocniej zacisnął dłoń na rękojeści pistoletu. Z twarzy Mevleviego znikł ironiczny uśmieszek.

Nick położył palec na spuście.

– Pomyśl o ojcu – powiedział Mevlevi.

– Myślę. – Nick wyciągnął rękę i nacisnął spust. Usłyszał kliknięcie. Znowu nacisnął. Uderzenie metalu o metal.

Ali Mevlevi odetchnął głośno.

– Przez chwilę zapomniałem, ile kulek wpakowałem Albertowi – rzekł z uśmiechem.

Gino Makdisi wyciągnął zza pazuchy rewolwer i wymierzył w Nicka. Spojrzał na Mevleviego, czekając na instrukcje. Pasza podniósł rękę.

– Ja podejmę decyzję – powiedział i zwrócił się do Nicka. – Oddaj mi broń. Powoli. Dziękuję.

Nick odwrócił od nich wzrok i spojrzał na płynącą w dole rzekę. Nagle uświadomił sobie, jak jest cicho. Suchy wystrzał pistoletu rozproszył złość, która rozsadzała mu czaszkę. Spodziewał się, że broń odskoczy mu w ręku, że poczuje huk wystrzału i usłyszy brzęk łuski na ziemi. Spodziewał się, że zabije człowieka.

Mevlevi wsunął srebrny pistolet za pazuchę. Przyklęknął i zebrał łuski. Gdy wstał, szepnął Nickowi do ucha:

– Rano mówiłem, że chcę ci podziękować. Czy mógłbym lepiej okazać wdzięczność niż przez przyjęcie cię do mojej rodziny? Po odejściu Cerrutiego zwolniło się miejsce.

Nick przeszył go wzrokiem.

– Nigdy nie wejdę do twojej rodziny.

– Nie masz wyboru. Przed chwilą darowałem ci życie. Będziesz robił, co ci każę. To nic wielkiego. Przynajmniej na razie. Teraz chcę tylko, żebyś po prostu wykonywał swoją pracę.

– Pamiętaj o broni, Neumann – wtrącił Gino Makdisi. – Są na niej twoje odciski. Może i jestem przestępcą, ale w sądzie moje słowo liczy się tak samo jak kogoś innego. – Wzruszył ramionami i obrócił tłuste cielsko w stronę Paszy. – Podrzucicie mnie do Schiller Bank? Musimy się pospieszyć, jeśli chcemy dzisiaj dokonać tego przelewu.

Pasza uśmiechnął się.

– Nie martw się – rzekł. – Pan Neumann jest ekspertem od szybkiej realizacji przelewów. Każdy poniedziałek i czwartek o piętnastej, prawda, Nicholas?

Rozdział 48

Peter Sprecher zabębnił palcami o blat biurka i policzył do dziesięciu. W duchu prosił Boga, żeby spacyfikował hałaśliwy tłum zebrany wokół sąsiadującego z nim sześciokątnego biurka. Słyszał, jak Tony Gerber, szczurowaty specjalista od obrotu opcjami, chełpił się swoimi osiągnięciami. Jeśli akcje USB nie spadną poniżej pięciu punktów w stosunku do obecnego poziomu, w ciągu trzydziestu dni osiągnie dwieście tysięcy franków zysku, zapewniał.

– Proszę bardzo, przeliczcie ten zwrot na stawkę roczną – mówił Gerber. – Trzysta osiemdziesiąt procent. Spróbujcie poprawić ten wynik.

Sprecher doliczył do siedmiu i uznał, że nie wytrzyma tego dłużej. Poklepał w ramię swojego sąsiada, Hassana Farisa, szefa działu obrotu akcjami zwykłymi.

– Wiem, że jest spokojne piątkowe popołudnie – rzekł – ale jeśli zamierzacie nadal jazgotać jak sfora wilków, to wynieście się gdzie indziej. Muszę wykonać kilkanaście telefonów, a nie słyszę nawet własnych myśli.

– Jeśli masz kłopoty ze słuchem, z chęcią zamówię ci słuchawki – odparł Faris, przekrzykując nieustający gwar. – A póki co, pilnuj własnego nosa.

Sprecher wiedział, że Faris ma rację. W tym miejscu powinno huczeć jak w ulu. Im większy kocioł, tym lepiej. Zmienny rynek oznaczał, że ktoś gdzieś zarabia pieniądze. Rozejrzał się dookoła. Z brudnozielonej podłogi jak ze stołu bilardowego wyrastało siedem sześciokątnych biurek. Wokół nich stali mężczyźni w różnych pozycjach. Alfons Gruber szeptał gorączkowo do słuchawki:

– Wiem, że Philip Morris w zeszłym tygodniu poszedł w górę o dziesięć procent, ale mimo to chcę spekulować na zniżkę. Słyszałem, że ława przysięgłych przygotowała wyrok skazujący. Mówię ci, sprzedawaj!

Sprecher poczuł się zagubiony. To nie był jego świat. Nie podobało mu się, że musi dzwonić do zupełnie obcych ludzi i namawiać ich, żeby związali się z Klausem Konigiem i jego bankiem. Czuł się upokorzony. W głębi duszy wciąż był człowiekiem USB i prawdopodobnie pozostanie nim do końca swych dni.

Wrócił do przydzielonego mu zadania. Oficjalnie polegało ono na werbowaniu głosów instytucjonalnych udziałowców, mających spore pakiety akcji USB. Zadanie było trudne, mimo iż z USB wykradziono poufną listę akcjonariuszy. Posiadacze akcji szwajcarskiego banku należeli do konserwatystów. Wyniki Adler Bank jakoś ich nie oszałamiały. Za duże ryzyko, zbyt agresywna polityka, mówili ostrożni inwestorzy. Na pięć dni przed walnym zgromadzeniem w USB Sprecher był przekonany, że jedynym sposobem zdobycia dwóch miejsc w zarządzie United Swiss Bank jest dalszy skup akcji: zakupy za gotówkę na otwartym rynku.

Był tylko jeden problem. Zasoby gotówkowe Adler Bank wyczerpały się. Bank zastawił swoje aktywa poza wszelkie rozsądne granice, żeby uzyskać aktualne 32 procent akcji USB – udział wyceniany na prawie półtora miliarda franków według wczorajszych kursów zamknięcia. A gdyby Konigowi nie udało się zdobyć decydującego jednego procenta... Cena akcji USB poszłaby w dół i wartość rynkowa pakietu Adler Bank w ciągu doby spadłaby o osiemnaście, nawet dwadzieścia procent.

Sprecher zauważył wysokiego mężczyznę, który machał do niego z drugiego końca sali. George von Graffenried, prawa ręka Koniga i główna szycha banku od obligacji. Sprecher zaczął się podnosić, ale von Graffenried dał mu znak ręką, żeby nie wstawał. Chwilę później kucał już przy Sprecherze.

– Mam kolejną niespodziankę od naszych przyjaciół z USB – powiedział cicho, wręczając mu kartkę papieru. – Spójrz tylko. Pakiet stu czterdziestu tysięcy akcji. Dokładnie jeden procent, którego potrzebujemy. Dowiedz się, kto kieruje Funduszem na rzecz Wdów i Sierot, i jak najszybciej pofatyguj się tam. Musimy zdobyć ich głosy!

Sprecher zerknął na dokument. „Zuryski Fundusz na rzecz Wdów i Sierot. Zarządca funduszu: pani E. Emmenegger". Podstęp amerykańskiego przyjaciela najwyraźniej zadziałał. Presja przekroczenia granicy trzydziestu trzech procent była tak wielka, że ani Konig, ani von Graffenried – choć żaden nigdy nie słyszał o takim funduszu – nie sprawdzili jego autentyczności.

Sprecher rzucił kartkę na biurko i spojrzał na odręczny dopisek Neumanna: „Dzwoniłem o jedenastej i o czternastej trzydzieści. Nie odebrano. Zostawiłem wiadomość". Cały Nick, gorliwy do końca.

Sprecher podniósł słuchawkę i wybrał numer napisany na kartce. Po czwartym sygnale włączyła się automatyczna sekretarka. Głos brzmiał znajomo, ale nie mógł go skojarzyć. Po usłyszeniu sygnału zostawił krótką wiadomość: „Mówi Peter Sprecher. Dzwonię w imieniu Adler Bank. Chcielibyśmy pilnie porozmawiać z panią w sprawie pakietu akcji USB i głosowania podczas walnego zgromadzenia w piątek. Proszę łaskawie oddzwonić na podany numer. Pan Konig i pan von Graffenried z przyjemnością spotkają się z panią osobiście, żeby przedstawić strategie inwestycyjne Adler Bank i wyjaśnić, jak wartość państwa udziałów może znacznie wzrosnąć dzięki poradom Adler Bank".

– Dobra robota – przyklasnął Hassan Faris. – Mówi Peter Sprecher. Przyślijcie nam swoje żony i córki. Zaufajcie nam. Chcemy je tylko sponiewierać i zniewolić. Nie ma się czym martwić.

Kompani Hassana wybuchnęli śmiechem.

Na biurku Farisa zapaliła się lampka. Wcisnął podświetlony przycisk i podniósł słuchawkę do ucha. Drugie zatkał palcem i pokazał swym kompanom, żeby byli cicho.

– Zamknijcie się! – ryknął. Jego poplecznicy rozpierzchli się.

Sprecher przysunął swoje krzesło bliżej sąsiada i pochylił głowę, żeby lepiej słyszeć rozmowę.

– Chwileczkę, proszę pana, muszę to wszystko zapisać – powiedział Faris. – Nigdy nie popełniam błędów przy tak dużych zamówieniach... Tak, proszę pana, dlatego mnie pan zatrudnił.... Czterdzieści milionów ... Mówimy o dolarach amerykańskich czy o frankach szwajcarskich?... Dolary, tak jest... Na rynku... Chwileczkę... Panie Konig, na naszym koncie gotówkowym zostały tylko dwa miliony... Tak, oczywiście, że mogę przesunąć rozliczenie na wtorek... Nie, nie musimy nic mówić... Dokładnie rzecz biorąc, tak, ale zapłacimy po prostu dwadzieścia cztery godziny później, to wszystko... We wtorek o dziesiątej rano... Pieniądze wpłyną do tego czasu?... Tak jest... Powtarzam: polecenie zakupu akcji USB za czterdzieści milionów amerykańskich dolarów z rozliczeniem we wtorek. Cały zakup ma być zaksięgowany na rachunek Ciragan Trading.

Sprecher zapisywał wszystko pod dyktando Farisa.

– Tak jest, zadzwonię z potwierdzeniem do końca dzisiejszego dnia... Może trzeba będzie popracować na rynku wtórnym... Będę pana informował. – Faris odłożył słuchawkę.

– Ciragan Trading, co to takiego? – zapytał Sprecher.

Hassan wpisywał instrukcje Klausa Koniga do księgi zamówień.

– Ciragan? To prywatny rachunek Koniga – mruknął.

– Koniga? Nie brzmi jak nazwa szwajcarskiego rachunku handlowego. Na pewno nie należy do Adler Bank.

– To rachunek jego największego inwestora. Trzymamy na nim większość zakupionych przez nas akcji USB. Mamy pełnomocnictwo na wszystkie akcje na tym rachunku. Równie dobrze możemy je uważać za nasze. – Hassan podniósł wzrok znad notatek. Zmarszczył czoło w wyrazie irytacji. – Dlaczego ja ci to wszystko mówię? Nie twój zakichany interes. Wracaj do roboty.

Sprecher obserwował Farisa, gdy dzwonił na zuryską giełdę. Hassan przekazał polecenie zakupu akcji za czterdzieści milionów dolarów. Po wykonaniu zlecenia Adler Bank miał przekroczyć granicę trzydziestu trzech procent. Wszystko wskazywało na to, że zdobędzie dwa miejsca w zarządzie USB. Kaiser będzie skończony. Nick też.

Ciragan, szepnął w duchu Sprecher. Pałac Ciragan. Hasło konta numerowanego 549.617 RR. Pasza.

Zurych nie był na tyle dużym miastem, żeby uznać to za zbieg okoliczności.

Sprecher podniósł słuchawkę. Chciał zadzwonić do Nicka, ale Faris przypomniał mu, że nie powinien telefonować z Adler Bank. Zabrał papierosy i marynarkę. Czas na późny lunch.

– Bądź tak dobry, Nick – szepnął do siebie – i przez następne dziesięć minut nie ruszaj tyłka zza biurka.

Rozdział 49

Nick szedł ostrożnie pod górę. Chodnik był skuty lodem i śliski jak mokre mydło. Kiedy indziej taki spacer wprawiłby go w podły nastrój, ale dzisiaj czerpał z niego ponurą satysfakcję. Byle tylko oderwać myśli od wydarzeń, których był świadkiem tego dnia. Trzy godziny wcześniej próbował zabić człowieka. Pociągnął za spust i był gotów ponieść konsekwencje. Jeszcze teraz żałował, że mu się nie udało.

Zwolnił i oparł się o bezlistne drzewo. Cieszył się, że słyszy bicie swego serca i widzi parę wydobywającą się z ust. Ale po chwili ich miejsce zajęły inne dźwięki i inne obrazy. Usłyszał stłumiony strzał z pistoletu Mevleviego. Zauważył pogardliwy uśmiech Paszy, gdy Rita Sutter mówiła o śmierci Cerrutiego. Zobaczył zmasakrowaną twarz Alberta Makdisiego. Wyobraził sobie własną twarz na jej miejscu. Nagle zrobiło mu się niedobrze. Osunął się na kolana i próbował zwymiotować. Z pustego żołądka wydostało się tylko trochę żółci, która paliła go w gardle. Wciągnął głośno zimne nocne powietrze. Stał się pionkiem Mevleviego. Trafił do piekła.

Gdy wyszli z Platzspitz, Mevlevi odwiózł go z powrotem do banku. Kaiser gdzieś wyszedł, więc w „Cesarskim Szańcu" panował spokój. Nick znalazł na swoim biurku trzy wiadomości od Petera Sprechera. Zignorował je. Zadzwonił Reto Feller z informacją, że zabrał resztę portfeli, których Nick nie zdążył „wyzwolić" i że USB kontroluje pięćdziesiąt osiem procent głosów. Adler Bank utknął na trzydziestu dwóch procentach.

Piętnaście po czwartej zadzwonił Pietro z działu przelewów. Powiedział, że na niedawno aktywowane konto numerowane (jedno z pięciu uzyskanych rano przez Mevleviego od Międzynarodowego Funduszu Powierniczego) wpłynął przelew z Schiller Bank. Kwota: czterdzieści milionów dolarów. Kierując się instrukcjami Paszy, Nick natychmiast przelał całą sumę, dzieląc ją według listy numer jeden. Wkrótce potem wyszedł z banku.

A teraz szedł do mieszkania Sylvii. Nie chciał po pracy wracać do domu. Nie mógłby usiedzieć w ciasnym mieszkaniu. Tego wieczora czułby się w nim jak w celi pilnowanej przez Mevleviego.

Gdy dotarł na szczyt wzgórza, przystanął i spojrzał na przebytą trasę. Wodził wzrokiem po żywopłotach i ogrodzeniach, po drzewach i bramach. Szukał zjawy, która musiała gdzieś tam być – cienia wysłanego przez Mevleviego z zadaniem powstrzymania go, gdyby zechciał wybrać się na policję.

Nick był wykończony, gdy wreszcie dotarł do domu Sylvii. Zerknął na zegarek: było dopiero wpół do szóstej. Wątpił, czy ją zastanie, ale nacisnął guzik domofonu. Nikt nie odpowiedział. Pewnie była jeszcze w pracy. Zapragnął znaleźć się po drugiej stronie szklanych drzwi na korytarzu, gdzie mógłby poczekać na nią w cieple. Zamknął oczy, oparł się o ścianę, a po chwili osunął się na skrzypiący śnieg. Sylvia niedługo wróci, odpręż się, myślał, siedząc skulony na śniegu.

Za kilka minut Sylvia będzie z powrotem w domu.

Gdzieś w oddali trzęsła się ziemia. Wyrastające z niej wielkie bloki betonu mogły zwalić się na niego. Jakiś tępy przedmiot dźgnął go w żebra. Ktoś potrząsnął go za ramiona.

– Wstawaj, Nick – zawołała matka. – Jesteś cały siny.

Nick otworzył oczy. Pochylała się nad nim Sylvia Schon. Dotknęła jego twarzy ciepłymi rękami.

– Dobrze się czujesz? Jak długo czekasz? Boże, prawie zamarzłeś.

Nick wstał z trudem. Bolały go plecy, a prawe kolano było sztywne jak skała. Spojrzał na zegarek i jęknął.

– Jest prawie siódma. Siedzę tu od piątej trzydzieści.

– Szybko, wchodź do środka. Weźmiesz gorący prysznic. – Cmoknęła go w policzek. – Jesteś zimny jak lód. Będziesz miał szczęście, jeśli nie złapiesz zapalenia płuc.

Nick wszedł za nią do mieszkania. Zauważył, że Sylvia niesie pod pachą wyblakłe żółte teczki.

– Udało ci się zdobyć następne raporty miesięczne?

– Oczywiście – rzekła z dumą. – Resztę z siedemdziesiątego ósmego i wszystkie z siedemdziesiątego dziewiątego. Mamy przed sobą cały weekend, prawda?

Nick uśmiechnął się i przyznał jej rację. Dziwił się, z jaką łatwością Sylvia wydobywa z banku dokumenty. Przez chwilę zastanawiał się, czy powiedziała Kaiserowi o ich wczorajszym lunchu, ale odrzucił tę myśl. To pewnie Rita Sutter albo ten dupek Schweitzer – któreś z nich mogło podsłuchać jego rozmowę. Ciesz się, że masz chociaż jedną osobę po swojej stronie, pomyślał. Chciał podziękować Sylvii za raporty, ale zanim zdążył coś powiedzieć, zaczęła bombardować go pytaniami. Gdzie był cały dzień? Czy słyszał straszną wiadomość o śmierci Marco Cerrutiego? Czemu nie zadzwonił, skoro planował przyjść do niej na kolację?

Nick westchnął i pozwolił zaprowadzić się do łazienki.

Stał pięćdziesiąt metrów od budynku, ukryty między wysokimi sosnami. Wybrał numer na telefonie komórkowym, nie spuszczając wzroku z wejścia. Po kilkunastu sygnałach odezwał się oczekiwany głos.

– Gdzie on jest?

– Z tą kobietą. Właśnie wróciła do domu. Wszedł z nią do środka.

– Tak jak myśleliśmy – roześmiał się Pasza. – Przynajmniej jest przewidywalny. Wiedziałem, że nie pójdzie na policję. A tak przy okazji, jak wygląda?

– Na wykończonego – odparł obserwator. – Spał godzinę przed jej blokiem.

– Wracaj do domu – rozkazał Ali Mevlevi. – Jest teraz jednym z nas.

Nick stał pod prysznicem. Gorąca woda parzyła go, ale sprawiało mu to przyjemność. Jeszcze godzina i znowu poczuje się człowiekiem. Napawał się ciepłem, pragnął, żeby pozwoliło mu uwolnić się od rozpaczy. Myślał o mijającym dniu. Musiał podejść do niego analitycznie, odciąć się od wydarzeń, których był świadkiem. Chciał z kimś porozmawiać, choćby po to, by zapewnić rozmówcę o swojej niewinności. Zastanawiał się, czy opowiedzieć o wszystkim Sylvii, ale w końcu uznał, że nie zrobi tego. Dla ich wspólnego dobra. Nie chciał obarczać jej własnymi problemami.

Zwrócił twarz do góry, żeby orzeźwiająca woda spryskała mu powieki, nos i usta. Nagle w głębi oszołomionego umysłu pojawiło się niepokojące wspomnienie. Jakieś słowo lub dwa – coś związanego z jego zainteresowaniem miesięcznymi raportami. Próbował sobie przypomnieć, przez chwilę wydawało mu się, że już wie. Ale nie, za moment znowu się skryło. Dał za wygraną, lecz wciąż czuł niepokój. Musi sobie przypomnieć, co to takiego.

Kolacja składająca się z cielęcych scallopini i Spaetzle była wyśmienita, ale Nick nie miał apetytu. Prawie nie tknął jedzenia. Wytłumaczył Sylvii, że zasnął przed wejściem z przemęczenia. Po prostu nie mógł wytrzymać tempa prezesa. Przyjęła to wyjaśnienie bez komentarza, a nawet bez zbytniego zainteresowania. Była zbyt zajęta przekazywaniem mu reakcji kolegów na wieść o samobójstwie Marco Cerrutiego. Nikt nie potrafił zrozumieć, dlaczego odebrał sobie życie.

Nick robił, co mógł, żeby okazać zdumienie i smutek.

– Musiał być odważny – powiedział. – Trzeba mieć wielką odwagę, żeby się zastrzelić.

A Cerruti jej nie miał, to wiem na pewno, dodał w duchu.

– Był pijany – wyjaśniła Sylvia. – Po alkoholu wszystko można zrobić.

Cerruti pijany? Coca-cola była najmocniejszym trunkiem, w jakim zamaczał usta.

– Skąd o tym wiesz? – spytał Nick.

– Że był pijany? Ktoś w banku wspomniał. A czemu pytasz?

– Bo to okropne – odparł Nick wymijająco. – Facet upił się, a potem strzelił sobie w łeb. Możemy zapomnieć, że w ogóle istniał. Mamy czyste sumienie. Nikt nie jest winny.

Sylvia zmarszczyła brwi.

– Wolałabym, żebyś tak nie mówił o tym biedaku. To tragedia.

– Tak – przyznał Nick. – Straszna zbrodnia.

Na stole leżała sterta żółtych teczek. Każda zawierała trzy miesięczne raporty Aleksa Neumanna. Nick sięgnął po teczkę z datą czerwiec–sierpień 1978. Sylvia usiadła koło niego. Trzymała terminarz z 1978 roku.

– Sprawdziłam w danych osobowych C. Burkiego, bankiera, który polecił Soufiego twojemu ojcu. Pełne imię to Caspar. W osiemdziesiątym ósmym przeszedł na emeryturę jako starszy wiceprezydent.

– Jeszcze żyje?

– Mam jego adres w Zurychu. Ale nie wiem, czy jest aktualny.

Nick wziął od Sylvii terminarz ojca i otworzył go na kwietniu. Pierwsza wzmianka o Allenie Soufim pojawiła się piętnastego tego miesiąca. Nagle ukryte wspomnienie wypłynęło na wierzch. Przypomniał sobie, jak idzie obok Alego Mevleviego w Platzspitz. Usłyszał głos Paszy, który narzekał na swojego ojca. „Nie mogłem zostać derwiszem. Te tańce i śpiewy. To nie dla mnie".

Nick wpatrywał się przez chwilę w zapiski ojca. A. Soufi. Powtórzył to nazwisko kilka razy i poczuł przypływ adrenaliny. Nieuchwytna myśl była już blisko. Głos Mevleviego rozbrzmiewał głośniej.

– Sylvio, czy słyszałaś o derwiszach? No wiesz, o tańczących derwiszach?

Rzuciła mu podejrzliwe spojrzenie.

– Pytasz poważnie?

– Odpowiedz. Słyszałaś czy nie?

– Tak, ale nic o nich nie wiem. Tyle tylko, że noszą bardzo śmieszne kapelusze. – Uniosła rękę nad głowę, żeby pokazać, jak wysokie są fezy.

– Masz jakąś encyklopedię?

– Tak, na płycie CD. W komputerze w sypialni.

– Muszę coś sprawdzić. I to zaraz.

Pięć minut później siedział przy biurku w sypialni Sylvii. Wyświetlił główną stronę encyklopedii i do rubryki „Szukaj" wpisał hasło „derwisz". Pojawiła się krótka definicja: „Członek bractwa religijnego założonego przez uczniów Dżalaluddina Rumiego (uważanego za największego z muzułmańskich poetów-mistyków), którzy nazywali siebie tańczącymi derwiszami. Podstawą muzułmańskiego mistycyzmu, w językach zachodnich nazywanego sufizmem, jest uchwycenie poprzez medytację natury..."

Nick jeszcze raz przeczytał początek zdania: „Podstawą muzułmańskiego mistycyzmu, w językach zachodnich nazywanego sufizmem..."

Postanowił podsumować wszystko, co wie o Alim Mevlevim. Był Turkiem. Na hasło do konta numerowanego wybrał „pałac Ciragan" – stambulską siedzibę ostatnich osmańskich sułtanów pod koniec XIX wieku. Miał argentyński paszport na nazwisko Malvinas i rano przyznał, że mieszkał kiedyś w Argentynie. Malwiny to argentyńska nazwa Wysp Falklandzkich. Użył imienia Allen jako pseudonimu. Allen to angielska wersja muzułmańskiego imienia Ali. I jeszcze jedno. Ojciec Mevleviego był tańczącym derwiszem, a derwisze należeli do wyznawców sufizmu. Stąd nazwisko Soufi.

Nick przełknął ślinę. Zachowaj spokój, pomyślał. Jeszcze nie jesteś na mecie. Ale coś zaczynało mu już świtać w głowie. Ali Mevlevi nieustannie wplatał do swego życia elementy fikcyjne. Allen Soufi. Allen Malvinas. Ali Mevlevi. I czy nie wspominał przypadkiem, że mieszkał też w Kalifornii?

Może więc osiemnaście lat temu Alex Neumann podejmował Allena Soufiego, lepiej znanego pod nazwiskiem Ali Mevlevi, jako klienta filii USB w Los Angeles? A może to tylko zbieg okoliczności?

Nick nie wierzył w zbiegi okoliczności. Jeszcze raz podsumował wszystkie fakty. Tak, nie może się mylić. Przecież wielu klientów wiąże się z jednym bankiem na całe życie. Wpatrywał się w nazwisko zapisane przez ojca i odrzucił resztki wątpliwości.

– Sylvio – zawołał przejętym głosem – musimy szukać dalszych informacji o Allenie Soufim.

– Znalazłeś coś?

– Tak mi się wydaje. Choć jest jeszcze kilka znaków zapytania. Zajmijmy się raportami. Tam są odpowiedzi, których szukamy.

Wrócili do jadalni i razem zaczęli przeglądać pozostałe raporty. Każdy zaczynał się od informacji o depozytach złożonych przez nowych i starych klientów. Potem następował opis przyznanych kredytów i rozpatrywanych wniosków kredytowych. Trzecim punktem były zagadnienia logistyczne: płace, raporty osobowe, wydatki biurowe. A na koniec sprawy różne. Właśnie w tym punkcie raportu z marca 1978 roku Nick znalazł wzmiankę o Soufim. Przeglądał kolejne raporty ojca, poszukując dalszych informacji o tajemniczym kliencie.

Przeczytał raport czerwcowy. Żadnej wzmianki. Lipcowy – również nic. Podobnie w sierpniowym. Sięgnął po następną teczkę. Wrzesień – nic. Październik. Wreszcie!

– Jest. Mamy go – zawołał Nick. – Dwunasty października siedemdziesiątego ósmego. Co masz w terminarzu?

Sylvia znalazła odpowiednią stronę i podała terminarz Nickowi.

Wpis z dwunastego października brzmiał następująco: „Kolacja z Allenem Soufim w Matteo. Niepożądany". Słowo „niepożądany" było podkreślone trzy razy i wzięte w ramkę. Nick spojrzał na wpis. „Niepożądany". Było to jedno z ulubionych wyrażeń ojca. Deser był niepożądany. Stopnie poniżej czwórki na świadectwie były niepożądane. Oglądanie telewizji w nocy było niepożądane.

Allen Soufi był niepożądany.

– Co napisał w raporcie? – zapytała Sylvia.

Nick podał jej teczkę i wskazał notatkę w punkcie „Różne".

Sylvia przeczytała na głos:

– „Dwunasty października: trzecie spotkanie z panem Allenem Soufim. Kredyt w wysokości stu tysięcy dolarów zaproponowany Goldluxe, Inc. Dodatkowe rozliczenia zgodne z instrukcjami USB ZRH. AXN zgłasza formalny sprzeciw wobec rozszerzenia kredytu. Sprzeciw odrzucony przez WAK – dyrektora wydziału".

Nick wstrzymał oddech. Allen Soufi był powiązany z Goldluxe. Alex Neumann wspominał o wizycie w magazynach Goldluxe w pierwszych miesiącach 1979 roku. Nick wziął do ręki terminarz z tego roku. Znalazł pierwszą wzmiankę o Goldluxe pod trzynastym marca. Tylko adres: Lankershim Blvd 22550. Zajrzał do jednej z żółtych teczek i odszukał raport z tego miesiąca. Odpowiednia rubryka natychmiast przykuła jego uwagę. Pod nagłówkiem „Finansowanie handlu" firma Goldluxe otworzyła akredytywy na ponad milion dolarów na rzecz El Oro des Andes S.A. z Buenos Aires, Argentyna.

Allen Malvinas z Argentyny.

Nick przełknął z trudem ślinę i czytał dalej. Notka pod nazwą Goldluxe informowała: „Zob. załączony list do Franza Freya, starszego wiceprezydenta finansów międzynarodowych". Tematem listu miała być wizyta w Goldluxe. Nick przejrzał cały raport, ale nie znalazł listu. Zginął albo został skradziony.

Szybki przeskok do terminarza Aleksa Neumanna. Dwudziesty kwietnia 1979 roku. „Kolacja z Allenem Soufim w Ma Maison" i dodatkowo słowo „schlitzor". Wyjaśnienia dostarczył odpowiedni wpis w kwietniowym raporcie miesięcznym. Alex Neumann wzywa do zawieszenia kredytu dla Goldluxe. Dostaje w odpowiedzi list od Franza Freya. Frey przyznaje, że USB powinien zerwać stosunki z Goldluxe, ale sugeruje, żeby AXN (Alex Neumann) uzyskał zgodę WAK (Wolfganga Andreasa Kaisera). List zawiera odręczną notatkę Freya. „Interpol nie znalazł nic na A. Soufiego".

Nick przerwał na chwilę lekturę, widząc słowo „Interpol". Co takiego odkrył ojciec w związku z Goldluxe, że aż skontaktował się z Interpolem?

Przeskok do czerwcowego raportu. Wolfgang Kaiser odpowiada na piśmie. „Kontynuować współpracę z Goldluxe. Nie ma powodów do obaw".

Sylvia zatrzymała się w terminarzu na siedemnastym lipca. Podsunęła notes Nickowi. Stronę wypełniały cztery słowa. „Franz Frey popełnił samobójstwo".

O Jezu, nie! Jak pozbyli się Freya? Strzelili mu w głowę czy poderżnęli gardło?

Przeskok do sierpnia. Raport wymienia akredytywy wydane w imieniu Goldluxe na sumę trzech milionów dolarów. Beneficjentem była ta sama firma El Oro des Andes. Stan konta pozwalał na przelew pełnej sumy. Żadnych zaległych płatności. Dlaczego więc ojciec tak bardzo sprzeciwiał się współpracy z nimi? I czym zajmowała się firma Goldluxe?

Najwyraźniej importowała duże ilości złota do Stanów Zjednoczonych, ale co potem? Czy sprzedawała złoto zakładom jubilerskim, czy sama produkowała biżuterię? A może wybijała jakieś monety? Zajmowała się hurtem czy detalem?

Przeskok do września. Pierwszy z kilku wpisów w terminarzu ojca, które Nick odebrał jako złowrogie. „Lunch w Beverly Wilshire z A. Soufim", a poniżej dodane zamaszystym pismem, przepełnione wściekłością słowa: „Bydlak groził mi!"

Dwunasty listopada. „Soufi w biurze. Czternasta". Na tej samej stronie numer biura FBI w Los Angeles i nazwisko agenta specjalnego Raymonda Gillette.

Nick już miał przewrócić stronę, ale Sylvia powstrzymała go.

– Czy kiedy pierwszy raz o tym przeczytałeś, dzwoniłeś do FBI? – zapytała.

– Chyba z dziesięć razy – odparł Nick – Ale usłyszałem, że nie udziela się informacji osobom nie mającym odpowiedniego upoważnienia. Brzmi znajomo?

Dziewiętnasty listopada. „Telefon z centrali. Za wszelką cenę utrzymać stosunki z Goldluxe".

Dwudziesty listopada. „Evans Security. 213-555-3367".

Sylvia wskazała numer.

– Do nich też dzwoniłeś?

– Oczywiście. Evans Security wynajmuje wyszkolonych kierowców limuzyn, eskortę i osobistą ochronę. Zdaje się, że mój ojciec był zainteresowany wynajęciem ochroniarza. Dzwoniłem do nich, ale nie przechowują dokumentacji sprzed tylu lat.

– Twój ojciec poważnie myślał o zatrudnieniu ochroniarza?

– Najwyraźniej niewystarczająco poważnie, bo nie zatrudnił.

Nick pstryknął palcami. Przypomniał sobie o przynęcie, którą zostawił Arminowi Schweitzerowi.

– Sylvio, muszę sprawdzić twój telefon. A raczej automatyczną sekretarkę. – Wstał od stołu i znalazł aparat. Obok niego stało stare dwukasetowe urządzenie. Migała na nim czerwona lampka. – Masz jakieś wiadomości. Odsłuchaj je.

– To mogą być prywatne wiadomości – zawahała się.

Nick zmarszczył brwi.

– Nikomu nie zdradzę twoich sekretów. A muszę sprawdzić, czy ktoś wpadł w pułapkę, którą wczoraj zastawiłem. No chodź. Zobaczmy, kto zadzwonił.

Sylvia przewinęła taśmę. Pierwszą wiadomość zostawiła Vreni, koleżanka Sylvii. Nick starał się nie słuchać. Rozległo się piknięcie. Następna wiadomość. Cisza. Głębokie westchnienie i trzask odkładanej słuchawki. Kolejne piknięcie. „Mówi Peter Sprecher. Dzwonię w imieniu Adler Bank. Chcielibyśmy pilnie porozmawiać z panią w sprawie pakietu akcji USB i głosowania podczas walnego zgromadzenia w piątek. Proszę łaskawie oddzwonić na podany numer".

Kolejne piknięcie i odezwał się burkliwy głos: „Sylvio, jesteś tam?"

Sylvia pospiesznie wyłączyła sekretarkę.

– To mój ojciec – wyjaśniła. – Pozwól, że sama go wysłucham.

– Dobrze. Skoro to prywatna sprawa – odrzekł, ale wciąż miał w uszach ten głos. Brzmiał jak głos Wolfganga Kaisera. Po chwili Nick spytał:

– Słyszałaś Petera Sprechera? Miałem rację. Ktoś z banku wykradł kartkę, którą zostawiłem na biurku, i przekazał ją Adler Bank.

Sylvia manipulowała przy automatycznej sekretarce.

– Naprawdę myślisz, że to Armin Schweitzer?

– Intuicja podpowiada mi, że tak, ale nie jestem do końca pewien. Kiedy nie ma mnie w pracy, do mojego gabinetu może wejść dowolna z czterech lub pięciu osób. Chciałem usłyszeć jego głos na sekretarce. Niech to diabli.

– Schweitzer – zachmurzyła się. – Sprzedaje swój własny bank.

– Nie wiemy na pewno, czy to on – powiedział Nick ostrożnie. – Jeszcze nie. Muszę pogadać z Peterem Sprecherem. Może on wie, kto przekazał listę Adler Bank.

– Porozmawiaj z nim – zgodziła się Sylwia.

Nick próbował dodzwonić się do Sprechera, ale nikt nie odbierał. Zaproponował Sylvii, żeby wrócili do pracy.

Przeczytał raporty z października, listopada i grudnia 1979. Nie było dalszych wzmianek o Allenie Soufim i Goldluxe. Nic. Zamknął teczkę i ponownie przeczytał wpisy ojca z ostatnich dni 1979 roku.

Dwudziesty grudnia: „A. Soufi w biurze. Piętnasta".

Dwudziesty pierwszy grudnia: „Przyjęcie świąteczne, Trader Vics, Beverly Hilton".

Dwudziesty siódmy grudnia: „Wyprowadzka. Stone Canyon Road 602".

Trzydziesty pierwszy grudnia: „Sylwester. Nowy Rok będzie lepszy. Nie ma innego wyjścia!"

Gdy Sylvia przeprosiła go i wyszła do toalety, Nick zamknął terminarz. Czuł pustkę w żołądku. Był wykończony. Zapadł w coś w rodzaju snu na jawie, gdzie przeszłość, teraźniejszość i przyszłość zmieszały się w jedno.

– Burki – szepnął, przypominając sobie nazwisko pracownika USB, który polecił Soufiego ojcu. – Kluczem do tej gry jest Burki.

Położył głowę na chłodnym drewnianym blacie i przymknął oczy.

– Burki – powiedział. – Caspar Burki. – Powtarzał to nazwisko wielokrotnie, jakby obawiał się, że w ciągu nocy je zapomni. Pomyślał o ojcu i matce. Przypomniał sobie Johnny'ego Burke'a i Gunny'ego Ortigę. Wspominał onieśmielenie, jakie odczuwał na schodach United Swiss Bank osiem tygodni temu. Odtworzył z pamięci pierwsze spotkanie z Peterem

Sprecherem i roześmiał się. Potem myśli zaczęły stapiać się ze sobą i świat wokół niego pociemniał. Szukał spokoju. I wkrótce go znalazł.

Rozdział 50

Trzysta kilometrów na wschód od Bejrutu, w odosobnionej bazie lotniczej ukrytej wśród piasków Pustyni Syryjskiej, wylądował samolot transportowy Tupolew-154. Lot trwał tylko trzy godziny, ale wszystkie spośród ośmiu silników były przegrzane. Przez dwieście godzin eksploatacji samolotu nie dodawano nowego oleju, dwukrotnie przekraczając dopuszczalne limity. Chłodnice turbinowe odpowiedzialne za utrzymanie stałej temperatury pracowały z przerwami. Doszło do tego, że gdzieś nad górami Kaukazu jeden z silników na piętnaście minut wyłączył się i pilot nalegał, żeby zawrócić do Ałma Aty. Generał Dymitr Siergiejewicz Marczenko był jednak nieustępliwy i kazał kontynuować lot do syryjskiej bazy. Ten ładunek musiał dotrzeć bez opóźnienia.

Pilot Tupolewa wyłączył silniki i opuścił luk ładowni. Z rampy załadowczej zjechały na rozgrzaną betonową płytę cztery pojazdy. Marczenko podążył za nimi. Pozdrowił syryjskiego dowódcę, który czekał nieopodal.

– Pułkownik Hamid, jak sądzę?

– Generale Marczenko, jestem zaszczycony. Zgodnie z rozkazem, zapewniam panu na podróż do Libanu pluton naszej najlepszej piechoty. Rozumiem, że towar jest bardzo delikatny.

– Elektronika do regionalnych kwater Hamasu. Sprzęt inwigilacyjny. – Marczenko nie darzył szacunkiem swoich arabskich sojuszników. Jako żołnierze byli beznadziejni. Przegrali wszystkie wojny, w których brali udział. Powinni jednak zdać egzamin jako eskorta małego konwoju do Libanu. Byli znakomitymi pracownikami w wojnach prowadzonych przez innych.

Generał podszedł do sześciotonowej ciężarówki wiozącej cenny ładunek. Był mężczyzną niskim i krępym, o masywnej szczęce i pewnych ruchach. Podniósł brezentową plandekę i wszedł do środka, zapraszając syryjskiego kolegę, żeby do niego dołączył. Razem sprawdzili, czy pasy mocujące skrzynie zostały odpowiednio naciągnięte. Skrzynie pełne były przestarzałych nadajników radiowych, wypolerowanych i potrójnie zapakowanych, tak by sprawiały wrażenie nowych. Kopinskaja IV została umieszczona w stalowym pojemniku przyspawanym do podłogi ciężarówki. Do pojemnika przymocowano nowoczesne urządzenie zabezpieczające. Gdyby ktoś próbował wyciągnąć pojemnik z ciężarówki lub go otworzyć, mała porcja materiału wybuchowego doprowadziłaby do zniszczenia bomby. Nikt nie mógł ukraść Małego Joe.

Marczenko zeskoczył na ziemię i skierował się do dżipa na początku kolumny. Pomysł wyprzedania niewielkiego procenta narodowego arsenału nie był jego. Kazachski rząd pomyślał o tym wcześniej, wierząc, że postępuje nie inaczej niż były rząd radziecki. Uwzględniono inną nadającą się do sprzedaży część majątku republiki: broń nuklearną. Nikt nawet nie pomyślał o sprzedaży takich gigantów jak pociski SS-19 lub SS-20, uzbrojone w głowice o masie dwudziestu megaton i o zasięgu dziesięciu tysięcy kilometrów. Kazachowie byli moralnym narodem.

Skoncentrowano się więc na tym, jak korzystnie upłynnić stos wzbogaconego plutonu przechowywany w magazynach Atomowego Laboratorium Badawczego imienia Lenina, jednej z najbardziej tajnych placówek byłego Związku Radzieckiego, położonej czterdzieści kilometrów od Ałma Aty.

Do 1992 roku obiektu strzegł dywizjon piechoty zmotoryzowanej. Ponad pięciuset żołnierzy patrolowało teren placówki i otaczające ją lasy przez dwadzieścia cztery godziny na dobę. Trzeba było przedostać się przez sześć punktów kontrolnych, zanim dotarło się do labiryntu budynków tworzących właściwe laboratorium. Ale od tamtego czasu znacznie rozluźniono ochronę. Obecnie jedyny punkt kontrolny mieścił się przy głównym wjeździe do obiektu. Żeby się tam dostać, wystarczał uśmiech i machnięcie wojskowym dokumentem tożsamości.

Marczenko zmarszczył brwi, przypominając sobie wydarzenia z niedawnej przeszłości. Amerykanie wiedzieli o laboratorium i o hermetycznych pomieszczeniach, w których przechowywano ołowiane pojemniki z materiałami rozszczepialnymi. Ich tajni agenci z łatwością poradzili sobie z dziurawą ochroną obiektu i donieśli, że do środka może się dostać dziecko, wypchać sobie kieszenie uranem i czmychnąć na rowerze. Latem 1993 roku w Ałma Acie wylądował połączony zespół agentów CIA i KGB, którzy udali się bezpośrednio do laboratorium. Operacja o kryptonimie „Szafir" zakończyła się pełnym sukcesem. Prawie. Intruzi wynieśli z obiektu ponad dwie tony wzbogaconego uranu 235 i plutonu, a następnie przetransportowali materiał na zachód. Ale przeoczyli parę rzeczy.

Marczenko nie był głupi. Przewidział tego typu akcję, chociaż dosyć późno, i gdy dowiedział się o planach Amerykanów, działał szybko. Na terenie laboratorium imienia Lenina była niewielka fabryka nadzorująca produkcję prototypów broni nowej generacji. Wśród opracowywanych pozycji, które zamierzano w przyszłości wprowadzić do użytku w siłach zbrojnych, był przewoźny, łatwy w użyciu pocisk nuklearny.

Kilka godzin przed Amerykanami Marczenko wkradł się do laboratorium i wyniósł istniejące prototypy. Dwie bomby uderzeniowe Kopinskaja

IV, każda z ładunkiem ponad dwóch kiloton. Prawdziwe dziedzictwo jego kraju.

Marczenko wsiadł do dżipa. Umowa prawie wykonana, pomyślał. Choć jego twarz zachowała wyraz obojętności i niezadowolenia, w duchu cieszył się jak piętnastolatek. Klepnął kierowcę w ramię i kazał mu jechać. Na całej długości kolumny włączono silniki i mały konwój ruszył. Czekała ich ośmiogodzinna podróż. Marczenko przymknął oczy i napawał się ciepłym pustynnym wiatrem, który owiewał mu twarz. Upewniwszy się, że nikt go nie widzi, uśmiechnął się.

Jego cierpienia dobiegały końca.

Rozdział 51

Tramwaj numer dziesięć wyłonił się z porannej mgły jak artretyczny wąż. Jego płaski niebieski pysk i siatkowy tułów przedarły się przez kurtynę wilgoci i zatrzymały na przystanku, pojękując i posapując. Otworzyły się drzwi i kilku pasażerów wysiadło. Nick chciał pomóc zgarbionej staruszce, której powolne ruchy zagrażały punktualności całego systemu komunikacyjnego, ale wiedźma machnęła groźnie parasolką. Uchylił się przed ciosem i wsiadł do tramwaju. Nadzieja na pomyślne rozpoczęcie dnia spaliła na panewce.

Nick rozejrzał się w poszukiwaniu wolnego miejsca. Przywitały go szare twarze przytłoczone trudami życia w najbogatszej demokracji świata. Zasępione oblicza pasażerów oderwały go od wspomnień nocy spędzonej z Sylvią i sprowadziły do realnego świata. Świata, w którym był współsprawcą morderstwa, uczestnikiem wielkiego oszustwa finansowego i więźniem człowieka, który prawdopodobnie przyczynił się do śmierci jego ojca.

Nick usiadł z tyłu tramwaju. Starszy mężczyzna przed nim czytał szwajcarskiego brukowca „Blick". Gazeta była otwarta na drugiej stronie. Górny lewy róg zajmowało zdjęcie Marco Cerrutiego rozciągniętego na skórzanej sofie. Tytuł brzmiał „Załamany bankier odbiera sobie życie". Cerruti wyglądał, jakby spał – miał zamknięte oczy, a na jego brzuchu leżała puszysta biała poduszka. Dopiero po uważnym przyjrzeniu się fotografii można było dostrzec czarną dziurę po kuli w lewej skroni.

Poczekał, aż starszy pan skończy czytać, i zapytał go, czy może zajrzeć do gazety. Nieznajomy przyjrzał mu się bacznie, jakby oceniał jego wiarygodność. Wreszcie podał mu gazetę. Nick przez chwilę oglądał zdjęcie, zastanawiając się, ile gazeta zapłaciła policyjnemu fotografowi, a potem zainteresował się krótkim artykułem.

„Wczoraj rano znaleziono ciało Marco Cerrutiego, lat 55, wiceprezydenta United Swiss Bank, w jego domu w Thalwil. Porucznik Dieter Erdin z zuryskiej policji stwierdził, że śmierć nastąpiła w wyniku samobójstwa poprzez strzał w głowę. Pracownicy United Swiss Bank donieśli, że Cerruti cierpiał na załamanie nerwowe i od początku roku nie pracował. Bank wyznaczy pamiątkowe stypendium jego imienia na Uniwersytecie Zuryskim".

Przyjrzał się fotografii. Po kilku sekundach dostrzegł coś, co go zaniepokoiło: butelkę szkockiej na kolanach denata. Cerruti nie pił. Nie trzymał nawet alkoholu dla gości. Dlaczego policja o tym nie wiedziała?

Zamknął gazetę. Jego wzrok przykuł nagłówek z pierwszej strony. „Śmierć narkotykowego bossa w Platzspitz". Kolorowe zdjęcie pod tytułem przedstawiało zwłoki Alberta Makdisiego leżące na ziemi przy kamiennym murze. Nick złożył gazetę i oddał ją sąsiadowi, dziękując mu za uprzejmość. Nie musiał czytać artykułu. W końcu to on był zabójcą.

Nick otworzył drzwi i wszedł do środka. Za każdym razem, gdy wracał do mieszkania, zastanawiał się, czy ktoś węszył pod jego nieobecność. Od dnia, w którym wyczuł mdłą woń wody kolońskiej i zauważył, że ktoś manipulował przy jego broni, chyba nikt się nie włamywał. Ale do końca nie mógł być pewien.

Otworzył dolną szufladę komody i wsunął rękę pod swetry, aż wymacał gładką skórę kabury. Chwycił ją i położył na kolanach. Wyciągnął colta commandera i wpatrywał się w niego, jakby był przedłużeniem jego osoby. Znajomy kształt broni, jej solidność i waga, pozwoliły mu się rozluźnić na kilka sekund. Było to fałszywe pocieszenie i wiedział o tym. Musiał jednak zadowolić się choćby tym.

Wstał i podszedł do biurka. Wyciągnął irchową szmatkę, rozłożył na blacie i położył na niej broń. Postanowił wyczyścić pistolet. Od miesięcy nie wystrzelił ani jednego naboju, ale w tej chwili czuł potrzebę ucieczki do rygorystycznego porządku swojej przeszłości. Chciał choć przez chwilę znaleźć się w odległym świecie, gdzie codziennym postępowaniem rządzą stałe reguły. Z tego, co wiedział, był tylko jeden sposób czyszczenia samopowtarzalnego pistoletu colt kaliber 45.

Wyjął magazynek i usunął z niego naboje. Wszystkie jedenaście. Zablokował zamek i położył broń na boku, żeby nabój z komory wypadł na beżową szmatkę. Krok po kroku wykonywał czynności od dawna zakodowane w pamięci. Jego myśli wciąż krążyły wokół wydarzeń z minionych tygodni.

Stał się współwinnym oszustwa i świadkiem morderstwa. Gdyby wcześniej pomógł Thorne'owi, nic takiego by się nie stało. Gdyby nie opóźnił przelewu Paszy, rachunki Mevleviego zostałyby zamrożone. Bank nie przystąpiłby do szalonego planu zakładającego manipulację dyskrecjonalnymi rachunkami klientów; Pasza nie odważyłby się przyjechać do Szwajcarii; a co najważniejsze – Cerruti nadal by żył.

Poczuł falę gorąca zalewającą mu kark i ramiona. Usiłował skoncentrować myśli na wykonywanej czynności, żeby odeprzeć napływ emocji. Bezskutecznie. Poczucie winy wygrało. Jak zawsze. Czuł się odpowiedzialny za osłanianie Paszy, za śmierć Cerrutiego, za każdą pieprzoną rzecz, która wydarzyła się od jego przyjazdu do Szwajcarii. Nie był tylko niewinnym obserwatorem; nie był nawet nieświadomym współsprawcą. Był w pełni świadomym uczestnikiem całego tego bałaganu.

Odkręcił lufę i podniósł ją do oczu, szukając śladów zanieczyszczeń. Nacięcia były czyste, błyszczały od smaru. Położył lufę na szmatce i przerwał czyszczenie. Wróciły wspomnienia wczorajszych wydarzeń. Stał bezradnie, gdy Albert Makdisi padał po trzech strzałach wymierzonych w plecy. Patrzył ze zdumieniem, jak Pasza rzuca mu pistolet, i złapał go. A potem wymierzył broń w wykrzywioną szyderczym uśmiechem twarz Mevleviego.

Kiedy naciskał spust, myślał o ojcu. Chciał zabić złego człowieka i szukał aprobaty u ojca.

Przeniósł wzrok z pistoletu na okno. Dostrzegł jakąś kobietę o słowiańskim typie urody, która szła raźnym krokiem, trzymając za rękę synka. Zatrzymała się nagle, pogroziła chłopcu palcem i zaczęła go głośno strofować.

Przypomniał sobie pełen pretensji głos własnej matki. „Rób, co ci każą – napominała ojca. – Sam mówiłeś, że tak naprawdę nie wiesz, czy jest przestępcą. Przestań robić z tego taką aferę!"

Do diabła, tato, dlaczego nie robiłeś tego, co ci kazali? Dlaczego musiałeś robić z tego taką aferę... cokolwiek to było? Prawdopodobnie żyłbyś jeszcze. Bylibyśmy rodziną. Pieprzyć całą resztę! Twoją dyscyplinę, godność, uczciwość. Co dobrego nam przyniosły?

Cisnął pistolet na biurko. Uświadomił sobie, że przez całe życie robił to, czego chcieli inni ludzie. Że ojciec jeszcze długo po śmierci miał na niego ogromny wpływ. Że wstąpienie do piechoty morskiej było kolejnym wybiegiem mającym go uchronić przed podejmowaniem decyzji. Że podjął naukę w wyższej szkole biznesu, bo wiedział, iż to zadowoliłoby ojca. A potem przyjechał do Szwajcarii z zamiarem przeprowadzenia śledztwa w sprawie śmierci ojca, bo to spotkałoby się z wielką pochwałą Aleksa Neumanna.

Wyjrzał przez okno na blade poranne słońce. Ogarnęło go dziwne uczucie, jakby obserwował siebie z pewnej odległości. Chciał powiedzieć facetowi siedzącemu w ciemnym mieszkaniu, żeby przestał żyć dniem wczorajszym. Odnalezienie mordercy ojca ułatwi mu pogodzenie się z przeszłością, ale nie wskaże żadnej magicznej drogi do przyszłości. Sam będzie musiał ją odnaleźć.

Skończył czyszczenie części i złożył broń. Nie mógł dłużej czekać z założonymi rękami. Musiał działać.

Podniósł broń i wymierzył do zjawy, którą tylko on widział – do mglistej postaci majaczącej w mroku. Zamierzał odnaleźć swoją drogę do przyszłości. A Ali Mevlevi stał na jej środku.

Zadzwonił telefon. Nick schował pistolet do kabury i zanim odebrał, odłożył ją na bok.

– Neumann przy telefonie.

– Jest sobota, kolego. Nie jesteś dziś w pracy, pamiętasz?

– Dzień dobry, Peter.

– Chyba już słyszałeś. Właśnie przejrzałem gazety. Nie podejrzewałem tego nerwusa, że jest do tego zdolny.

– Ja też. Jaką masz sprawę?

– Odkąd to nie odpowiadasz na telefony? Wczoraj dzwoniłem trzy razy. Gdzie się podziewałeś?

– Nie byłem wczoraj w nastroju na drinka.

– A ja, do cholery, wcale nie chciałem cię wyciągać do knajpy – mruknął Sprecher. – Musimy pogadać. To ważne.

– Odsłuchałem twoją wiadomość u Sylvii. To do niej się dodzwoniłeś.

– Nie dzwoniłem do ciebie w tej sprawie. To dużo ważniejsze. Wczoraj wypłynęło coś, co…

– Streszczaj się Peter. – Nick pomyślał, że skoro włamano się do niego, to może i założono podsłuch w telefonie. – Wolałbym porozmawiać z tobą w cztery oczy. Kapujesz?

– No – odparł niepewnie Sprecher. – Dobra, kapuję. Może to, co mówiłeś o naszym najlepszym kliencie, nie było całkowicie bezpodstawne.

– Może – odpowiedział Nick niezobowiązująco. – Jeśli chcesz o tym pogadać, bądź za dwie godziny w naszej ulubionej knajpie. Zostawię wskazówki, gdzie mamy się spotkać. Aha, Peter…

– Co takiego, przyjacielu?

– Ubierz się ciepło.

Niespełna trzy godziny później Peter Sprecher wdrapał się na najwyższy poziom stalowej wieży obserwacyjnej, siedemdziesiąt pięć metrów nad szczytem Uetliberg.

– Masz tupet – sapnął – żeby ściągać mnie tutaj w taką pogodę.

– Jest piękny dzień – powiedział Nick. – Zobacz, jaki wspaniały stąd widok.

Na miejsce spotkania dotarł okrężną drogą. Kroczył bocznymi uliczkami starego miasta, aż dotarł do dworca. Stamtąd dojechał tramwajem najpierw do stacji Stadelhofen, a potem do ZOO. Upewniwszy się, że nikt go nie śledzi, ruszył prosto do celu. Cała wyprawa zajęła mu dwie godziny, łącznie z czterdziestominutową wspinaczką na szczyt Uetliberg.

Sprecher wychylił się przez barierkę. Piętnaście metrów niżej wieża ginęła we mgle. Sięgnął po marlboro.

– Chcesz? Rozgrzeje cię.

Nick odmówił.

– Powinienem cię poprosić o dowód tożsamości – powiedział. – Nie poznaję cię. Odkąd to stałeś się taki dociekliwy, a nawet cyniczny?

– Za zmiany w moim zachowaniu winię zbyt duże ilości piwa wypite w twoim towarzystwie. A pobyt w Anglii sprawił, że przejmuję się losem pokrzywdzonych.

– No więc czego dowiedziałeś się o panu Mevlevim? – spytał Nick.

– Usłyszałem coś bardzo niepokojącego wczoraj po południu. Tuż po moim telefonie do Funduszu na rzecz Wdów i Sierot. – Sprecher zaciągnął się i wymierzył rozżarzoną końcówkę papierosa w Nicka. – Sprytny z ciebie chłopak. Ale następnym razem wymyśl coś lepszego.

Nie będzie następnego razu, pomyślał Nick.

– Kto podrzucił wam moje notatki? – zapytał.

– Nie mam pojęcia. Dostał je von Graffenried. Napomknął coś, że cena była okazyjna.

Zadął silny wiatr i wieża zakołysała się jak pijany marynarz. Nick przytrzymał się balustrady.

– Nie wspominał, że dał je wam Armin Schweitzer?

– Schweitzer? Myślisz, że to on wykrada twoje papiery? – Sprecher wzruszył ramionami. – Zresztą to już nieważne. Mamy was. Wczoraj po południu, zaraz po telefonie do twojego lipnego funduszu, podsłuchałem, jak mój sąsiad na parkiecie, Hassan Faris, rozmawia przez telefon z Konigiem. Wysłano duże zamówienie. Na sto tysięcy akcji USB. Jesteś dobry z arytmetyki. Policz sobie.

Nick obliczył koszt zakupu stu tysięcy akcji USB po czterysta dwadzieścia franków szwajcarskich. Czterdzieści dwa miliony franków. Coś go tknęło na myśl o tej sumie.

– Po zdobyciu tych akcji wasze udziały przekroczą trzydzieści trzy procent – powiedział.

– Dokładnie trzydzieści trzy i pół procenta. Nie licząc Funduszu na rzecz Wdów i Sierot.

Nickowi nie dawała spokoju ta liczba. Czterdzieści dwa miliony franków. Około czterdzieści milionów dolarów przy aktualnym kursie.

– Dostaniecie swoje miejsca. Panowanie Kaisera przejdzie do historii.

– Bardziej martwi mnie jego następca – rzekł Sprecher. – Posłuchaj uważnie, młody człowieku. Osiemdziesiąt procent wszystkich posiadanych przez nas akcji USB trzymanych jest na specjalnym rachunku, który należy do największego inwestora Adler Bank. Konig ma upoważnienie do tych akcji, ale nie jest ich właścicielem. Nazwa tego rachunku to Ciragan Trading.

– Ciragan Trading? Tak jak Ciragan Palace? Pasza?

Sprecher kiwnął głową.

– Nie uznasz mnie za kretyna, jeśli ci powiem, że moim zdaniem to ten sam facet? Nie podoba mi się, że Adler Bank albo USB jest w rękach tego... Jak tam go nazywasz? Wielkiego dostawcy heroiny. To znaczy, jeśli twój przyjaciel Thorne się nie myli.

Już on się nie myli, chciał powiedzieć Nick. W tym cały problem.

– Mówisz, że złożono zlecenie kupna na sto tysięcy akcji? Za jakieś czterdzieści milionów dolarów? A dasz wiarę, jeśli ci powiem, że wczoraj około czwartej dokonałem przelewu właśnie takiej sumy z konta Mevleviego?

– Ta wiadomość jakoś mnie nie cieszy.

– Na konta z listy numer jeden. Nie ma na niej Adler Bank. Więc skąd u was te pieniądze?

– Nie mówiłem, że już je mamy. Konig powiedział Farisowi, że rozliczenie nastąpi dopiero we wtorek. Mamy powoływać się na błąd administracyjny. Nikt nie będzie miał pretensji, jeśli dostanie pieniądze dzień później.

Nick przesunął rękami po balustradzie i zapatrzył się w mgłę. Zastanawiał się, dlaczego Mevlevi miałby wspierać Adler Bank w przejęciu USB. Nagle wpadł mu do głowy pewien pomysł.

– Możemy łatwo sprawdzić, czy to Pasza stoi za wszystkimi zakupami. Wystarczy porównać jego przelewy z zakupami akcji USB dokonywanymi przez Adler Bank. Jeśli Konig co tydzień kupował akcje za sumy podobne do tych, które przelewał Mevlevi, to go mamy. Oczywiście pod warunkiem, że Mevlevi działał na tej samej zasadzie co wczoraj.

– Pasza jest niewolnikiem swoich przyzwyczajeń – skomentował Sprecher. – Przez osiemnaście miesięcy, gdy pracowałem z Cerrutim... świeć Panie nad jego duszą... nie przeoczył żadnego terminu przelewu.

Nick westchnął ciężko.

– Peter, sprawa jest dużo poważniejsza, niż możesz sobie wyobrazić.

– No to wal, facet.

– Na pewno chcesz wiedzieć?

Sprecher skinął głową.

– Wczoraj, może nawet przedwczoraj – odrzekł – wolałbym nie wiedzieć. Ale dzisiaj tak. Powody przemilczę. No, wyduś to z siebie.

Nick spojrzał Sprecherowi prosto w oczy.

– Wiem, skąd Mevlevi wziął czterdzieści milionów dolarów.

– Mówże wreszcie.

– W poniedziałek rano nadejdzie transport heroiny. Mevlevi umówił się z Gino Makdisim, że dostanie z góry zapłatę za towar.

Sprecher popatrzył na niego sceptycznie.

– Mogę zapytać, z jakiego źródła masz te informacje?

– Ja jestem źródłem – odpowiedział Nick. – Ja, moje oczy i uszy. Widziałem, jak Mevlevi zabija Alberta Makdisiego. W zamian za awans na polu bitwy, Gino zgodził się wcześniej przelać pieniądze za transport. Czterdzieści milionów dolców. Pasza ustalił nowe warunki. Nie podoba ci się? To dostajesz parę kulek w plecy. Rozwiązanie umowy ze skutkiem natychmiastowym. – Westchnął. – Boże, Peter, ale sobie spieprzyłem życie.

– Uspokój się. Gadasz, jakbyś był członkiem Cosa Nostry.

– Jeszcze nie jestem. Ale, do diabła, on próbuje mnie wciągnąć.

– Spokojnie, Nick. Kto cię próbuje wciągnąć?

– A niby kto? Pasza. Ma w garści Kaisera. Nie wiem, jakim sposobem, dlaczego i od jak dawna, ale ma go w garści. A Cerruti to co? Przecież nie pił. Wiesz o tym. Widziałeś zdjęcie w gazecie? Ten, kto go zabił, położył mu na kolanach butelkę. Skojarz fakty. A ta poduszka? Przyniesiona z sypialni, na litość Boską, i założę się, że ma na środku przestrzeloną dziurę. Wyobrażasz sobie? Cerruti jest pijany jak bela, gotów zbryzgać własnym mózgiem ściany salonu, ale martwi się, żeby nie przeszkodzić sąsiadom. Boże, prawdziwy anioł. Wcielenie troskliwości do ostatniego tchu.

Nick przerwał swoją tyradę i przeszedł dookoła otoczonej balustradą platformy. Spojrzał na Petera, a Peter spojrzał na niego. Obaj milczeli. Silny wiatr świstał między słupami wieży obserwacyjnej, niosąc ze sobą drobiny zamarzniętego deszczu i zapach mokrej sosny.

– Ale dlaczego go zabili? – zapytał w końcu Sprecher.

Nick przypomniał sobie fragment rozmowy Paszy z Kaiserem. „A nasz drugi problem? – zapytał prezesa. – Ten dokuczliwy, który groził dużymi kłopotami". Cholerne dupki.

– Ja widzę to tak: Cerruti zamierzał zwrócić się do Sterlinga Thorne'a lub Franza Studera. Mevlevi dowiedział się o tym i kazał go sprzątnąć.

Sprecher kręcił z niedowierzaniem głową, gdy Nick wyjaśniał mu sytuację. Opowiedział o wszystkim, co wydarzyło się w ciągu ostatnich dwóch tygodni. O planie Maedera z uwolnieniem akcji właścicieli dyskrecjonalnych rachunków w USB, o kradzieży korespondencji Paszy z DZ, o tym, jak głupio zostawił odciski palców na pistolecie, z którego zastrzelono Alberta Makdisiego. Potem powiedział o prawdziwych powodach jego pojawienia się w banku. Wyjaśnił okoliczności śmierci ojca. Wspomniał o jego miesięcznych raportach z filii USB w Los Angeles i swym przekonaniu, że Mevlevi był zamieszany w zamordowanie ojca. Niczego nie pominął.

Gdy skończył, Sprecher gwizdnął przeciągle.

– Naprawdę sądzisz, że Pasza przyczynił się do śmierci twojego ojca?

– Jeśli Ali Mevlevi to Allen Soufi, jestem tego pewien. Muszę się tylko dowiedzieć, dlaczego ojciec tak bardzo się wzbraniał przed współpracą z nim. I czym zajmowała się firma Goldluxe. Jedyną osobą, która może nam pomóc, jest Caspar Burki.

– Kto?

– Specjalista od inwestycji w londyńskiej filii USB, który polecił ojcu Allena Soufiego. Nazywa się Caspar Burki. On będzie wiedział, czym zajmował się Soufi i Goldluxe. Pracujesz w banku od dwunastu lat. Nic ci nie mówi to nazwisko?

– Nie znam nikogo takiego w londyńskiej filii.

– Przeszedł na emeryturę w osiemdziesiątym ósmym – powiedział Nick. – Kiedyś mieszkał w Zurychu. Mam jego stary adres. Wstąpiłem tam przed przyjściem tutaj, ale nikt już tam nie mieszka.

Sprecher sięgnął po następnego papierosa.

– Nie znam Caspara Burkiego – rzekł. – Z tamtego okresu kojarzę tylko Yogiego Bauera. Właściwie to obaj znamy Yogiego.

– Obaj? – Nick uniósł brwi. – Nie znam nikogo o takim imieniu.

– *Au contraire, mon cherie*. Postawiłeś nawet gościowi drinka. W Keller Stubli. Grubas z tłustymi czarnymi włosami, blady jak śmierć. Wznieśliśmy toast za utalentowaną żonę Schweitzera.

Nick przypomniał sobie.

– Facet jest alkoholikiem – powiedział. – Pewnie nie pamięta, w jaki sposób trafia codziennie do baru, nie mówiąc już o nieznajomym sprzed dwudziestu lat.

– Yogi Bauer pracował w londyńskiej filii USB. Był asystentem Schweitzera. Jeśli Burki pracował tam w tym samym czasie, Bauer musi go znać.

Nick roześmiał się gorzko.

– Nie odnosisz wrażenia, że złapaliśmy się w nieźle zaplątaną sieć?

Sprecher przypalił papierosa.

– Jestem przekonany, że policja poradzi sobie z jej rozplątaniem – odparł.

– Policja tu nie pomoże. Musimy sami rozprawić się z Mevlevim.

– Obawiam się, że to przekracza nasze możliwości. Zwróć się do odpowiednich organów. Dopilnują, żeby wszystko załatwiono jak należy.

– Naprawdę? – Nicka drażniła naiwność Sprechera. – Wszelkie dokumenty okazane policji obciążą nas. Bank zarzuci nam ich kradzież.

Naruszenie przepisów o tajemnicy bankowej. A nie sądzę, żeby udało nam się przyszpilić Paszę z więziennej celi.

Sprecher nie był przekonany.

– Władze federalne chyba się nie ucieszą na wieść o tym, że dwa spośród najważniejszych w tym kraju banków są kontrolowane przez narkotykowego bossa z Bliskiego Wschodu.

– Ale gdzie są te narkotyki? Mevlevi nie jest skazańcem. Mamy konta numerowane, pranie brudnych pieniędzy, może nawet związek z Adler Bank. Ale nie mamy narkotyków. I nie mamy żadnych nazwisk. Musimy sami się tym zająć. Czy muszę przypominać, co się stało z Marco Cerrutim? I Marty Beckerem?

– Nie musisz – powiedział Sprecher, blednąc.

Nick miał wrażenie, że wreszcie przebił mur.

– Zgadzasz się, że trzeba porównać zakupy akcji z przelewami Paszy w USB?

– Teoretycznie jest to możliwe. Przyznaję. Ale aż boję się zapytać, czego ode mnie chcesz.

– Zdobądź pisemny dowód, że na koncie Ciragan Trading zgromadzono osiemdziesiąt procent akcji USB. Musi być jasne, że akcje nie należą do Adler Bank, ale że uprawniają bank do głosowania w imieniu właściciela. Przydałaby się historia skupu akcji USB przez Adler Bank: daty, kwoty i ceny zakupu.

– Mam też przynieść pantofelek Kopciuszka? – Sprecher przybrał znowu ironiczny ton, ale Nick zauważył, że ma bardziej niż zwykle zaciśnięte szczęki i zdeterminowane spojrzenie.

Uśmiechnął się. Przez ułamek sekundy poczuł, że mają maleńką szansę.

– Muszę zdobyć kopie wszystkich przelewów z rachunku 549.617 RR od lipca, kiedy Konig zaczął skupować akcje. A także kopię bankowych instrukcji Paszy. W naszych dokumentach jest zapisane, gdzie trafiły pieniądze na pierwszym etapie. Z waszych dokumentów dowiemy się, z którego banku przyszły na ostatnim etapie. Razem stworzymy niezłą mapę.

– Mapy są bardzo przydatne. Ale komu ją pokażemy?

– Nie mamy dużego wyboru. Jest tylko jeden człowiek na tyle szalony, że zechce działać, zanim Mevlevi wyjedzie ze Szwajcarii.

– To znaczy oprócz mnie i ciebie. Kto to?

– Sterling Thorne.

Sprecher wyglądał, jakby ktoś ukradł mu właśnie papierosy.

– Żartujesz? Przyznaję, że facet jest szalony. Ale co z tego?

– Thorne zrobi wszystko, by dorwać Paszę. Tylko on może wykorzystać dowody, które uda nam się wykraść. Jeśli się dowie, że Mevlevi jest w tym kraju, zmobilizuje wszystkie siły DEA. Założę się, że sprowadzi tu pieprzoną jednostkę antyterrorystyczną, żeby porwała Paszę do Stanów.

– Jeśli go znajdziemy...

– Już on go znajdzie. W poniedziałek o dziesiątej rano będę towarzyszył Paszy podczas spotkania w Lugano z przedstawicielem Federalnego Biura Paszportowego. Kaiser najwyraźniej postarał się dla Mevleviego o obywatelstwo tego pięknego kraju, żeby w ten sposób pozbyć się DEA.

– Kaiser to wszystko zorganizował? – Peter roześmiał się. – No tak, powiedziałeś, że Pasza ma go w garści. No więc jak znajdziemy pana Thorne'a?

Nick poklepał się po kieszeni.

– Mam jego wizytówkę. Tobie nie dał?

– Owszem, ale wyrzuciłem ją. – Sprecher zadrżał. – No dobra, kolego, ustalmy jakiś plan. Jest za zimno, żeby przeciągać naszą pogawędkę.

Nick pomyślał o tym, co ma do zrobienia po południu. W najlepszym wypadku będzie zajęty do szóstej.

– Spotkajmy się w Keller Stubli o ósmej – zaproponował. – Nie mogę się już doczekać, kiedy zobaczę Yogiego.

– Trzymaj kciuki – powiedział Sprecher. – Miejmy nadzieję, że Bauer nie będzie kompletnie zalany.

Nick złożył dłonie jak do pacierza.

– Modlę się o to.

Rozdział 52

Nick dostał się na Paradeplatz pięć po drugiej. Chciał jak najszybciej znaleźć się w banku. Zejście po oblodzonej ścieżce z Uetliberg i przejazd tramwajem do centrum miasta zajęły mu ponad godzinę. Godzinę, której nie miał. W tej grze czas był limitowany. W poniedziałek Gino Makdisi wejdzie w posiadanie towaru Paszy. We wtorek Konig oficjalnie zdobędzie miejsca w zarządzie USB. Nick nie mógł dopuścić ani do jednego, ani do drugiego.

W ciągu ostatniej godziny niebo pociemniało. Z północy przytoczyły się złowrogie chmury i zawisły nisko nad miastem, jakby chciały przystąpić do oblężenia. Mimo złej pogody na Bahnhofstrasse panował zwykły ruch. Elegancko ubrani mężczyźni i kobiety rzucali się w wir zakupów z zacięciem tyle posępnym, co skutecznym. Nick przeciskał się przez tłum, a jego niecierpliwość osłabiała nieco strach przed tym, co miał zrobić.

Minął główne wejście do banku i spojrzał do góry na szary budynek. W szeregu okien na czwartym piętrze paliły się światła. Ożywiały nieco ponurą fasadę i pozwalały przechodniom odnieść wrażenie, że oto stoją przed instytucją, która nie ma sobie równych, jeśli chodzi o oddanie dla klienta. Wzór pracowitości i przedsiębiorczości. Pokręcił głową z obrzydzeniem. Prawda była zupełnie inna.

Przeszedł na tyły banku i pokonał schody prowadzące do wejścia służbowego. Wszedł do banku i okazał strażnikowi identyfikator. Strażnik machnął tylko ręką, widząc jego ciemny garnitur. Jeśli ktoś jest na tyle szalony, żeby pracować w weekend, zasługuje na bezproblemowe wejście.

Na czwartym piętrze panował harmider. Dzwoniły telefony, trzaskano drzwiami, rozmawiano podniesionymi głosami, a najgłośniejszy z nich należał do Wolfganga Kaisera.

– Cholera jasna, Marty – wołał z drugiego końca korytarza – obiecałeś mi dwieście milionów w sile nabywczej. Gdzie one są? Czekam pięć dni, a ty zdobyłeś tylko dziewięćdziesiąt milionów.

Marty zaczął coś tłumaczyć. Nick ze zdziwieniem usłyszał swoje nazwisko.

– Skoro potrzebowałem Neumanna na dzień lub dwa – grzmiał Kaiser – trzeba było go zastąpić i samemu wyzwalać akcje. Na tym polega przywództwo. Ale widzę, że w twoim przypadku za późno na naukę.

Z „Cesarskiego Szańca" wypadła na korytarz Rita Sutter. Na widok Nicka jej twarz przybrała zatroskany wyraz.

– Pan Neumann. Nie spodziewałam się, że pan dzisiaj przyjdzie.

Nick był ciekaw, dlaczego. Wyglądało na to, że dzisiaj przyszli wszyscy.

– Muszę porozmawiać z Herr Kaiserem.

Rita zaczęła obgryzać jeden ze swych smukłych palców.

– To nie najlepszy moment. Z giełdy nadchodzą fatalne wiadomości. Teraz prezes rozmawia z panem Zwickim i panem Maederem. Słyszał już pan?

– Nie – skłamał. – Co się stało?

– Klaus Konig wykupił kolejny procent naszych akcji. Zdobędzie swoje miejsca.

– A więc stało się – skwitował Nick, udając rozczarowanie.

– Niech pan nie zwraca uwagi na prezesa – doradziła mu Rita Sutter. – Ma ostry język. To, co mówi, trzeba dzielić na pół. Proszę pamiętać, że bardzo pana lubi.

– No i gdzie on jest? – zapytał Kaiser, gdy Nick przeszedł przez wysokie drzwi. Tego popołudnia były otwarte na oścież dla doradców prezesa. – Gdzie Mevlevi? Co z nim zrobiłeś?

Rudolf Ott, Martin Maeder i Sepp Zwicki stali w półkolu wokół prezesa. Brakowało tylko Schweitzera.

– Słucham? – powiedział Nick. Pytanie było niedorzeczne. Kto by śmiał zrobić coś z Paszą?

– Próbowałem skontaktować się z nim wczoraj w hotelu – wyjaśnił Kaiser. – Zapadł się pod ziemię.

– Nie widziałem go od wczorajszego popołudnia. Jest zajęty interesami. Pokłócił się z jednym z partnerów.

Kaiser przypomniał sobie o obecności innych.

– Później mi o tym opowiesz. Zostań – rozkazał i pstryknął palcami, wskazując kanapę. – Usiądź i poczekaj, aż skończymy.

Nick usadowił się na kanapie i słuchał, jak Kaiser wyładowuje złość na podwładnych. Zarzucił Zwickiemu, że pozwolił Konigowi bez większego trudu zgarnąć akcje. Zwicki próbował się bronić, ale w końcu spuścił głowę i odszedł.

Kaiser zwrócił się do Maedera:

– Co teraz robi Feller?

Maeder topił się pod palącym spojrzeniem prezesa.

– Siedzi nad ostatnimi portfelami dyskrecjonalnymi. Udało nam się zdobyć kolejne piętnaście milionów. – Poprawił krawat i wydusił z siebie pytanie: – A w sprawie pożyczki nic...?

– Oczywiście, że nie – warknął Kaiser. – Inaczej to my skupowalibyśmy akcje, nie Konig. – Odprawił Maedera i usiadł na kanapie obok Nicka. Ott poszedł w jego ślady.

– Nie wiesz, gdzie on może się podziewać? – zapytał znowu prezes. – Zostawiam cię z kimś, kto jest mi winien dwieście milionów franków, a ty pozwalasz mu się ulotnić.

Nick nie przypominał sobie, żeby Pasza był coś winien Kaiserowi. Mevlevi dał słowo, że poważnie zastanowi się nad pożyczką. Nic więcej. Najwyraźniej trzymał w tajemnicy miejsce pobytu, żeby uniknąć tego rodzaju konfrontacji.

– Można go znaleźć z Gino Makdisim. Prawdopodobnie zajmuje miejsce jego starszego brata. Cementują nową przyjaźń.

Kaiser spojrzał na niego ze zdziwieniem. Nick zastanawiał się, czy wie o wczorajszym zabójstwie w Platzspitz.

– Miałeś towarzyszyć panu Mevleviemu w Zurychu – powiedział Kaiser. – Cały czas. Wydawało mi się, że to nietrudne zadanie. Tymczasem zjawiasz się w banku wpół do czwartej, z tego, co mówi Rita Sutter, jak jakiś duch, zamykasz się w swoim gabinecie i siedzisz tam po to tylko, żeby wykonać zlecenie tego drania. Dostał czterdzieści milionów, a ty przelewasz całą sumę. Kiedyś miałeś na tyle oleju w głowie, żeby opóźnić przelew. Dlaczego tym razem o tym nie pomyślałeś? Dałbyś mi czas, żebym go przekonał.

Nick spojrzał w rozgniewane oczy Kaisera. Wiedział, że rozsądniej będzie nie odpowiadać. Miał już dość ciągłej tyranii prezesa. Początkowo uważał ją za oznakę zdecydowania, chęci zwycięstwa; teraz dostrzegał w niej czystą agresję, sposób zrzucania winy za własne błędy na podwładnych. Wiedział, że nawet z pożyczką od Paszy było już za późno. Konig miał swoje trzydzieści trzy procent. A pieniądze na te zakupy pochodziły od Alego Mevleviego. Mówi się trudno, Wolfgang. Nie będzie żadnej pożyczki od Paszy, żadnej dyspensy udzielonej w ostatniej chwili przez twojego mało świętego zbawiciela.

– A dzisiaj po co przyszedłeś? – zapytał Kaiser. – Żeby zbijać bąki? Trzy tygodnie na górze i już jesteś wyczerpany. Jeszcze jeden żołnierz, który nie wytrzymuje próby.

– Proszę się nie złościć na pana Neumanna – odezwała się Rita Sutter, która weszła do gabinetu ze stertą papierów. – Jestem pewna, że wykonywał swoją pracę najlepiej, jak umiał. Sam pan mówił, że pan Mevlevi może być tru...

– Nikt pani nie pytał o zdanie – przerwał jej Kaiser. – Proszę zostawić te papiery i wyjść!

Rita uśmiechnęła się przez łzy i wyszła.

Rudolf Ott splótł dłonie na piersiach. Uśmiechał się szyderczo.

– Co mówiłeś, Neumann?

– Przyszedłem pomóc Reto Fellerowi. Nie wiedziałem, że Konig przekroczył granicę trzydziestu trzech procent.

Tak naprawdę nie zamierzał pomagać Fellerowi w wyzwalaniu akcji. Okres odgrywania roli świadomego współsprawcy miał już za sobą. Przyszedł tylko z jednego powodu: żeby wykraść teczkę Paszy z DZ.

– Może i ma swoje trzydzieści trzy procent – oświadczył Kaiser – ale nie dopuszczę, żeby zdobył miejsca w zarządzie. Dopóki kieruję tym bankiem. I pomyśleć, że kiedyś z nami pracował. Zdrajca!

– Nie jedyny w naszych szeregach – syknął Ott.

Kaiser zignorował go.

– Nie dopuszczę! – zawołał. – Po prostu nie!

Nick wiedział, że Kaiser nie da za wygraną, dopóki nie zostanie złożony ostatni głos podczas walnego zgromadzenia. Prawda była jednak taka, że wykupując ten ostatni pakiet akcji, Konig rozstrzygnął bitwę. Kaiser mógł walczyć ze zmianami, które przyniesie obecność Koniga, ale w końcu przegra. Akcjonariusze wybiorą rozwiązania mogące zaowocować szybkim wzrostem dochodów banku. Prezes był epigonem starej szkoły; ostatnim, który wierzył, że wzrost długoterminowy jest ważniejszy od krótkoterminowych wyników. W ostatecznym rozrachunku był zbyt szwajcarski nawet dla Szwajcarów.

– Zejdź do Fellera i dowiedz się, na czym stoimy – polecił Kaiser Nickowi. – Chcę listę wszystkich instytucjonalnych akcjonariuszy, na których głosy możemy liczyć, i…

Ott położył dłoń na ramieniu prezesa. Kaiser przerwał wypowiedź i spojrzał w stronę drzwi. Do gabinetu wszedł powoli Armin Schweitzer. Miał bladą jak wosk, wilgotną od potu twarz.

– Przyjechałem najszybciej, jak mogłem – zwrócił się do Kaisera i Otta. Unikał wzroku Nicka.

Prezes podniósł się z kanapy i podszedł do szefa działu do spraw poufności.

– Armin, przepraszam, że wyciągam cię z łóżka. Rudy powiedział mi, że masz grypę. Pamiętaj, odpoczynek to jedyne lekarstwo.

Nick odnosił wrażenie, że Schweitzer ma po prostu gigantycznego kaca.

Chory pokiwał słabo głową. Wydawał się zmieszany troskliwością prezesa.

– Na pewno posłucham pańskiej rady.

– Rozumiem, że słyszałeś ostatnie wiadomości?

– Pani Sutter mnie poinformowała. Naszym następnym zadaniem będzie wykurzenie Koniga z zarządu. Powinniśmy traktować bieżącą sytuację jako chwilowe potknięcie. Z pańskim przywództwem nie wątpię, że uda nam się go pozbyć.

– Myślałem, że jesteś zadowolony – powiedział Kaiser.

– Jak mogę być zadowolony? – Schweitzer roześmiał się niepewnie, szukając wsparcia u Otta, a potem u Nicka, co tylko świadczyło o jego oszołomieniu.

– Adler Bank – rzekł Kaiser. – W swoim czasie blisko współpracowałeś z Klausem Konigiem, prawda? Obaj siedzieliście w papierach wartościowych. Obaj dynamiczni i obrotni.

– Ja zajmowałem się głównie obligacjami. Klaus koncentrował się na akcjach i opcjach.

– Ale dogadywaliście się?

– Porządny był z niego gość. To znaczy, zanim wyjechał do Ameryki. Wrócił z głową pełną rozmaitych finansowych bredni.

– Mimo to jego ostatnie wyczyny są emocjonujące – powiedział Kaiser z ironią.

– W świecie inwestycji nie ma miejsca na emocje – oświadczył Schweitzer. – Tych należy szukać w kasynach Monako. Moim zdaniem, Klaus uzależnił się od ryzyka.

– Kiedyś miałeś podobne zapędy, prawda? – zasugerował prezes poufałym tonem. – Nowy Jork. Londyn. Wtedy na pewno się nie nudziłeś.

– Stare dzieje.

– Ale bez wątpienia chciałbyś, żeby wróciły.

– Wcale nie. Niczego mi nie brakuje.

– Daj spokój, Armin, nie chcesz chyba powiedzieć, że nie marzy ci się powrót na parkiet? Dział do spraw zachowania poufności musi być potwornie nudnym miejscem dla kogoś o takich zdolnościach.

– Jeśli mówimy o możliwości przeniesienia, dlaczego nie robimy tego na osobności? – Schweitzer rozejrzał się, wyraźnie zmieszany rozmową na temat jego aktualnej sytuacji. W gabinecie Kaisera zebrała się sama śmietanka. Na kanapie przycupnął Nick. Ott stał przy boku swego pana. Rita Sutter podeszła ostrożnie, krok po kroku. Zatrzymała Reto Fellera, który w przeciwnym razie wpadłby w sam środek nadchodzącej burzy.

– Armin Schweizter – dudnił Kaiser, jakby wyobrażał sobie własny awans – wiceprezydent wykonawczy do spraw obrotu obligacjami. – Przerwał i zapytał życzliwym głosem: – To właśnie obiecał ci Konig? Nową posadę w Adler Bank?

– Słucham? – Schweitzer był wyraźnie zdziwiony.

– Pytałem, co obiecał ci Konig. W nagrodę za działalność szpiegowską.

– O czym pan mówi? Niczego mi nie proponował. Nie zgodziłbym się na rozmowę z Konigiem, a co dopiero na pracę u niego. Wie pan o tym.

– Naprawdę?

Kaiser podszedł do Schweitzera i zatrzymał się dopiero wtedy, gdy dzieliło ich tylko niespełna pół metra. Przesunął palcami po klapach skazańca. Bez żadnego ostrzeżenia zamachnął się i uderzył go w twarz.

– Wyciągnąłem cię z więziennej celi w obcym kraju. Dałem ci posadę w kierownictwie tego banku. Dałem ci życie. A ty tak mi odpłacasz? Dlaczego, Armin? Powiedz mi, dlaczego.

– Dosyć! – zawołał Schweitzer. Przyłożył dłoń do zaczerwienionego policzka. Przez chwilę nikt się nie ruszał. – Dosyć – powtórzył zduszonym głosem. – O czym, na Boga, pan mówi? Nigdy bym was nie zdradził.

– Łżesz! – krzyknął Kaiser. – Co ci obiecał Konig w zamian za współpracę?

– Nic! Przysięgam. To jakieś szaleństwo. Nie mam nic do ukrycia. – Schweitzer zrobił krok do przodu i wskazał palcem Nicka. – Kto mnie tak oczernił? Może on?

– Nie – odparł ostro Kaiser. – Nie on. Ale nie martw się. Moje źródło jest pewne. Myślisz, że to Neumann, bo wykradłeś mu dokumenty, prawda?

– Jakie dokumenty? O czym pan mówi? Niczego Konigowi nie dawałem.

Rudolf Ott stanął u boku swego pana.

– Jak mogłeś, Armin?

– Jeśli coś słyszeliście, to kłamstwa – rzekł Schweitzer. – Bzdury. Ten bank jest moim domem. Oddałem mu trzydzieści lat. Myślicie, że zrobiłbym coś przeciw niemu? Niech pan będzie poważny, panie prezesie.

– Ależ jestem, Armin. Śmiertelnie poważny. – Kaiser zaczął chodzić wokół oskarżonego. – Raz cię uratowałem. Jeśli chcesz mi odpłacić w ten sposób, proszę bardzo. Ciesz się z nowej posady w Adler Bank. Twoja kariera tutaj dobiegła końca. Jeżeli kiedyś zobaczysz mnie na ulicy, lepiej przejdź na drugą stronę. A jeśli kiedyś spotkamy się przypadkiem w tej samej restauracji, masz natychmiast wyjść, w przeciwnym razie wstanę i publicznie oskarżę cię o te wszystkie przestępstwa. Rozumiesz?

Schweitzer wyprostował się. Miał szeroko otwarte oczy i mrugał powiekami, żeby powstrzymać łzy.

– Chyba nie mówi pan poważnie. To jakaś pomyłka. Ja nigdy...

– Nie ma mowy o pomyłce. To ty robisz błąd, przechodząc do Koniga. Powodzenia, Armin. A teraz wynoś się z mojego banku. – Wyciągnięta sztywno ręka Kaisera wskazywała korytarz.

Ale Schweitzer nie zamierzał wychodzić. Zrobił kilka chwiejnych kroków, jakby szedł po rozkołysanym pokładzie statku.

– To jakieś szaleństwo. Proszę, Wolfgang... Herr Kaiser... proszę dać mi szansę oczyszczenia się z zarzutów. Nie ma pan prawa...

– Powiedziałem już, do cholery! – ryknął Kaiser głosem, którego Nick jeszcze nie słyszał. – Wynoś się!

W przestronnym gabinecie prezesa zapanowała grobowa cisza. Schweitzer odwrócił się i wyszedł, odprowadzany oszołomionymi spojrzeniami kolegów.

– A wy wracajcie do pracy – rozkazał prezes. – Jeszcze się nie poddaliśmy.

Rozdział 53

Świadkowie zwolnienia Schweitzera zebrali się w sekretariacie „Cesarskiego Szańca". Ott i Feller sprawiali wrażenie pokrzepionych tym, co zaszło. Nickowi wydawało się, że z ledwością powstrzymują uśmiechy. Natomiast Rita Sutter siedziała za swoim biurkiem pogrążona w milczeniu. Była wstrząśnięta. Nick poczekał, aż Feller wyjdzie, i podszedł do Rudolfa Otta.

– Klient, któremu towarzyszyłem wczoraj, numer konta...

– Pan Mevlevi – wtrącił Ott. – Wiem, jak się nazywa, Neumann.

– Prosił, żebym dostarczył mu korespondencję z banku. – Nick chciał poruszyć ten temat w rozmowie z prezesem, ale pojawienie się Schweitzera – i jego odprawa – uniemożliwiły mu to. Teraz został mu tylko Ott.

– Ach tak? – Ott przysunął się bliżej Nicka i jak dworzanin próbujący wyciągnąć z niego najnowsze plotki, wziął go pod rękę i podążył korytarzem. – Podobno wczoraj po południu przeglądał swoją teczkę.

– Ale przerwano mu. – Nick próbował bezskutecznie wyrwać rękę z uścisku Otta. – Nadeszła wiadomość o śmierci Cerrutiego.

– Aaa. – Ott kiwnął głową, jakby zrozumiał, co się stało. – Na kiedy mu to potrzebne?

– Na dzisiaj przed siódmą. Zamierzałem poprosić prezesa, ale… – Nick nie dokończył zdania.

– Mądra decyzja – stwierdził Ott. – Nie trzeba zawracać mu teraz głowy sprawami administracyjnymi. A co do Mevleviego, nie może poczekać z tą korespondencją do następnej wizyty w banku?

– To samo mu zaproponowałem. Twierdzi, że chce przejrzeć korespondencję przed poniedziałkową wizytą w Lugano.

– A więc dzisiaj do siódmej? – Ott pociągnął nosem. – I oczekuje, że przyniesiesz mu korespondencję do hotelu?

– Zgadza się. Do Dolder. Mam ją zostawić w recepcji.

– Herr Kaiser ucieszy się na wiadomość, gdzie może znaleźć pana Mevleviego, prawda? Chociaż raczej nie może sobie pozwolić na wizytę. Jest zbyt znany, żeby pokazywać się z kimś pokroju Mevleviego. Zwłaszcza teraz. Nie dopuszczę do tego. – Ott spojrzał na Nicka, który przewyższał go o głowę. – W porządku. Zadzwonię do archiwum. Bądź w DZ za dziesięć minut. Czyli punktualnie o trzeciej.

Nick wyślizgnął się z uścisku Otta. Zrobił kilka kroków, kiedy Ott zawołał za nim:

– Aha, Neumann. Zabierz ze sobą Fellera. Spędził u Karla rok. Pomoże ci znaleźć te papiery.

Nick wrócił do swojego gabinetu. Zamknął drzwi na klucz i przeszedł za biurko. Wyjął z szuflady zniszczoną sepiową teczkę. Zaczął do niej wkładać przypadkowe notatki i nieaktualne już dokumenty, aż przybrała rozmiary teczki Paszy. Zanim skończył, otworzył górną szufladę biurka. Tak jak wczoraj wsunął rękę pod dno. Miał nadzieję, że potwierdzenia operacji Paszy zmaterializowały się w jakiś magiczny sposób, ale jego palce natrafiły tylko na chropowate drewno. Nie miał pojęcia, kto zabrał listy. Wczoraj ich zniknięcie wydawało mu się katastrofą. Dzisiaj już nie rozpaczał. Potwierdzenia operacji Paszy w banku nie są tak cenne jak cała teczka. Właśnie jej potrzebował. Kart z wzorami podpisów, oryginałów wszystkich siedmiu list banków, nazwisk specjalistów od inwestycji i najważniejszego spośród nich – Wolfganga Kaisera – który nadzorował to konto. Cała cholerna teczka.

Nick zdjął marynarkę. Wsunął zastępczą teczkę z tyłu do spodni i poprawił pasek, żeby mocno się trzymała. Założył marynarkę i wyszedł z gabinetu.

– Widziałeś jego twarz, Neumann? Widziałeś? – zapytał podnieconym głosem Feller, gdy czekali na windę, która miała ich zawieźć na pierwsze piętro. – Dorosły mężczyzna i w dodatku wiceprezydent wykonawczy banku, a beczał jak dziecko. Nie, jak niemowlę!

Albo jak ktoś niewinny, pomyślał Nick.

Wsiedli do windy. Nick wcisnął guzik pierwszego piętra i wbił wzrok w swoje buty. Wesołość Fellera irytowała go i wydawała mu się niestosowna.

– O co Kaiserowi chodziło z tymi skradzionymi dokumentami? – zapytał Feller. – Nie bardzo zrozumiałem.

Nick powiedział, że też nie zrozumiał.

– Co on takiego zrobił? – dociekał Feller. – Powiedz mi, Neumann. Ostatnio spędzasz z prezesem więcej czasu niż ja. Oświeć mnie.

– Nie mogę. Sam nie wiem – odparł Nick.

Znał występki Schweitzera, ale nie znał jego motywów. Po co miałby zdradzać bank, który był mu domem przez trzydzieści lat? Czyżby skusiła go obietnica odzyskania dawnego stanowiska na parkiecie? Więcej pieniędzy, nowa posada w agresywnym i bardzo dochodowym banku. To podziałało? Nick miał wątpliwości. W USB Schweitzer należał do świty prezesa, znał wszystkie decyzje podejmowane na najwyższym szczeblu. Pozycja godna pozazdroszczenia, nawet jeśli oficjalnie był tylko szefem działu do spraw poufności. W Adler Bank raczej nie mógł liczyć na to samo.

A poza tym von Graffenried powiedział, że listę instytucjonalnych udziałowców dostał po okazyjnej cenie, praktycznie za darmo. To nie pasowało do zdrady dla pieniędzy, o co posądzano Schweitzera. Wręcz przeciwnie. To pachniało najpodlejszym z ludzkich motywów. Zemstą.

Feller zabębnił nerwowo o ścianę.

– Jakim trzeba być renegatem, żeby przekazać wrogowi informacje w trakcie bitwy. Co, Neumann? Pytam cię.

Nick nie odpowiedział, tylko chrząknął, w ten sposób przyznając mu rację. Pytania Fellera obudziły w nim na nowo nieprzyjemne podejrzenie, które od kilku minut nie dawało mu spokoju. Kto się dowiedział o zdradzie Schweitzera? Kto szepnął prezesowi, że to on przekazał Konigowi listę instytucjonalnych udziałowców? Nick sam zastawił pułapkę i powiedział o tym tylko dwóm osobom.

Feller ciągnął swoją tyradę na temat Schweitzera.

– Boże, widziałeś, jak się rozkleił? I pomyśleć, że ma prawie sześćdziesiątkę. Zupełnie jakby się oglądało załamanie nerwowe własnego ojca. *Unglaublich.*

– Życie Schweitzera jest zrujnowane, nie rozumiesz tego? – przerwał mu Nick. – Co za przyjemność napawać się jego klęską?

– Żadna – odparł Feller, chwilowo zmieszany. – Ale jeśli sukinsyn wykradł poufne informacje kluczowe dla naszej obrony i przekazał je Adler Bank, mam nadzieję, że będzie się smażył w piekle. Pomyśl o sobie, Neumann. Nigdy nie zrobiłbyś niczego na szkodę banku i prezesa. To nie do pomyślenia!

Nick poczuł na plecach ucisk teczki.

– Święta prawda – przyznał.

Wejścia do Dokumentation Zentrale pilnował strażnik. Nick i Feller wyjęli identyfikatory i wpuścił ich do centralnego archiwum banku. Wewnątrz było pusto i zupełnie ciemno. Feller włączył jarzeniówki. Strażnik usiadł przy stole do czytania.

– Jak za dawnych czasów – powiedział Feller, zajmując miejsce Karla za wytartym zielonym kontuarem. Oparł się o blat i zapytał starczym głosem: – Co mogę dla ciebie zrobić, młody człowieku? Przyszedłeś po dokumenty, tak? No to wypełnij formularz, idioto. Wy, młodzi, jesteście wszyscy tacy sami. Leniwi, głupi i powolni. Nie wiem, jak ten bank przetrwa. Jeszcze nie wypełniłeś zamówienia? – Udał, że bierze jedno od Nicka. – Nie ma danych, nie ma dokumentów. Debil.

Nick roześmiał się. Całkiem niezła parodia. Najwyraźniej Nick nie był pierwszym, który poprosił o teczkę bez podania danych osobowych. Feller dał mu znak, żeby przeszedł za kontuar.

– Potrzebna mi teczka do rachunku 549.617 RR – powiedział Nick.

Feller powtórzył numer i ruszył głównym przejściem między rzędami półek.

– Pięć cztery dziewięć i co dalej?

– Sześć jeden siedem.

– Dobrze, idziemy tędy.

Przeszli jeszcze kilka metrów i skręcili w prawo między rzędy półek zapełnionych dokumentami na wysokość ponad czterech metrów. Na każdym rogu, jak na ulicy, umieszczono odpowiedni numer. Feller przemieszczał się szybko wąskimi przejściami. Skręcili w lewo w jeszcze węższy korytarz, w którym dwie osoby obok siebie ledwo się mieściły. W końcu Feller zatrzymał się.

– Jesteśmy na miejscu. 549.617 RR. Co masz z niej wziąć?

– Tylko nieodebraną korespondencję.

– Czwarta półka. – Feller wskazał nad głowę Nicka. – Ja nie dosięgnę.

– Nie macie jakiejś drabiny?

– Jest tu gdzieś. Ale lepiej wspiąć się po półkach. Kiedyś urządzaliśmy wyścigi: kto pierwszy dosięgnie sufitu.

– Naprawdę? – zdziwił się Nick. Potrzebował dokładnie czegoś takiego, żeby odwrócić uwagę Fellera. Stanął na palcach i prawą ręką prawie sięgnął teczki Paszy. – Myślisz, że i teraz byś potrafił?

– Nieee, za bardzo przywykłem do życia na czwartym piętrze – rzekł Feller, poklepując się po wydatnym brzuchu.

– Nie wierzę, Reto – roześmiał się Nick. – Spróbuj. Pozwolę ci parę razy poćwiczyć, a potem dam ci łupnia.

– Ty? Z twoją nogą? Nie jestem sadystą – zapewnił Feller, ale już zdejmował marynarkę. – Przynajmniej w normalnych okolicznościach. Ale jeśli sam się prosisz, czemu nie? – Odwrócił się plecami do Nicka i prześledził miejsca na półkach, które mogły posłużyć mu za oparcie.

Nick wyciągnął teczkę ze spodni i położył ją na wolnym kawałku półki. Stanął na palcach, żeby zdjąć teczkę Paszy.

Feller wspiął się po półkach i dotknął sufitu.

– Widzisz, Neumann – zawołał z grzędy między półkami. Rozpierała go duma. – To mi zajęło jakieś cztery sekundy.

– Cholernie szybko – powiedział Nick z odpowiednią dozą podziwu. Zerknął, czy zasłania ciałem półkę, na której położył zastępczą teczkę. Zasłaniał.

– Żartujesz? – zapytał Feller, który zupełnie zatracił się we wspomnieniach. – Kiedyś w cztery sekundy potrafiłem wejść i zejść. Jeszcze raz. – Zaczął schodzić na dół i zanim Nick zdążył się zaniepokoić, czy przypadkiem nie zauważył teczki, znowu zaczął się wspinać. Doszedł do połowy, kiedy z drugiego końca archiwum dobiegł ich głos strażnika.

– Co się tam dzieje? Co wy wyprawiacie? Natychmiast wracać.

Feller zamarł w miejscu, odwrócony plecami do Nicka.

Nick chwycił grzbiet teczki Paszy i zdjął ją z półki. Wyjął ze środka stos fałszywej korespondencji podłożonej kilka dni wcześniej, a potem wcisnął teczkę, która była dużo grubsza, niż pamiętał, w tył spodni. Opuścił marynarkę, żeby zasłonić wybrzuszenie. Jezu, czuł się, jakby miał kowadło przypięte do paska.

Strażnik znowu zawołał:

– Wracajcie mi tu zaraz. Co wy robicie?

Feller odpowiedział z nonszalancją, o którą Nick go nie podejrzewał:

– Chodzimy po ścianach, a co pan myślał? – Obejrzał się przez ramię i mrugnął do Nicka.

– No to się pospieszcie, bo zaraz tam przyjdę – odparł strażnik. – Zurich Grasshopper podejmuje Neuchatel Xamax. Przez was nie obejrzę rozpoczęcia.

Nick klepnął Fellera w nogę i podał mu zastępczą teczkę.

– Możesz ją odłożyć? Łatwiej ci będzie stamtąd sięgnąć.

Strażnik wystawił głowę zza rogu. Przenosił wzrok z Nicka na Fellera.

Feller odłożył teczkę i zeskoczył na podłogę.

– Nasz wyścig musi chyba poczekać. Masz to, co chciałeś?

Nick podniósł plik podrobionej korespondencji Paszy.

– Mam wszystko.

Rozdział 54

Nick wszedł do Keller Stubli parę minut po dziewiątej wieczorem. Czuł napięcie, ale było to napięcie wywołane niecierpliwością, nie desperacją. Wreszcie działał, a nie tylko reagował. Plan wydobycia teczki Paszy z archiwum wspaniale się powiódł. Szybki rzut oka na jej zawartość potwierdził, że wszystko było na miejscu: kopie potwierdzeń przelewów, listy z nazwami banków i rachunkami, na które w każdy poniedziałek i czwartek dokonywano przelewów, nazwiska urzędników, którzy prowadzili rachunek. Oprócz teczki udało mu się wynieść z banku coś jeszcze – pomysł przyszpilenia Mevleviego i Kaisera. Świadomość, że może uda mu się odzyskać kontrolę nad własną przyszłością, przyprawiła go o gwałtowny dreszcz i rozładowała nieco napięcie ulokowane w okolicach karku i ramion. Dobre wiadomości od Sprechera mogły uwieńczyć ten udany dzień.

Nick rozejrzał się po sali. Tego dnia raczej go nie śledzono, ale nie mógł mieć pewności. Idąc do baru, często się oglądał i przystawał przy wystawach, wypatrując na szybie cienia kobiety lub mężczyzny, który poruszałby się odrobinę za wolno. Nie dostrzegł ani nie wyczuł obecności obserwatora, ale wiedział, że dobrze wyszkolony specjalista od inwigilacji mógł deptać mu po piętach od wielu dni. W każdym razie nie mógł sobie pozwolić na uśpienie czujności.

Bar szybko się wypełniał. Klienci tłoczyli się przy drewnianych stołach ustawionych pod ścianami. Z głośników płynęła jazzowa muzyka. Sprecher z papierosem w dłoni siedział na swoim ulubionym miejscu przy końcu baru.

– Miałeś szczęście? Dowiedziałeś się czegoś o Ciragan Trading? – zapytał Nick.

– Mamy teraz prawdziwy kocioł – odpowiedział Sprecher. – Konig przysłał nam skrzynkę Dom Perignon, żeby uczcić zwycięstwo. Manna z nieba.

– Nie za wcześnie?

– Konig poszedł na całość. Cały czas ukrywał tajną broń. Zdaje się, że kilka wielkich amerykańskich banków zgodziło się sfinansować ofertę zakupu wszystkich akcji USB. Pod warunkiem, że przekroczy próg trzydziestu trzech procent. W poniedziałek o ósmej Konig ogłosi, że oferuje pięćset franków za każdą akcję, której nie wykupił. To o dwadzieścia pięć procent więcej niż wczorajszy kurs zamknięcia.

– To trzy miliardy franków. – Nick zamknął na chwilę oczy. Ale przebicie! – Kaiser będzie walczył.

– Będzie próbował, ale co z tego? Ile akcji, na które liczycie podczas głosowania, rzeczywiście znajduje się w waszym posiadaniu? Dwadzieścia pięć, trzydzieści procent?

Nick dokonał obliczeń. Nawet po sfinalizowaniu planu Maedera USB miał tylko około czterdziestu procent akcji. Pozostałe należały do instytucji, które przekonano do poparcia Kaisera.

– Trochę więcej – odpowiedział.

– Nieważne – rzekł Sprecher. – Do trzynastej we wtorek ponad sześćdziesiąt sześć procent udziałów banku znajdzie się w kieszeni Koniga. Kto odrzuci taką premię? Kaiser nie ma szans.

Nick zdał sobie sprawę, że Sprecher ma rację. O walnym zgromadzeniu zrobiło się tak głośno, że przylatywali nań bankierzy z Nowego Jorku, Paryża i Londynu. Wystarczy wzmianka o cenie, jaką proponuje Konig, a zmienią obóz. Hambros, Bankers Trust – wszystkie instytucje, które Nick przez tyle czasu werbował, podczas głosowania staną po stronie Adler Bank. I czemu nie? Jeszcze dwa miesiące temu akcje USB sprzedawano po trzysta franków. Nikt nie oprze się takiemu zyskowi.

– Możesz sobie wyobrazić ten kipisz – ciągnął dalej Sprecher. – Wszyscy w Adler Bank od dawna pracują na ten efekt. Prawdziwe szaleństwo. Nie można wścibić palca, nie mówiąc już o próbach wykradzenia czegokolwiek. Tak samo będzie jutro. Konig zbiera wojska o dziesiątej: ostatnia szarża przed wtorkowym zgromadzeniem.

Nick podniósł wzrok, rozczarowany.

– Chcesz powiedzieć, że nie udało ci się zdobyć informacji o Ciragan Trading?

Sprecher poklepał go po plecach, jakby składał mu kondolencje. Ale po chwili uśmiechnął się szeroko.

– Tego nie powiedziałem. – Wyciągnął z marynarki kopertę i pomachał nią Nickowi przed nosem. – Wszystko czego zapragnie twoja duszyczka. Wujaszek Peter nie pozwoliłby, żeby…

– Zamknij się, Peter, i dawaj to. – Wyrwał Sprecherowi kopertę i obaj wybuchnęli śmiechem.

– Nie krępuj się. Otwieraj. A może czujesz, że jesteśmy obserwowani przez siły ciemności.

Nick odruchowo obejrzał się przez ramię. W ciągu ostatnich dziesięciu minut klientela nie powiększyła się. Nie zauważył, żeby ktoś zwracał na niego szczególną uwagę. Rzucił okiem na Sprechera, a potem wsunął palec pod zagięcie koperty i otworzył ją. Na firmowym papierze Adler Bank wydrukowano zestaw akcji United Swiss Bank zakupionych na rzecz rachunku E1931.DC – Ciragan Trading. Data zakupu, data rozliczenia, cena, prowizja, liczba akcji – było tam wszystko.

– Mam nadzieję, że sam tego nie wymyśliłeś, co? – zapytał żartobliwie Nick.

– Nie mógłbym, nawet gdybym chciał. Spójrz na dolny lewy róg. Cztery cyfry z literami AB. To nasz wewnętrzny numer referencyjny dla operacji, którą wykonałem, żeby wydrukować te informacje. Gdzieś w naszej bazie danych jest ślad mojej małej kradzieży.

– Więc żeby otrzymać informacje, wystarczyło wpisać ten symbol?

– Jasne – powiedział Sprecher i mrugnął okiem. – To było cholernie proste. Jak mówiłem, mamy teraz potworny kocioł. Faris, nasz guru od papierów wartościowych, siedzi tyłem do mnie przy sąsiednim stanowisku. Wiedziałem, gdzie szukać, czekałem tylko na okazję. Wujaszek Peter nalał mu do kieliszka szampana i *voila, presto magico*. Poszedł na siusiu, a ja szybciutko znalazłem się przy jego biurku. Przecież nie wyłącza komputera za każdym razem, kiedy odchodzi od biurka. Klapnąłem na fotel jak na własny. Ani razu się nie obejrzałem. Wpisałem tylko nazwę rachunku, poprosiłem o historię wszystkich operacji za ostatnie osiemnaście tygodni i wcisnąłem „Drukuj". Nie martw się, Nick, zostawiłem ekran na tej samej stronie, która była wyświetlona wcześniej – jakieś kursy krzyżowe walut czy coś takiego. Na pewno niczego nie zauważył. A ty, Nick? Jak tobie poszło?

Nick wiedział, że trudno mu będzie dorównać radosnym przechwałkom Sprechera, więc zdecydował się na skromny występ.

– Teczka Paszy w całości. – Poklepał aktówkę przy boku. – Z tym, co mam w środku, i z twoją listą możemy sprawdzić, czy przelewy Mevleviego odpowiadają zakupom Koniga.

– Grzeczny chłopiec. Oczywiście, nigdy w ciebie nie wątpiłem.

– Na razie ty przechowaj teczkę. Nie mogę jej trzymać u siebie. To zbyt niebezpieczne.

Sprecher przyjrzał się aktówce i powiedział poważnie:

– Nie zginać, nie wycierać, nie niszczyć.

– Utrzymać w dobrym stanie.

Przed wyjściem z banku Nick dwukrotnie dzwonił do Sylvii, mając nadzieję, że wyłudzi od niej zaproszenie na noc. Ale nie było jej w domu. Dopiero później przypomniał sobie, że wspominała o wyjeździe do ojca w Sargans. Wątpił zresztą, czy teczka Paszy byłaby bezpieczniejsza u Sylvii. Obmyślił sobie listę pytań, które jej zada, i teraz, gdy powtarzał je sobie, czuł w żołądku palącą złość. Kto powiedział Kaiserowi o kradzieży list udziałowców i przekazaniu ich Klausowi Konigowi? Kto go poinformował, że za tymi kradzieżami stał Armin Schweitzer? Skąd Kaiser wiedział o ich czwartkowym lunchu? Kto wczoraj wieczorem zostawił jej wiadomość na automatycznej sekretarce? Miał głos łudząco podobny do głosu prezesa.

Wmawiał sobie, że Sylvia nie ma z tym nic wspólnego. Żałował, że nie zna jej na tyle dobrze, by móc odpowiedzieć swoim przeczuciom kategorycznym „nie". Ale Sylvia zawsze ukrywała przed nim cząstkę siebie. Wiedział o tym, bo sam robił to samo. Do dzisiaj nawet mu się to podobało. Teraz musiał zadać sobie pytanie, czy jej nieprzystępność nie była sposobem na mydlenie mu oczu.

Rozejrzał się po tętniącym życiem lokalu.

– Widzisz gdzieś naszego przyjaciela?

Sprecher wstał i zlustrował salę.

– Nie.

– Sprawdzę. Może go znajdę. Ty pilnuj aktówki. – Nick zsunął się ze stołka. Zapamiętał Yogi Bauera jako zgarbionego siwego mężczyznę w ciemnym garniturze. Do tej pory nie widział nikogo, kto odpowiadałby temu rysopisowi. Mężczyźni i kobiety stali w grupkach z drinkami w rękach i wszyscy palili papierosy. Przecisnął się między nimi do stołów ustawionych pod ścianami. Nigdzie nie dostrzegł Bauera. Wrócił do baru i zastał Sprechera nad kuflem piwa.

– Nie znalazłeś go? – zapytał Peter, przypalając kolejnego papierosa.

– Nie – odparł Nick, i zamówił sobie piwo.

Sprecher odchylił się na stołku, szczerząc szyderczo zęby.

– Mówiłeś, że czym się zajmowałeś w piechocie morskiej?

– Zwiadem.

– Tak właśnie myślałem. To musiała być jakaś żałosna jednostka. – Odłożył papierosa do popielniczki, obrócił się na stołku i wskazał palcem w stronę najciemniejszego zakamarka baru. – Siedzi przy nakrapianej palmie. Może czas zainwestować w dobrą parę szkieł.

Nick spojrzał w tamtą stronę. Jak na zawołanie rozeszła się grupka atrakcyjnych kobiet, odsłaniając drobnego mężczyznę z kuflem w ręku w pogniecionym trzyczęściowym czarnym garniturze. Yogi Bauer. Był tylko jeden problem. Na jego stole stało dziesięć pustych kufli.

– Jest ululany.

Sprecher skinął na barmana.

– Daj nam jeszcze po piwie, a dla pana Bauera to, co zwykle.

Barman spojrzał Sprecherowi przez ramię.

– Dla pana Bauera? Ma pan na myśli Yogiego? Proponuję piwo albo wódkę.

– Jedno i drugie – zdecydował Sprecher.

Barman odszedł, żeby nalać piwo, a kiedy wrócił, powiedział:

– Trzeba z nim delikatnie. Siedzi tu od południa. Może być trochę zgryźliwy, ale proszę pamiętać, to dobry klient, zawsze płaci.

Nick wziął dwa piwa i ruszył za kolegą, przebijając się przez tłum. Wątpił, czy wydobędą coś z tego gościa. Gdy doszli do stolika Bauera, Sprecher odsunął krzesło i usiadł.

– Pozwolisz, że przysiądziemy się na kufelek? Jestem Peter Sprecher, a to mój kumpel Nick.

Yogi Bauer rozprostował ręce i poprawił postrzępione mankiety.

– Miło, że nasza młodzież nie traci dobrych manier – stwierdził, podnosząc kufel do ust. Jego farbowane na czarno włosy były matowe i domagały się wizyty u fryzjera. Na brązowym krawacie widniała plama przypominająca rozmiarami i kształtem małe afrykańskie państwo. Miał załzawione oczy. Bauer był podręcznikowym przykładem starzejącego się alkoholika.

Wypił połowę piwa i dopiero wtedy się odezwał:

– Sprecher, znam cię. Spędziłeś trochę czasu w Anglii, jeśli się nie mylę?

– Dokładnie. Szkoliłem się w Carne w hrabstwie Sussex. Chcieliśmy właśnie cię zapytać o pobyt w Anglii, kiedy pracowałeś dla USB.

– Kiedy pracowałem dla USB? – powtórzył Bauer. – A kiedy dla niego nie pracowałem? Kiedy my wszyscy nie pracowaliśmy dla USB? Opowiedziałem ci już historię Schweitzera. Co jeszcze chcesz wiedzieć?

Nick pochylił się, gotów zadać pierwsze pytanie, ale Sprecher położył mu rękę na ramieniu, więc wrócił do poprzedniej pozycji i pozwolił koledze rzucić przynętę.

Sprecher poczekał, aż Bauer odstawi piwo.

– Jak długo pracowałeś dla USB w Londynie? Dwa lata?

– Dwa lata? – powtórzył Bauer, jakby chciano pomniejszyć jego zasługi. – Raczej siedem. Otworzyliśmy filię w siedemdziesiątym trzecim, a ja odszedłem w siedemdziesiątym dziewiątym. Dostałem rozkaz powrotu do centrali. To był dla mnie czarny dzień, mówię wam.

– Filia była nieduża?

– Owszem, przynajmniej na początku. Armin Schweitzer był dyrektorem. Ja jego asystentem. A skąd to zainteresowanie? Wracasz tam?

– Czy wracam? – powtórzył Sprecher, chwilowo zbity z pantałyku. – Tak, tak, zastanawiam się nad tym. Ostatnio Londyn jest na czasie. A przy okazji, jak liczny mieliście personel?

– Zaczynaliśmy od trzech osób. Kiedy odchodziłem, było nas trzydziestu.

– Pewnie wszystkich znałeś?

Bauer wzruszył ramionami i chrząknął, jakby chciał powiedzieć: „Oczywiście, ty pieprzony idioto".

– Byliśmy jak rodzina. Niezbyt udana, rzecz jasna.

– Pracował z wami facet o nazwisku Burki, prawda? Wiceprezydent. Miał chyba na imię Caspar. Musiałeś go znać.

Wzrok Yogi Bauera przeskoczył z pustego kufla po piwie na kieliszek z wódką.

– Caspar Burki – powtórzył Sprecher.

– Oczywiście, że pamiętam Cappy'ego – wybełkotał Yogi Bauer. Wyglądało to bardziej na wymuszone zeznanie niż błogie wspomnienia. – Trudno kogoś nie znać, jeśli pracuje się z nim przez pięć lat.

– Burki zajmował się portfelami, prawda? – zapytał Nick. – Ty pracowałeś na parkiecie?

Bauer spojrzał na niego.

– Cappy obsługiwał klientów – odparł. – I co z tego?

Sprecher dotknął ramienia Bauera i ruchem głowy wskazał Nicka.

– Ojciec mojego kumpla też znał Burkiego. Chcieliśmy go odnaleźć, no wiesz, przywitać się, pogadać, powspominać. – Przysunął Bauerowi kieliszek.

Yogi skrzywił się, jakby nie podobało mu się to, co usłyszał. Podniósł kieliszek i opróżnił zawartość jednym haustem, przełykając hałaśliwie.

– Chyba jeszcze żyje, co? – zapytał Nick.

– Tak, do diabła – wychrypiał Bauer. – Cappy jeszcze nie kopnął w kalendarz.

– A co teraz robi? Korzysta z dobrodziejstw emerytury tak jak ty?

Bauer rzucił Nickowi nienawistne spojrzenie.

– Żebyś wiedział, że korzysta. Tak jak ja. Nie marnujemy naszych złotych lat. Siedzimy przy rozpalonym kominku z wnukami na kolanach. Wakacje na południu Francji. Żyć, nie umierać. – Podniósł pusty kufel. – Zdrowie. Mówiłeś, że jak się nazywasz?

– Neumann. Mój ojciec to Alex Neumann. Pracował w filii w Los Angeles.

– Znałem go – powiedział Bauer. – Miał pecha. Wyrazy współczucia.

– Stare dzieje – odparł Nick.

Bauer przyjrzał mu się uważnie i zapytał:

– A więc szukasz Caspara Burkiego? Niezbyt dobry pomysł. Posłuchajcie Yogiego i zapomnijcie o nim. Poza tym nie widziałem go od miesięcy. Nie wiem, gdzie się podziewa.

– Ale wciąż mieszka w Zurychu? – spytał Nick.

Bauer wybuchnął śmiechem, który brzmiał jak rżenie konia.

– Niby gdzie miałby wyjechać? Musi się trzymać blisko źródła, no nie?

Nick był zdezorientowany. Źródła? To nazwa jakiegoś baru? Czyżby Burki też był podstarzałym alkoholikiem?

– Wiesz, gdzie możemy go znaleźć? – naciskał. – Nie mieszka pod adresem, który podał w banku.

– Przeprowadził się jakiś czas temu. Nie wiem, jak się z nim skontaktować, więc nie pytajcie. Zresztą to nie jest dobry pomysł. Ostatnio nie najlepiej mu się powodzi. Emerytura już nie taka jak kiedyś.

Nick zerknął na sfatygowany garnitur Bauera i smugę brudu na kołnierzyku. Rzeczywiście, pomyślał, zwłaszcza jeśli wydaje się wszystko na alkohol. Położył rękę na ramieniu Yogiego.

– Byłbym ci niezmiernie wdzięczny, gdybyś powiedział, gdzie mogę go znaleźć. Na pewno nie wiesz, gdzie teraz jest?

Bauer strząsnął rękę Nicka.

– Myślisz, że kłamię? – burknął. – Caspar Burki odszedł. Już nie istnieje. Przynajmniej nie w wersji, którą znał twój ojciec. Dajcie mu spokój. A jeśli już o tym mowa, mnie też dajcie spokój. – Przenosił spojrzenie z Nicka na Petera, jakby samą siłą woli mógł ich zmusić do odejścia od stolika. Ale jak większość pijaków szybko się zmęczył i tylko beknął głośno.

Nick obszedł stolik, przyklęknął i szepnął Bauerowi do ucha:

– Idziemy. Nie chcemy się narzucać. Kiedy spotkasz Burkiego, powiedz mu, że go szukam. I że nie spocznę, póki go nie znajdę. Powiedz mu, że chodzi o Allena Soufiego. Będzie wiedział, o kim mowa.

Nick i Peter wrócili do baru, z trudem znajdując przejście w tłumie, i zamówili piwo. Obok nich zwolniły się dwa stołki. Sprecher wskoczył na jeden z nich z wesołością, której Nick nie potrafił zrozumieć.

– Kłamał – powiedział, gdy Nick zajął miejsce obok. – Wie, gdzie jest Burki. Pewnie są kumplami od kieliszka. Po prostu nie chciał nam powiedzieć.

– Dlaczego? – zapytał Nick, odpychając łokciem hałaśliwe babsko, które leżało mu na plecach. – Dlaczego zniechęcał nas do poszukiwań? I o co mu, do cholery, chodziło z tym „źródłem"?

– Tylko winni mają coś do ukrycia. Zdaje się, że daliśmy mu do myślenia. Uznałbym to za sukces.

Nick nie był tego taki pewien. Wiedzieli, że Burki żyje, ale co z tego? Co z tego, że Bauer był jego przyjacielem? Nie mieli ani czasu, ani możliwości, by śledzić Bauera w nadziei, że któregoś dnia zaprowadzi ich do Burkiego. Ponieśli więc porażkę. Nie zbliżyli się ani o jotę do Allena Soufiego.

Sprecher dźgnął go łokciem między żebra.

– Obejrzyj się, kolego. Jak mówiłem, daliśmy mu do myślenia. Teraz zobaczmy, gdzie go poniesie.

Niecałe trzy stołki od miejsca, gdzie siedzieli, Yogi Bauer staranował głową ścianę klientów i zawołał do barmana, żeby rozmienił mu dziesięć franków. Barman wziął banknot i wsypał mu do dłoni kilka monet. Bauer spojrzał w prawo, potem w lewo, wreszcie odszedł.

Nick kazał Sprecherowi poczekać przy barze i pilnować aktówki, a sam zsunął się ze stołka i ruszył za Bauerem w stronę toalety. Yogi kluczył w tłumie, obijając się o grupy gości. Zostawił za sobą dwa rozlane piwa, a za dokonane szkody wypalono mu papierosem dziurę w spodniach. Wreszcie przedarł się na tyły Keller Stubli i zniknął na schodach biegnących w dół do toalet. Nick wyjrzał zza rogu. Bauer schodził po jednym stopniu, przytrzymując się oburącz drewnianej poręczy. Kiedy znalazł się na dole, przystanął, żeby wyłowić z kieszeni drobne. Skręcił w lewo i zniknął Nickowi z oczu. Nick zbiegł po schodach. Zatrzymał się na dole i wyjrzał zza rogu. Bauer korzystał z telefonu. Stał z pochyloną głową i słuchawką przyciśniętą do twarzy. Po chwili nagle podniósł głowę.

– Hej, jesteś w domu? Będę u ciebie za kwadrans. Trudno. No to rusz dupę i wyleź z łóżka. Szukają cię.

Nick i Peter stali w ciemnym kącie po drugiej stronie ulicy, czekając, aż Yogi Bauer wyjdzie z Keller Stubli. Po Niederdorf, jak zwykle w sobotnią noc, włóczyła się parada nieszczęśników, którzy wokalnie wyrażali swój sprzeciw wobec obecnej sytuacji, jednocześnie żłopiąc wszelkie wyobrażalne gatunki piwa i wina. Minęło dziesięć minut. I jeszcze dziesięć. Widać, jak bardzo można liczyć na punktualność Yogiego, pomyślał Nick.

Sprecher ściskał pod pachą aktówkę.

– Jeśli wydaje ci się, że Yogi Bauer wyjdzie z Keller Stubli i zaprowadzi cię prosto do Caspara Burkiego, to świetnie – mruknął. – Może i powiedział, że zaraz wychodzi, ale pewnie zostanie tu do zamknięcia, a potem wróci do domu, walnie się do brudnego wyra i uderzy w kimono. Jest po jedenastej. Ja wymiękam.

– Wracaj do domu – powiedział Nick. – Nie ma sensu, żebyśmy obaj czekali. Może masz rację. Dzięki za pomoc. Byłeś naprawdę niezły. Zobaczymy się jutro rano, powiedzmy w Sprugli o dziewiątej. Jeśli wcześnie wstaniesz, przejrzyj te liczby. I weź aktówkę. Mam parę pomysłów i chciałbym je z tobą omówić.

– Będę o dziewiątej – obiecał Sprecher. – A jeśli chodzi o te pomysły, Nick, lepiej zostaw je w domu.

Yogi Bauer wyszedł z Keller Stubli kilka minut po odejściu Petera Sprechera. Poruszał się całkiem pewnie jak na kogoś, kto tankował od południa. Od czasu do czasu znosiło go w jedną lub drugą stronę, ale zdeterminowana postawa i ciągłe parcie do przodu rekompensowały chwiejność kroku. Nick podążał za nim w bezpiecznej odległości, modląc się, żeby Bauer poszedł prosto do Caspara Burkiego. Trafili w czuły punkt. Tego był pewien.

Bauer przez kilka minut szedł wzdłuż Niederdorf, a potem skręcił w lewo w Brungasse i zniknął z pola widzenia. Nick przyspieszył kroku, żeby go dogonić. Kiedy skręcał, o mało na niego nie wpadł. Brungasse była stromą uliczką brukowaną śliskimi kocimi łbami. Nawet ktoś całkiem trzeźwy miałby problemy z jej pokonaniem. Bauer jedną ręką opierał się o budynek z lewej, a drugą wymachiwał w powietrzu. Powoli, krok po kroku, wspinał się coraz wyżej. Gdy zniknął za szczytem, Nick zaczął energicznym krokiem pokonywać stromiznę. Na górze zatrzymał się i wychylił głowę za róg. Yogi Bauer właśnie wciskał przycisk dzwonka w jednym z budynków po lewej stronie ulicy.

Atakował dzwonek, mamrocząc litanię przekleństw. Nikt nie odpowiadał, więc zadarł głowę do góry i spojrzał na zasłonięte okno na drugim lub trzecim piętrze. Zaczął wołać do Caspara Burkiego, żeby w tej chwili wyszedł.

– To ważne – wrzeszczał. – Polują na ciebie, Cappy. Wreszcie po ciebie przyszli.

Nagle okno się otworzyło i ukazała się w nim siwa głowa.

– Niech cię diabli, Bauer. Jest północ. Miałeś tu być godzinę temu. – Rozległ się brzęczyk u drzwi i mężczyzna w oknie ryknął: – Właź.

Bauer wdrapał się po schodkach i wszedł do budynku.

Nick odczekał minutę i podszedł do wejścia. Przeczytał listę lokatorów. Przy guziku do mieszkania 3B widniało nazwisko C. Burki. Mam cię, pomyślał Nick. Zapamiętał adres: Seidlergasse 7. Wróci tu jutro. Porozmawia z lokatorem spod 3B. Pozna Caspara Burkiego i dowie się, kim naprawdę był Allen Soufi.

Rozdział 55

Łóżko zaczęło kołysać się rytmicznie, gdy zwiększyli tempo. Drewniana rama uderzała o ścianę. Wiktoriański materac sapał i dyszał. Mężczyzna pojękiwał, a jego gardłowy głos podnosił się wprost proporcjonalnie do coraz gwałtowniejszych ruchów łóżka. Kobieta krzyknęła. Tempo stało się bardziej gorączkowe, mniej rytmiczne. Mężczyzna wygiął plecy w łuk, jęknął raz jeszcze i znieruchomiał.

Zegar w innej części domu wybił północ.

Sylvia Schon podniosła głowę z klatki piersiowej ciężko dyszącego Wolfganga Kaisera.

– Jak możesz spać, kiedy to dzwoni przez całą noc?

– Przyzwyczaiłem się. Przypomina mi, że nie jestem sam.

Przesunęła dłonią po jego torsie.

– Dzisiaj nie jesteś sam.

– Dzisiaj nie. – Kaiser przysunął się, żeby ją pocałować. – Jeszcze ci nie podziękowałem za informacje o Arminie Schweitzerze.

– Przyznał się?

– Armin? Nigdy. Wszystkiemu zaprzeczył. Nie ustąpił do samego końca.

– Uwierzyłeś mu?

– Ależ skąd. Wszystko, co powiedziałaś, idealnie pasuje. Wyrzuciłem go.

– Powinien się cieszyć, że na tym się skończyło. Mogłeś wpakować go do więzienia.

Raczej nie, pomyślał Kaiser, ale niech Sylvia napawa się swoim zwycięstwem.

– Byliśmy razem trzydzieści lat.

– Mówisz, jakby był kobietą – docięła mu.

– Może i tak, ale trzydzieści lat to szmat czasu. Ty jesteś zaledwie od dziewięciu. Masz przed sobą całe życie. Nie wiem, ile zostało Arminowi. – Kaiser podciągnął kołdrę. Przez chwilę odczuwał wyrzuty sumienia. Ale tylko przez chwilę.

– Sam jest sobie winien – stwierdziła Sylvia. – Nikt go nie zmuszał do przekazywania naszych tajemnic Klausowi Konigowi. Nie ma nic gorszego od szpiegowania swoich.

Kaiser roześmiał się.

– Nie sądzisz, że Neumann może ci zarzucić to samo?

Spojrzała na niego surowo i odwróciła wzrok.

– Przyjechał dwa miesiące temu. Trudno więc go uznać za jednego z nas. Poza tym ja szpieguję dla ciebie.

– Szpiegujesz dla banku. – Kaiser pieścił jej pośladki. Pomyślał, że gdyby znała ojca Nicholasa i gdyby zobaczyła, jak są podobni, wiedziałaby, że Nick jest jednym z nich. – Nie skończyłaś mi mówić, czego jeszcze się dowiedziałaś.

Sylvia oparła głowę na łokciu i odrzuciła włosy z twarzy.

– Nick chce odnaleźć Caspara Burkiego. Burki był specjalistą od inwestycji w naszej londyńskiej filii. Polecił ojcu Nicka klienta, niejakiego Allena Soufiego. Znasz go?

– Kogo, Burkiego? Oczywiście, że tak. Sam go zatrudniłem. Dziwny był z niego typ. Trzymał się na uboczu, jeśli dobrze pamiętam. Jakiś czas temu przeszedł na emeryturę i zniknął z pola widzenia.

– Miałam na myśli Allena Soufiego.

Kaiser pokręcił głową, choć serce zamarło mu na dźwięk tego nazwiska.

– Soufiego? Nie przypominam sobie. Jak to się pisze?

Gdy Sylvia przeliterowała nazwisko, zapewnił, że nigdy go nie słyszał.

– Burki wciąż mieszka w Zurychu – powiedziała Sylvia. – Nick podejrzewa, kim jest ten Soufi. Sądzi, że Burki może rozwiać jego wątpliwości.

– Chyba nie dałaś mu adresu?

– Właśnie że dałam – odparła zadziornie.

Cholera, pomyślał Kaiser. Miał ochotę uderzyć ją w twarz, ale starannie kontrolował szalejące w nim emocje. Poza tym bardziej go zmartwiła możliwość utraty młodego Neumanna niż ewentualność zdemaskowania Allena Soufiego. Dziwne. Gdy trzy tygodnie temu Sylvia przyszła do niego z wiadomością, że Nicholas chciałby sprawdzić, czy w bankowym archiwum są jakieś ślady, które naprowadzą go na trop zabójcy ojca, Kaiserowi wydawało się, iż nic złego się nie stanie, jeśli chłopak obejrzy zakurzone raporty ojca. Był przekonany, że jeżeli Nick zdobędzie ważną posadę na czwartym piętrze, wszelkie pytania o rolę banku w doprowadzeniu do śmierci jego ojca pójdą na bok.

– Alex Neumann bał się kogoś – powiedziała Sylvia, najwyraźniej pragnąc zrekompensować popełniony błąd. – Myślał o wynajęciu ochroniarza.

– Ochroniarza?

– Tak. Dzwonił nawet do FBI.

Dobry Boże! Kaiser usiadł na łóżku.

– Skąd o tym wiesz?

– Nick mi powiedział.

– Ale kto powiedział jemu? Jego ojciec zmarł, gdy chłopak miał dziesięć lat.

– Nie jestem pewna. Nie pamiętam dokładnie, co mówił Nick.

Kaiser chwycił ją za ramiona i potrząsnął.

– Sylvio, spójrz na mnie. Powiedz prawdę. Widzę, że coś ukrywasz. Jeśli chcesz mi pomóc obronić bank przed Konigiem, musisz mi powiedzieć.

– Nie martw się. Nie masz z tym nic wspólnego.

– Pozwól, że sam to ocenię. Powiedz mi natychmiast, skąd Neumann wie o tych bredniach z Allenem Soufim i FBI.

Sylvia spuściła głowę.
– Nie mogę.
– Możesz i powiesz. A może wolałabyś, żebym odwołał twój wyjazd do Stanów. Już ja się postaram, żebyś do końca kariery tkwiła na tym samym mizernym stanowisku wiceprezydenta. Obok stu pięćdziesięciu innych miernot.
Sylvia rzuciła mu nienawistne spojrzenie. Miała zaczerwienione policzki, a oczy pełne łez.
Kaiser odgarnął kosmyk włosów z jej twarzy i zatknął za ucho. Uśmiechnął się, kręcąc głową.
– Zakochałaś się w nim, co?
Zanim odpowiedziała, wciągnęła głęboko powietrze.
– Oczywiście, że nie. – Zamrugała oczami, próbując powstrzymać łzy. – Alex Neumann robił codzienne zapiski. Nick znalazł dwa jego terminarze, z siedemdziesiątego ósmego i z siedemdziesiątego dziewiątego roku. W ten sposób dowiedział się o Soufim i FBI.
Kaiser masował sobie kark, na próżno usiłując złagodzić rosnący niepokój. Dlaczego dowiaduje się o terminarzach dopiero teraz? Co jeszcze ukrywa przed nim ta próżna kobieta? Starał się zachować spokój. W końcu nie był zamieszany w morderstwo Aleksa Neumanna, przynajmniej nie bezpośrednio. Popełnił tylko grzech zaniechania. Nie wysłał ostrzeżenia.
– FBI? – zapytał. – Wygląda na to, że Alex miał poważne kłopoty. Co dokładnie napisał w tych swoich terminarzach?
– Tylko nazwisko agenta i numer telefonu.
Dzięki Bogu.
– Nie było tam mojego nazwiska?
– Tylko w miesięcznych raportach.
– Naturalnie. Byłem szefem sekcji międzynarodowej. Dostawałem kopie wszystkich raportów sporządzanych przez nasze przedstawicielstwa. Interesują mnie te terminarze. Na pewno nie ma w nich mojego nazwiska?
Sylvia otarła łzy prześcieradłem. Wyglądała teraz lepiej. Najwyraźniej zdała sobie sprawę, co jest priorytetem.
– Pojawia się parę razy – powiedziała. – „Zadzwonić do Wolfganga Kaisera". „Kolacja z Wolfgangiem Kaiserem". To wszystko. Nie musisz się martwić. Jeśli nie miałeś powiązań z tym Soufim, nieważne, czego dowie się Nick.
Kaiser zacisnął zęby.
– Martwię się tylko o bank – powiedział rzeczowym tonem. Ale w głowie innym głosem łajał młodego Neumanna. Niech cię diabli, Nicholas! Chciałem, żebyś stał przy moim boku. Kiedy wszedłeś do mojego gabinetu, wydawało mi się, że znowu widzę twojego ojca. Gdybym mógł

cię przekonać, byś został przy mnie i służył mi, wiedziałbym, że podjęte przeze mnie działania, choć drastyczne, są słuszne. To twój ojciec się pomylił, nie ja. Dla niego wszystko zawsze musiało być zgodne z przepisami. Na moim miejscu też byś go nie ostrzegł. Bank znaczy więcej niż jeden człowiek. Więcej niż przyjaźń. Myślałem, że to zrozumiesz. I co teraz mam z tobą zrobić?

– Nicholas nie ma pojęcia, dlaczego zginął jego ojciec – powiedział. – Alex Neumann sam był sobie winien. Uzależnił się od narkotyków. Codziennie zażywał kokainę. Mieliśmy go wyrzucić z filii w Los Angeles za malwersacje.

Sylvia wyprostowała się. Kołdra zsunęła jej się z piersi.

– Nigdy o tym nie wspominałeś. Dlaczego mu tego nie powiedziałeś?

– Nie informowaliśmy rodziny. Tak postanowił Gerhard Gautschi. Wydawało nam się, że przynajmniej tyle możemy dla nich zrobić. Nie chcę, żeby Nicholas się dowiedział. To by tylko rozjątrzyło stare rany.

– Moim zdaniem, Nicholas powinien się dowiedzieć. Miałby powód, żeby zakończyć te głupie poszukiwania. Znam go. Nie spocznie, dopóki się czegoś nie dowie. Musi poznać prawdę, nawet przykrą. W końcu to był jego ojciec.

Chryste, teraz w niej odzywa się sumienie.

– Nie powtórzysz Neumannowi ani słowa z tego, co ode mnie usłyszałaś.

– Ale Nickowi tak bardzo na tym zależy. Nie możemy ukrywać...

– Ani słowa! – zawołał Kaiser, nie panując dłużej nad nasilającym się niepokojem. – Jeśli się dowiem, że szepnęłaś mu choćby słówko, nie będziesz się już musiała martwić, że Konig zlikwiduje twoje stanowisko. Sam cię wyleję. Czy to jasne?

Sylvia zadrżała. Kaiser ją przerażał.

– Tak – odpowiedziała cicho. – Jasne.

Kaiser pogłaskał ją po policzku.

– Przepraszam, kochanie, że podniosłem głos. Nie wyobrażasz sobie, w jakim żyję stresie. Nie mogę pozwolić, żeby w tych dniach coś zaszkodziło bankowi, choćby cień skandalu. Martwię się o bank, nie o siebie.

Sylvia pokiwała głową na znak, że rozumie.

Kaiser dostrzegał jej rozdarcie. Musiał przypomnieć, co bank może dla niej zrobić.

– A jeśli chodzi o twój awans – rzekł – co byś powiedziała na stanowisko pierwszego wiceprezydenta?

Sylvia rzuciła mu rozradowane spojrzenie.

– Naprawdę?

– Po co mamy dłużej czekać? Sfinalizujemy wszystko zaraz po walnym zgromadzeniu. Będziesz mieć lepszą pozycję podczas rozmów z tymi ważniakami z Nowego Jorku.

– Jesteś pewien?

– Oczywiście. Ale pod warunkiem, że mi wybaczysz.

Sylvia zastanawiała się przez chwilę nad propozycją. Wreszcie położyła mu głowę na piersi i westchnęła głośno. Wsunęła rękę pod kołdrę i zaczęła go masować.

– Wybaczam ci – szepnęła.

Kaiser zamknął oczy. Gdyby tylko mógł tak łatwo kupić Nicholasa Neumanna.

Rozdział 56

Generał Dimitr Marczenko dojechał do bram posiadłości Alego Mevleviego o dziesiątej rano w niedzielę. Niebo było cudownie błękitne. W powietrzu wyczuwało się lekki zapach cedru. Wiosna już tu dotarła. Generał dał jadącym z tyłu ciężarówkom znak, żeby się zatrzymały. Umundurowany strażnik energicznie zasalutował i otworzył bramę. Drugi strażnik wyciągnął rękę, wskazując drogę.

Konwój wjechał na teren posiadłości, pokonując łagodną stromiznę, za którą rozciągał się płaski teren. Ciężarówki przejechały przez asfaltowy plac i zatrzymały się przed dwiema wielkimi bramami wykutymi w wysokiej na trzydzieści metrów skale. Marczenko przyglądał się olbrzymim hangarom, podziwiając ten cud myśli technicznej. W hangarze na prawo stały dwa helikoptery: Suchoj, bojowy model II, i szturmowy Hind. Sprzedał je Mevleviemu trzy miesiące temu. Strażnik dał znak ręką, żeby podjechali do helikopterów.

Do dżipa Marczenki podbiegł pułkownik Hammid.

– Niech ciężarówka ze sprzętem łącznościowym tam się zatrzyma. – Wskazał miejsce w głębi hangaru. – Potem musicie nam doradzić, który śmigłowiec jest lepiej przystosowany do transportu tak delikatnych instrumentów podsłuchowych.

Marczenko chrząknął. Najwyraźniej Hammid znał prawdziwą naturę transportowanego ładunku. Nic dziwnego. W tej części świata nie potrafiono dochować tajemnicy.

– Suchoj. Jest szybszy i bardziej sterowny. Pilot będzie musiał szybko się wznieść po zrzuceniu broni.

Syryjski dowódca uśmiechnął się.

– Nie zna pan żołnierzy Al-Mevleviego. Pilot nie wróci z akcji. Zejdzie jak najniżej i zdetonuje bombę. W ten sposób nie będzie mowy o niepowodzeniu.

Marczenko tylko kiwnął głową i wyskoczył z dżipa. Nigdy nie rozumiał fanatyzmu. Podszedł do kierowcy ciężarówki transportującej bombę i rzucił kilka słów po kazachsku. Kierowca skinął lekko głową. Kiedy Marczenko odsunął się, wjechał do hangaru i zatrzymał się przy lśniącym Suchoju. Generał podszedł do następnej ciężarówki z konwoju i kazał żołnierzom przejść do hangaru. Z przyczepy wysypało się dwudziestu mężczyzn i pomaszerowało w stronę śmigłowca.

Marczenko chciał jak najszybciej zainstalować bombę w helikopterze. Gdyby zaistniały jakieś problemy, musi wiedzieć o nich od razu, póki jeszcze mieli czas na ewentualne naprawy. Ryzyko, że jakiś zdrajca ukradnie śmigłowiec razem z bombą, było niewielkie. Hammid najwyraźniej dostał rozkaz, żeby za wszelką cenę bronić bomby. Marczenko wydał swoim żołnierzom podobne instrukcje. Na wszelki wypadek rozkaże, żeby drzwi hangaru zamknięto i otworzono dopiero na pięć minut przed startem maszyny.

Nadzorował rozładunek bomby. Gdy usunięto skrzynie z marnej jakości sprzętem radiowym, wspiął się na przyczepę i wyłączył urządzenie zabezpieczające. Wyjął z kieszeni zestaw kluczy, wybrał jeden i wsunął go do zamka wbudowanego w podłogę przyczepy. Przekręcił klucz w prawo, otwierając drzwiczki schowka. Mieściła się w nim drewniana skrzynia podobna do pozostałych, które teraz leżały w nieładzie na ziemi. Kazał żołnierzom przenieść ją i postawić przy helikopterze.

Znalazł w ciężarówce stalowy łom i otworzył nim skrzynię. Zajrzał do środka. Na podłożu z gumy piankowej leżał pojemnik z nierdzewnej stali o wysokości metra i średnicy sześćdziesięciu centymetrów. Ważył piętnaście kilogramów. Marczenko jęknął, wyciągając go ze skrzyni, i położył na gładkiej podłodze hangaru.

Bomba nie wyglądała imponująco. Przypominała duży pojemnik z gazem łzawiącym, z jednej strony płaski, a z drugiej wypukły. Wysokość: sześćdziesiąt centymetrów. Średnica: dwadzieścia dwa centymetry. Waga: pięć kilogramów. Obudowę zrobiono ze stali o dużej wytrzymałości na rozciąganie.

Przedmiot bardzo niepozorny. Ale zabójczy.

Kopinskaja IV zawierała ładunek czterystu gram wzbogaconego plutonu 238, który przy detonacji miał siłę dwóch tysięcy ton trotylu. Drobna masa w porównaniu do innych gigantów, ale niszczyła każdy obiekt – żywy lub nie – w promieniu półtora kilometra od punktu zerowego.

Pojemnik był zamknięty na trzy zatrzaski. Marczenko otworzył je po kolei i ostrożnie zdjął pokrywę. Przekazał ją żołnierzowi i znowu skoncentrował się na bombie. Plutonowy rdzeń znajdował się w tytanowej osłonie. Reakcja łańcuchowa konieczna do zdetonowania rozszczepialnego materiału mogła być rozpoczęta jedynie po wsunięciu do rdzenia żerdzi iglicznej, a można to było zrobić po wprowadzeniu do centralnego procesora bomby właściwego kodu. Marczenko miał wprowadzić kod dopiero po otrzymaniu potwierdzenia, że Ali Mevlevi przelał osiemset milionów franków szwajcarskich na jego konto w Pierwszym Banku Kazachskim w Ałma Acie.

Generał wziął bombę do ręki i odwrócił. Asystujący mu żołnierz odkręcił sześć śrub u podstawy. Marczenko wsunął śruby do kieszeni i zdjął dolną pokrywę. Z zadowoleniem zauważył, że mruga do niego mały punkcik w dolnym prawym rogu czerwonego ciekłokrystalicznego ekranu. Pod ekranem znajdował się blok klawiszy z dziewięcioma cyframi. Wpisał numer 1111 i poczekał, aż urządzenie przeprowadzi autodiagnostykę. Pięć sekund później na środku klawiatury zapaliła się zielona lampka. Bomba funkcjonowała idealnie. Wystarczyło zaprogramować wysokość detonacji i wpisać siedmiocyfrowy kod, który ją uaktywni.

Marczenko założył z powrotem dolną pokrywę i starannie przykręcił każdą z sześciu tytanowych śrub. Zamknął urządzenie i umieścił je na piankowej gumie. Kiedy skończył, zaczął nasłuchiwać. Było spokojnie. Niemal sielankowo. Obejrzał się przez ramię, zaniepokojony nagle, że usłyszy przenikliwy gwizd dywizjonu izraelskich F-16, mających za zadanie zniszczyć bazę wroga. Ale żołnierze stali beztrosko wokół niego z karabinami luźno przewieszonymi przez ramię. Pułkownik Hammid krążył kilka kroków dalej, wpatrując się w bombę leżącą na podłodze hangaru. Marczenko roześmiał się i skierował myśli na przyjemniejsze tory.

Wyobraził sobie swój portret wiszący w każdym urzędzie w Kazachstanie. Za niespełna dwadzieścia cztery godziny zapewni ojczyźnie sporą sumkę w twardej walucie. A sobie jednoprocentową prowizję – osiem milionów franków szwajcarskich. Może właśnie to Amerykanie mają na myśli, mówiąc o karierze od pucybuta do milionera.

Rozdział 57

Telefon zadzwonił po raz drugi.

Nick błyskawicznie usiadł na łóżku. W mieszkaniu było ciemno i zimno. Za wcześnie na włączenie centralnego ogrzewania. Ziewnął i zerknął na zegarek. Zmrużył oczy, żeby dostrzec wskazówki. Dochodziła szósta. Sięgnął po słuchawkę.

– Halo.

– Cześć, to ja.

– Hej – odpowiedział słabym głosem. – Co robisz? – W ten sposób zawsze się witali i ze zdziwieniem odkrył, że po trzech miesiącach nie stracił jeszcze tego odruchu. Zwiesił nogi nad krawędzią łóżka i podrapał się w głowę.

– Dzwonię, żeby spytać, co u ciebie – powiedziała Anna Fontaine. – Minęło trochę czasu.

– Hm, poczekaj – mruknął sennym głosem. – Jeszcze nie myślę. Tu jest dopiero szósta.

– Wiem. Próbuję się do ciebie dodzwonić od tygodnia. Pomyślałam, że jeśli w ogóle bywasz w domu, to o tej porze.

– Nie dzwoniłaś do biura? Chyba pamiętasz, gdzie pracuję?

– Oczywiście, że pamiętam. Pamiętam też pewnego bardzo poważnego byłego żołnierza piechoty morskiej, który nie lubi, kiedy dzwoni się do niego do pracy w celach towarzyskich.

Nick uśmiechnął się. Wyobraził ją sobie, jak siedzi w łóżku po turecku z telefonem na kolanach. Była niedziela, więc pewnie miała na sobie wytarte niebieskie dżinsy, czarną koszulkę i wyłożoną na wierzch rozpiętą białą koszulę.

– Daj spokój – zaprotestował. – Nie byłem aż tak poważny. Możesz w każdej chwili zadzwonić do mnie do pracy. Umowa stoi?

– Stoi – odpowiedziała. – No to co u ciebie? Mam na myśli pracę.

– Świetnie. Ani chwili oddechu. Jak zwykle na praktyce. – Stłumił sarkastyczny śmiech. Jezu, Anno, gdybyś tylko wiedziała, w jakim siedzę gównie…

– A sprawa ojca? – zapytała, ucinając jego autoironiczny komentarz. – Jakieś postępy?

– Możliwe – odparł, nie chcąc wdawać się w szczegóły. – Niedługo mogę na coś trafić. Zobaczymy. A tobie jak leci? Jak w szkole?

– Doskonale – powiedziała. – Za dwa tygodnie półsemestr. A potem już z górki. Nie mogę się doczekać.

– Zanim zaczniesz w Nowym Jorku, będziesz miała kilka miesięcy wolnego. Nadal chcesz podjąć tam pracę?

– Tak, Nick, chcę. Niektórzy uważają, że można tu pracować.

Usłyszał wahanie w jej głosie, jakby chciała o czymś powiedzieć, ale nie wiedziała, jak zacząć. Powinien jej pomóc. W końcu mógł być tylko jeden powód, dla którego zadzwoniła.

– Chyba się nie przemęczasz? Nie chcę, żebyś zarywała noce.

– Nie zarywam. To ty zarywałeś noce. Ja byłam bardziej zorganizowana i uczyłam się systematycznie.

– Masz czas na zabawę? – Udało się, szybka piłka w sam środek bramki.

Anna milczała. Przez jakiś czas słyszał tylko trzaski na linii.

– Właściwie dlatego dzwonię – rzekła wreszcie. – Poznałam kogoś.

Nick wzmógł czujność.

– Ach tak. Świetnie. To znaczy, jeśli go lubisz.

– Tak, Nick, lubię go.

Nie usłyszał odpowiedzi. Przez chwilę siedział nieruchomo, rozglądając się po pokoju.

– Coś poważnego? – zapytał.

– Chce, żebym pojechała z nim latem do Grecji. Pracuje dla firmy ubezpieczeniowej w Atenach, a jednocześnie robi magisterium ze stosunków międzynarodowych. Właściwie to możesz go znać. Nazywa się Paul MacMillan. Starszy brat Lucy.

– Ach tak, Lucy. No jasne. Super. – Nie pamiętał takiej osoby, i Anna o tym wiedziała. Z jakiegoś powodu wydawało jej się, że łatwiej mu będzie przełknąć dalekiego znajomego niż zupełnie obcego człowieka. Nie chciała go zranić. Po co w ogóle dzwoniła? Starała się o jego aprobatę? Oczekiwała, że poprze kandydaturę pana Paula MacMillana, jakiegoś frajera, któremu wydaje się, że utrzyma dziewczynę taką jak Anna, bo pracuje w Grecji?

– Anno – zaczął. – Nie...

– Co: nie? – zapytała.

Przez sekundę zdawało mu się, że usłyszał w jej głosie ton nadziei. A może była to tylko irytacja.

Nie wiedział, co powiedzieć. Zdał sobie sprawę, że wciąż mu na niej zależy. Ale skoro chciała jechać do Grecji z Paulem MacMillanem, nie mógł protestować. Już za późno, by mógł rościć sobie do niej jakieś pretensje.

– Pamiętaj, żeby uczyć się do egzaminów – powiedział. – Powinnaś utrzymać dobrą średnią. Musisz się przecież dostać do porządnej szkoły biznesu.

– Och, Nick... – Tym razem ona nie dokończyła.

– Cieszę się, że kogoś poznałaś – powiedział obojętnie. Zrezygnowałem z ciebie i była to najtrudniejsza rzecz w moim życiu. Nie możesz teraz wrócić. Nie możesz pojawić się na nowo w chwili, kiedy muszę zmobilizować wszystkie siły, myślał. Ale w głębi serca był zły tylko na siebie. Wiedział, że ona nigdy tak do końca nie odeszła.

– Jesteś tam? – zapytała.

Nick zdał sobie sprawę, że nie odzywał się przez kilka sekund.

– Tylko nie zrób nic głupiego, Anno. Muszę kończyć – odpowiedział i odłożył słuchawkę.

Peter Sprecher nadszedł od strony Paradeplatz. W jednym ręku niósł gazetę, w drugim aktówkę. Miał na sobie elegancki granatowy płaszcz, a szyję owinął białym szalikiem.

– Co się tak gapisz? – rzucił, dostrzegłszy Nicka. – To nie urlop. Przecież idziemy do pracy.

Nick poklepał go po plecach. Sam był ubrany w dżinsy i zieloną kurtkę.

– Zależy, jaki rodzaj pracy masz na myśli. – Otworzył przed przyjacielem drzwi do Sprungli i ruszył za nim do głównej sali.

Wybrali stolik w głębi z lewej strony, niezbyt daleko od bogatego śniadaniowego bufetu. Poczekali, aż kelnerka odbierze zamówienie, i dopiero wtedy przeszli do rzeczy.

– Miałeś dziś rano chwilę, żeby porównać przelewy naszego przyjaciela z USB z zakupami na rachunku Ciragan Trading? – spytał Nick.

– Zrobiłem więcej. – Peter otworzył aktówkę i wyciągnął arkusz papieru. Kartka była podzielona na dwie rubryki. Z lewej strony widniał nagłówek „Przelewy USB", a z prawej „Zakupy Ciragan Trading". Wręczył Nickowi arkusz i powiedział: – Jesteśmy blisko, ale to jeszcze nie sto procent. Od czerwca Mevlevi przelał z konta w USB ponad osiemset milionów.

– A zakupy akcji USB przez Koniga?

– Zaczęły się na małą skalę w lipcu, a na dobre ruszyły w listopadzie. Dziwię się, że Kaiser nie zauważył, że ktoś kupuje tak duże pakiety.

– To mógł być każdy. Fundusze emerytalne, fundusze otwarte, inwestorzy indywidualni. Skąd miał wiedzieć?

Sprecher uniósł brwi, dając do zrozumienia, że nie jest gotów tak łatwo wybaczyć Kaiserowi przeoczenia.

– W każdym razie brakuje stu milionów.

Nick przyjrzał się liczbom.

– Tak, ale spójrz. Przez ponad dwadzieścia tygodni wartość kupionych akcji dokładnie odpowiada sumom przelewanym przez Mevleviego. Ostateczny wynik nie zgadza się na sto procent, ale jest cholernie zbliżony.

Nick nadal analizował dane. Był rozemocjonowany faktem, że znalazł coś, co mogło posłużyć jako dowód współpracy między Mevlevim i Adler Bank przy przejmowaniu USB. Ale jednocześnie zdawał sobie sprawę, że do tej pory tak naprawdę niczego nie osiągnął. Owszem, dysponował potrzebną amunicją. Lecz prawdziwa bitwa miała rozegrać się jutro... jeśli odpowiedni generałowie przybędą na odpowiednie pole bitwy w odpowiednim czasie. Na dwóch frontach oddalonych od siebie o czterdzieści kilometrów zostaną stoczone trzy potyczki i przed pokonaniem jednego wroga nie można będzie wciągnąć do walki drugiego. Czas na świętowanie zwycięstwa jeszcze nie nadszedł.

– Nie chciałbym być w skórze Klausa – powiedział Sprecher. – Nie w chwili, gdy odbiera mu się ster. Myślisz, że wie, kim jest Pasza?

– Oczywiście, że wie. Wszyscy wiedzą. Tyle że każdy udaje, że go nie zna.

– Chyba masz rację.

– Daj spokój. Odciski palców Mevleviego są w całym Adler Bank. Obawiam się tylko jednego. Nie wiem dokładnie, co on knuje. Dlaczego chce przejąć kontrolę nad United Swiss Bank.

– A dlaczego chce przejąć kontrolę nad Adler Bank? – odparował Sprecher.

– „Banki. Tam trzymają pieniądze". Tak powiedział kiedyś Willie Sutton. W latach dwudziestych obrabiał banki i całkiem nieźle mu wychodziło.

Sprecher rozłożył ręce, jakby chciał powiedzieć „sprawa rozstrzygnięta".

– Dorzuć sześćdziesiąt lat, zmień kolor paszportu i garderobę i masz tego samego gościa. Jeszcze jeden przestępca w eleganckich ciuchach.

Nick nie był przekonany.

– Więc Pasza miałby być pospolitym złodziejem? Jeśli tak jest, to mamy do czynienia z najbardziej wymyślnym rabunkiem w historii. Nie mówiąc już o tym, że najbardziej kosztownym!

– Spójrz na to w ten sposób. Wykładam miliard franków, żeby zdobyć dziesięć miliardów. Może i jestem staroświecki, ale dla mnie to całkiem niezły zwrot z inwestycji.

– Niemożliwe, przyjacielu. Niemożliwe. – Ale wyglądając przez okno na salony mody przy Bahnhofstrasse, butiki sprzedające kaszmirowe swetry po trzy tysiące franków sztuka i torebki z włoskiej skóry za dwa razy tyle, zadał sobie pytanie: A dlaczego nie? Może Ali Mevlevi jest złodziejem, mistrzem w dziedzinie rabowania banków? Czy da się splądrować bank od środka? Czy Pasza mógł opróżnić skarbce własnego banku, stwarzając fałszywe pozory? A jeśli pozory w ogóle go nie obchodzą?

Nick zwrócił myśli ku bardziej niepokojącym kwestiom. Co Pasza zrobi z tymi pieniędzmi? Przypomniał sobie wywody Thorne'a o broni i o wojskach zgromadzonych w posiadłości Mevleviego pod Bejrutem. Jeśli Mevlevi już teraz ma tyle sprzętu, co mógłby zdobyć dzięki funduszom z Adler Bank i USB?

Od zakończenia zimnej wojny handlarze bronią byli gotowi sprzedawać swoje towary każdemu, kto płacił twardą walutą. Do diabła z polityką! Mevlevi musiał tylko wykręcić odpowiedni numer, żeby zdobyć cały asortyment najlepszej produkowanej obecnie broni. Ale po co? Nie jest kolekcjonerem. On z broni korzysta.

– To po prostu niemożliwe – powtórzył Nick, ale raczej by rozwiać własne obawy. – Posuwamy się chyba za daleko. Zresztą nieważne, po co

Paszy pieniądze. Możemy go załatwić tym, co już mamy. – Zaczął wyliczać dowody: – Przelewy. Karty z wzorami podpisów z dnia, w którym otwierano konto, a do tego hasła napisane własnoręcznie przez niego. Kopie list wskazujące, do których banków przelewa forsę. A teraz jeszcze potwierdzenie jego kontaktów z Konigiem i Adler Bank.

– A co z twoim nowym kumplem Thorne'em? Bez niego mamy tylko mnóstwo papieru i szaloną teorię. Czeka go ciężkie zadanie.

– Można mu zaufać – stwierdził Nick. – Dzwonił do mnie wcześniej. Jego człowiek przyjeżdża zgodnie z planem. Thorne przywita go z obstawą. Zrobi to, co obiecał. Na ciebie też muszę liczyć. Mam nadzieję, że dopisze nam szczęście. Musimy być przygotowani na wszystko.

– Oświeć mnie – poprosił Sprecher. – Powiedziałeś, że coś wykombinowałeś. Co to takiego?

Przez następne pięćdziesiąt minut Nick przedstawił Sprecherowi główne punkty swojego planu. Nie wiedział, co ma myśleć o częstych wybuchach śmiechu i biadoleniach przyjaciela, ale kiedy skończył, Peter wyciągnął rękę i powiedział:

– Wchodzę w to. Mamy najwyżej pięćdziesiąt procent szans, ale możesz na mnie liczyć. Po raz pierwszy w życiu czuję, że robię coś pożytecznego. To dla mnie coś zupełnie nowego. Jeszcze nie wiem, czy mi się podoba.

Nick zapłacił rachunek i obaj wyszli na ulicę.

– Zdążysz na swój pociąg?

Sprecher zerknął na zegarek.

– Mam mnóstwo czasu. Teraz jest jedenasta trzydzieści, a pociąg odjeżdża siedem po dwunastej.

– Wziąłeś ze sobą przyjaciela?

Sprecher mrugnął okiem i poklepał małe wybrzuszenie pod ramieniem.

– Standardowe wyposażenie każdego oficera armii szwajcarskiej. Nie zapominaj, że jestem kapitanem.

Nick zmienił temat.

– Ile, twoim zdaniem, będzie kosztowało przekonanie dyrektora administracyjnego, żeby przyznał ci ten apartament?

– Na ostatnim piętrze, z widokiem na jezioro? Minimum pięćset.

– Kurczę! – mruknął Nick. – Będę twoim dłużnikiem.

Peter zapiął płaszcz i zawadiacko zarzucił szalik przez ramię.

– Tylko jeśli wyląduję w kostnicy. W przeciwnym razie niech to będzie moje wpisowe do świata odpowiedzialnych i cywilizowanych narodów.

Caspar Burki mieszkał w jednej z szeregu posępnych czteropiętrowych kamienic. Każdą pomalowano na inny kolor. Pierwsza była żółta, a przynajmniej była taka dwadzieścia lat temu. Następna – bura. Wyblakły budynek Burkiego osiągnął szary odcień pomyj. Wszystkie kamienice były pokryte smugami sadzy i lepiły się od brudu spływającego z deszczem z mansardowych dachów.

Nick stał przy drzwiach sklepu z antykami po drugiej stronie ulicy. Nastawił się na długą obserwację. Łajał się za to, że nie przyszedł wcześniej. Po lunchu odprowadził Petera Sprechera na dworzec i wykonał stamtąd dwa telefony: jeden do Sylvii Schon, drugi do Sterlinga Thorne'a. Sylvia potwierdziła, że są umówieni na kolację. Miał przyjechać nie później niż o szóstej trzydzieści: piekła pieczeń i nie brała odpowiedzialności za jej stan, jeśli się spóźni. Rozmowa z Thorne'em była krótsza. Nick zgodnie z instrukcją przedstawił się jako Terry. Thorne powiedział tylko dwa słowa: „Zielone światło", co oznaczało, że Błazen zameldował się i wszystko odbędzie się zgodnie z planem.

Nick przyglądał się posępnemu budynkowi. Nie wiedział, czy zadzwonić i poczekać na odpowiedź, czy ukryć się w nadziei, że Burki wyjdzie, a on zdoła go rozpoznać. W głowie rozbrzmiewały mu słowa Yogi Bauera: „Nie szukajcie go. Musi się trzymać blisko źródła, no nie?", a potem: „Zniknął".

Uwagę Nicka przykuło jakieś zamieszanie na klatce w budynku Burkiego. Dostrzegł dwóch mężczyzn, którzy szamotali się za oszklonymi drzwiami. Nie był w stanie określić, co się dzieje, więc wyszedł na ulicę, żeby mieć lepszy widok. Mężczyźni wytoczyli się z budynku. Wyższy z nich, szczupły, z zapadniętymi policzkami i podkrążonymi oczami, podpierał niższego kolegę – mizerną postać w ciemnym odświętnym garniturze. Nick rozpoznał Yogi Bauera. Słyszał, jak przeklina, wychodząc chwiejnym krokiem na ulicę.

– Idziesz ze mną? – pytał raz za razem.

Nick wszedł do sklepu i udawał, że ogląda szezlong w stylu Ludwika XVI. Kątem oka obserwował, jak wyższy, siwowłosy mężczyzna, przypuszczalnie Caspar Burki, prowadzi Bauera ulicą. Domyślał się, gdzie się wybierają. Kierowali się prosto do Keller Stubli. Poszedł za nimi, ale trzymał się w bezpiecznej odległości, nie chcąc zaczepiać Burkiego w obecności Yogiego Bauera. Wtedy stało się coś dziwnego. Gdy mężczyźni dotarli do Keller Stubli, Burki odmówił wejścia do środka. Stał przed knajpą, znosząc obraźliwe epitety i gwałtowne protesty Bauera, który w końcu dał za wygraną i wszedł sam.

Caspar Burki poprawił płaszcz i szybkim krokiem ruszył ulicą Niederdorf w nieznanym kierunku.

Rozdział 58

Caspar Burki szedł z pochyloną, wciśniętą w ramiona głową, jakby zmagał się z silnym wiatrem. Odgłosy jego kroków przybrały miarowy rytm. Nick dostosował się do ich tempa. Słuchał równomiernego stukotu własnych butów na mokrym bruku i przypomniał sobie naukę marszu w Quantico. Nawet teraz słyszał ochrypły głos instruktora, który wrzeszczał do niego: „A ty co, Neumann? Gęba ci się nie zamyka. Zamknij się i patrz prosto przed siebie. Właśnie tak, żołnierzu. Ręce na kanty, pięty do dołu! Lewa, lewa, lewa, prawa, lewa".

Nick zachowywał bezpieczny dystans, wyobrażając sobie, że między nim i Burkim jest rozciągnięty mocny sznur długości piętnastu metrów. Szedł za tyczkowatym mężczyzną po Niederdorfstrasse w stronę Central, a stamtąd przez most w stronę Bahnhofplatz. Był pewien, że Burki zmierza na dworzec główny, ale ten nieoczekiwanie skręcił w prawo w stronę Muzeum Narodowego. Okrążył Platzspitz i szedł dalej na północ wzdłuż brzegów rzeki Limmat.

Minął opuszczoną fabrykę z powybijanymi szybami i drzwiami zabitymi deskami. Potem przeszedł obok opustoszałej kamienicy pokrytej kolorowym graffiti. Na chodnikach wałęsały się grupy dzieciaków, głównie nastolatków. Niektórzy z nieukrywaną pogardą spoglądali na Nicka, na jego krótko przystrzyżone włosy i czyste ubranie. Chodnik robił się coraz brudniejszy, wszędzie walały się papierki po słodyczach, zgniecione puszki i miliony niedopałków.

„Musi się trzymać blisko źródła", powiedział Yogi Bauer.

Nick zwolnił, widząc, że Caspar Burki przechodzi przez drewniany most na Limmat. Przy balustradzie tłoczyła się grupka obdartusów. Nieogoleni mężczyźni w sfatygowanych skórzanych kurtkach, brudne kobiety w postrzępionych swetrach. Burki zgarbił się, jakby chciał stać się jeszcze chudszy, jeszcze mniej widoczny, i w ten sposób szedł między nimi. Nick wiedział, dokąd prowadzi ten most. Letten. Rewir narkomanów. Źródło Caspara Burkiego.

Wszedł na most, starając się nie dać po sobie poznać, jak bardzo jest zdenerwowany. Drogę zagrodził mu niski, krępy brodacz.

– Hej, przystojniaczku – zwrócił się do Nicka – jesteś pewien, że dobrze trafiłeś? Tutaj nie zrobisz sobie manikiuru. – Uśmiechnął się, ukazując rząd zepsutych zębów, i podszedł bliżej. – Pięćdziesiąt franków. Bardziej nie spuszczę. Nie znajdziesz tańszego towaru. Nie podczas suszy.

Nick dźgnął mężczyznę dwoma palcami w klatkę piersiową, gotów się z nim rozprawić.

– Już mnie obsłużono – odparł. – W każdym razie dzięki.

Brodacz odsunął się, podnosząc rękę w geście kapitulacji.

– Jak wrócisz, będzie już po siedemdziesiąt franków. Tylko nie mów, że cię nie ostrzegałem.

Nick minął go, obawiając się, że straci z oczu Caspara Burkiego. Minął kilkunastoletnią dziewczynę, która przykucnęła na schodach. Trzymała strzykawkę i właśnie znalazła żyłę, w którą wbiła igłę. Krople krwi spływały jej po ręce i skapywały na cement. Nick zszedł po schodkach z mostu i po raz pierwszy rozejrzał się po opuszczonej stacji.

Widok równie obcy jak księżycowy krajobraz.

Po szerokim betonowym peronie przelewały się fale zaniedbanych mężczyzn i kobiet, podzielonych na pięcio-, sześcioosobowe grupki. Gdzieniegdzie w zardzewiałych beczkach palił się ogień. Między peronem a sufitem unosił się dym przypominający bagienną mgłę. Wysoko widniał namalowany czarną farbą napis: „Witamy w Babilonie".

Miejsce cuchnęło nędzą. I śmiercią.

Nick zauważył, że Burki dotarł do celu – kręgu kiwających się podstarzałych narkomanów na końcu stacji. Koścista kobieta przygotowywała dawkę heroiny dla mężczyzny, który nie różnił się zbytnio od Burkiego. Może był trochę niższy, ale równie chudy i z tym samym wygłodniałym spojrzeniem. „Pielęgniarka" podwinęła mu rękaw i położyła kościstą rękę narkomana na prowizorycznym drewnianym stole. Zacisnęła mu na ramieniu krótką gumową rurkę, by żyły stały się bardziej widoczne. Zadowolona z wyniku swych zabiegów, wbiła igłę. Odciągnęła tłok, żeby krew wymieszała się z narkotykiem, i powoli wstrzyknęła mieszaninę. Gdy w strzykawce pozostała resztka płynu, wyciągnęła ją z ramienia narkomana, zacisnęła pięść i wbiła igłę sobie. Nacisnęła tłok strzykawki, mieszając krew narkomana z własną. Wrzuciła zużytą igłę do białej plastikowej torebki z logo Czerwonego Krzyża. To tyle, jeśli chodzi o wkład Czerwonego Krzyża w zapobieganie epidemii AIDS. „Pielęgniarka" zgięła ramię w łokciu, jakby właśnie zaszczepiono ją przeciw grypie, powiedziała kilka słów do narkomana i cmoknęła go w policzek. Etykieta. Mężczyzna chwiejnym krokiem odszedł od prowizorycznego stolika i jego miejsce zajął Caspar Burki.

Nick uświadomił sobie, że gdy Burki dostanie w żyłę, rozmowa z nim nie będzie miała sensu. Musiał dostać się do niego, zanim staruszek odleci. Nie był pewien, jak zainterweniuje. Zdecyduje o tym, gdy do niego dotrze.

Ruszył wzdłuż peronu. Starał się nie patrzeć na kobiety i mężczyzn z zapadłymi oczami, którzy oglądali swe ciała w poszukiwaniu odpowiednio wypukłych żył. Ale nie mógł przecież zamknąć oczu. Jakiś nastolatek wyklepał żyłę na szyi i pokazywał koledze, gdzie wbić igłę. Kobieta w średnim wieku opuściła spodnie i usiadłszy z rozłożonymi nogami na betonowym podłożu, wbiła igłę w udo. Obok niej siedziała zaniedbana dziewczynka w wieku pięciu, może sześciu lat. Idealne miejsce dla dziecka w niedzielne popołudnie.

Na końcu stacji kręciła się grupa policjantów. Palili papierosy, oparci swobodnie na kolbach karabinów, odwróceni tyłem do swych podopiecznych. To nie była ich bitwa. Władze miasta wolały zebrać narkomanów w jednym miejscu, gdzie można było mieć ich na oku. Rozwiązanie bez konfrontacji: na szwajcarską modłę.

Nick dotarł do rozchwianego stolika, gdy Burki zdejmował marynarkę i podwijał rękaw. Wyjął z kieszeni sto franków i podał banknot pomarszczonej kobiecie robiącej zastrzyki.

– To za mojego przyjaciela Caspara. Powinno starczyć na dwie działki, prawda?

Burki spojrzał na niego.

– A ty kim jesteś, do cholery? – zapytał.

Kobieta chwyciła banknot.

– Zwariowałeś, Cappy? Chłopak chce ci zrobić prezent. Bierz.

– Muszę z panem porozmawiać, panie Burki – powiedział Nick. – O naszych wspólnych znajomych. To nie potrwa długo, ale wolałbym porozmawiać, zanim... – przerwał na chwilę, szukając właściwych słów – ...zanim pan to zrobi. Jeśli można.

Burki wahał się przez moment. Przenosił wzrok z Nicka na wychudzoną kobietę.

– O wspólnych znajomych? Czyli o kim?

– Choćby o Yogim Bauerze. Piliśmy wczoraj razem.

– Biedny Yogi. Straszne, co alkohol może zrobić z człowiekiem. – Burki zmrużył oczy. – Jesteś chłopakiem Neumanna. Ostrzegał mnie przed tobą.

Nick przyznał, że jest synem Aleksa Neumanna, i powiedział spokojnym głosem:

– Pracuję w United Swiss Bank. Mam kilka pytań dotyczących Allena Soufiego.

Burki chrząknął.

– Nie znam go. A teraz zmykaj stąd. Bądź grzeczny i wracaj do mamusi. Czas na drzemkę.

„Pielęgniarka" roześmiała się histerycznie. Nick kazał jej oddać pieniądze. Gdy je odzyskał, chwycił Burkiego pod rękę i odciągnął kilka kroków dalej.

– Posłuchaj, albo wykorzystasz mój dobry nastrój i będziesz gadał, albo zaciągnę cię do policjantów i powiem, że jesteś złodziejem. – Zmiął stufrankowy banknot i wcisnął go Burkiemu do ręki. – Zrozumiałeś?

Burki splunął mu w twarz.

– Kanalia. Jak twój ojciec.

– Radzę ci wziąć sobie do serca moje słowa – powiedział Nick i wycierając ślinę z policzka, po raz pierwszy przyjrzał się Burkiemu. Jego skóra, pokryta ropiejącymi wrzodami, przypominała pleśniejący pergamin. Zapadnięte, niebieskie oczy, rozszczepiona górna warga, spod której wyglądał czarny, zepsuty ząb. Stoczył się już bardzo nisko.

Nagle Burki rozluźnił się i wzruszył ramionami.

– Daj mi wziąć działkę, a potem pogadamy. Dłużej nie mogę czekać. Inaczej na nic ci się nie przydam.

– Masz tu setkę. Możesz poczekać. Dorzucę coś ekstra, jeśli wykażesz się dobrą pamięcią. Umowa stoi?

– Mam jakiś wybór?

– Pewnie, idź do domu, weź gorący prysznic i zwiń się w kłębek z dobrą książką. Odprowadzę cię i dopilnuję, żebyś bezpiecznie dotarł na miejsce.

Burki zaklął pod nosem, wziął płaszcz z drewnianego stojaka i założył go. Dał znak Nickowi, żeby szedł za nim, i poprowadził go do tylnej ściany dworca. Stopą oczyścił miejsce i usiadł. Nick oczyścił miejsce dla siebie i usiadł obok Burkiego.

– Allen Soufi – powtórzył. – Opowiedz mi o nim.

– Dlaczego interesuje cię Soufi? – zapytał Burki. – I czemu przychodzisz z tym do mnie, na litość boską?

– Przejrzałem zapiski ojca z okresu tuż przed jego śmiercią. Nazwisko Soufiego zajmuje w nich poczesne miejsce. Przeczytałem, że poleciłeś go filii USB w Los Angeles jako klienta. A skoro tak, musiałeś go całkiem dobrze znać.

– Pan Allen Soufi. Stare dzieje. – Burki sięgnął do kieszeni marynarki po papierosa. Ręce mu się trzęsły, gdy go przypalał. – Poczęstujesz się?

– Nie, dziękuję.

Burki zaciągał się pełne pięć sekund.

– Jesteś słowny, prawda? Dotrzymasz swojej części umowy?

Nick wyciągnął następny banknot stufrankowy, złożył go i wsunął do kieszonki w swojej marynarce.

– Twoja nagroda – powiedział.

Burki zawahał się. Nie spuszczając oczu z banknotu, zaczął mówić. Zapewne rozważał konsekwencje rozmowy z synem Aleksa Neumanna i doszedł do wniosku, że nie ma nic do stracenia.

– Soufi był jednym z moich klientów – zaczął. – Trzymał u nas pokaźną część swojego majątku. Jakieś trzydzieści milionów franków, jeśli się nie mylę.

– Co to znaczy, że był jednym z twoich klientów?

– Prowadziłem portfel Allena Soufiego. Oczywiście miał u nas konto numerowane, ale wiedziałem, jak się nazywa.

Nick wrócił myślami do listy urzędników bankowych z teczki Mevleviego. Nie przypominał sobie, żeby widniało na niej nazwisko Burkiego albo imię Caspar.

– Pewnego dnia – ciągnął – mój stary szef poprosił, żebym polecił Soufiego twojemu ojcu. Powiedział, że Soufi jest zainteresowany współpracą z filią w Los Angeles.

– Kim był twój szef?

– Nadal pracuje w banku. Nazywa się Armin Schweitzer.

– Schweitzer kazał ci polecić Soufiego mojemu ojcu?

Burki kiwnął głową.

– Od razu wiedziałem, że nie powinienem pytać dlaczego. Mógł być tylko jeden powód. – Rozłożył ręce szerokim łukiem. – Odległość. Odseparowanie starego od klienta.

– Starego?

– Kaisera. To on wydobył Armina z całego tego gówna w Londynie. Schweitzer był marionetką Kaisera. Wykonywał dla niego najgorszą robotę.

– Twierdzisz, że Schweitzer kazał ci polecić Allena Soufiego mojemu ojcu, aby zdystansować Wolfganga Kaisera od całej sprawy?

– Tak to wygląda z perspektywy czasu. Wtedy nie wiedziałem, co się dzieje. Wydawało mi się tylko trochę dziwne, że nie zwrócił się do mnie Soufi. Nigdy nie wspominał o Los Angeles.

Oczywiście, że nie, pomyślał Nick. Wielkie plany obmyślał Kaiser.

– W każdym razie nie robiłem z tego afery. Posłusznie wykonałem polecenie i o wszystkim zapomniałem. Napisałem list: „Drogi Aleksie, taki a taki osobnik jest moim klientem, współpracował z bankiem w przeszłości, proszę, zapewnij mu pełną obsługę. Wszelkie pytania kieruj do nas. Pozdrowienia, Cap". Koniec listu. Z zadowoleniem wypełniłem swoje zadanie. Jak lojalny żołnierz.

– I na tym koniec? – zapytał Nick, doskonale wiedząc, że nie.

Burki nie odpowiedział. Opuścił powieki, oddychał wolniej. Nagle zadrżał gwałtownie i otworzył oczy. Włożył papierosa do ust i zaciągnął się gorączkowo.

Nick odwrócił wzrok. Ogarnęło go silne poczucie absurdu. Chyba rzuciło mu się na mózg. Siedzi w obskurnej dziurze dla narkomanów, odmraża sobie tyłek, rozmawia z podstarzałym ćpunem i ma nadzieję, że dzięki niemu dotrze do prawdy. Anna miała rację. Jest opętany. Jak inaczej mógł wytłumaczyć swoją obecność w takim miejscu?

– Chciałbym – prychnął Burki, nie zdając sobie sprawy z chwilowego osłabienia. – Minęło sześć lub siedem miesięcy. Pewnego dnia zadzwonił do mnie twój ojciec. Był ciekaw, czy wiem o Allenie Soufim coś oprócz tego, co napisałem w liście. Zapytałem go, w czym problem. Twój ojciec odpowiedział, że Soufi ma za duże obroty. Dziwiłem się, jak można mieć za duże obroty.

Nick był zbity z tropu, ale tylko przez chwilę.

– Ojcu chodziło o Goldluxe?

Burki uśmiechnął się krzywo, jakby niezadowolony, że Nick wie tak dużo.

– Tak, chodziło o Goldluxe.

– Mów dalej. – Zapadał zmierzch. Coraz więcej ludzi napływało na nieczynną stację.

– Allen Soufi był właścicielem sieci sklepów jubilerskich w Los Angeles: Goldluxe Inc. Chciał, żeby USB był bankiem firmy. Przyjmowanie wpłat, opłata rachunków, akredytywy do finansowania importu. Normalne sprawy handlowe. Alex zapytał mnie, co wiem o Soufim. Powiedziałem mu wszystko – no, prawie wszystko. Soufi był klientem z Bliskiego Wschodu z jakimiś trzydziestoma milionami franków w banku. Trzeba było się z nim liczyć. Powiedziałem twojemu ojcu, żeby wykonywał jego polecenia. Ale Alex miałby słuchać czyichś poleceń? Nigdy! Niedługo potem zadzwonił Schweitzer i zaczął bombardować mnie pytaniami o twojego ojca. Co Alex Neumann mówił o Soufim? Czy wspominał o jakichś problemach? Powiedziałem Schweitzerowi, żeby dał mi spokój, bo twój ojciec zadzwonił tylko raz.

– Czym tak naprawdę zajmowała się firma Goldluxe?

Burki zignorował pytanie. Wyciągnął paczkę papierosów i próbował wydobyć jednego. Nie mógł. Za bardzo trzęsła mu się ręka. Rzucił paczkę i spojrzał na Nicka.

– Chłopcze, nie możesz mnie dłużej przetrzymywać. Na mnie już pora. Rozumiesz?

Nick podniósł paczkę, wyjął papierosa, przypalił jednego i włożył Burkiemu do ust.

– Musisz zostać ze mną jeszcze trochę. Aż wszystko sobie powiemy.

Burki zamknął oczy i wciągnął powietrze. Pokrzepiony zastrzykiem nikotyny, ciągnął dalej:

– Podczas mojej następnej wizyty w Zurychu ruszyliśmy ze Schweitzerem w miasto. Armin nie miał do kogo wracać, ja byłem dawno po rozwodzie. Zaczęliśmy od Kronenhalle, potem przenieśliśmy się do Old Fashioned, a skończyliśmy w King's Club, zalani w trąbę z parą uwieszonych na nas szałowych dziewczyn. To było dwudziestego czwartego listopada 1979, w moje trzydzieste ósme urodziny.

Nick popatrzył na Burkiego. Mój Boże, pomyślał, facet ma pięćdziesiąt pięć lat, a wygląda na siedemdziesiąt.

– Po kilku drinkach wspomniałem o Soufim – mówił Burki. – Zapytałem, co się wydarzyło między nim a Aleksem Neumannem. Tak naprawdę, w ogóle mnie to nie obchodziło, po prostu podtrzymywałem rozmowę. Schweitzer zawsze rozmawiał tylko o sprawach służbowych, więc temat wydał mi się dobry. Armin zrobił się czerwony, potem zielony i rozgadał się jak cholera. Alex Neumann to, Alex Neumann tamto, pieprzony arogant, elitarysta, nie stosuje się do reguł, od nikogo nie przyjmuje rozkazów, wymyka się spod kontroli. Trajkotał przez jakąś godzinę. Jezu, ale był cięty na twojego ojca! W końcu uspokoiłem go i wyciągnąłem z niego całą historię.

– Zdaje się – ciągnął Burki – że twój ojciec spotkał się z Soufim i nie miał żadnych zastrzeżeń. Facet nie wydawał mu się bardziej podejrzany od innych. Założył mu konto numerowane. Jakiś czas potem otworzył standardowy rachunek firmowy dla Goldluxe. Sprzedawali złotą biżuterię, głównie drobnicę: łańcuszki, obrączki, wisiorki, tanie gówno. Przez jakiś czas wszystko szło jak po maśle. Ale Alex szybko odkrył, że cztery sklepy uzyskują ze sprzedaży ponad dwieście tysięcy dolarów tygodniowo. To daje osiemset tysięcy miesięcznie i prawie dziesięć milionów w ciągu roku. Podejrzewam, że twój ojciec odwiedził te sklepy i rozejrzał się. Potem wszystko potoczyło się bardzo szybko.

Nick przypomniał sobie wpis ojca dotyczący wizyty w Goldluxe.

– Czy te sklepy nie sprzedawały biżuterii?

– Ależ naturalnie – odparł Burki. – Sprzedawały. Ale jeśli chcesz sprzedać świecidełek za dwieście tysięcy tygodniowo, musisz obracać poważnym towarem. A to były małe zapuszczone sklepiki.

– Więc Goldluxe był tylko przykrywką?

Burki wessał cały filtr papierosa.

– Goldluxe wymyślono do prania brudnych pieniędzy. A teraz daj mi moją pieprzoną działkę, dobrze? Nie mogę wytrzymać. Skocz no do Gerdy i poproś ją, żeby mi przygotowała. Sam sobie wstrzyknę.

Nickowi robiło się coraz zimniej i tracił cierpliwość. Czuł, że przymarza tyłkiem do betonu. Nie ma mowy, żeby teraz pozwolił Burkiemu na odlot. To byłby koniec ich rozmowy. Wyciągnął złożony banknot stufrankowy i podał narkomanowi.

– Trzymaj się, Cappy. Nie rozczaruj mnie. Jesteśmy prawie w domu. Powiedz mi, jak to wszystko funkcjonowało.

Burki przesunął palcami po nowiutkim banknocie. W jego martwych oczach błysnęła iskierka życia.

– Po pierwsze, musisz zdać sobie sprawę, że Goldluxe siedział na górze pieniędzy, z którą nie wiedzieli, co zrobić. Musieli znaleźć długoterminowe rozwiązanie, które pozwoliłoby im deponować całą napływającą gotówkę. Jasne?

– Jasne.

– A funkcjonowało to w ten sposób: USB ustanowił w imieniu Goldluxe akredytywę dla dostawcy złota z Buenos Aires, powiedzmy na pięćset tysięcy dolarów. Co oznacza, że kiedy firma z Ameryki Południowej prześle złoto dla Goldluxe w Los Angeles, bank zobowiązuje się zapłacić im za transport. Firma z Argentyny rzeczywiście eksportuje złoto, ale nie wartości pięciuset tysięcy dolarów. O nie. Przysyłają w złocie tylko około pięćdziesięciu tysięcy.

– Ale złoto wartości pięćdziesięciu tysięcy waży dużo mniej, niż gdyby było warte pięćset tysięcy – zaprotestował Nick. Przypomniał sobie nazwę firmy. El Oro des Andes.

– Dobrze – rzekł Burki, podnosząc palec, jakby chciał powiedzieć „punkt dla ciebie, Neumann". – Żeby zniwelować różnicę w wadze dla naszych przyjaciół celników, firma z Buenos Aires dorzuca trochę ołowiu. Żaden problem. Celnicy zwykle nie sprawdzają transportów metali szlachetnych. Jeśli papiery się zgadzają, a odbiorca nie zgłasza reklamacji, bank może dokonać wypłaty.

– Dlaczego Goldluxe chce płacić firmie w Buenos Aires pięćset tysięcy dolarów za złoto, którego nie dostarczono?

Burki próbował się roześmiać, ale skończyło się na ataku kaszlu. Po minucie mógł znowu mówić.

– Bo Goldluxe ma za dużo gotówki. To niegrzeczni chłopcy. Chcą ją wyczyścić.

– Nie bardzo rozumiem.

– Przecież to proste. Pamiętaj, co ci już powiedziałem. Goldluxe siedzi na milionie dolarów w gotówce. Zaczynają od importu złota wartości pięćdziesięciu tysięcy.

Nick zaczynał rozumieć zasady gry.

– Ale w papierach wpisują pięćset tysięcy – powiedział. – Zgodnie z dokumentami importowymi.

Burki kiwnął głową.

– Goldluxe musi stworzyć pozory, że ich sklepy sprzedają złotą biżuterię wartości detalicznej miliona dolarów. Zawyżają więc wartość zasobów do miliona dolarów i zaczynają sprzedaż. Mówiąc o sprzedaży, mam na myśli wysoki na kilometr stos kwitów, które fałszują. Pamiętaj, że tak naprawdę mają towaru za pięćdziesiąt tysięcy. Czyli około stu tysięcy przy pełnej cenie detalicznej. Lewe kwity rejestrują w księdze głównej. A ponieważ księga wykazuje sprzedaż za milion dolarów, mogą legalnie zdeponować gotówkę w banku.

Nick zadrżał, dostrzegłszy prostotę tego planu.

– Skąd pochodziły pieniądze?

– Znam tylko dwie branże, które przynoszą takie zyski: gry hazardowe i narkotyki. Nigdy nie słyszałem o Allenie Soufim w Las Vegas, a ty?

Nick uśmiechnął się smutno.

– Czyli chodzi o to, żeby prać brudne pieniądze pod przykrywką legalnej działalności.

– Brawo – rzekł Burki. – Gdy już nasz milion dolarów znajdzie się w banku, USB spłaca akredytywę dla firmy w Argentynie, którą Soufi, rzecz jasna, kontroluje. – Zrobił ruch ręką jak odrzutowiec przelatujący nad horyzontem. – A drugie pięćset tysięcy zaksięgowane jest jako zysk Goldluxe. Soufi przelewał, ile chciał, na konta w Londynie i Szwajcarii dwa razy w tygodniu.

– Dwa razy w tygodniu? – powtórzył Nick.

– Punktualny był z niego drań, to trzeba mu przyznać.

– A mój ojciec?

– Alex go rozpracował. Zadawał za dużo pytań. Kiedy domyślił się, co robią, zagroził, że zamknie konto. Dwa miesiące po mojej kolacji ze Schweitzerem twój ojciec już nie żył. – Burki wymierzył palec w Nicka. – Nie wolno mówić facetowi pokroju Soufiego, zawodowcowi prowadzącemu działalność na skalę światową, żeby spierdalał.

Tak, przyznał w myślach Nick, nie wolno mówić Paszy, żeby spierdalał. Lepiej go zabić. Wpatrywał się w wyniszczoną twarz Burkiego i przed oczami przemknęły mu niepokojące obrazy: martwy Albert Makdisi; Marco Cerruti z kulą w głowie. Był ciekaw, czy Burki naraził się Paszy i dostał w nagrodę zaproszenie do Letten. A może jego nałóg nie był związany ze sprawą. Nieważne. Tak czy inaczej, Pasza go pokonał.

– Naprawdę nie nazywał się Soufi? – zapytał Nick. Znał odpowiedź, ale chciał ją usłyszeć.

– A co cię to obchodzi? – Burki podniósł się chwiejnie z ziemi. – To wszystko, synu. A teraz spływaj stąd i pozwól mi zająć się sobą.

Nick położył mu rękę na ramieniu i posadził z powrotem na ziemi.

– Mówiłeś, że znasz jego nazwisko. No więc jak Soufi naprawdę się nazywa?

– To cię będzie kosztowało jeszcze sto franków. Muszę z czegoś żyć.

Albo za co umrzeć. Nick wyciągnął portfel i dał Burkiemu pieniądze.

– Podaj mi jego nazwisko.

Burki zmiął banknot w dłoni.

– Nigdy o nim nie słyszałeś. Turecki zbir. Nazywa się Mevlevi. Ali Mevlevi.

Rozdział 59

Pod kosmopolityczną maską Zurych ukrywał swoją prawdziwą naturę: melancholijną samotność i skłonność do introspekcji. Oddanie handlowi graniczące z czcią, zainteresowanie człowiekiem zamieniające się w natręctwo, zapatrzenie w siebie, które można nazwać próżnością: wszystkie te elementy przez cały tydzień wspólnie starały się ukrywać starokawalerską naturę tego miasta. Ale w zimową niedzielę, gdy posiadacze rodzin zamykali się w znajomych murach niezniszczalnych kościołów i przytulnych kuchni, a samotni wtulali się w ulubione kąty swoich wygodnych mieszkań, zuryskie ulice pustoszały, a budynki traciły swoją pretensjonalną powierzchowność. Mając za świadka szare niebo, Zurych spuszczał zasłonę pompatyczności i bogactwa i ronił jedną łzę. A Nick, spacerując po wyludnionych ulicach, odkrywał jego samotną naturę i uśmiechał się w duchu, gdyż czuł to samo.

Przyjechał do Szwajcarii poznać okoliczności śmierci ojca. Poświęcił wszystkie swoje zasady moralne, by się dowiedzieć, jak doszło do morderstwa. Ale teraz, gdy konstrukcja spisku i oszustwa nabierała konkretnych kształtów, nie czuł emocji, które powinny towarzyszyć ukoronowaniu wysiłków. Nie miotał nim gniew z powodu zbrodni Wolfganga Kaisera. Nie wypinał dumnie piersi, bo udało mu się dopasować twarz Mevleviego do nazwiska Allena Soufiego. A co gorsza, w jego sercu nie rozbudziły się ukryte pokłady synowskiej dumy, gdy wyszła na jaw szlachetność... a może tylko... nieugiętość ojca. Czuł jedynie zimną determinację, by doprowadzić tę grę do samego końca. Raz na zawsze.

Nic nie będzie miało sensu, jeśli nie uda mu się powstrzymać Mevleviego.

Nick stał na środku Quailbrucke. Pokrywa lodu ciągnęła się przez Jezioro Zuryskie. W gazecie napisano, że po raz pierwszy od 1962 roku jezioro całkowicie zamarzło. Lodowata bryza szczypała go w policzki i rozwiewała jego melancholię. Starał się myśleć o Paszy i o tym, że od jutra Ali Mevlevi nie będzie już potęgą na tym świecie. Nie chciał dopuszczać do siebie wątpliwości i smutku, marzył, żeby zniszczyć je na zawsze. Wiedział zarazem, że są jego częścią, niezależnie od tego, jak bardzo się starał, i że musi nauczyć się z nimi żyć.

Dla niego świat się zmienił. Nie walczył już o swego ojca. Alex Neumann nie żył, a on nie mógł zrobić nic, co przywróciłoby go do życia. Walczył o siebie. O swoje życie.

Myślał więc tylko o Paszy. O jego aroganckim śmiechu, oczach węża i pewnym kroku.

Chciał go zabić.

Wczesnym wieczorem Nick pokonał dobrze mu już znany szlak do domu Sylvii Schon. Z drogi usunięto lód, więc wspinał się na wzgórze w szybkim tempie. Zbyt szybkim, gdyż złapał się na tym, że zwalnia kroku, by odwlec spotkanie z Sylvią. Od wczorajszego popołudnia nękały go poważne wątpliwości co do prawdziwej twarzy Sylvii. Dlaczego pomogła mu odnaleźć teczki ojca? Czy czuła coś do niego? Czy odnalazła w sobie potrzebę dochodzenia sprawiedliwości, nawet w przypadku zupełnie obcej osoby, która zginęła prawie dwie dekady temu? A może była szpiegiem prezesa? Może śledziła każdy ruch Nicka w „Cesarskim Szańcu"? Może pomagała Kaiserowi z powodów, które znał aż nadto dobrze?

Nie znał odpowiedzi na żadne z tych pytań i bał się je poznać. Podejrzewał Sylwię, ale gdyby się mylił, zniszczyłby zaufanie będące spoiwem ich związku. „Zaufanie – przypomniał sobie słowa Eberharda Senna, hrabiego Languenjoux. – Tylko ono się liczy w dzisiejszym świecie".

Przypomniał sobie głos z automatycznej sekretarki Sylvii, który usłyszał w piątkowy wieczór, burkliwy, władczy głos Wolfganga Kaisera. Spyta Sylvię, czy powiedziała Kaiserowi o Schweitzerze. Ale teraz już wiedział, że jej słowa nie przekonają go. Musiał przesłuchać nagranie.

Sylwia powitała go pocałunkiem w policzek i szerokim uśmiechem. Po raz pierwszy zastanawiał się, czy to powitanie jest szczere.

– Co u ojca? – spytał, wchodząc do ciepłego przedpokoju.

– W porządku – odparła Sylvia. – Jest ciekaw, z kim spędzam czas. Chciał usłyszeć o mojej nowej sympatii.

– Masz nową sympatię? Jak się nazywa?

Sylvia objęła go i stanęła na palcach. Ich oczy znalazły się prawie na tym samym poziomie.

– Nie mogę sobie przypomnieć. To pewien zarozumiały Amerykanin.

– Wygląda mi na frajera. Lepiej go rzuć.

– Może. Jeszcze nie wiem, czy mi odpowiada.

Nick zachichotał, bo tak wypadało. Trudno mu było zachowywać się swobodnie. Nie przestawał wracać myślami do gabinetu Kaisera, do chwili, gdy prezes zarzucił pracownikowi z trzydziestoletnim stażem szpiegostwo na rzecz Adler Bank. Po raz setny zadawał sobie pytanie, jak Kaiser dowiedział się o zdradzie Schweitzera. Po raz setny podał tę samą odpowiedź i nienawidził siebie za to.

– Rozbierz się – rzuciła Sylvia, prowadząc go za rękę do salonu. – Zostaniesz trochę.

Nick rozpiął płaszcz i zsunął go z ramion. Starał się nie patrzeć na nią, chciał zachować dystans, ale Sylvia jeszcze nigdy nie wyglądała tak pięknie. Była ubrana w czarny kaszmirowy golf, a włosy koloru pszenicy związała w koński ogon. Miała zaróżowione policzki. Wyglądała promiennie.

Wzięła od niego płaszcz i pogłaskała go po policzku.

– Co się stało? Coś nie tak?

Nick odsunął jej dłoń i spojrzał jej w oczy. Setki razy powtarzał tę kwestię, ale nagle zabrakło mu słów. Było mu trudniej, niż się spodziewał.

– Wczoraj po południu byłem u prezesa. Byli też Ott, Maeder, Rita Sutter. Panowała napięta atmosfera. Każdy problem wydawał się trzy razy poważniejszy niż w rzeczywistości, wszyscy rzucali się sobie do oczu. Kaiser wezwał Armina Schweitzera i zapytał o przecieki, które dostały się do Adler Bank. No wiesz, spreparowane informacje o tym, którzy z naszych udziałowców są niezdecydowani.

Sylvia skinęła głową.

– Oskarżył go o potajemne przekazywanie informacji Klausowi Konigowi i wyrzucił z pracy.

– Kaiser zwolnił Armina Schweitzera?

– Tak.

Sylvia wyglądała na zdziwioną.

– Lizus zasłużył sobie – orzekła. – Sam mówiłeś, że kradł dokumenty z twojego gabinetu.

– Sylvio, oprócz ciebie, mnie i Petera Sprechera nikt nie wiedział, że Adler Bank ma szpiega w USB. Nikt. Co do Schweitzera mieliśmy tylko podejrzenia.

– Co z tego? Skoro Kaiser go wylał, nasze domysły najwyraźniej były słuszne.

Nick pokręcił głową. Nie ułatwiała mu zadania.

– Mówiłaś Kaiserowi, że to Schweitzer przekazuje informacje o udziałowcach Klausowi Konigowi?

Sylvia roześmiała się, jakby uznała jego sugestię za absurd.

– Nie mogłabym zadzwonić bezpośrednio do Herr Kaisera. Prawie go nie znam.

– Jeśli mu powiedziałaś, w porządku. Mogę zrozumieć, co cię do tego skłoniło. Wszyscy chcemy powstrzymać Koniga.

– Mówiłam już. Nie zrobiłam tego.

– Daj spokój, Sylvio. Niby jak prezes mógł się o tym dowiedzieć?

– Coś mi się zdaje, że mnie oskarżasz, panie Neumann. – Policzki poczerwieniały jej jeszcze bardziej, chociaż teraz ze złości. – Niby jak, pytasz. A jak ci się wydaje? Winny jest Schweitzer. Kaiser sam to odkrył. Może przyłapał go na gorącym uczynku. Nie wiem. Myślisz, że tylko Konig ma szpiegów? Prezes nie potrzebuje twojej ochrony. Nie potrzebuje mnie. Kierował tym bankiem, kiedy my byliśmy jeszcze dziećmi. – Wstała. – A zresztą nie muszę ci się tłumaczyć.

Nick poszedł za nią do salonu. Był pewien, że kłamie. Sylvia i jej oddanie dla banku. Sylvia i jej wskaźnik rotacji pracowników. Wykorzystała podejrzenie rzucone na Schweitzera jako sposób na wywindowanie swojej kariery. Ale dlaczego kłamie?

– A co z automatyczną sekretarką? – zapytał.

– Z jaką sekretarką? – odparła zadziornie.

– W piątek wieczorem, kiedy odsłuchiwaliśmy twoje wiadomości, usłyszałem głos Wolfganga Kaisera. Wiesz, że tak było. Bałaś się, że mogę się domyślić, czyj to głos. Powiedz mi prawdę.

Sylvia cofnęła się.

– Prawdę? A więc o to w tym wszystkim chodzi? – Podbiegła do automatycznej sekretarki i zaczęła przewijać taśmę, zatrzymując ją co kilka sekund, żeby sprawdzić, kto mówi. Znalazła fragment, którego szukała, i wcisnęła przycisk. – Chcesz prawdy? Niczego się nie bałam. Było mi tylko wstyd.

Z głośnika popłynął głos Petera Sprechera. Proszę zadzwonić do mnie w Adler Bank. Jesteśmy bardzo zainteresowani spotkaniem z panią. Dziękuję. Przerwa. Piknięcie. I następna wiadomość. Sylvio, jesteś tam? – odezwał się burkliwy głos. – Podnieś, proszę, słuchawkę. No dobrze, więc posłuchaj.

Głos łamał się i Nick podejrzewał, że pod wpływem alkoholu.

Chcę, żebyś na weekend przyjechała do domu. Wiesz, co lubimy jeść w sobotę. Ulubione danie chłopców. Ma być na stole przed siódmą, jeśli łaska. Jesteś grzeczną dziewczynką, Sylvio, ale obawiam się, że twoja matka byłaby rozczarowana… mieszkasz tak daleko i pozwalasz, żeby ojciec starzał się w samotności. Ale ja sobie poradzę. Tylko zawiadom braci. Niech przyjadą na czas. Siódma albo zaczniemy bez nich.

Nick podszedł do automatycznej sekretarki i wyłączył ją. To nie był głos Wolfganga Kaisera.

Sylvia opadła na krzesło.

– Moi bracia nie byli w domu od trzech lat. Spotykamy się z ojcem sami. Wczoraj wieczorem przez pięć minut beształ mnie za to, że zapomniałam ich zawiadomić. Potakuję tylko i przepraszam. Jesteś teraz zadowolony? Wiesz już wszystko o miłości mojego taty do piwa. I że opuściłam go, żeby starzał się w samotności.

Nick usiadł przy niej. Czuł się oszołomiony. Jego starannie zbudowana teoria legła w gruzach, domek z kart rozpadł się za pierwszym podmuchem. Jak mógł być tak głupi? Jak mógł w nią zwątpić choćby przez minutę? Nigdy nie znał się na ludziach. Zawsze wszystko musiał pokręcić. Zwątpił w Sylvię, kiedy zaufanie do niej miało tak duże znaczenie, i obraził ją, zamiast okazać, że jej wierzy. Wystarczyło przyjrzeć się jej działaniom. Pomagała mu na każdym kroku. Dlaczego nie potrafił zaakceptować faktu, że go lubi? Że chce mu pomóc? Dlaczego nie mógł sobie wbić do głowy, że może na kimś polegać?

– Przepraszam, nie chciałem cię zawstydzić – zapewnił żarliwie.

Sylvia skuliła się na krześle.

– Dlaczego od razu mi nie uwierzyłeś? Nie mogłabym cię okłamać.

Nick położył ręce na jej ramionach.

– Przepraszam. Sam nie rozumiem, dlaczego...

– Nie dotykaj mnie – zawołała. – Czuję się jak idiotka. Nie powiedziałam Wolfgangowi Kaiserowi o Arminie Schweitzerze. Jeśli nie podoba ci się ta odpowiedź, możesz iść do diabła.

Nick spróbował znowu delikatnie ująć jej ramiona. Tym razem pozwoliła, żeby ją dotknął i przyciągnął do siebie.

– Wierzę ci – powiedział cicho. – Ale musiałem zapytać. Musiałem się upewnić.

– Przeczuwałam, że w końcu go złapią. Ale to nie znaczy, że rozpuściłam język jak jakaś plotkara i rozgadałam wszystkim, którzy mogli być zainteresowani tym, co odkrył Peter Sprecher. – Odchyliła do tyłu głowę, żeby mógł jej spojrzeć w oczy. – Nigdy bym nie nadużyła twojego zaufania.

Nick przytulał ją jeszcze przez chwilę. Czuł zapach jej włosów i rozkoszował się miękkością jej kaszmirowego swetra.

– Ostatnie tygodnie były naprawdę ciężkie. Jeśli przebrnę przez jutrzejszy dzień, może wszystko skończy się dla nas dobrze.

– Chodzi o twojego ojca? Nie powiedziałeś mi, czy znalazłeś Caspara Burkiego.

– Znalazłem.

– I?

Nick zastanawiał się, co może jej powiedzieć.

– Powiedz mi, kochanie – prosiła. – Czego się dowiedziałeś?

– Dzieje się dużo rzeczy. Nie uwierzyłabyś...

– O czym ty mówisz? O przejęciu?

– Konig ma już trzydzieści trzy procent. Zgromadził fundusze na wykup kolejnych akcji. Chce przejąć cały bank. I to jest dobra wiadomość.

Sylvię zamurowało.

– Dobra wiadomość? – Zdumienie malujące się na jej twarzy wskazywało, że nie chce usłyszeć tej złej.

Nick spojrzał jej w oczy i wmówił sobie, że widzi w nich współczucie i miłość. Był zmęczony samotnością, dźwiganiem ciężaru życia bez niczyjej pomocy. Był zmęczony brakiem zaufania. Podejrzeniami. Dlaczego miałby nie powiedzieć jej całej reszty?

– Kaiser pracuje dla Alego Mevleviego – rzekł. – Tego, którego nazywamy Paszą. Od wielu lat pomaga mu prać brudne pieniądze. Mnóstwo pieniędzy. Mevlevi jest bossem narkotykowym z siedzibą w Libanie, a Kaiser jest jego człowiekiem w Szwajcarii.

– Skąd wiesz o tym wszystkim?

– Musisz mi uwierzyć na słowo.

– Nie wierzę. Może Mevlevi szantażuje prezesa. Może Kaiser nie ma wyboru.

– Winy Kaisera nie ograniczają się do kontaktów z Mevlevim. Tak bardzo zależało mu na powstrzymaniu Koniga, że zlecił grupie z czwartego piętra sprzedaż dużej części akcji i obligacji z rachunków dyskrecjonalnych i zainwestowanie pieniędzy w akcje USB. Nadużył zaufania setki klientów, którzy umieścili pieniądze na kontach numerowanych w naszym banku. Złamał kilkanaście przepisów. Nikt go do tego nie zmuszał!

– Po prostu nie chce, żeby bank wpadł w ręce Koniga. W końcu to jego bank.

Nick zamknął jej dłonie w swoich.

– Sylvio, bank nie należy do Wolfganga Kaisera. Kaiser jest tylko pracownikiem, tak jak ty i ja. Owszem, poświęcił bankowi całe życie, ale był sowicie wynagradzany. Jak sądzisz, ile zarabia? Na pewno ponad milion franków rocznie. I nie zdziwiłbym się, gdyby dostawał też opcje na tysiące akcji firmy. Właścicielem banku są jego udziałowcy. To nie jest prywatna działka Kaisera. Ktoś musi go powstrzymać.

– To, co mówisz, przeraża mnie.

– I powinno. Wszyscy powinniśmy być przerażeni. Kaiser nie jest lepszy od Mevleviego. Żaden z tych drani nie ma odrobiny szacunku dla prawa. Zabijają, żeby postawić na swoim.

Sylvia podeszła do okna widokowego prowadzącego na taras.

– Nie wierzę ci – szepnęła.

– A wiesz, kto zabił mojego ojca? – przekonywał ją Nick. – Ali Mevlevi. Tyle że wtedy nazywał się Allen Soufi, tak jak teraz podaje się za Allena Malvinasa. Może i Kaiser nie pociągnął za spust, ale wiedział, co się dzieje. Robił wszystko, żeby zmusić ojca do współpracy z Mevlevim, a kiedy ojciec odmówił, nie kiwnął palcem, by uchronić go przed śmiercią. Widziałaś raporty miesięczne. „Kontynuować współpracę z Soufim. Nie zrywać kontaktów". Dlaczego Kaiser nie ostrzegł ojca? Na litość boską, wychowywali się na tej samej ulicy. Znali się całe życie! Dlaczego Kaiser nic nie zrobił?

Przerwał, bo nagle uświadomił sobie, że wie, dlaczego Kaiser nic nie zrobił. Wiedział o tym od rozmowy z Marco Cerrutim o współzawodnictwie między Kaiserem i ojcem; od wypowiedzi Rity Sutter, że gdyby jego ojciec żył, mogłaby pracować dla niego, a nie dla Wolfganga Kaisera; odkąd zdał sobie sprawę z niesłabnącej zazdrości Armina Schweitzera z powodu przeniesienia Nicka do „Cesarskiego Szańca". Alex Neumann był jedynym człowiekiem, który mógł stanąć na drodze Wolfganga Kaisera do prezesury w United Swiss Bank. Chodziło o stanowisko. Kaiser po prostu nie zrobił nic, żeby zapobiec eliminacji swojego największego rywala.

– To straszne zarzuty – powiedziała Sylvia. Wydawała się przygnębiona, jakby to ją oskarżono.

– Ale prawdziwe – rzekł Nick, zachęcony faktem, że znalazł ostatnie ogniwo splątanego łańcucha. – I zamierzam dopilnować, żeby obaj za to zapłacili.

Miał już dość urażonych uczuć innych, dość świadomej naiwności Sprechera i uporczywej lojalności Sylvii wobec banku. Jego ojciec zginął, żeby Kaiser mógł zapewnić sobie stołek. Banalność tego wszystkiego przyprawiała go o mdłości.

Sylvia objęła Nicka i przytuliła się do niego.

– Nie zrób nic szalonego. Nie wpakuj się w kłopoty.

Kłopoty? Już się w nie wpakował. W całym dotychczasowym życiu nie miał większych. Teraz musiał się wyplątać.

– Jutro rano jadę z Mevlevim do Lugano. Chcę... – zawahał się.

Kusiło go, żeby wyjawić Sylvii cały plan i modlić się, aby uznała go za wykonalny, a może nawet udzieliła mu błogosławieństwa. Niechętnie uznał prawdziwy powód, który powstrzymywał go przed wyjawieniem jej planów. Widmo zbyt wielu pytań bez odpowiedzi nie przestawało klepać go po ramieniu i przekonywać o jej winie. Choć bardzo chciał jej powiedzieć, nie mógł.

– Chcę to zakończyć – dokończył lakonicznie. – Jeśli Mevlevi wymknie się jutro, możesz zacząć odliczać resztę mojego życia na stoperze. I rzucić moje dobre intencje na wiatr. Razem z moimi prochami, pomyślał.

Później wyszli na spacer do lasu, który ciągnął się za jej blokiem. Oboje milczeli, a skrzypienie śniegu było stosownym akompaniamentem ich cichej rozmowy.

Został u Sylvii na noc. Trzymał ją w ramionach i razem ogrzewali wielkie łóżko. Kochali się powoli i bardzo ostrożnie. On dopasowywał się do niej, a ona do niego, każde z nich oddane całkowicie drugiemu. Leżąc koło niej, Nick wiedział, że nękające go podejrzenia nie osłabiły jego uczuć. Powtarzał sobie, że w miłości chodzi o troskę o drugą osobę, nawet jeśli nie zna się jej do końca. Ale w głębi ducha zastanawiał się, czy to nie wymówka i czy nie zostaje z Sylvią na złość Annie.

Doszedł w końcu do wniosku, że nie ma sensu dłużej roztrząsać przeszłości i przyszłości. Musi tylko przebrnąć przez jutrzejszy dzień żywy. Nie wiedział, co będzie potem. I tak jak na jedną noc pofolgował sobie.

Rozdział 60

Daj nam inną butelkę – rozkazał Wolfgang Kaiser, krzywiąc się z obrzydzeniem. – To wino jest zepsute. Smakuje jak siki z octem.

Kelner pochylił głowę i nalał sobie odrobinę corton-charlemagne rocznik 1975. Pociągnął łyk, na chwilę zatrzymał trunek w ustach i połknął.

– Nie podzielam pańskiej opinii. Corton rzadko się psuje. Tym bardziej że to dwie butelki z różnych roczników. Bardzo proszę, żeby przeczyścił pan sobie podniebienie świeżym chlebem i spróbował jeszcze raz.

– Bzdura! – zawołał Kaiser po następnym łyku wina. – Smakuje, jakby nalano je z lufy pistoletu. Przynieś coś innego. – Był pijany i wiedział o tym. Szkocka nigdy mu nie służyła, a wypił dwie kolejki, czekając na Mevleviego. Co za tupet! Znika z hotelu na cały weekend. Telefonuje w niedzielę po południu, proponuje kolację i godzinę się spóźnia.

Kelner spojrzał na właściciela restauracji, szukając aprobaty. Kiedy ją otrzymał, powiedział:

– W tej chwili, proszę pana.

– Bezczelny łajdak – rzucił Kaiser do oddalających się pleców kelnera, choć w duchu kierował ten komentarz do mężczyzny siedzącego po drugiej stronie stołu.

– Złe wieści, Ali. W piątek po południu Klaus Konig zdobył duży pakiet naszych akcji. Stoi u bram banku z grupą abordażową. Już słyszę szczęk ich mieczy. – Chciał roześmiać się beztrosko, ale zdobył się tylko na nerwowy chichot.

Pasza przytknął serwetkę do ust. Był jak zwykle elegancki, ubrany w dwurzędową granatową marynarkę z zawiązanym pod szyją fularem.

– Pan Konig nie może być aż tak groźny – powiedział, jakby mówił o kłopotliwym sąsiedzie.

– Jest jeszcze gorszy – burknął Kaiser. – To bezlitosny najeźdźca. Bogaty, ale mimo wszystko pirat.

Mevlevi uniósł brwi.

– Z pewnością masz środki, żeby odeprzeć jego atak?

– Można by pomyśleć, że z sześćdziesięcioma procentami udziałów mam gwarancję bezpieczeństwa. Ale nie w demokratycznej Szwajcarii. Nigdy nie oczekiwaliśmy, że zaatakuje nas jeden z naszych rodaków. Nasze prawa spisano w ten sposób, żeby uchronić się przed barbarzyńcami. A co do nas samych, my, Szwajcarzy, jesteśmy święci, wszyscy co do jednego. Ale dzisiaj musimy bronić się przed wewnętrznym wrogiem.

– Czego konkretnie potrzebujesz, Wolfgang? Chodzi ci o pożyczkę?

A myślał, że o co, do diabła, chodzi?

– Warunki pozostają takie same – odrzekł Kaiser tonem uprzejmym aż do przesady. – Potrzebujemy tylko dziewięćdziesięciu dni. Będziesz miał gotówkę z powrotem z dziesięcioprocentowym bonusem. Daj spokój, Ali, przecież ta propozycja jest nie tylko korzystna. Jest cholernie opłacalna.

– Owszem, jest. – Mevlevi wyciągnął rękę przez stół i poklepał prezesa po ramieniu. – Zawsze byłeś hojny, mój przyjacielu.

Kaiser wypiął pierś i uśmiechnął się skromnie. Co to za maskarada, w której musi brać udział? Ciągłe udawanie przyprawiało go o mdłości. Zachowywał się, jakby przez wszystkie te lata dbał o dochody Paszy z własnej nieprzymuszonej woli.

– Musisz zrozumieć – ciągnął Mevlevi – że gdybym dysponował teraz tak obfitymi zasobami gotówki, byłaby twoja. Niech diabli wezmą odsetki, nie jestem sknerą. Niestety, o tej porze roku mam problemy z płynnością.

– A czterdzieści milionów, które przeszło przez twoje rachunki w piątek po południu?

– Już zostało zagospodarowane. W obecnej sytuacji nie mogę udzielić ci kredytu.

– Całe dwieście milionów nie jest potrzebne. Wystarczy połowa tej kwoty. Jutro rano po otwarciu giełdy musimy kontynuować skup. Nie mogę pozwolić, żeby Adler Bank dalej kupował nasze akcje. Już mają trzydzieści trzy procent. Jeśli zdobędą więcej, moja kadencja w banku może dobiec końca.

– Świat się zmienia, Wolfgang. Może czas, żeby spróbowali młodsi.

– Zmiana to klątwa w świecie bankowości prywatnej. Naszym klientom zależy na tradycji. My w USB oferujemy bezpieczeństwo, w tym jesteśmy najlepsi. A Adler Bank to jeszcze jedna uliczna dziwka.

Mevlevi sprawiał wrażenie rozbawionego.

– Wolny rynek to niebezpieczne miejsce.

– Ale nie powinien być areną Koloseum – stwierdził Kaiser. – Musimy zdobyć nie mniej niż siedemdziesiąt milionów. Tylko mi nie mów, że przy tak znaczących inwestycjach ta drobna suma jest poza twoim zasięgiem.

– Rzeczywiście drobna. Powinienem zadać ci to samo pytanie. – Znowu pełen rozbawienia uśmiech. – Jeśli sobie przypominasz, spora część moich aktywów jest już w twoich rękach. Dwa procent waszych akcji, prawda?

Kaiser przysunął się bliżej stołu. Zastanawiał się, co, do diabła, tak bawi Mevleviego.

– Stoimy pod ścianą. Czas, żeby przyszli nam w sukurs starzy przyjaciele. Ali – poprosił – zrób to dla mnie.

– Słaba ostatnio płynność gotówkowa każe mi powiedzieć „nie". Przykro mi, Wolfgang.

Kaiser uśmiechnął się melancholijnie. Jest mu przykro? Więc dlaczego wydaje się tak cholernie zadowolony z grożącej USB katastrofy? Sięgnął po kieliszek wina, ale zatrzymał rękę w powietrzu. Miał jeszcze jeden żeton. Czemu z niego nie skorzystać? Podniósł wzrok na swego kompana i powiedział:

– Dorzucę młodego Neumanna.

Mevlevi przytknął serwetkę do brody.

– Naprawdę? Nie wiedziałem, że należy do ciebie.

– Zdobyłem pewne informacje. Nasz młody przyjaciel jest całkiem niezłym detektywem. Zdaje się, że interesuje go przeszłość ojca. – W myślach Kaiser przepraszał Nicholasa, tłumacząc, że zrobił wszystko, by go przy sobie zatrzymać, ale niestety, nie ma przy nim miejsca dla zdrajców. Dwadzieścia lat wcześniej to samo powiedział Aleksowi. Jak mógł uwierzyć, że syn tak bardzo różni się od ojca?

– To powinno niepokoić bardziej ciebie niż mnie – stwierdził Mevlevi.

– Nie sądzę. Neumann wierzy, że w śmierć ojca był zamieszany niejaki Allen Soufi. Ja się tak nie nazywam.

– Ja też nie. – Mevlevi pociągnął łyk wina. – Już nie.

– Neumann dowiedział się też o Goldluxe.

– Goldluxe – mruknął szyderczo Mevlevi. – Nazwa z innej epoki. Niech się dowie wszystkiego, co chce o Goldluxe. Nie sądzę, aby okazano zbytnie zainteresowanie procederem prania brudnych pieniędzy sprzed osiemnastu lat. A ty?

– Oczywiście masz rację, Ali. Ale osobiście nie czułbym się zbyt spokojnie, wiedząc, że bystry młody człowiek, który ma tyle pytań, analizuje moją przeszłość. Kto wie, co jeszcze może wyszperać?

Mevlevi oskarżycielsko wymierzył w Kaisera palec.

– Dlaczego mówisz mi o tym dopiero teraz?

– Sam dowiedziałem się dopiero wczoraj.

– Myślałeś, że przestraszę się tych rewelacji? Mam się teraz czołgać przed tobą ze strachu i szeroko otworzyć portfel? Mam Neumanna w ręku. Jego odciski palców są na broni, z której zastrzelono Alberta Makdisiego. Jeśli piśnie o mnie choć słówko na policji, zostanie aresztowany i zatrzymany do czasu, aż zgromadzę grupę wiarygodnych świadków, którzy powiążą go z miejscem przestępstwa. Neumann jest mój. Tak jak ty. Naprawdę sądzisz, że odważy się mnie zdenerwować? Widział z bliska konsekwencje zdrady. Mówisz, że Nicholas Neumann analizuje moją przeszłość. A ja na to: świetnie, niech sobie analizuje. – Mevlevi roześmiał się. – A może chcesz mnie tylko nastraszyć, Wolfgang.

Nadszedł starszy kelner w smokingu z pomocnikiem w białej marynarce. Nadzorował podanie chilijskiego okonia w sosie z czarnej fasoli.

Przerwali rozmowę do czasu, aż postawiono na stole talerze i obaj kelnerzy znaleźli się poza zasięgiem słuchu.

– Zawsze dbałem o twoje interesy. Uważałem to za swój obowiązek – odezwał się Kaiser. – Mówiąc szczerze, myślałem, że ta informacja będzie warta co najmniej czterdzieści milionów franków. Za taką sumę można kupić jeden punkt procentowy.

– Jeden punkt? – powtórzył Mevlevi. – Dajesz mi Neumanna za jeden punkt? Powiedz mi, co on jeszcze może wiedzieć. Jeśli mam rozważyć twoją propozycję, muszę usłyszeć wszystko.

– Sam go zapytaj. Chodzi nie tyle o to, co wie Nicholas, ile o to, co wiedział jego ojciec. I zapisał. Wspominał, zdaje się, o FBI. Chłopak ma dziennik ojca.

– Co cię tak cieszy?

– Widziałem te zapiski. – Kaiser kłamał jak z nut. – Ja jestem czysty.

– Jeśli Neumann ujawni sprawę Goldluxe, tobie dostanie się bardziej niż mnie.

– Jeśli Klaus Konig odbierze mi bank, mało będzie mnie to obchodzić. Dwadzieścia lat temu odebrałeś mi wszystko inne. Jeśli bank pójdzie na dno, pozwól mi utonąć razem z nim.

– Nigdy nie zależało ci na niczym innym. Jeśli chcesz posłużyć się mną, żeby uspokoić swoje sumienie, proszę bardzo. Ale w głębi serca wiesz, że jesteś taki sam jak ja. – Mevlevi odsunął talerz na środek stołu. – Przykro mi, Wolfgang. Bankowość to twoja specjalność. Jeśli nie potrafisz obronić się przed tymi, którzy są bardziej konkurencyjni, a może nawet bardziej kompetentni od ciebie, mnie za to winić nie możesz.

Kaiser czuł, jak krew napływa mu do twarzy, a razem z nią rośnie jego desperacja.

– Cholera, Ali. Wiem, że masz te pieniądze. Musisz mi je dać. Jesteś mi je winien.

Mevlevi uderzył ręką w stół.

– Nic nie jestem ci winien!

Kaiser wytrzeszczył oczy, a jego szyja poczerwieniała. Czuł się, jakby stracił grunt pod nogami. Jak to możliwe? Dlaczego nikt nie chce mu pomóc?

Mevlevi odchylił się do tyłu. Znowu uosobienie spokoju i opanowania.

– Ale żeby odwdzięczyć ci się za informację o młodym Neumannie, postaram się coś załatwić. Jutro zadzwonię do Gino Makdisiego. Może będzie mógł przyjść ci z pomocą.

– Gino Makdisi? To typ spod ciemnej gwiazdy.

– Jego pieniądze są tak samo zielone jak twoje. *Pecunia non olet.* Praktycznie hymn narodowy twojego kraju, prawda? Pieniądze nie śmierdzą. Z radością przyjmie twoje korzystne warunki.

– Te warunki są tylko dla ciebie. Nie możemy współpracować z członkiem rodziny Makdisich.

Mevlevi wydał z siebie pełne irytacji westchnienie i przytknął serwetkę do ust.

– No dobrze, w takim razie zastanowię się jeszcze nad pożyczką. Ale prawdę mówiąc, nie wiem, skąd wziąć gotówkę. Podzwonię trochę. Mogę dać ci odpowiedź jutro o drugiej.

– Rano mam ważne spotkanie z jednym z naszych najstarszych udziałowców. Przed trzecią nie będzie mnie w biurze. – Kaiser wiedział, że nie może oczekiwać cudów, ale skwapliwie przyjął propozycję. Trudno mu było zabić nadzieję.

Mevlevi się uśmiechnął.

– Obiecuję, że do tego czasu będę miał odpowiedź.

Ali Mevlevi zapakował na wpół pijanego Wolfganga Kaisera do limuzyny, a potem wrócił do restauracji i zamówił sobie williamsa. Przez kilka sekund było mu nawet żal biednego głupca. „Jeden procent", wybełkotał Kaiser, mając nadzieję sprzedać młodego Neumanna jak niewolnika. Neumann był wart tyle co jedna kula i Mevlevi nie zamierzał więcej na niego wydawać.

Korciło go, żeby spełnić prośbę Kaisera, choćby dla uspokojenia własnego sumienia. W końcu nawet on musiał sobie od czasu do czasu przypomnieć, że je ma. Uśmiechając się na tę myśl, pociągnął długi łyk mocnego likieru. Kaiser i jego jeden procent. Młody Neumann detektywem. Przecież świat jest dużo większy.

Zdaniem Alego Mevleviego świat – i jego rola w nim – były nieskończenie wielkie.

Skończył drinka, zapłacił i wyszedł na zimne nocne powietrze. Podniósł rękę i natychmiast usłyszał warkot silnika. Podjechał srebrny mercedes. Wsiadł do wozu i uścisnął rękę Moammarowi-al-Khanowi, swemu libijskiemu majordomusowi.

– Znasz drogę?

– To niedaleko. Parę kilometrów nad jeziorem, a potem między wzgórza. Zajedziemy w piętnaście minut. – Khan podniósł do ust złoty medalion, który nosił na szyi, i pocałował go. – Z pomocą Allaha.

– Na pewno – powiedział Mevlevi, uśmiechając się. Wiedział, że może liczyć na Khana. To właśnie Khan odkrył, że sprzedawana przez Makdisich w Letten heroina nie jest jego. To właśnie Khan wymierzył karę. Powiedział, że sprawiło mu to przyjemność. Oddał przysługę Allahowi. Gino Makdisi wziął sobie tę lekcję do serca. Niestety Albert okazał się zbyt uparty.

Czternaście minut później mercedes podjechał pod samotny drewniany dom na końcu pokrytej koleinami drogi w głębi mrocznego, zaśnieżonego lasu. Przed domem stały trzy samochody. W oknie od frontu paliło się światło.

– Jeden jeszcze nie przyjechał – powiedział Khan. – Nie widzę jego samochodu.

Mevlevi domyślił się, kim jest spóźnialski, ale nie miał mu za złe tych teatralnych gestów. Po prostu ćwiczył nową rolę z kilkudniowym wyprzedzeniem. W końcu dyrektor naczelny zawsze powinien pojawiać się jako ostatni.

Wysiadł z wozu i przeszedł po śniegu do drewnianego domu. Zapukał raz i wszedł do środka. Przy drzwiach stał Hassan Faris. Mevlevi pocałował go w policzek i uścisnął mu dłoń.

– Są dobre wiadomości? – spytał.

– Chase Manhattan i Lehmann Brothers podpisali list intencyjny na pełną kwotę – odpowiedział szczupły Arab. – Zorganizowali już konsorcjum ubezpieczeniowe.

Spod kominka, w którym trzaskał ogień, podszedł jasnowłosy mężczyzna.

– To prawda – potwierdził George von Graffenried, wiceprezydent Adler Bank. – Nasi przyjaciele z Nowego Jorku zdobyli gotówkę. Mamy pożyczkę pomostową na trzy miliardy dolarów. Wystarczy na zakup tych akcji USB, które jeszcze nie są nasze. Kazałeś nam czekać do ostatniej chwili, Ali. Mało brakowało, a zabrakłoby nam kilku groszy.

– Ja zawsze dotrzymuję słowa, George. Albo robi to za mnie Khan.

Ironiczny uśmieszek zniknął z twarzy von Graffenrieda.

Mevlevi pomachał do chudego mężczyzny stojącego przy kominku.

– Panie Zwicki, miło pana widzieć. Doceniam pańskie zaangażowanie w nasz mały spisek. A zwłaszcza pański wkład w ciągu ostatnich kilku dni.

Na jego rozkaz Zwicki, szef działu obrotu akcjami w USB, ograniczył zakup przez bank własnych akcji do minimum, skutecznie neutralizując wychwalany plan Maedera.

Sepp Zwicki podszedł bliżej i skinął głową.

– Cała przyjemność po mojej stronie.

– Czekamy na pańskiego kolegę, doktora...

W tej chwili otworzyły się drzwi i wparadował do środka Rudolf Ott.

– Dobry wieczór, panie Mevlevi. Sepp, Hassan, George, cześć. – Przyciągnął do siebie von Graffenrieda i szepnął: – Dostałeś moją ostatnią notatkę? Skontaktowałeś się już z Funduszem na rzecz Wdów i Sierot?

– Jutro sprawa powinna się rozstrzygnąć, Herr Ott. Jestem pewien, że nie będzie pan zawiedziony.

– Dobry wieczór, Rudolf. – Mevlevi nie znosił tego lizusa, ale był najważniejszym członkiem ich zespołu. – Wszystko przygotowane na jutro?

Ott zdjął okulary i czystą chusteczką starł ze szkieł parę.

– Naturalnie. Dokumenty są gotowe. Będzie pan miał swoje pieniądze do południa. Osiemset milionów, to porządna suma. Chyba nigdy nie pożyczyliśmy tyle osobie prywatnej.

Mevlevi też tak sądził. Miał oczywiście zabezpieczenie. Około trzech milionów akcji USB w Adler Bank, nie wspominając o kolejnych kilkuset tysiącach w samym USB. Ale w przyszłości zniknie konieczność okazywania zabezpieczenia. Przecież dlatego brał w ręce ster tego banku. Był to cel całej operacji. Czas się zalegalizować.

Jutro rano Klaus Konig ogłosi ofertę: dwa miliardy osiemset milionów dolarów za sześćdziesiąt sześć procent akcji USB, których jeszcze nie kontrolował. We wtorek podczas walnego zgromadzenia Ott ogłosi poparcie dla inicjatywy Adler Bank. Wezwie Wolfganga Kaisera do natychmiastowej rezygnacji. Zarząd poprze jego wniosek. Każdy członek zarządu posiadał gruby pakiet akcji USB. Nikt nie mógł odrzucić potężnej premii proponowanej przez Adler Bank. Za swoją lojalność (lub zdradę – w zależności od punktu widzenia) Ott stanie przy sterze nowo skonsolidowanego banku USB-Adler. Codziennymi operacjami zajmie się von Graffenried. Zwicki i Faris podzielą się działem obrotu akcjami. Klaus Konig zachowa nominalną pozycję prezydenta, choć jego prawdziwe obowiązki ograniczą się do opracowywania strategii inwestycyjnej nowego banku. Był zbyt impulsywny, żeby kierować uniwersalnym szwajcarskim bankiem. Gdyby miał jakieś zastrzeżenia, można mu było urządzić małe tête-à-tête z Khanem.

Z czasem nowi pracownicy obejmą kluczowe stanowiska: globalne operacje skarbowe, rynki kapitałowe, dział do spraw zachowania poufności. Ludzie pokroju Farisa. Ludzie wybrani przez Mevleviego. Do zarządu zostaną wprowadzeni nowi członkowie. Połączone zasoby United Swiss Bank i Adler Bank będą jego. Ponad siedemdziesiąt miliardów dolarów do dyspozycji.

Myśl ta sprowadziła na twarz Alego Mevleviego szeroki uśmiech. Wszyscy wokół niego też się uśmiechnęli. Ott, Zwicki, Faris, von Graffenried. Nawet Khan.

Mevlevi nie zamierzał nadużywać swojej władzy. Przynajmniej na razie. Ale mógł wykorzystać bank do tylu pożytecznych celów. Kredyty dla odpowiednich firm w Libanie, dofinansowanie jordańskiego *firyal*, przemycenie kilkuset milionów przyjacielowi Husajnowi w Iraku. Chamsin był tylko początkiem. Ale był też najbliższy jego sercu.

Mevlevi przeprosił zebranych i wyszedł na dwór, żeby zadzwonić do swojej kwatery operacyjnej pod Bejrutem. Poczekał na połączenie z generałem Marczenko.

– *Da?* Pan Mevlevi?

– Generale Marczenko, dzwonię z wiadomością, że tutaj wszystko przebiega zgodnie z planem. Będzie pan miał swoje pieniądze nie później niż jutro w południe. Dziecko musi być wtedy gotowe do podróży. Atak porucznika Iwłowa ma się rozpocząć równocześnie.

– Zrozumiałem. Gdy tylko dostanę wiadomość o wysłaniu przelewu, dziecko w ciągu kilku sekund znajdzie się w powietrzu. Czekam na wiadomość od pana.

– Dwunasta, Marczenko. Ani minuty później.

Mevlevi przerwał połączenie i schował telefon komórkowy do kieszeni. Wciągnął chłodne nocne powietrze, napawając się mrozem. Nigdy jeszcze nie czuł w sobie tyle życia.

Jutro zawieje Chamsin.

Rozdział 61

Nick wyszedł z mieszkania Sylvii o wpół do szóstej. Odprowadziła go do drzwi i kazała mu obiecać, że będzie na siebie uważał. Zignorował niepokój w jej głosie. Wolał się nie zastanawiać, czy widzą się po raz ostatni. Pocałował ją, zapiął kurtkę i ruszył w dół w stronę Universitätstrasse. Temperatura spadła poniżej zera. Niebo było czarne jak atrament. Wsiadł do pierwszego tego dnia tramwaju i pięć po szóstej był już w Personnelhaus. Wbiegł po schodach na pierwsze piętro i szybkim krokiem dotarł do swojego mieszkania. Wsuwając klucz, zdał sobie sprawę, że drzwi są otwarte. Pchnął je. Otworzyły się powoli.

Mieszkanie było w opłakanym stanie. Wprawna ręka dokładnie przetrząsnęła wszystkie kąty.

Biurko zostało przewrócone. Po podłodze walały się roczne raporty i rozmaite dokumenty. Na dywan wyrzucono z szafy wszystkie garnitury. Wyciągnięto i opróżniono szuflady z komody. Wszędzie leżały porozrzucane koszule, swetry i skarpety. Łóżko przewrócono na bok. Materac leżał krzywo, a pościel skotłowano. Łazienka wcale nie prezentowała się lepiej: zbite lustro w szafce na leki, kawałki szkła na podłodze.

Nick ogarnął to wszystko wzrokiem. Nagle zauważył kaburę. Leżała na drugim końcu pokoju przy półkach z książkami. Trójkąt lśniącej czarnej skóry. Była pusta. Pistolet zniknął.

Zamknął za sobą drzwi i zaczął spokojnie porządkować ubrania. Miał nadzieję, że poczuje twardą powierzchnię kanciastej lufy pistoletu lub jego chropowaty uchwyt. Nic. Podnosił podkoszulki i swetry, modląc się, żeby natknąć się na niebiesko-czarny błysk colta commandera. Nic. Szukał coraz bardziej gorączkowo. Chodził po mieszkaniu, przesuwając rękami po podłodze. Podniósł materac i rzucił go na drugi koniec pokoju. Ustawił pionowo ramę łóżka. Nic. Cholera!

Wtem coś zwróciło jego uwagę. Przy biurku leżała sterta książek. Na wierzchu zauważył podręcznik ze szkoły biznesu, dużą książkę Brealy'ego i Myersa pod tytułem *Principle of Finance*. Była otwarta; strony oderwano od grzbietu. Następny podręcznik spotkał ten sam los. Nick wyciągnął *Iliadę* w miękkiej oprawie, ulubioną książkę ojca. Papierowe okładki wygięto do tyłu, a strony zamieniły się w wachlarz. Rzucił książkę na podłogę.

Przerwał poszukiwania. Wyprostował się, samotny w cichym mieszkaniu. Był tu Mevlevi – lub jeden z jego ludzi – i szukał czegoś konkretnego. Czego?

Nick zerknął na zegarek i ze zdumieniem zauważył, że minęło pół godziny. Była szósta trzydzieści pieć. Miał dziesięć minut, żeby wziąć prysznic, ogolić się i założyć czyste ubranie. Limuzyna miała podjechać o szóstej czterdzieści pięć. Był umówiony w hotelu Dolder o siódmej. Chwycił dwie brudne koszule, przyklęknął i oczyścił podłogę maleńkiej łazienki ze szkła. Kiedy skończył, rozebrał się i ostrożnie przeszedł po podłodze. Wziął marynarski prysznic – trzydzieści sekund pod lodowatą wodą. Ogolił się w rekordowym czasie: dziesięć ruchów maszynką, do diabła z tym, co zostało.

Na zewnątrz dwa razy zatrąbiono klaksonem. Odsunął zasłonę. Podjechała limuzyna.

Podszedł do przewróconego biurka i przekręcił je na bok. Przesunął ręką wzdłuż każdej nogi, szukając małego wgłębienia zrobionego kilka tygodni temu. Znalazł je i odkręcił okrągłą stopkę na dole. Wsunął do środka kciuk i palec wskazujący. Gdy poczuł końcówkę ostrego przedmiotu, odetchnął z ulgą. Chwycił metalowe ostrze i wyciągnął nóż. Jego wojskowy scyzoryk. Kuba Rozpruwacz. Ząbkowany z jednej strony, ostry jak brzytwa z drugiej. Kilka lat temu obwiązał rączkę taśmą, żeby poprawić uchwyt. Stara taśma była poplamiona potem, błotem i krwią.

Nick przetrząsnął śmieci rozrzucone po podłodze w łazience i znalazł rolkę podobnej taśmy. Korzystał z niej do mocowania opaski na prawym kolanie, kiedy ćwiczył. Szybko wyciął cztery paski taśmy i przykleił je do brzegu stołu. Wziął nóż i przycisnął go – uchwytem do dołu do wilgotnego kawałka skóry pod lewym ramieniem. Brał po kolei kolejne kawałki taśmy i przymocował nóż do ciała. Solidnie, ale nie za mocno. Silne pociągnięcie uwolni nóż. Kolejny ruch rozpruje komuś brzuch.

Nick przebrnął przez rozrzucone rzeczy, szukając czystych ubrań. Znalazł koszulę i garnitur, które wróciły niedawno z pralni. Na szczęście nie były zbyt pogniecione, więc założył je. W szafie został jeden krawat. Chwycił go i wypadł z mieszkania.

W limuzynie co chwila sprawdzał, która jest godzina. Ruch na ulicach był spory, większy niż zwykle. Czarny mercedes minął Bellevue i sunął dalej pod górę Universitätstrasse. Wjechał na Zurichberg i przeciął las. Wysoko z lewej strony ukazała się przypominająca gołębnik wieża hotelu Dolder Grand.

Operacja rozpoczęta, pomyślał Nick.

Nick ledwo się pohamował, żeby nie otworzyć drzwi przed zatrzymaniem się limuzyny. Był na siebie wściekły za spóźnienie. Tylko dziesięciominutowe, ale dzisiaj właśnie czas był najważniejszy. Wbiegł na górę i przemknął przez obrotowe drzwi. Od razu zauważył Paszę.

– Dzień dobry, Nicholas – przywitał go Mevlevi spokojnie. – Spóźniłeś się. Ruszajmy od razu. Pan Pine, szef nocnej zmiany, twierdzi, że może spaść śnieg. Nie chcemy, żeby w masywie Świętego Gotharda zaskoczyła nas burza śnieżna.

Nick uścisnął Mevleviemu rękę.

– Nie powinno być żadnych problemów. Tunel Świętego Gotharda jest zawsze otwarty, nawet przy najgorszej pogodzie. Kierowca zapewnił mnie, że powinniśmy zdążyć na czas. Samochód ma napęd na cztery koła i łańcuchy.

– Ty będziesz pomagał zakładać łańcuchy, nie ja. – Mevlevi uśmiechnął się, skinął głową do szofera stojącego przy tylnych drzwiach limuzyny i wsiadł do wozu.

Nick poszedł w jego ślady i pozwolił, żeby szofer zamknął za nim drzwi. Pragnął być idealnym asystentem. Uprzejmym, sympatycznym, dyskretnym.

– Ma pan paszport i trzy zdjęcia? – zapytał Paszę.

– Oczywiście. – Mevlevi wręczył Nickowi jedno i drugie. – Obejrzyj sobie. Paszport dostałem od moich przyjaciół z brytyjskiego wywiadu. Podobno autentyk. Brytyjczycy lubią argentyńską odmianę. Posypują solą stare rany. Sam wybrałem nazwisko. Sprytnie, nie sądzisz?

Nick otworzył paszport. Ten sam, który Pasza okazał w Międzynarodowym Funduszu Powierniczym w Zug, wydany na nazwisko niejakiego Allena Malvinasa, mieszkańca Buenos Aires. Siedziby El Oro des Andes.

– Wspominał pan, że mieszkał kiedyś w Argentynie?

– Tak, ale krótko. W Buenos Aires.

Nick bez dalszych komentarzy oddał paszport. Soufi, Malvinas, Mevlevi. Wiem, kim jesteś, pomyślał.

Mevlevi wsunął paszport za pazuchę.

– Rzecz jasna używałem też innych nazwisk.

Nick rozpiął marynarkę i musnął ramieniem stalowe ostrze. Uśmiechnął się do siebie. A ty wiesz, że ja wiem, dodał w duchu.

Gra się rozpoczęła.

Pędzili przez dolinę Tal. W samochodzie panowała cisza. Pasza sprawiał wrażenie pogrążonego we śnie. Nick obserwował krajobraz za oknem. Niebo pokryły ciężkie szare chmury. Ale śnieg na szczęście nie padał.

Po godzinie minęli położoną nad jeziorem wioskę Küssnacht i skręcili w węższą drogę, która biegła wzdłuż stromego północnego zbocza Vierwaldstätter See w stronę przełęczy Świętego Gotharda. Nick spojrzał na jezioro. Wydało mu się, że dostrzega grot-żagiel szkunera, poszarpany przez huragan. Gdyby był przesądny, uznałby to za zły omen. Po chwili samochód wjechał w pierwszą z kilku stref przelotnego deszczu i jezioro zniknęło mu z oczu.

W tym samym czasie, gdy mercedes przejeżdżał przez Küssnacht, Sylvia Schon po raz czwarty wybrała domowy numer prezesa. Nikt nie odbierał. Po dwudziestym siódmym sygnale cisnęła słuchawkę na widełki.

Gdzie on się podziewa? – zastanawiała się.

Wpadła do kuchni i przetrząsnęła szuflady w poszukiwaniu papierosów. Znalazła zmiętą paczkę gauloise'ów i wyciągnęła z niebieskiego opakowania jednego papierosa. Przypalając go, pomyślała o Wolfgangu Kaiserze. Biedak. Było nie do pomyślenia, że może stracić bank, który budował przez całe życie. A jednak takie rzeczy zdarzały się codziennie w świecie wolnego rynku. Właściwie powinna czuć złość, a nie litość. To jego brak wyobraźni zagrażał jej karierze. To jego głupota doprowadziła do tak strasznej sytuacji.

Sylvia zaciągała się głęboko, pragnąc zagłuszyć zapach, który został po Nicku. Nie zdradzam go, tłumaczyła sobie. Ratuję siebie. Mogłam go pokochać. Czy on tego nie rozumie? A może jest zbyt pochłonięty własną krucjatą, by zauważyć, że ja prowadzę swoją? Nie wie, co się stanie, jeśli aresztują Kaisera? Ster przejmie Rudolf Ott. Ott, który robił, co mógł, żebym nie awansowała. To przez niego. Jego trzeba winić.

Odezwało się w niej współczucie, ale nie była pewna dla kogo. Dla Nicka. Dla siebie. Wszystko jedno. Obrała swoją drogę dawno temu.

Zgasiła papierosa i zerknęła na zegarek. Rita Sutter przyjdzie do biura za dziesięć minut. Kaiser mówił, że można według niej nastawiać zegarki. Codziennie od dwudziestu lat zjawiała się w pracy punktualnie o siódmej trzydzieści. Rita będzie wiedziała, gdzie znaleźć prezesa. Mówił jej o wszystkim, co robi.

Sylvia zadrżała i znowu sprawdziła godzinę. Choć było jeszcze osiem minut za wcześnie, podniosła słuchawkę i wybrała numer „Cesarskiego Szańca".

Droga stała się mniej stroma. Biegła teraz wzdłuż brzegów rzeki Reus wprost w niedostępne serce szwajcarskich Alp. Nick wyglądał przez okno, nieczuły na otaczające go piękno. Zastanawiał się, gdzie teraz jest Thorne. Modlił się, żeby Kaiser punktualnie wyruszył na spotkanie z hrabią. Minęli Altdorf, a potem dwie kolejne wioski: Amsteg i Wassenen.

Gdy zbliżali się do miejscowości Goschenen, Ali Mevlevi kazał szoferowi zjechać z autostrady. Chciał rozprostować nogi. Kierowca skręcił przy najbliższym zjeździe, wjechał do centrum malowniczej wioski i zatrzymał samochód przy bulgoczącej fontannie. Wszyscy trzej wysiedli.

Pasza spojrzał na zegarek.

– W tym tempie zajedziemy godzinę przed czasem – powiedział. – Przypomnij mi, na którą jesteśmy umówieni.

– Na dziesiątą trzydzieści – odpowiedział Nick. Nie przewidywał żadnych przystanków. To miał być pociąg ekspresowy. Intercity bez postojów.

– Dziesiąta trzydzieści – powtórzył Mevlevi. – Mamy ponad dwie godziny. Nie chcę siedzieć w przegrzanym pokoju i kręcić młynka palcami w oczekiwaniu na tego sługusa.

– Możemy zadzwonić do pana Wenkera z biura paszportowego i poprosić o wcześniejsze spotkanie. – Nick obawiał się spóźnienia. W ogóle nie zastanawiał się, co zrobi, jeśli przyjadą wcześniej.

– Nie, nie. Lepiej go nie niepokoić. – Mevlevi podziwiał szare niebo. – Mam inny pomysł. Wybierzmy starą trasę przez przełęcz. Nigdy tędy nie jechałem.

Przez przełęcz? Ależ to szaleństwo, pomyślał Nick. Tam musi być jak na ślizgawce.

– Ta droga jest bardzo niebezpieczna – zaoponował. – Stroma i kręta. I prawdopodobnie oblodzona. To nie jest dobry pomysł.

Przez twarz Paszy przemknął cień.

– A ja myślę, że wręcz cudowny. Zapytaj szofera, jak długo to potrwa.

Kierowca, który palił papierosa przy fontannie, sam udzielił odpowiedzi.

– Skoro nie ma śniegu, wjedziemy i zjedziemy w ciągu godziny.

– Widzisz, Neumann – ucieszył się Pasza. – W ciągu godziny. Doskonale! Przynajmniej odbędziemy podróż w pięknej scenerii.

W głowie Nicka rozdzwoniła się syrena alarmowa. Spojrzał na malowniczą panoramę. Alpejska dolina wznosiła się stromo po obu stronach, a jej zbocza pokrywały skały i zaśnieżone sosny. Poszarpane szczyty kilkunastu mniejszych gór wyłaniały się zza skłębionej mgły.

– Nalegam, żebyśmy trzymali się autostrady. Pogoda w górach szybko się zmienia. Zanim dotrzemy do przełęczy, może nas złapać burza śnieżna. Nie mogę do tego dopuścić.

– Neumann, gdybyś wiedział, jak rzadko opuszczam mój suchy kraj, nie odbierałbyś mi tej przyjemności. Nawet jeśli pan Wenker poczeka sobie trochę, cóż z tego? Nie pogniewa się – nie za prowizję, którą niewątpliwie wypłaca mu Kaiser. – Mevlevi podszedł do szofera i klepnął go w plecy. – Zajedziemy do Lugano na dziesiątą trzydzieści, dobry człowieku?

– Bez problemu – zapewnił kierowca. Zgniótł butem niedopałek i poprawił czapkę.

Nick uśmiechnął się nerwowo do Paszy. Spóźnienie się na spotkanie z panem Wenkerem ze szwajcarskiego biura paszportowego było luksusem, na który po prostu nie mogli sobie pozwolić. Powodzenie całego planu zależało od punktualności. Byli oczekiwani o dziesiątej trzydzieści. I o dziesiątej trzydzieści musieli przyjechać.

Otworzył drzwi, ale przed wejściem do auta zatrzymał się na chwilę, żeby jeszcze raz zaczerpnąć powietrza. Mevlevi zaplanował ten objazd. Szofer był jednym z jego ludzi. Na pewno. Nikt o zdrowych zmysłach nie wybrałby trasy przez przełęcz Świętego Gotharda przy takiej pogodzie. Przejazd w środku zimy był czystym szaleństwem. Droga będzie śliska i nieodśnieżona. Co gorsza, w każdej chwili mógł zacząć sypać śnieg.

Mevlevi podszedł do samochodu. Zanim wsiadł, spojrzał Nickowi w oczy i dwa razy klepnął w dach limuzyny.

– No to jedziemy?

Sylvia Schon wrzeszczała na telefonistkę w centrali banku.

– Nie obchodzi mnie, że jest zajęte! Proszę mnie przełączyć na inną linię. To bardzo pilne. Rozumie pani?

– Pani Sutter rozmawia przez telefon – wyjaśniała cierpliwie telefonistka. – Proszę zadzwonić później. *Auf Wiederhören.*

Połączenie przerwano.

Oburzona, ale nie pokonana, Sylvia spróbowała po raz trzeci dodzwonić się do sekretarki prezesa. Wreszcie usłyszała długi, przerywany sygnał, na który tak bardzo czekała.

– Sekretariat Herr Kaisera, Sutter.

– Pani Sutter – zaczęła Sylvia – gdzie jest prezes? Muszę natychmiast z nim porozmawiać.

– Domyślam się, że rozmawiam z Fräulein Schon – odpowiedział chłodny głos.

– Tak – potwierdziła Sylvia. – Gdzie on jest?

– Prezesa nie ma. Można się z nim skontaktować dopiero po południu.

– Ale ja muszę wiedzieć, gdzie jest teraz – upierała się Sylvia. – To bardzo pilne. Proszę mi powiedzieć, gdzie mogę go znaleźć.

– Oczywiście – odpowiedziała Sutter, jak zawsze oficjalnym tonem. – Może go pani znaleźć w jego gabinecie o trzeciej po południu. Nie wcześniej. Mogę coś dla pani zrobić?

– Nie, do diabła. Proszę mnie posłuchać. Prezesowi grozi niebezpieczeństwo. Chodzi o jego bezpieczeństwo i wolność. Muszę go ostrzec.

– Proszę się uspokoić, młoda damo – rozkazała Rita Sutter. – Co pani rozumie przez „niebezpieczeństwo"? Jeśli chce pani pomóc Herr Kaiserowi, musi pani mi powiedzieć. A może woli pani porozmawiać z doktorem Ottem?

– Nie! – Sylvia uszczypnęła się w rękę, żeby zachować spokój. – Proszę, pani Sutter. Proszę, Rito. Musisz mi uwierzyć. Musisz mi powiedzieć, gdzie mogę go złapać. To dla dobra nas wszystkich.

Rita Sutter odchrząknęła.

– Będzie u siebie w gabinecie o trzeciej po południu. Do widzenia.

– Chwileczkę! – krzyknęła Sylvia Schon do ciągłego sygnału w słuchawce.

Nick wyglądał przez okno. Szary poranek sposępniał jeszcze bardziej. Chmury ciemniały i gęstniały. Niedługo zacznie padać śnieg. Nick dostrzegł samochód pokonujący krętą drogę poniżej. Poruszał się z zadziwiającą prędkością, przyspieszając na krótkich prostych odcinkach i hamując przed groźnymi zakrętami. A więc był jeszcze ktoś na tyle szalony, żeby poważyć się na przejazd przez przełęcz. Limuzyna zwolniła, żeby wejść w ostry zakręt. Nick przycisnął policzek do szyby, na której wylądowały pierwsze płatki śniegu. Usiadł normalnie i zaczął się modlić, żeby dojechali na przełęcz przed śnieżycą.

Mevlevi pochylił się do przodu i zapytał kierowcę:

– Ile jeszcze na szczyt?

– Pięć minut – odparł szofer. – Proszę się nie martwić. Zdążymy przed burzą.

Ledwie wypowiedział te słowa, mercedes wjechał w gęsty zwał chmur. Widoczność w jednej chwili spadła ze stu pięćdziesięciu do sześciu metrów. Kierowca zahamował gwałtownie.

– *Scheiss* – zaklął.

Tymczasem Pasza wydawał się dziwnie zadowolony. Oparł głowę o zagłówek i spojrzał na Nicka.

– Brak posłuszeństwa – powiedział, jakby rzucał temat do rozmowy. – Specjalność twojej rodziny, prawda? Chcielibyście powiedzieć wszystkim dookoła, żeby się odpieprzyli. Robicie wszystko po swojemu. Powinieneś zrobić karierę w mojej branży.

A więc teraz handlowanie narkotykami nazywa się karierą?, pomyślał Nick.

– Podoba mi się tak, jak jest – odparł.

Pasza uśmiechnął się szeroko.

– Wiem z dobrych źródeł, że bardzo cię interesuje bankowe archiwum. Na przykład moja teczka. I inne dokumenty. Starsze. Sporządzone przez twojego ojca. Raporty miesięczne, tak je chyba nazywacie. Mam rację? Potrzebowałeś ich, żeby potwierdzić informacje z tych jego terminarzy?

Przez chwilę Nick zastanawiał się, czy zdoła wziąć następny oddech. I w tym samym momencie jego umysł eksplodował tysiącem pytań. Kto powiedział Mevleviemu, że bada raporty ojca? Kto wspomniał o jego zainteresowaniu teczką rachunku 549.617 RR? Skąd Mevlevi wie o terminarzach?

Nick nakazał sobie zignorować te pytania. Jego jedynym zadaniem jest doprowadzenie Paszy do hotelu Olivella au Lac, gdzie pan Yves-Andre Wenker, urzędnik państwowy na skromnej pensji, będzie przez godzinę wypytywał go, dlaczego chce otrzymać obywatelstwo szwajcarskie. Sprowadź Paszę do hotelu, a reszta pójdzie jak z płatka.

– Alex Neumann – ciągnął Mevlevi. – Znałem go. Podejrzewam, że już o tym wiesz. Czy twoje drogocenne raporty miesięczne wyjaśniły, dlaczego zginął?

Nick wyprostował się w fotelu. Chciał krzyknąć: Zamknij się! Nie masz pojęcia, co mogę ci zrobić. Tylko daj mi pretekst. Proszę. Drugi głos kazał mu się uspokoić. Nie daj się sprowokować, mówił. On cię testuje, sprawdza, co wiesz. To wszystko sztuczki. Sylvia nie mogła mu powiedzieć.

– Zastrzelono go, prawda? – mówił dalej Mevlevi. – Czy wystarczyła jedna kula, czy może kilka? Na przykład trzy? Nie widziałem jeszcze nikogo, kto przeżyłby trzy strzały w klatkę piersiową. Korzystam z nabojów dum-dum. Rozrywają serce na kawałki.

Nick słyszał tylko połowę słów. Opanowała go wściekłość, nad którą ledwie panował. Widział świat przez purpurową zasłonę. I miał przyklejony do boku nóż, który krzyczał: „Użyj mnie. Skończ z tym, szybko. Zabij go".

Uniósł rękę, żeby zadać Mevleviemu szybki cios w szczękę, ale znieruchomiał. Pasza trzymał w dłoni srebrny pistolet kaliber 9 mm i celował mu prosto w serce. Uśmiechał się.

Sylvia Schon weszła do sekretariatu prezesa i zatrzymała się przed biurkiem Rity Sutter.

– Gdzie on jest? – zapytała. – Muszę natychmiast się z nim widzieć.

Rita podniosła wzrok znad klawiatury.

– Nie słyszała pani, co powiedziałam przez telefon? Prezes będzie dopiero po południu. Do tego czasu nie wolno mu przeszkadzać.

– Ale to nie może czekać – oznajmiła Sylvia gniewnym tonem. – Jeśli chce pani przyjść jutro do pracy i mieć tego samego szefa, musi mnie pani z nim skontaktować.

Rita Sutter odsunęła się od biurka i zdjęła okulary.

– Proszę się opanować. Biuro prezesa to nie miejsce na urządzanie histerii. Ani na rzucanie gróźb.

Sylvia walnęła pięścią w biurko. Była na skraju wytrzymałości.

– Proszę mi natychmiast dać jego numer. Jeśli zależy pani na nim i na banku, w tej chwili powie mi pani, gdzie on jest.

Rita wzdrygnęła się, słysząc obraźliwe słowa. Wstała zza biurka, chwyciła Sylvię za ramię i zaprowadziła ją do kompletu wypoczynkowego ustawionego pod ścianą.

– Jak pani śmie mówić do mnie w ten sposób? Co pani może wiedzieć o moich uczuciach do banku? Albo do Herr Kaisera? Co w panią wstąpiło?

Sylvia wyrwała rękę z mocnego uchwytu sekretarki i usiadła na sofie.

– Dziś rano Herr Kaiser zostanie aresztowany. Zadowolona? A teraz proszę mi powiedzieć, gdzie on jest. Gdzieś nad Ticino. W Lugano czy w Locarno? W Bellinzonie? Mamy filie we wszystkich tych miastach.

– Kto zamierza aresztować Herr Kaisera?

– Nie wiem. Pewnie Thorne… ten Amerykanin.

– Kto to zrobił? Mevlevi? Zawsze wiedziałam, że jest złym człowiekiem. On skompromitował Wolfganga?

Sylvia spojrzała na starszą kobietę jak na obłąkaną.

– Mevlevi? Oczywiście, że nie. Jego aresztują razem z prezesem. To Nicholas. Nicholas Neumann. On wszystko zaaranżował. Myślę, że pracuje dla DEA.

Rita uśmiechnęła się z niedowierzaniem; po chwili pokręciła głową i zasępiła się.

– A więc dowiedział się? O Boże. Co mówił?

– Że Kaiser pomógł Mevleviemu zabić jego ojca. Że zamierza powstrzymać ich obu. – Sylvia zacisnęła pięści, jakby siłą woli chciała zmusić starszą kobietę do działania. Zależało jej tylko na tym, żeby Wolfgang Kaiser nie wpadł w ręce policji, a Rudolf Ott nie zastąpił go na stanowisku prezesa USB. – Proszę powiedzieć, jak mogę się z nim skontaktować.

Rita Sutter otrząsnęła się z zamyślenia.

– Obawiam się, że będziemy musiały poczekać – powiedziała. – Przynajmniej na razie. Jest w samochodzie pana Fellera, a ja nie mam numeru. Powinni dotrzeć do Lugano za godzinę. Prezes ma umówione spotkanie z Eberhardem Sennem, hrabią Languenjoux.

– Gdzie odbędzie się to spotkanie?

– W hotelu Olivella au Lac. Hrabia mieszka tam zimą.

– Poproszę numer do hotelu. Szybko.

– Jest na moim biurku. Co chce pani powiedzieć?

– Powiem, żeby Herr Kaiser zadzwonił do nas zaraz po przyjeździe. O której powinien być na miejscu?

– Wolfgang wyszedł z mojego domu piętnaście po siódmej – powiedziała Rita Sutter. – Jeśli nie pada śnieg, powinni zajechać na miejsce przed dziesiątą trzydzieści.

Sylvia była pewna, że się przesłyszała.

– Herr Kaiser był u pani wczoraj w nocy? Spędził noc u pani?

– Co panią tak dziwi? – odparła Rita Sutter. – Od lat kocham Wolfganga. Pytała pani, czy zależy mi na banku. Oczywiście, że tak. Przecież należy do Wolfganga. – Znalazła numer telefonu do hotelu Olivella au Lac i podała go jej.

Sylvia podniosła słuchawkę i wybrała numer. Gdy odebrała telefonistka z centrali hotelu, powiedziała:

– Poproszę z recepcją. To pilne.

Nick przyklęknął na jedno kolano. Nie spuszczał wzroku z lufy pistoletu. Asfaltowy parking wieńczący przełęcz Świętego Gotharda ginął w śniegu. Limuzyna była gdzieś za nim, a szofer stał obok wozu. Widoczność bliska zeru. Dotarli tu przed niespełna minutą. Nick posłusznie wykonywał polecenia Mevleviego: wysiadł z samochodu i zrobił kilka kroków w głąb śnieżnej mgły. Wiedział, że powinien się bać, ale przede wszystkim było mu głupio. Wychwycił tyle ostrzegawczych sygnałów, ale wszystkie zignorował. Pozwolił, żeby zaślepiły go emocje. Nic dziwnego, że Sylvia miała tak łatwy dostęp do raportów ojca. Nic dziwnego, że Kaiser oskarżył Schweitzera. Nic dziwnego, że Mevlevi wiedział o terminarzach ojca. Było oczywiste, kto dostarczył te informacje. Doktor Sylvia Schon. Nick mógł tylko podziwiać sprawność ich systemu przekazywania wiadomości.

Mevlevi stał nad nim z pełnym pogardy uśmieszkiem.

– Dziękuję. Dałeś mi wystarczająco dużo powodów, by zostawić cię tutaj, na tym niegościnnym szczycie. Mam nadzieję, że znajdziesz drogę do domu. I nie zawracaj sobie głowy restauracją. Jest zamknięta do maja. A jeśli chodzi o telefon – pokręcił głową – przykro mi. Nie działa.

Nick patrzył cały czas na broń. Ten sam pistolet, który zabił Alberta Makdisiego.

– Widzisz, nie mogę pozwolić, żeby pracował dla mnie ktoś, kto tak mało dba o siebie. Naprawdę powinieneś bardziej myśleć o sobie. Kaiser był idealny. Nasze cele zawsze się pokrywały. Wystarczyło tak niewiele, żeby pchnąć go we właściwym kierunku. Chyba mnie rozpieścił.

Nick nie słuchał rozwlekłego monologu Paszy. Zastanawiał się, kiedy użyć noża, jak odwrócić uwagę Mevleviego i co potem zrobić z szoferem.

– Myślałem, że będzie z ciebie wyborny żołnierz – ciągnął Pasza. – A raczej Kaiser tak myślał. Jakże się cieszył, że dostał szansę uwiedzenia syna człowieka, który chciał go zdradzić. Resztę znasz. I nie możemy na to pozwolić, prawda? Co do Kaisera, podejrzewam, że szybko przeboleje stratę. Pewnie już we wtorek, kiedy Adler Bank przejmie USB i prezes straci pracę.

Wycelował do Nicka.

– Przykro mi, Nicholas. Miałeś rację. Nie mogę się dzisiaj spóźnić. Potrzebuję szwajcarskiego paszportu. To moje zabezpieczenie przed twoim rodakiem, panem Thorne'em.

Zrobił krok do przodu, umieszczając lśniący pistolet pod brodą swojej ofiary. Nick nie podnosił wzroku. Usłyszał metaliczne szczęknięcie zwalnianego bezpiecznika. Wtedy zaatakował. Wsunął rękę pod koszulę i namacał nóż. Szarpnął w dół i do zewnątrz. Jego ręka zatoczyła w powietrzu łuk. Nóż rozciął spodnie Paszy i utkwił w goleni. Pasza strzelił, ale nie trafił. Padł na kolano i zaklął głośno. Podniósł pistolet do kolejnego strzału. Nick zerwał się na nogi i zaczął biec. Szofer próbował zastąpić mu drogę. Trzymał rękę za pazuchą czarnej kurtki. Teraz wyciągnął ją. Miał broń.

Nick rzucił się prosto na niego. Obrócił nóż w ręku, żeby ząbkowane ostrze znalazło się na dole. Jednym cięciem niemal oddzielił ramię przeciwnika od reszty ciała. Szofer upadł, krzycząc.

Nick biegł co sił w nogach. Wiatr wyciskał mu z oczu łzy, które zamarzały na policzkach. Usłyszał huk wystrzału, potem jeszcze jeden i kolejne. Cztery. Pięć. Stracił rachubę. Siłą woli chciał zmusić nogi, żeby podnosiły się wyżej, biegły szybciej. Płuca paliły go od lodowatego powietrza. Odchylił głowę do tyłu i pędził dalej.

Nagle poczuł ból w prawej nodze. Runął na bok. Odbił się barkiem od asfaltu i znieruchomiał na ziemi.

Za śnieżną zasłoną nic się nie poruszało. Nick słyszał tylko dudnienie własnego serca i gwizd wiatru owiewającego opuszczony parking. Spojrzał na nogę. Rozpoznał ból, zanim zobaczył krew.

Był ranny.

Rozdział 62

Nick wpatrywał się w białą pustkę.

Czekał na odgłosy skrzypiących kroków, po których rozlegnie się szyderczy śmiech. Czekał na pożegnalny okrzyk obwieszczający, że i tym razem Pasza pokonał swego wroga. W każdej chwili spodziewał się usłyszeć przenikliwy świst dziewięciomilimetrowego naboju, który przebije jego naiwne, łatwowierne serce.

Ale nic takiego się nie stało. Słyszał tylko wyjący wiatr.

Spojrzał na nogę i zauważył, że krew płynie teraz wolniej. Kałuża, która utworzyła się kilka sekund po upadku, przestała się powiększać. Pomacał nogę i zlokalizował ranę wlotową. Przesunął dłoń pod udo i cofnął. Była cała we krwi. Kula przeszyła nogę, ale nie uszkodziła tętnicy. Nie mógł jednak czekać, aż pojawi się Pasza. Czekanie oznaczało śmierć. Musiał się ruszyć.

Zdjął krawat i zrobił z niego prowizoryczną opaskę uciskową. Potem wyjął z kieszeni chusteczkę, złożył ją kilka razy, żeby była jak najgrubsza, i wepchnął do ust najgłębiej, jak mógł bez wywołania odruchu wymiotnego. Zamknął oczy i wziął trzy głębokie wdechy.

Raz. Poważna odpowiedź Sylvii na pytanie, dlaczego pomogła mu znaleźć raporty ojca. „To ja zachowałam się egoistycznie. Każdy syn ma prawo wiedzieć jak najwięcej o swoim ojcu".

Dwa. Jej zdumiony głos, śmiech. „Nie mogłabym przecież zadzwonić do Herr Kaisera. Prawie go nie znam".

Trzy.

– Sylvia!

Nick zagryzł chusteczkę i dźwignął się do pozycji siedzącej. Nogę przeszył potworny ból, choć przesunął ją tylko kilka centymetrów. Pociemniało mu w oczach. Wypluł chusteczkę i zaczerpnął powietrza.

Jeszcze raz, nakazał sobie. Spróbuj jeszcze raz i będziesz na nogach.

Dostrzegł za sobą restaurację, o której wspominał Mevlevi. Niski budynek o chropowatych kamiennych ścianach. Wypłowiałe litery z nazwą lokalu: Alpenblick. Parking i droga były gdzieś przed nim, a za nimi otchłań – gołe granitowe skały. Gdzieś w tej chmurze śniegu był Pasza z głęboką raną ciętą w nodze. Drań miał szczęście, że nie zapoznał się z ząbkowaną stroną ostrza.

Nick wziął kilka wdechów i przygotował się do następnego ruchu. Usłyszał trzask zamykanych drzwi w limuzynie i pomruk zapalanego silnika. Znieruchomiał i nadstawił uszu. Silnik mercedesa chodził na luzie przez kilka sekund, a potem zaczął pracować na przyśpieszonych obrotach. Zerwał się silniejszy wiatr i zagłuszył odgłosy samochodu.

Nick nie mógł uwierzyć, że Mevlevi tak po prostu odjechał. Dlaczego miałby go tu zostawić? Czyżby liczył, że zamarznie? Albo wykrwawi się na śmierć?

Tok jego myśli przerwały odgłosy innego silnika. Samochód zbliżał się, był tuż za szczytem. Silnik zawył, gdy auto pokonywało ostatnie wzniesienie.

Nick przypomniał sobie samochód, który widział przez okno limuzyny. Dużo niżej, na jednym z krótkich prostych odcinków oddzielających niekończącą się serię ostrych zakrętów. Czy to ten sam wóz? Czy jego przyjazd skłonił Paszę, żeby się stąd wynieść?

Nie wiedział. Ale chciał, żeby ktoś jak najszybciej go znalazł. Nie miał rękawiczek ani ciepłej kurtki. Mógł przeżyć kilka godzin, może do zapadnięcia nocy. Nie dłużej. Noga już mu sztywniała. Wkrótce zamarznie i nie będzie w stanie nią poruszyć. Potrzebował pomocy medycznej, ktoś musiał obmyć i opatrzyć ranę. A najbardziej potrzebował samochodu, żeby ruszyć w pościg za Paszą. Nie mógł pozwolić, by sukinsyn uciekł.

Usłyszał pisk opon, gdy samochód brał ostatni ostry zakręt. Silnik pracował płynniej, gdy stromizna drogi zmniejszyła się. Nick przetoczył się na prawy bok i oparł na lewej nodze. Zastanawiał się, kto jeszcze mógł być na tyle szalony, żeby wybrać tę trasę w środku zimy, nie bacząc na gwałtowną burzę śnieżną. Jakiś spragniony przygód turysta? Albo tubylec, który tak dobrze znał drogę, że nie odstraszyła go nawet burza? Wątpliwe. Był to raczej samochód wysłany przez Gino Makdisiego z zadaniem posprzątania po jego partnerze w interesach.

Nick przeanalizował swoją sytuację. Uznał, że musi zaryzykować. Jeśli to miejscowy, na pewno mu pomoże. A jeśli wysłannik Mevleviego, może nie zabije go od razu. Jedno wiedział na pewno: potrzebował samochodu, żeby pojechać za Mevlevim.

Przesunął ręką po asfalcie w poszukiwaniu kamienia, którego w razie konieczności mógłby użyć. Parking posypany był luźnym żwirem. Zauważył spory kawałek skały, prawdopodobnie granit z niższej warstwy skalnej. Podciągnął się kilkadziesiąt centymetrów w lewo, chwycił go i wrócił na poprzednie miejsce. Umoczył rękę w kałuży krwi i potarł białą koszulę. Koszula nasiąkła krwią.

Położył się płasko na ziemi, gdy samochód wyjechał zza szczytu. Nie rozpoznał marki wozu, zauważył tylko, że jest czerwony. Zesztywniał, kiedy reflektory na moment zaświeciły mu w oczy. Po chwili silnik umilkł i samochód zatrzymał się na granicy pola widzenia Nicka.

Otworzyły się drzwi. Ktoś wysiadł i zaczął się zbliżać. Nick czekał, aż otworzą się drugie drzwi, ale nic takiego nie nastąpiło. Człowiek, który stał trzy metry od niego, przyszedł sam.

Kątem oka zerknął na niego. Mężczyzna średniego wzrostu w ciemnym ubraniu. Zbliżył się ostrożnie. Dlaczego nic nie mówi, zastanawiał się Nick. Ścisnął kamień schowany w dłoni. Mężczyzna postawił kolejny krok. Pochylił się nad Nickiem. Szturchnął go nogą w plecy.

Nadal milcząc, pochylił się niżej. Nick wiedział, że przygląda się zakrwawionej koszuli i ocenia jego martwy wzrok. Za chwilę przyłoży mu rękę do ust i poczuje ciepły oddech.

Wyczuł zapach drogiej wody kolońskiej. Lekko uchylił powieki i dostrzegł krótko przyciętą siwą brodę i krzaczaste brwi.

I kapelusz. Mężczyzna trzymał go w prawej ręce. Z wgnieceniem na górze, ciemnozielony. Zza wstążki wystawał żółty pędzelek. Kapelusz austriackiego przewodnika górskiego.

Nick przekręcił głowę i spojrzał w zaskoczoną twarz swego prześladowcy. Mężczyzna jęknął. Ale zanim zdążył się podnieść, Nick uderzył go kamieniem w policzek. Mężczyzna runął nieprzytomny na bok. W lewej ręce trzymał rewolwer.

Nie miał wątpliwości, że to ten sam mężczyzna, który trzy tygodnie temu śledził go na Bahnhofstrasse. Wyjął mu z ręki broń i przetrząsnął kieszenie. Nie znalazł ani portfela, ani komórki, ani kluczyków do samochodu. Tylko kilkaset franków gotówką.

Schował pistolet do kieszeni i przetoczył się na prawy bok. Krzywiąc się, wstał i pokuśtykał do samochodu – forda cortiny z automatyczną skrzynią biegów. Kluczyki były w stacyjce. Nick oparł się o fotel kierowcy i rozejrzał po wnętrzu za apteczką lub telefonem. Otworzył schowek i sprawdził jego zawartość. Nic. Dostrzegł wybrzuszenie na półce za tylnym siedzeniem. Pochylił się i otworzył małą skrytkę, w której znalazł nieużywaną apteczkę. W środku były plaster, gaza, środek przeciwbólowy i aspiryna. Nieźle jak na początek.

Oczyścił i zabandażował ranę. Jego prześladowca wciąż leżał nieruchomo na boku. Prawdopodobnie miał pękniętą kość policzkową i kilka złamanych zębów. To będzie najmniejszy z jego problemów, kiedy odkryje, że został tu bez samochodu. Nick wyjął z zestawu pierwszej pomocy koc ratunkowy i rzucił go na rozciągniętą na ziemi postać. Zanim mężczyzna wymyśli, jak się stąd wydostać, koc wystarczająco go ogrzeje. Nick mógł zadzwonić później na policję i zawiadomić o pieszym, który nie może się wydostać z przełęczy Świętego Gotharda. Ale w tej chwili miał ważniejsze sprawy na głowie.

Podszedł do przednich drzwi forda i delikatnie opadł na fotel kierowcy. Włączył silnik. Zbiornik był w trzech czwartych pełen. Zerknął na zegarek: dziesiąta trzydzieści. Pasza wyprzedzał go o trzydzieści minut.

Czas w drogę.

Rozdział 63

Ali Mevlevi dojechał do hotelu Olivella au Lac o dziesiątej czterdzieści. Śnieg przestał padać. Przez cienką warstwę chmur przebijało się zamglone słońce. Ciepłe śródziemnomorskie wiatry, owiewające południowe stoki

Alp, przynosiły nad Ticino łagodne, przyjemne powietrze. Mówiono, że w Zurychu spędza się zimy za podwójnie szklonymi oknami przegrzanych biur, natomiast w Lugano zakłada się sweter i pije espresso na tarasie na Piazza San Marco. Dzisiejszy dzień potwierdzał tę opinię, tyle tylko, że na espresso nie było czasu.

Mevlevi wysiadł z limuzyny i powolnym krokiem wszedł do hotelu, starając się nie utykać. Wcześniej owinął nogę bandażem, który znalazł w apteczce. Musiało wystarczyć do czasu, aż obejrzy go lekarz i zszyje brzydką ranę. Mevlevi podszedł do recepcji i zapytał, w którym pokoju znajdzie pana Yves-Andre Wenkera. Recepcjonista zajrzał do księgi hotelowej. Pokój 407. Mevlevi podziękował i ruszył do windy. Zaciskał zęby, walcząc z bólem. Pocieszała go jedna myśl: Neumann pewnie już leży zakopany w śniegu, a zagadkę jego zniknięcia rozwiąże dopiero wiosenna odwilż. Nie warto być uczciwym i martwym, Nicholasie. Tej lekcji powinieneś nauczyć się od ojca.

Mevlevi wjechał windą na czwarte piętro. Znalazł pokój numer 407 i zapukał dwa razy w drzwi. Otworzono jeden zamek, potem drugi. W drzwiach stanął wysoki mężczyzna w szarym garniturze w prążki. Nosił binokle i miał przygarbione plecy. Wyglądał jak typowy urzędnik spędzający całe dnie przy biurku.

– Proszę wejść – rzekł – panie…

– Malvinas. Allen Malvinas. *Bonjour*. – Pasza wyciągnął rękę. Nie znosił mówić po francusku.

– Yves-Andre Wenker. Szwajcarskie biuro paszportowe. – Wenker wskazał przestronny salon. – Jest pan sam? Poinformowano mnie, że będzie panu towarzyszył pan Neumann, asystent Herr Kaisera.

– Niestety pan Neumann nie mógł do nas dołączyć. Zmogła go choroba.

Wenker zmarszczył brwi.

– Czyżby? Mówiąc szczerze, zaczynałem wątpić, czy panowie w ogóle przyjadą. Oczekuję od moich klientów punktualności bez względu na pogodę. Nawet jeśli poleca mi ich tak szanowany biznesmen jak Herr Kaiser.

– Deszcz, grad, słaba widoczność. Mieliśmy długą podróż z Zurychu.

Wenker rzucił mu sceptyczne spojrzenie i zaprowadził do salonu.

– Herr Kaiser poinformował mnie, że pochodzi pan z Argentyny.

– Z Buenos Aires. – Mevlevi spojrzał na niego niepewnie. Wydawało mu się, że zna tego człowieka. – Czy mówi pan po angielsku?

– Przykro mi, ale nie – odparł Wenker, skłaniając z szacunkiem głowę. – Preferuję języki romańskie. Francuski, włoski, hiszpański. Angielski jest taki prymitywny.

Mevlevi nic nie powiedział. Znał ten głos, był tego pewien, ale nie mógł skojarzyć skąd.

– *Eh bien*. Przejdźmy do rzeczy. – Wenker zerknął na zegarek i usiadł na sofie. Na stoliku leżało kilka szarych teczek. Etykiety określały ich zawartość: „historia pracy", „miejsce zamieszkania" i „dane finansowe". – Zazwyczaj wymagamy od osób ubiegających się o paszport, by przedstawiły dowody siedmioletniego stałego pobytu w Szwajcarii. Ale że tym razem upraszczamy procedurę, będzie pan musiał wypełnić sporą liczbę formularzy. Proszę zachować cierpliwość.

Mevlevi mechanicznie kiwnął głową. Jego myśli wróciły na zamglony szczyt. Trafił Neumanna co najmniej raz. Słyszał, jak chłopak krzyczy i pada. Dlaczego nie ruszył za nim? Czy dlatego, że Neumann stawiał opór? Inaczej niż jego ojciec. Alex Neumann stał jak zahipnotyzowany, wpatrując się w lufę. A może bał się, że znajdzie Neumanna aż nazbyt żywego, i nie spodoba mu się to, jak chłopak go potraktuje? W końcu Nicholas służył w piechocie morskiej. To tam nauczył się odcinać rękę jednym machnięciem noża. Nie żeby szofer jeszcze jej potrzebował. Trzeba było skrócić jego cierpienia. Drań powinien być mu wdzięczny. Nic nie czuł. Strzał w potylicę. Bum i koniec.

– Ma pan trzy fotografie? – zapytał Wenker.

– Oczywiście. – Mevlevi sięgnął do teczki i wyciągnął papierową torebkę z trzema zdjęciami.

– Musi je pan podpisać – poinstruował go Wenker. – Na odwrocie.

Mevlevi zawahał się, ale po chwili wypełnił polecenie. Cholerni Szwajcarzy – drobiazgowi aż do bólu, nawet przy najbardziej nielegalnych działaniach.

Wenker włożył podpisane zdjęcia do teczki.

– Mogę zacząć zadawać pytania?

– Proszę – odpowiedział uprzejmie Pasza. Odwrócił się, żeby wyjrzeć przez okno na jezioro. Widok palm kołyszących się na porannym wietrze nie rozproszył nękającego go niepokoju. Rozluźni się, dopiero gdy będzie wiedział, co się stało z Neumannem.

Sznur samochodów sunął wolno w stronę najbardziej wysuniętego na południe szwajcarskiego przejścia granicznego w Chiasso. Tędy wwożono włoskie towary, które miały trafić do Niemiec i Francji. Ciężarówki różnych rozmiarów i kształtów pokonywały ostatni odcinek płaskiej autostrady. Wśród nich był osiemnastokołowy magirus ciągnący dwie przyczepy. Kabinę pomalowano na niebiesko. Na chromowanym orurowaniu wisiała biała tabliczka z napisem TIR.

Joseph Habib siedział w kabinie ciężarówki, wciśnięty między dwóch zbirów pracujących po włoskiej stronie granicy dla rodziny Makdisich. Nie ujawniał się przez osiemnaście miesięcy. Od osiemnastu miesięcy nie widział się z rodziną. Od osiemnastu miesięcy nie miał w ustach przyrządzanej przez matkę ostrej *mezzy*. Jeszcze kilka minut i doprowadzi tych narwańców do punktu kontrolnego, a potem wszystko pójdzie jak z płatka. Żałował tylko, że nie zobaczy twarzy Alego Mevleviego, gdy dotrze do niego wiadomość o utracie transportu.

Kilkaset metrów przed nimi widniała bramka. Samochody ruszały i zatrzymywały się co chwila.

– Mówiłem ci, żeby zjechać na prawy pas – powiedział Joseph do Remo. – Rób, co ci każę.

– Jest zapchany do połowy drogi do Mediolanu. Jeśli zjadę na ten pas, nigdy nie dotrzemy do Zurychu. – Remo był młodym twardzielem. Czarne włosy związał w kucyk, a rękawy koszuli miał podwinięte, żeby wyeksponować potężne bicepsy.

– Powtarzam po raz ostatni – warknął Joseph. – Prawy pas albo zawracamy. Dlaczego się upierasz, żeby złamać rozkaz pana Makdisiego?

Samochody się zatrzymały. Remo przypalił papierosa.

– A co on wie o przekraczaniu granicy? – zapytał, wydmuchując dym. – Robiłem to tysiące razy. Nikt ani razu się za nami nie obejrzał.

Joseph przeniósł wzrok na niechlujnego mężczyznę w fotelu pasażera.

– Marco, wytłumacz swojemu przyjacielowi, że albo zjedziemy na prawy pas, albo zawracamy.

Wiedział, że Marco się go boi. Bez przerwy oglądał się na niego, a oczami niemal pożerał bliznę na policzku.

Marco poklepał kierowcę w ramię.

– Remo. Prawy pas. *Pronto*.

– Ile mamy czasu? – zapytał Remo.

– Dwadzieścia minut – odparł Joseph. – Wszystko w porządku. Nasz człowiek nie wychodzi z budki do dziesiątej trzydzieści.

– Czemu to dzisiaj tak długo trwa? – Remo poklepał niecierpliwie kierownicę. – Zobacz no.

Marco sięgnął po skórzany futerał z lornetką, który leżał na podłodze. Jęknął. Rozmiary brzucha nie pozwalały mu go dosięgnąć. Uśmiechnął się do Josepha.

– *Per favore*.

Joseph rozpiął futerał i podał Marco wojskową lornetkę. To były decydujące minuty. Nie okazuj zdenerwowania, a reszta też będzie spokojna.

Marco opuścił szybę w oknie. Z trudem wystawił głowę i ramiona z kabiny TIR-a.

Remo zaciągnął się papierosem.

– I co? – zapytał.

– Otwarte są tylko dwa pasy – odpowiedział Marco, wsuwając się z powrotem do kabiny.

– Dwa pasy. Teraz jasne, dlaczego jedziemy tak wolno.
– Który jest zamknięty? – zapytał chłodno Joseph. Powiedz, że ten z lewej. Żeby wszystko się zgadzało.
– Ten z lewej – powiedział Marco. – Wszyscy są kierowani na środkowy i prawy pas.
Joseph odetchnął.
Remo nacisnął klakson i zjechał na prawy pas.

Trzydzieści metrów za TIR-em białe volvo wrzuciło kierunkowskaz i poszło w ślady ciężarówki. Kierowca bawił się małym złotym medalionem zawieszonym na szyi.
– Jeszcze trochę – szepnął Moammar-al-Khan, podnosząc medalion do ust i całując go. – *Inshallah*, Bóg jest wielki.

– Pańska godność? – zapytał Yves-Andre Wenker. Siedział sztywno na kanapie z formularzami rozłożonymi na kolanach.
– Allen Malvinas. Wszystkie dane są w moim paszporcie. Leży tutaj.
Wenker zerknął na paszport.
– Dziękuję, panie Malvinas – odparł – ale wolę, żeby pan odpowiadał. Data urodzenia?
– Dwunasty listopada tysiąc dziewięćset trzydziestego szóstego.
– Obecny adres?
– Jest w paszporcie. Na trzeciej stronie.
Wenker nie zrobił żadnego ruchu w stronę paszportu.
– Adres? – powtórzył.
Mevlevi wziął do ręki paszport i odczytał adres.
– Zadowolony?
Wenker nie podnosił głowy i skrupulatnie wypełniał cenny formularz.
– Jak długo mieszka pan pod tym adresem?
– Siedem lat.
– Siedem? – Rzucił znad cienkich binokli przenikliwe spojrzenie niebieskich oczu. Kosmyk jasnych włosów opadł mu na czoło.
– Tak, siedem – potwierdził Mevlevi. Noga dawała mu się porządnie we znaki. Nagle stracił pewność siebie. Przełknął z trudem ślinę. – Czemu nie siedem? – wychrypiał.
Wenker uśmiechnął się.
– Może być siedem – odparł i opuścił wzrok na formularz. – Czym się pan zajmuje?
– Importem i eksportem.
– Co konkretnie pan importuje i eksportuje?

– Głównie metale szlachetne i artykuły handlowe – wyjaśnił Mevlevi. – Złoto, srebro i tym podobne. – Ten posępny urzędas zaczynał działać mu na nerwy. Nie chodziło o pytania, ale o zdecydowanie nieprzyjemny ton jego głosu.

– Dochód?

– Co was to obchodzi?

Wenker zdjął okulary.

– Nie zajmujemy się sponsorowaniem imigracji biedoty do naszego kraju.

– Ja raczej nie zaliczam się do biedoty – rzekł Mevlevi.

– Oczywiście, że nie. Mimo to musimy...

– A kto tu w ogóle mówi o imigracji?

Wenker rzucił stertę formularzy na stolik. Uniósł głowę, gotów wystąpić z surowym napomnieniem.

– Pan Neumann wyraźnie powiedział, że pragnie pan kupić posiadłość w Gstaad, żeby na stałe zamieszkać w naszym kraju. W pewnych sytuacjach robimy wyjątki, jeśli chodzi o przyznanie szwajcarskiego paszportu, ale pobyt stały jest wymogiem absolutnie niezbędnym. No więc planuje pan zamieszkać na stałe w Szwajcarii czy nie?

Ali Mevlevi odkaszlnął i nalał sobie szklankę wody z butelki stojącej na stoliku. Wolał kraj, w którym urzędnicy okazują choć trochę szacunku.

– Źle pana zrozumiałem. Pan Neumann miał rację. Urządzam w Gstaad swoją stałą rezydencję.

Wenker rozsiadł się wygodniej w fotelu. Posłał Mevleviemu sztuczny uśmiech i wrócił do wypełniania formularza.

– Dochód?

– Pięćset tysięcy dolarów rocznie.

Wenker uniósł brwi.

– To wszystko?

Pasza wstał.

– A co, za mało? – spytał gniewnie.

Wenker pozostał niewzruszony. Śmigał długopisem po papierze.

– Wystarczy – rzucił z nosem w formularzu.

Mevlevi skrzywił się i wrócił na miejsce. Czuł, że rana się otworzyła. Ciepła strużka krwi spływała mu po nodze. Jeszcze trochę, pocieszał się. Potem pójdziesz do telefonu, zadzwonisz do Gino Makdisiego i potwierdzisz to, co już wiesz – że twój cenny transport przekroczył bezpiecznie granicę, a Nicholas Neumann nie żyje.

Wenker spojrzał dyskretnie na zegarek i wrócił do rozłożonego na kolanach formularza. Odchrząknął głośno.

– Choroby zakaźne?

Remo wsunął głowę z powrotem do kabiny. Przenosił wzrok z Josepha na Marco.

– Sprawdzają każdą ciężarówkę – powiedział. – Nikogo nie przepuszczają bez kontroli.

– Spokojnie – rzekł Joseph. – Posłuchajcie mnie obaj. Wszystko idzie zgodnie z planem. Co was obchodzi, że sprawdzają dokumenty? Może robią to w każdy poniedziałek rano. Mamy tu naszego człowieka. Czeka na nas w ostatniej budce. Uspokójcie się, a wszystko się uda.

Remo wyjrzał przez okno. Szczyty szwajcarskich Alp majaczyły przed nimi jak odległy szary upiór.

– Nie wracam do ciupy – oświadczył. – Trzy lata wystarczy.

Od celników dzieliły ich dwie ciężarówki. Wszystkie pojazdy kierowano pod szeroką bramkę, która mierzyła wysokość ciężarówek wjeżdżających na teren Szwajcarii. Z prawej strony każdego pasa stały małe budki. Przy każdej z nich celnik z krótkofalówką w ręku przepuszczał kolejne pojazdy.

Joseph spojrzał w stronę budek i sięgnął wzrokiem dalej. Poczuł, jak sztywnieją mu ramiona. Na poboczu autostrady, jakieś sto metrów za punktem kontrolnym, stało dziesięć wozów policyjnych. Po co tyle ludzi do schwytania trzech facetów w starej ciężarówce? Czego się spodziewali? Całej armii?

Marco zabębnił palcami o drzwi. Chciał przechwycić spojrzenie Remo, ale ten patrzył przed siebie, kołysząc się do przodu i do tyłu. Joseph wiedział, o czym myśli. „Kiedy wziąć nogi za pas?"

Cysterna przed nimi ruszyła z rykiem, zostawiając za sobą spaliny.

Remo wpatrywał się w zwolnione miejsce.

Joseph szturchnął go w żebra.

– Jedź. Jeszcze się nami zainteresują.

Remo wcisnął pedał gazu i ciężarówka powoli ruszyła do przodu.

Celnik wskoczył na stopień nadwozia cysterny przed nimi. Wsunął głowę do kabiny i chwilę później wyłonił się z dokumentem w ręku. Pomagając sobie anteną krótkofalówki, prześledził spis towarów. Spojrzał od niechcenia w ich stronę i Joseph zauważył cienie pod jego oczami. Sterling Thorne jak zwykle wyglądał podle.

Thorne oddał dokument kierowcy odprawianej ciężarówki i skupił uwagę na następnym w kolejce niebieskim osiemnastokołowym magirusie z brytyjskimi numerami i białą tabliczką TIR. Podniósł krótkofalówkę do ust. Sprawiał wrażenie, jakby wydawał gorączkowe instrukcje.

Marco wskazał na Thorne'a.

– Gapił się na nas – powiedział. – Zaraz się do nas dobierze.

– Spokojnie – rzekł Joseph.

– Ja też widziałem – odezwał się Remo. – Ten dupek przy budce gapił się na nas. Chryste, to wsypa. Dobrze wiedzą, czego szukają: nas.

– Zamknij gębę! – krzyknął Joseph. – Możemy tylko jechać do przodu. Nie ma innego wyjścia. Mamy legalne dokumenty. Musiałby być geniuszem, żeby się domyślić, co wieziemy.

Remo wpatrywał się w Josepha.

– Albo ktoś puścił farbę.

Marco nie przestawał wskazywać na Sterlinga Thorne'a.

– Ten przy budce. Tylko raz spojrzał na nas i teraz zwołuje posiłki. Patrzcie! O tam! Czeka na nas dziesięć wozów.

– Mylisz się – powiedział Joseph. – Nie ma żadnej zasadzki. – Musiał utrzymać w ryzach tych frajerów do czasu, aż nie będą mieli innego wyjścia i spokojnie się poddadzą. Musiał wprowadzić ciężarówkę pod bramkę. Jeszcze jedna, może dwie minuty. – Oprzyj się i zamknij dziób.

W tym momencie w obu lusterkach wstecznych rozbłysły czerwone i niebieskie policyjne światła. Dwadzieścia metrów za nimi zatrzymały się dwa wozy policyjne. Przepuszczono cysternę, którą odprawiono przed nimi. Gdy zwolniła bramkę, grupa dwunastu uzbrojonych policjantów rzuciła się do przodu i utworzyła za Sterlingiem Thorne'em zbity rząd.

– Wpadliśmy – wyjąkał Remo. Był przerażony. – Mówiłem wam. Nigdy więcej bezpłatnego urlopu. Nie wracam do pudła.

– Posłuchajcie mnie – poprosił Joseph. – Musimy ich zignorować. To nasza jedyna szansa.

– Nie mamy żadnej szansy – gorączkował się Remo. – Ktoś zastawił pułapkę i wpadliśmy w nią.

Joseph wbił mu palec w pierś.

– Mam z tyłu tysiąc kilogramów towaru mojego szefa. Nie pozwolę, żebyśmy wszystko stracili tylko dlatego, że zawiodły cię nerwy. Dopóki nie zakują nas w kajdanki, nie mają nas.

Remo wpatrywał się w puste miejsce przed nimi i celnika, który dawał im znak, żeby podjechali. Jego strach był niemal namacalny.

– Mają nas! – zawołał. – Ja o tym wiem, Marco wie, a ty, kurwa, co? – Zamachnął się i zdzielił Josepha łokciem w skroń. – Nie wiesz, bo chcesz, żebyśmy wpadli w pułapkę, którą na nas zastawili, ty pieprzony arabusie. Makdisi mówili, żeby ci nie ufać. Mieli rację. To twoja sprawka, co? – Łokieć znów znalazł się w powietrzu i tym razem złamał Josephowi nos, miażdżąc kość i chrząstkę. – Prawy pas, mówiłeś. Pieprzony prawy pas. No to jesteśmy na prawym pasie, ale, kurwa, to zły pas.

Wcisnął pedał gazu i wielka ciężarówka ruszyła do przodu.

Marco wydał z siebie głośny okrzyk bojowy.

Sterling Thorne stał przed TIR-em z wyciągniętą do przodu ręką. Przez zasłonę załamanego światła Joseph zauważył, że wyraz jego twarzy przechodzi ze zdziwienia w zmieszanie i w końcu – w przerażenie, gdy pojazd coraz bardziej się zbliżał. Thorne zamarł w bezruchu, nie wiedząc, w którą stronę uciekać. Dwudziestoczterocylindrowy silnik ryczał. Remo zatrąbił. Thorne dał nura pod podwozie mechanicznego potwora.

Joseph złapał za kierownicę. Prawą nogą kopnął skrzynię biegów, a lewą ręką chwycił twarz Marco. Marco ryknął do przyjaciela, żeby uwolnił go od oszalałego Araba.

– Zabij go! – krzyknął Remo.

Z tyłu rozległy się strzały. Opony eksplodowały, gdy kule przebijały gumę i dziurawiły dętki. Potężna ciężarówka przechyliła się w lewo. Mimo to Remo przyspieszał. Kule zasypały tylną przyczepę. Brzmiało to, jakby na metalowy dach spadł deszcz. Policjanci namierzyli cel i łagodny deszcz zamienił się w morderczy grad. W drzwi kierowcy uderzyła fala ołowiu. Przednia szyba roztrzaskała się na kawałki w odśrodkowej eksplozji.

Joseph wbił palce w oczy Marco. Oderwał jedną gałkę od nerwu wzrokowego i rzucił ją na podłogę. Marco wrzasnął i podniósł ręce do okaleczonej twarzy. Joseph pochylił się, otworzył drzwi i wypchnął go barkiem z kabiny.

Remo był ranny. Z ust wypływała mu różowa flegma, a z dziury w brzuchu tryskała krew. Joseph podrzucił nogi do góry i łupnął go w głowę. Remo uniósł rękę, próbując wymierzyć cios, ale Joseph zrobił unik. Odbił się i złożył do kolejnego kopnięcia. Zadał krwawiącemu zbirowi cios w głowę. Remo zachwiał się w fotelu. Wypluł trochę krwi i padł bezwładnie na kierownicę.

Ciężarówka nabierała prędkości. Skręciła ostro w prawo, zbliżając się do kolumn wozów policyjnych zaparkowanych na poboczu. Joseph podniósł bezwładne ciało Remo z kierownicy i usiłował ściągnąć jego stopę z pedału gazu. Ale ciągłe podskoki ciężarówki sprawiały, że każda próba kończyła się fiaskiem.

Policyjne samochody zbliżały się. Od szarżującej ciężarówki dzieliło je dwadzieścia metrów. Dziesięć, pięć…

Joseph uświadomił sobie, że nie zdoła zapobiec kolizji. Otworzył drzwi i wyskoczył z kabiny. Udało mu się dotknąć ziemi obiema stopami, ale siła rozpędu pchnęła go do przodu. Ciężko upadł na ziemię.

TIR staranował pierwszy policyjny wóz. Potężne koła zmiażdżyły maskę samochodu i wyrzuciły ciężarówkę do góry. Toczyła się dalej, taranując kolejne samochody. Od iskry powstałej przy zgniataniu jednego z baków natychmiast zajęła się jego zawartość. Wybuch wyrzucił wóz w powietrze, przewracając tylną przyczepę ciężarówki i wywołując reakcję łańcuchową wysokooktanowych eksplozji, gdy kolejne baki z benzyną dostawały się w zasięg ognia. Ciężarówka przewróciła się na bok i też stanęła w płomieniach.

Policjanci otoczyli Josepha. Sterling Thorne przedarł się przez kordon funkcjonariuszy i przyklęknął przy nim.

– Witamy z powrotem w cywilizowanym świecie – powiedział.

Joseph kiwnął głową. Nie podobało mu się, że jest na muszce dwunastu karabinów maszynowych.

– Masz coś dla mnie – zasugerował Thorne.

Joseph wyłowił z kieszeni skrawek papieru. Napisano na nim: „Ali Mevlevi. Hotel Olivella au Lac. Pokój 407. Rachunek w USB numer 549.617 RR". Dokładnie to, co podyktował Nick.

Amerykanin wziął kartkę. Zanim skończył czytać, podniósł do ust krótkofalówkę.

– Mamy solidne podstawy, by sądzić, że podejrzany o import dużego transportu heroiny przebywa obecnie w hotelu Olivella au Lac w pokoju 407. Należy zachować ostrożność.

Na drodze za nimi eksplodował ostatni bak. W niebo wzbiła się ognista kula.

Thorne wyciągnął rękę i pomógł Josephowi wstać.

– Nie musiałeś tak bardzo utrudniać mi pracy – stwierdził. – Puściłeś z dymem mnóstwo ważnych dowodów.

Moammar-al-Khan patrzył w osłupieniu na czarno-pomarańczowe płomienie. Wzdrygnął się. Dwie tony towaru Al-Mevleviego poszły z dymem. Niech Allah się zmiłuje.

Celnik uderzył w dach samochodu i dał znak ręką, żeby przejechał przez bramkę. Khan wystawił włoski paszport, ale celnik machnął tylko ręką.

– Jechać. Nie przyglądać się – nakazał i odszedł do następnego wozu w kolejce.

Khan zignorował jego polecenie. Zwolnił, mijając płonące szczątki. Kilku policjantów stało wokół mężczyzny leżącego płasko na ziemi. Mężczyzna był ranny. Z nosa płynęła mu krew. Miał podarte ubranie i poczerniałą od dymu twarz. Joseph. Nie zginął. *Inshallah!* Bóg jest wielki! Tyczkowaty mężczyzna w zielonej kurtce inspektora celnego przedarł się przez policyjny kordon. Przyklęknął i powiedział coś do Josepha.

Khan przysunął twarz do szyby, żeby lepiej mu się przyjrzeć.

Thorne. Amerykański agent. Nie miał co do tego wątpliwości. Rude włosy, pociągła, dziobata twarz. DEA przechwyciła transport Al-Mevleviego.

Nagle stało się coś dziwnego. Thorne wyciągnął do Josepha rękę i pomógł mu się podnieść. Poklepał go po plecach, odchylił głowę do tyłu i roześmiał się. Policjanci też się uśmiechali.

Khan wyciągnął złoty wisiorek spod koszuli i pocałował go.

Joseph jest informatorem, pomyślał.

Przyspieszył gwałtownie i po dwóch minutach zjechał na pobocze. Sięgnął po telefon komórkowy. Wybrał numer, który podał mu Mevlevi na wypadek, gdyby miał jakąś pilną sprawę. Odebrano po trzecim sygnale.

Khan wziął kilka szybkich wdechów, nie wiedząc, od czego zacząć. Tylko jedno zdanie przychodziło mu do głowy.

– Joseph jest jednym z nich.

Rozdział 64

Ali Mevlevi był wściekły. Tkwił tu skazany na towarzystwo tej biurokratycznej gnidy i odpowiadał na idiotyczne pytania. Czy zamierza przenieść swoją firmę do Szwajcarii? A jeśli tak, ilu zatrudni pracowników? Czy skorzysta z ulg podatkowych dla nowo zarejestrowanych firm? Czy zamieszkają z nim krewni? Miał już tego dość. Za sumę, którą zapłacił Kaiser, Wenker mógł sam wypełnić formularze. Niech wymyśli cholerne odpowiedzi.

Mevlevi wstał z kanapy i zapiął marynarkę.

– Dziękuję za pomoc, ale obawiam się, że czas mnie goni. Dano mi do zrozumienia, że nasze spotkanie będzie tylko formalnością.

– Zatem wprowadzono pana w błąd – odciął się Wenker. Sięgnął po skórzaną teczkę leżącą obok niego na sofie. Wyjął z niej grubą szarą kopertę i wręczył Mevleviemu. – Krótka historia naszego kraju. Jako obywatel Szwajcarii winien pan znać naszą długoletnią demokratyczną tradycję. Państwo powstało w tysiąc dwieście dziewięćdziesiątym pierwszym roku, gdy trzy kantony leśne: Uri, Schwyz i Unter...

– Serdecznie dziękuję – przerwał mu szorstko Mevlevi, wkładając kopertę do swojej aktówki. Czy ten palant naprawdę myślał, że ma czas na lekcję historii? – Jeśli skończyliśmy, pójdę już. Może innym razem wysłucham wykładu o fascynującej historii tego kraju.

– Nie tak szybko, panie Malvinas. Jest jeszcze jeden dokument, który musi pan podpisać: zwolnienie ze służby wojskowej. Jest, niestety, obowiązkowa.

Mevlevi odrzucił głowę do tyłu i westchnął.

– Proszę się pospieszyć.

W tym momencie z jego teczki dobiegł cichy sygnał. Dzięki Bogu, pomyślał Mevlevi. Dzwoni Gino Makdisi z wiadomością, że wszystko idzie zgodnie z planem. Wyjął z teczki komórkę, ale zanim odebrał, przeszedł na drugi koniec pokoju.

– Joseph jest jednym z nich – usłyszał zdenerwowany głos. – Wszystko widziałem. Ciężarówkę otoczyła policja. Kierowca próbował uciekać, ale nie miał szans. Tylko Joseph przeżył. Wszystko się pali.

Mevlevi zatkał palcem ucho, jakby połączenie było słabe i nie dosłyszał słów swego rozmówcy. Ale połączenie było doskonałe, a słowa całkowicie zrozumiałe.

– Uspokój się, Khan – powiedział po arabsku, zerkając na Wenkera. Urzędnik nie wykazywał żadnego zainteresowania rozmową. – Powtórz jeszcze raz.

– Przechwycono transport na granicy w Chiasso. Gdy ciężarówka podjechała do punktu kontrolnego, otoczyła ją policja. Czekali na nią.

Mevlevi poczuł, jak jeżą mu się włoski na karku.

– Mówiłeś, że transport zniszczono, a nie przejęto. Wyjaśnij to.

– Kierowca, Remo, próbował uciekać. Ale nie zajechał daleko. Stracił kontrolę nad wozem i ciężarówka wybuchła. Towar zniszczony. Więcej nie wiem. Przepraszam.

– A co z Josephem?

– Przeżył. Widziałem go. Leżał ranny na ziemi. Policjanci pomogli mu wstać. Jeden z nich poklepał go. To Joseph był informatorem.

Tylko nie Joseph, pomyślał Mevlevi. To przecież Lina. Ona pracowała dla Makdisich. Pomogła im go wystawić amerykańskiej agencji DEA. Joseph, pustynny jastrząb, jest zawsze lojalny. Tylko jemu można zaufać.

– Musi pan natychmiast wyjechać – powiedział Khan. – Jeśli DEA wie o transporcie, z pewnością wie też o pańskim pobycie w Szwajcarii. Joseph musiał powiedzieć o jednym i drugim. Mogą się pojawić w każdej chwili.

Mevlevi zaniemówił. Joseph był informatorem Agencji do Walki z Narkotykami.

– Słyszał mnie pan, Al-Mevlevi? Musimy przemycić pana bezpiecznie przez granicę. Niech pan jedzie do Brissago. To niedaleko Locarno. Proszę tam być za godzinę. Na głównym placu.

– Brissago. Główny plac. Za godzinę – powtórzył Mevlevi i zakończył połączenie.

Wenker gapił się na niego z wyrazem obrzydzenia na twarzy. Mevlevi podążył wzrokiem za jego spojrzeniem.

Na dywanie koloru kości słoniowej powoli powiększała się kałuża krwi.

Na hotelowy dziedziniec wjechał ciemnozielony range rover. Opony zapiszczały przeraźliwie na ostrym zakręcie i auto zatrzymało się przed głównym wejściem. Od strony pasażera otworzyły się drzwi i z wozu wysiadł postawny mężczyzna w czarnym trzyczęściowym garniturze. Wolfgang Kaiser poprawił marynarkę i przygładził czarne, sztywne wąsy. Sprawdził, jak wygląda w szybie samochodu i zadowolony z efektu wmaszerował do holu.

– Czas? – rzucił przez ramię.

– Jedenasta piętnaście – odpowiedział Reto Feller, który dołączył do szefa.

– Piętnaście minut spóźnienia – burknął Kaiser. – Hrabia nie będzie zachwycony. Bardzo panu dziękuję, panie Feller. I pańskiemu nowemu autu.

Pieprzony wóz złapał gumę w tunelu Świętego Gotharda. Cud, że nie zadusili się na śmierć spalinami.

Feller pomknął do recepcji i dwa razy uderzył w dzwonek. Przy lśniącym orzechowym kontuarze zjawił się recepcjonista w czarnym żakiecie.

– Szukamy hrabiego Languenjoux – powiedział Feller. – W którym pokoju możemy go znaleźć?

– Kogo mam zaanonsować? – spytał recepcjonista.

Kaiser podał mu wizytówkę.

– Jesteśmy oczekiwani.

Recepcjonista dyskretnie zerknął na wizytówkę.

– Dziękuję, Herr Kaiser. Hrabia czeka w pokoju 407. – Pochylił się bliżej i konspiracyjnym szeptem dodał: – Mieliśmy dziś rano sporo telefonów do pana. Wszystkie szalenie pilne. Rozmówczyni postanowiła poczekać na linii do pańskiego przyjazdu.

Kaiser uniósł brwi i obejrzał się przez ramię. Feller stał trzy kroki za nim, przysłuchując się każdemu słowu.

– Jakaś kobieta z pańskiego biura w Zurychu – wyjaśnił recepcjonista. – Mam sprawdzić, czy jeszcze czeka?

– Wie pan, jak się nazywa? – zapytał Kaiser.

– Fräulein Schon.

– W takim razie proszę sprawdzić. – Jak go tu znalazła? Nikomu oprócz Rity nie powiedział o tym spotkaniu.

– Proszę pana, hrabia czeka – wtrącił się Feller.

Kaiser mógł sobie wyobrazić nieczyste myśli tego szczura.

– No to niech mu pan dotrzyma towarzystwa – rozkazał. – Za dwie minuty będę na górze.

Recepcjonista wrócił do kontuaru.

– Nie rozłączyła się. Proszę łaskawie przejść do prywatnej kabiny. Bezpośrednio za panem, Herr Kaiser. Kabina numer jeden, pierwsze szklane drzwi na lewo.

Kaiser podziękował recepcjoniście i poszedł do kabiny. Zamknął za sobą dokładnie drzwi i usiadł na wysokim stołku przed telefonem. Za chwilę aparat zadzwonił.

– Kaiser.

– Wolfgang, to ty? – zapytała Sylvia Schon.

– Co się dzieje? Co jest tak pilne, że narażasz dobre imię naszego banku, wydzwaniając do tego hotelu jak oszalała? Hrabia na pewno się o tym dowie.

– Musisz natychmiast wyjechać z hotelu – powiedziała Sylwia.

– Nie wygłupiaj się. Dopiero przyjechałem.

– Chodzi o Nicholasa Neumanna. On coś knuje. Próbowałam skontaktować się z tobą przez całą noc.

– Co to za idiotyzmy? Nicholas towarzyszy teraz jednemu z moich ważnych klientów – odpowiedział surowym tonem.

Głos Sylvii stawał się coraz bardziej gorączkowy.

– Nick uważa, że twój przyjaciel, pan Mevlevi, zabił jego ojca. Powiedział, że wie wszystko. Podobno ma dowody, ale nie chciał wyjawić nic więcej. A teraz posłuchaj mnie i w tej chwili wyjedź z hotelu. Wracaj do domu.

– Kto ma dowody? – Kaiser nie bardzo rozumiał, o co chodzi.

– Po prostu wyjedź z hotelu – poprosiła. – Aresztują ciebie i Mevleviego. Wracaj do Zurychu.

Kaiser wziął głęboki wdech. Nie był pewien, czy jej słowa mają jakieś poparcie w faktach.

– Mam spotkanie z jednym z najważniejszych udziałowców banku. Jego głos może przesądzić o naszych szansach powstrzymania Koniga. Nie mogę tak po prostu wyjechać.

– Nic nie słyszałeś?

– O czym?

– Adler Bank zaproponował pięćset franków za każdą akcję banku. Konig ogłosił to w radiu dzisiaj o dziewiątej rano. Złożył ofertę kupna wszystkich akcji, których jeszcze nie posiada.

– Nie, nie słyszałem – zdołał wykrztusić po kilku sekundach. Reto Feller uparł się, żeby przez całą drogę słuchać koncertu brandenburskiego. Zabije go.

– Podczas jutrzejszego walnego zgromadzenia Konig zamierza poprosić zarząd o wotum zaufania.

– Ach tak – odparł niepewnie. Przestał jej słuchać, bo przed hotelem powstało jakieś zamieszanie. Słyszał trzask zamykanych drzwi i rozkazy wydawane ostrym tonem. Kilku członków hotelowego personelu pospieszyło w stronę obrotowych drzwi. Przycisnął słuchawkę do ucha. – Sylvio, nic nie mów przez chwilę. Nie rozłączaj się.

Uchylił lekko szklane drzwi kabiny. Przed hotelem rozległy się odgłosy silników. Po chwili umilkły. Wydawano gorączkowe rozkazy po włosku. Rozległ się tupot ciężkich butów. Do holu wbiegł chłopiec hotelowy i zniknął za kontuarem recepcji. Chwilę potem pojawił się dyrektor. Niemal biegiem dotarł do obrotowych drzwi i wyszedł na zewnątrz. Kilka sekund później wrócił w towarzystwie dwóch mężczyzn. W jednym z nich Kaiser rozpoznał Sterlinga Thorne'a. Drugim mężczyzną, znanym z niezliczonych zdjęć w codziennej prasie, był Luca Merolli, bojowy prokurator z Ticino.

Thorne zatrzymał się na środku hotelowego holu.

– Posyłamy na czwarte piętro dwunastu naszych – zwrócił się do dyrektora. – Mają naładowaną broń i zgodę dowódcy na otwarcie ognia. Nie chcę, żeby ktoś im przeszkadzał. Zrozumiano?

Luca Merolli potwierdził słowa Thorne'a.

Dyrektor hotelu wspinał się nerwowo na palce.

– *Si*. Mamy windę i wewnętrzną klatkę schodową. Proszę za mną, pokażę panom.

Thorne zwrócił się do Merolliego.

– Sprowadź swoich ludzi. W tej chwili Kaiser jest na górze z Mevlevim. Moje szczury siedzą w złoconej klatce. Pospieszcie się, do diabła. Chcę dostać ich obu.

– *Si, si* – zawołał Merolli, wybiegając z holu.

– Wolfgang? – rozległ się głos z oddali. – Jesteś tam? Halo?

Kaiser wpatrywał się z osłupieniem w słuchawkę. Mówiła prawdę, myślał. Mam być aresztowany z Alim Mevlevim. Nie martwił się o siebie, tylko o bank. Co się stanie z USB? Kto ochroni mój ukochany bank przed tym draniem Konigiem?

– Wolfgang, jesteś tam? – dopytywała się niespokojnie Rita Sutter. – Posłuchaj ostrzeżenia Fräulein Schon. Musisz natychmiast wracać. Dla dobra banku.

Spokojny głos Rity rozbudził w nim instynkt samozachowawczy. Przeanalizował sytuację. Widział Sterlinga Thorne'a jak na dłoni, ale Amerykanin miał równie doskonałe warunki, żeby dostrzec jego. Jedno spojrzenie w stronę kabiny i Thorne go zauważy. Kaiser cofnął stopę z progu i drzwi zamknęły się. Usiadł na aksamitnym stołku twarzą do ściany.

– Rito, zdaje się, że macie rację. Spróbuję jak najszybciej wrócić. Jeśli ktoś będzie do mnie dzwonić, z prasy czy z telewizji, po prostu powiedz, że mnie nie ma i nie można się ze mną skontaktować. Wyrażam się jasno?

– Tak, ale dokąd pojedziesz? Kiedy możemy oczekiwać…

Kaiser odłożył słuchawkę. Nie śmiał spojrzeć w stronę holu. Wbił wzrok w kawałek wykładziny przy lewym bucie, gdzie żar z papierosa wypalił równą, okrągłą dziurę. Skulił się, oczekując w każdej chwili kopniaka w przezroczyste drzwi. Wyobraził sobie ironiczny wyraz twarzy Sterlinga Thorne'a za szybą i jego zakrzywiony palec, którym będzie dawał mu znak, żeby się poddał. W tym momencie życie Wolfganga Kaisera się skończy.

Ale żaden kopniak nie spadł na szklane drzwi. Żaden głos z amerykańskim akcentem nie zażądał, żeby zwolnił kabinę. Słyszał tylko miarowe kroki na marmurowej podłodze. Stuk, puk, stuk, puk. Thorne wydawał podniesionym głosem kolejne rozkazy. A potem, na szczęście, uspokoiło się.

Ali Mevlevi podniósł wzrok znad krwawiącej nogi.

– Niestety, muszę natychmiast wyjść – powiedział.

Yves-Andre Wenker wskazał na kałużę krwi.

– Nie może pan nigdzie iść w takim stanie. Proszę usiąść. Sprowadzę pomoc medyczną. Musi pana obejrzeć lekarz.

Mevlevi przeszedł przez pokój, kulejąc. Potwornie cierpiał.

– Nie dzisiaj, panie Wenker. Nie mam czasu. – Akurat noga była najmniejszym z jego zmartwień. Khan, choć rozgorączkowany, miał słuszność. Jeśli Joseph jest informatorem DEA, mógł powiedzieć Thorne'owi praktycznie wszystko. Mevlevi musiał być przygotowany na najgorsze. Wszystkie działania w Szwajcarii zostały spalone. Jego stosunki z Gino Makdisim. Kontrolowanie Wolfganga Kaisera. A co najważniejsze, finansowanie przejęcia USB przez Adler Bank.

Niebezpieczeństwo groziło Chamsinowi.

– Ja nie proszę – powiedział wyraźnie zaniepokojony Wenker – tylko żądam. Proszę usiąść. Zadzwonię do recepcji. Obsługa hotelu jest bardzo dyskretna.

Mevlevi zignorował go. Zatrzymał się przy stoliku i wrzucił telefon do aktówki. Obejrzał się na krwawe ślady, które zostawił za sobą na dywanie. Tracił mnóstwo krwi. Niech cię diabli, Neumann.

– Proszę przynajmniej podpisać ten ostatni dokument. – Wenker pomachał formularzem w powietrzu. – Służba cywilna jest obowiązkowa. Muszę mieć pańskie oświadczenie.

– Zdaje się, że nie będę potrzebował szwajcarskiego paszportu tak szybko, jak przewidywałem. Proszę zejść mi z drogi. Wychodzę. – Mevlevi chwycił aktówkę, minął Wenkera i ruszył krótkim korytarzem w stronę drzwi. W bucie chlupała mu krew.

– Cholera jasna, Mevlevi. Powiedziałem, że nie wyjdziesz z tego pokoju – zawołał po angielsku Wenker. Rzucił się za wychodzącym z pistoletem w ręku. – Co zrobiłeś Nicholasowi Neumannowi?

Mevlevi spojrzał na pistolet, a potem na jego właściciela. Miał rację, podejrzewając, że zna ten głos. Należał do Petera Sprechera, byłego przełożonego Neumanna z USB. Nie wierzył, że bankier strzeli do nieuzbrojonego mężczyzny. A jeśli on użyje broni, będzie to w pełni usprawiedliwione. Przypadek samoobrony. Zanim jednak zdążył wyciągnąć pistolet, Sprecher już był przy nim. Pchnął go na ścianę, pytając jeszcze raz, co zrobił z Neumannem.

– Mówiłem już – odparł Mevlevi. – Neumann zachorował. Przeziębienie. A teraz proszę mnie puścić. Możemy załatwić tę sprawę w sposób kulturalny.

– Nie wyjdziesz stąd, dopóki nie powiesz, co zrobiłeś Nickowi.

– Nic, czego z przyjemnością nie zrobiłbym tobie. – Mevlevi lewym kolanem kopnął Sprechera w krocze, a czołem uderzył go w nos. Skuteczna sztuczka. Nauczył się jej jako młody gapowicz na parowcu płynącym do Bangkoku.

Sprecher zatoczył się i padł na ścianę. Pistolet upadł na ziemię. Mevlevi zwinnie kopnął broń, a jednocześnie sięgnął za pazuchę i wyciągnął swoją berettę. Nie powinno się zostawiać trupów w pięciogwiazdkowym hotelu. Codzienna zmiana pościeli to jedno, a usuwanie ciał to zupełnie co innego. Chwycił aktówkę lewą ręką, a prawą wymierzył z pistoletu. Lecz Sprecher najwyraźniej zauważył, co się święci. Ręka, która przytrzymywała złamany nos, wystrzeliła do przodu i zatrzymała opadający pistolet. Druga ręka uczepiła się aktówki.

Mevlevi jęknął i usiłował opuścić pistolet. Gdy lufa dotknęła ramienia Sprechera, pociągnął za spust. Strzał odrzucił Sprechera na drugą stronę wąskiego korytarza. Uderzył plecami o ścianę. Na jego twarzy rysowało się zdziwienie. Ale wciąż nie puszczał aktówki, zmuszając Mevleviego do podejścia o krok. Mevlevi przycisnął pistolet do klatki piersiowej Sprechera.

Nie widziałem jeszcze nikogo, kto przeżyłby trzy strzały. Tak powiedział Neumannowi.

Pociągnął za spust dwa razy. Ale komora tylko stuknęła. Była pusta. Nie miał już nabojów. Obrócił broń, chwytając za lufę, i podniósł ją wysoko nad głowę. Kilka ciosów w czaszkę powinno załatwić sprawę.

Gwałtowne pukanie do drzwi sprawiło, że znieruchomiał.

– Potrzebuję pomocy. Można wejść. Szybko! – wrzasnął Sprecher.

Drzwi otworzyły się na oścież i do środka wpadł Reto Feller. Rozejrzał się, mamrocząc z zakłopotaniem:

– Sprecher? Gdzie hrabia? Prezes wie, że tu jesteś?

Mevlevi przeniósł wzrok z jednego mężczyzny na drugiego i trzasnął Fellera w twarz rękojeścią pistoletu. Feller padł na podłogę, zahaczając o zranioną nogę Paszy.

Mevlevi zawył z bólu i próbował odskoczyć, ale Sprecher trzymał aktówkę w stalowym uścisku.

– Ty draniu – wybełkotał Sprecher. – Nigdzie nie pójdziesz.

Wycofuj się, Mevlevi usłyszał w głowie ponaglający głos. Zmywaj się stąd. Do Brissago. Na główny plac. Sytuacja była trudna. Padł strzał. Rozległy się wołania o pomoc. Drzwi na korytarz pozostawały otwarte.

Wycofuj się.

Mevlevi wyplątał nogę z nieruchomego ciała grubasa. Szarpnął jeszcze raz za aktówkę i w końcu dał za wygraną. Wychodząc na korytarz, wsunął pistolet do kabury. Po raz ostatni rzucił okiem na pokój 407. Jeden mężczyzna leżał nieprzytomny, drugi słabł z każdą minutą. Żadnego zagrożenia z ich strony. Wychylił głowę z pokoju. Winda była daleko z lewej strony. Wewnętrzna klatka schodowa parę kroków na prawo. Zewnętrzne schody na końcu korytarza, też z prawej.

Mevlevi wybrał bezpieczniejszą trasę i ruszył do zewnętrznych schodów. Zapomnij o limuzynie. Jest spalona. Postanowił ominąć łukiem wejście i główną drogą pokonać krótki dystans do skupiska restauracji, które zauważył po drodze. Stamtąd wezwie taksówkę. Jeśli nie opuści go szczęście, dostanie się do Brissago w niespełna godzinę. A wkrótce potem znajdzie się po drugiej stronie granicy.

Chamsin nie zginie.

Rozdział 65

Generał Dimitr Marczenko zerknął na zegarek i ruszył w głąb hangaru. Była trzynasta czterdzieści. W Zurychu, gdzie Ali Mevlevi załatwiał przelew ośmiuset milionów franków na rachunek rządowy w Ałma-Acie, dochodziła dwunasta. Poczuł łaskotanie w gardle: nerwy dawały o sobie znać. Cierpliwości. Mevlevi był skrupulatny aż do bólu. Prawdopodobnie zadzwoni punktualnie o dwunastej. Na razie nie ma się czym martwić.

Łatwo powiedzieć, odezwał się irytujący głos w jego głowie.

Marczenko podszedł do żołnierzy trzymających straż przy bombie. Umieszczono ją na małym drewnianym stole kilkanaście kroków od helikoptera Suchoj. Leżała na boku ze zdjętą dolną pokrywą. Czas zaprogramować wysokość, na której bomba eksploduje.

Przy stole stał pilot helikoptera. Był przystojnym Palestyńczykiem, który uśmiechał się szeroko, ściskając dłonie kazachskim towarzyszom. Marczenko dowiedział się, że piloci ostro rywalizowali między sobą o zaszczyt zrzucenia „Małego Joe". Stoczyli zacięty bój, żeby się przekonać, który z nich z uśmiechem na ustach wyparuje w momencie detonacji.

Pilot przedstawił Marczence plan lotu. Zamierzał lecieć blisko ziemi, żeby nie wykryły go radary, z prędkością stu czterdziestu węzłów. Siedem kilometrów od izraelskiej bazy wojskowej w Chebaa wśród wzgórz przy granicy libańskiej wzniesie się na tysiąc stóp, włączy izraelski transponder i podszyje się pod jeden z kilkunastu rutynowych lotów, które codziennie odbywają się między Jerozolimą a przygranicznymi bazami.

Gdy już znajdzie się w izraelskiej strefie powietrznej, obierze kurs na południowy wschód i ruszy w kierunku osady Ariel na okupowanym Zachodnim Brzegu Jordanu. Dystans był krótki, jakieś osiemdziesiąt kilometrów; czas lotu niespełna trzydzieści minut. Zbliżając się do osady, zejdzie na wysokość dwustu stóp. Znał na pamięć mapę osady i przejrzał kilkadziesiąt jej zdjęć. Gdy zauważy główną synagogę, opadnie na wysokość pięćdziesięciu stóp i zdetonuje bombę.

Marczenko wyobrażał sobie, co Kopinskaja IV zrobi z niewielką osadą. W miejscu wybuchu powstanie krater o głębokości trzydziestu i szerokości dziewięćdziesięciu metrów. W promieniu pięciuset metrów wszyscy mężczyźni, kobiety i dzieci natychmiast wyparują, gdy kula ogniowa gorętsza od powierzchni słońca spali ich ciała. Dalej fala uderzeniowa zburzy większość drewnianych konstrukcji i podpali pozostałe. W ciągu czterech sekund osada Ariel przestanie istnieć.

Generał wziął bombę do rąk i przysunął do oczu wyświetlacz ciekłokrystaliczny. Zawahał się przez chwilę, uświadamiając sobie, że będzie bezpośrednio odpowiedzialny za uśmiercenie ponad piętnastu tysięcy niewinnych ludzi. Zadrwił ze swych skrupułów. Kto w dzisiejszym świecie jest niewinny? Zaprogramował detonację na wysokości siedmiu metrów. Zerknął na zegarek. W Zurychu za dziesięć dwunasta. Gdzie jest Mevlevi?

Marczenko postanowił zamontować bombę. Nie życzył sobie żadnych opóźnień, gdy pieniądze zostaną już przelane. Poza tym musiał coś robić, inaczej by zwariował. Gdy tylko odezwie się Mevlevi, uzbroi bombę, zbierze swoich ludzi i odjedzie do Syrii, skąd samolotem dotrą do Ałma Aty, gdzie powitają go jak prawdziwego bohatera.

Rozkazał głównemu mechanikowi, żeby przeniósł bombę i przytwierdził ją do prawego zasobnika. Mechanik ujął bombę w obie dłonie i ruszył do helikoptera. Marczenko otworzył stalowe kleszcze, które zwykle trzymały pociski rakietowe ziemia-powietrze, a mechanik przytwierdził bombę. Cała operacja trwała minutę. Teraz wystarczyło tylko wpisać odpowiedni kod i bomba zostanie uzbrojona.

Marczenko rozkazał pilotowi, żeby rozgrzał silniki, a sam energicznym krokiem przeszedł z hangaru do betonowego bunkra, gdzie mieściło się centrum łącznościowe Mevleviego. Rozkazał żołnierzowi pełniącemu służbę, żeby połączył go z Iwłowem, który stacjonował obecnie zaledwie dwa kilometry na północ od izraelskiej granicy. Na linii odezwał się ochrypły głos:

– Iwłow.

– Jaka jest sytuacja?

Iwłow roześmiał się.

– Mam trzystu żołnierzy o rzut beretem od granicy. Połowa ma na sobie więcej amunicji niż ubrań. Jeśli nie dostaną wkrótce rozkazu do ataku, sami ruszą. Nie boją się śmierci. Mamy baterię katiusz wycelowanych w samo serce Ebarach. Rodenko ma ich dwa razy więcej w Nowym Syjonie. Pogoda idealna do walki. Czekamy na zielone światło. Co się, do diabła, dzieje?

– Wstrzymajcie się jeszcze kilka minut. Spodziewam się potwierdzenia w każdej chwili. Zrozumiano?

Marczenko zakończył połączenie i wrócił do hangaru. Gorliwy młody pilot założył kask i zajął miejsce w kabinie śmigłowca. Minutę później zawył budzący się do życia silnik turbinowy. Długie łopaty wirnika zaczęły się obracać.

Marczenko spojrzał na zegarek. Za pięć dwunasta w Zurychu.

Gdzie, do diabła, jest Mevlevi? Gdzie są pieniądze?

Rozdział 66

Nick pędził przez przełęcz Świętego Gotharda. Pogoda się poprawiła. Jeszcze dziesięć minut wcześniej sypał gęsty śnieg. Teraz niebo było bezchmurne, nie licząc mgły, która częściowo przysłaniała widok położonej niżej zielonej doliny. Droga też była lepsza. Szeroka, równa i biegła prosto w dół. Nick utrzymywał stałą prędkość stu pięćdziesięciu kilometrów na godzinę.

Powstrzymaj go, Peter. Nie pozwól mu wyjść. Przyjadę jak najszybciej.

Zraniona noga wciąż bolała, ale równie dotkliwy był ból serca. Złamanego serca. Sylvia była szpiegiem Kaisera. Za jego zgodą przekazywała Nickowi raporty ojca. Na jego żądanie wywabiła go z ochronnej muszli tandetną przynętą, obietnicą miłości.

Kochałem cię, pomyślał. Ale po chwili zaczął się zastanawiać, czy naprawdę ją kochał, czy też od samego początku podejrzewał, że jej uczucia mogą nie być szczere. Nie wiedział. Ale obawiał się, że od tej pory podejrzliwość wejdzie mu w krew. Stanie się kolejnym zmysłem – jak wzrok lub węch – który nie pozwoli mu w pełni otworzyć się przed drugą osobą. Z czasem może nieco osłabnie, ale nigdy całkowicie nie zniknie.

Wtedy inny głos zbuntował się przeciw wyrokowi, który wydał na samego siebie. Zaufaj – usłyszał. – Zaufaj sobie. Zaufaj swemu sercu. Nick uśmiechnął się na wspomnienie słów zażywnego hrabiego. „Zaufanie. Tylko ono się liczy w dzisiejszym świecie".

Może jest jeszcze jakaś nadzieja.

Godzinę później Nick minął już centrum Lugano i pędził dwupasmówką, która biegła równolegle do pofalowanych brzegów jeziora. Na tabliczce pojawiła się nazwa Morcote. Za oknami śmigały dachy kryte czerwoną dachówką. Stacja benzynowa. Kawiarnia. Z przeciwnej strony nadjechała pędem taksówka, trąbiąc klaksonem, gdy przekraczała środkową linię. Wtedy zobaczył hotel Olivella au Lac i na chwilę serce zamarło mu w piersi.

Na hotelowym dziedzińcu stało kilka wozów policyjnych, a obok nich szara furgonetka z otwartymi przesuwnymi drzwiami. W środku siedziało sześciu policjantów w granatowych kombinezonach. Ich niezadowolone miny świadczyły o rezultatach operacji.

Nick zatrzymał forda przy drodze i utykając, przeszedł przez ulicę do hotelu. Umundurowany ochroniarz próbował go zatrzymać.

– Jestem Amerykaninem – powiedział Nick. – Pracuję z panem Thorne'em. – Otworzył portfel i wyjął nieważny identyfikator wojskowy. Ale ochroniarza nie obchodził identyfikator. Gapił się na zakrwawioną koszulę i podarte spodnie.

– DEA – dodał Nick, nie zwracając uwagi na obrzydzenie malujące się na twarzy ochroniarza.

Ochroniarz kiwnął głową.

– *Prego, signor*. Czwarte piętro. Pokój 407.

Na korytarzu było spokojnie. Przy windzie trzymał straż jeden policjant. Drugi stał przy otwartych drzwiach na drugim końcu korytarza. Dzieliły go od nich kilometry niebieskiej wykładziny. Nick wyczuwał zapach kordytu nawet z tej odległości. Musiały paść strzały. Kto zginął? Kto był ranny? Kto ucierpiał z powodu fiaska źle obmyślonego planu?

Nick podał swoje nazwisko i policjant skontaktował się za pomocą krótkofalówki z niewidocznym wodzem. Z krótkofalówki padła dwusylabowa odpowiedź i Nick został przepuszczony.

Przeszedł połowę korytarza, kiedy z pokoju wyłonił się Sterling Thorne. Był ubrany w ciemnozieloną kurtkę, a jego twarz pokrywały ciemne smugi. Włosy miał w jeszcze większym nieładzie niż zwykle.

– Kogo my tu mamy? Syna marnotrawnego we własnej osobie. Najwyższy czas.

– Przepraszam – powiedział Nick z poważną miną. – Korki.

Thorne zaczynał się uśmiechać, ale nagle – jakby zobaczył go po raz pierwszy – skrzywił się.

– Jezu, Neumann. Co ci się stało? Wyglądasz, jakbyś wdał się w bójkę z ulicznym kotem. I przegrał. – Wskazał na zakrwawioną koszulę. – Będę musiał powiedzieć chłopakom, żeby wezwali jeszcze jedną karetkę. To coś poważnego?

Nick nadal kuśtykał w stronę pokoju. Nie było sensu wdawać się teraz w szczegóły.

– Przeżyję. Co tu się stało?

– Twój przyjaciel zarobił kulkę w ramię. Nie jest źle, ale nie weźmie udziału w następnych mistrzostwach świata w bejsbolu. Stracił dużo krwi.

– A Mevlevi?

– Uciekł. – Thorne wskazał wyjście awaryjne na końcu korytarza. – Znaleźliśmy na schodach ślady jego krwi. Jest jej więcej w pokoju. Policja uszczelniła granice i przeszukuje hotel i okoliczne miejscowości.

Nick był wściekły. Jak Thorne mógł dopuścić do ucieczki rannego? Wiedział przecież, że Pasza tu będzie. Dlaczego nie obstawił hotelu swoimi ludźmi przed przyjazdem Mevleviego? Już słyszał wymówkę Thorne'a. „Szwajcarska policja nie kiwnie palcem, dopóki nie dostanie dowodu przestępstwa popełnionego na rodzimej ziemi. Musieliśmy czekać na Błazna".

– Ty go zaciąłeś? – zapytał Thorne.

– Mieliśmy małe nieporozumienie – powiedział Nick, tłumiąc złość. – Chciał mnie zabić. Mnie nie spodobał się ten pomysł. On miał pistolet. Ja miałem nóż. Szanse były niemal wyrównane.

– Mówiąc prawdę, myśleliśmy, że już po tobie. Znaleźliśmy na dole limuzynę, którą miałeś przyjechać. W bagażniku leżał szofer. Ręka prawie odcięta i kulka w potylicy. Cieszę się, że żyjesz. – Thorne położył rękę na ramieniu Nicka. – Dzięki tobie trafiliśmy tu na prawdziwą skrzynię skarbów. Teczka Mevleviego z USB, wyciągi z rachunków w Adler Bank, nawet zdjęcia z własnoręcznym podpisem na odwrocie. Nie wspominając o sfałszowanym paszporcie. Nieźle, Neumann. Zamrozimy jego konta w niecałe czterdzieści osiem godzin.

Nick rzucił mu niespokojne spojrzenie. W ciągu czterdziestu ośmiu godzin Mevlevi przeleje z tego kraju wszystkie pieniądze, co do grosza.

W ciągu czterdziestu ośmiu godzin znajdzie się z powrotem w swojej górskiej kryjówce w Libanie, zdrowy i bezpieczny.

Thorne przechwycił jego spojrzenie.

– Wiem, że trzeba go było złapać. – Podniósł palec. – Ale nie spodziewaj się przeprosin.

– Błazen?

– Żyje. Straciliśmy przemycany towar podczas akcji. Spłonął. – Thorne przeciągnął palcem po czarnym od dymu policzku i pokazał Nickowi. – Tyle zostało. Ale i tak mamy haka na Mevleviego. Dzięki tobie w końcu udało nam się zmusić Szwajcarów do współpracy. Kaiser trafi za kratki. Twój kolega z pracy, pan Feller, twierdzi, że Kaiser przyjechał tu, ale zatrzymał go w holu telefon od pani Schon. Musiała go ostrzec, bo nie wszedł na górę. Nie możemy go znaleźć. Szwajcarzy nie wydadzą nakazu aresztowania, dopóki nie zostaną wniesione formalne zarzuty.

Nick przyjął obojętnie wzmiankę o Sylvii. Potem będzie miał mnóstwo czasu, żeby wyrzucać sobie, jakim jest głupcem.

– Mówiłeś chyba, że współpracujecie.

Thorne wzruszył ramionami.

– Zrywami. Mevlevi to jedno. Wolfgang Kaiser to co innego. W tym momencie biorę to, co dają.

Nick ruszył w stronę otwartych drzwi. Czuł się potwornie przygnębiony. Cały plan wziął w łeb. Policja nie schwytała ani Mevleviego, ani Kaisera.

– Chcę się zobaczyć z moim kumplem.

– Proszę bardzo. Karetka już jedzie, więc pospiesz się.

Peter Sprecher leżał na podłodze dużego salonu. Był przytomny. Miał otwarte oczy i rozglądał się nerwowo dookoła. Pod plecy podłożono mu ręczniki. Siedział przy nim policjant i usiłował tamować krwawienie, przyciskając opatrunek. Nick usiadł na podłodze, starając się nie zginać prawej nogi, i zastąpił policjanta.

Sprecher zadarł głowę i roześmiał się słabo.

– Ciebie też nie załatwił?

– Nie. – Nick przyciskał mocno opatrunek na ramieniu Sprechera. – Jak się masz, kolego?

– Może będę teraz nosił mniejszy rozmiar marynarki. Ale przeżyję.

– Przynajmniej próbowaliśmy.

– Bajerowałem go najdłużej, jak się dało. Musiałem co chwila wymyślać coś nowego. Nie było łatwo. Nie mogłem przestać myśleć o tym, co stało się z tobą. Kiedy dowiedział się, że przechwycono jego transport, chciał się zmyć.

– Dobrze się sprawiłeś, Peter. Naprawdę.

Sprecher uśmiechnął się przebiegle.

– Sprawiłem się lepiej, kolego. – Z grymasem bólu na twarzy dźwignął się z podłogi i szepnął: – Wiem, dokąd pojechał. Nie chciałem mówić Thorne'owi. Mówiąc szczerze, nigdy mu nie ufałem. Gdyby zjawił się pięć minut wcześniej, dostałby Paszę.

Nick pochylił się, przysuwając ucho do warg Sprechera.

– Słyszałem, jak Mevlevi rozmawiał przez telefon. Nie wiedział, że znam arabski. Brissago. Na głównym placu za godzinę. Spotyka się tam z kimś. Jakaś zasrana mieścina na włoskiej granicy.

– Jest jedenasta trzydzieści. Kiedy wyszedł?

– Piętnaście minut temu. Prawie się z nim minąłeś, łachmyto.

– A Kaiser? Nie pokazał się?

– Nie wiem, co z nim. Zapytaj Fellera. Już go zabrali. Mevlevi zdzielił biedaka pistoletem. Krwawił bardziej ode mnie. Tylko mu nie mów, ale chyba uratował mi życie. A teraz zabieraj się stąd. Znajdź Mevleviego i pozdrów go ode mnie serdecznie.

Nick chwycił dłoń przyjaciela i uścisnął ją mocno.

– Znajdę go, Peter. I przekażę, co o nim myślisz. Możesz na mnie liczyć.

Sterling Thorne czekał na Nicka w drzwiach.

– Neumann, zanim wyślemy cię do szpitala z twoim kumplem, chciałbym pokazać ci coś, co znalazłem w teczce Mevleviego.

– Co takiego? – Nick nie wybierał się do szpitala, przynajmniej na razie. I nie był w nastroju na pogaduszki. Każda sekunda wydłużała dystans między nim a Paszą. Każda sekunda zmniejszała szanse schwytania go.

Thorne podał mu plik papierów spiętych w górnym lewym rogu złotym spinaczem. U góry strony widniały trzy słowa wydrukowane cyrylicą. Dokumenty były zaadresowane do pana Alego Mevleviego z numerem skrzynki pocztowej w Bejrucie. Pod nazwiskiem Mevleviego, po angielsku, ciągnął się szatański leksykon współczesnego uzbrojenia. Samoloty, helikoptery, czołgi, pociski. Ilości, ceny, daty.

Nick przejrzał spis.

– Na liście jest broń nuklearna. Kto, do diabła, sprzedaje ten sprzęt?

Thorne zmarszczył brwi.

– Nasi nowi rosyjscy sojusznicy, któż by inny? Masz pojęcie, co Mevlevi może z tym zrobić?

– Przecież sam mówiłeś, że ma prywatną armię.

– Mówiąc „prywatna armia", miałem na myśli jakąś niewyszkoloną bandę. W Libanie jest już takich kilkanaście. Ale ten tutaj ma tyle broni, że wystarczyłoby dla I Dywizji Morskiej. Wolę nawet nie myśleć, co Mevlevi chce zrobić z bombą nuklearną. Dzwoniłem do Langley. Mają skontaktować się z Mossadem.

Nick przeglądał kartki. Niemal czuł, jak kawałki układanki wracają na miejsce, gdy jego umysł rozwiązywał ostatnią zagadkę. Dlaczego Pasza chciał sfinansować przejęcie United Swiss Bank? Dlaczego zaludnił Adler Bank pracownikami z Bliskiego Wschodu? Skąd pośpiech, żeby zdobyć czterdzieści milionów dolarów od Gino Makdisiego? Po co przyjeżdżał aż do Zurychu?

Nick westchnął. Bo Adler Bank mu nie wystarczał. Bo Pasza potrzebował też USB. Bo potrzebował połączonych zasobów obydwu banków na zakup najnowocześniejszej broni ze Wschodu. Tylko Bóg wiedział, do czego chciał ją wykorzystać.

Oddał papiery Thorne'owi.

– Sprecher powiedział mi coś, co może cię zainteresować. Chyba wie, dokąd pojechał Mevlevi.

Thorne zadarł głowę i wciągnął powietrze, jakby wyczuł trop ofiary.

– Mnie nic nie wspominał.

Nick chciał powiedzieć Thorne'owi prawdę, ale rozmyślił się. Jeśli zamierzał dorwać Mevleviego, musiał odsunąć Thorne'a. Thorne nalegałby, żeby odesłać Nicka do szpitala. Albo powiedziałby, że Nick jest cywilem, a on nie może dopuścić, by ryzykował życie. Słowem, zrobiłby wszystko, żeby mieć Mevleviego tylko dla siebie.

Tak jak Nick.

– Peter pomyślał, że może jesteś odpowiedzialny za tę wpadkę. Wyprowadziłem go z błędu. Powiedziałem mu, że nie wiedziałeś o planach Mevleviego wobec mnie. – Przerwał, żeby trochę dłużej potrzymać Thorne'a w niepewności.

– Cholera jasna, Neumann. Gadaj, dokąd pojechał Mevlevi.

– Porto Ceresio. Na wschód stąd na włoskiej granicy. Ale poczekaj, jadę z tobą.

Thorne pokręcił głową. Już sięgał po krótkofalówkę.

– Doceniam twój entuzjazm, ale z tą nogą nigdzie nie pojedziesz. Poczekasz tu na karetkę.

Nick doszedł do wniosku, że konieczny jest silniejszy opór.

– Nie zostawisz mnie tutaj. Ja ci o tym powiedziałem. Mevlevi próbował mnie zabić. To teraz sprawa osobista. Chcę mu się odpłacić.

– I właśnie dlatego zostajesz. Chcę go żywego. Martwy na nic się nie przyda.

Nick opuścił głowę i wymamrotał coś pod nosem, jak gdyby zmęczenie wzięło nad nim górę. Podniósł rękę w geście protestu, ale po chwili opuścił ją.

– Dzięki za pomoc, Neumann, ale lepiej się wykuruj. – Thorne podniósł krótkofalówkę do ust. – Dostaliśmy cynk, dokąd pojechał Mevlevi. Za minutę będę na dole. Weźcie kilka samochodów do eskorty. To jakaś dziura o nazwie Porto Ceresio. Zawiadomcie miejscową policję. Niech będą w pogotowiu. Jasne?

Rozdział 67

Ali Mevlevi siedział na tylnym siedzeniu pędzącej taksówki. Wciąż był wściekły z powodu utraty aktówki. Miał w niej wszystko: terminarz z numerami kont, hasłami i numerami telefonów; listę broni zakupionej u Marczenki; a co najważniejsze – telefon komórkowy. Zawsze sądził, że potrafi zachować zimną krew w obliczu niebezpieczeństwa, ale teraz wiedział, że to nieprawda. Był tchórzem. No bo dlaczego zaszył się w ufortyfikowanej posiadłości w kraju bezprawia? Dlaczego nie pobiegł za Neumannem, żeby się upewnić, czy nie żyje? Dlaczego uciekł z hotelu, choć nie udało mu się wyrwać aktówki z uścisku tego maniaka Sprechera? Bo się bał – dlatego.

Zapytał taksówkarza, ile jeszcze do Brissago.

– Jesteśmy prawie na miejscu – odpowiedział kierowca. Powtarzał to samo od pół godziny.

Mevlevi wyjrzał przez okno. Po obu stronach wznosiły się góry. Od czasu do czasu z lewej strony wyłaniało się jezioro. Włochy leżały po drugiej stronie.

Mevlevi wyprostował się i skrzywił z bólu. Miał wrażenie, jakby lewa noga się paliła. Podniósł nogawkę i obejrzał ranę. Miała tylko kilka centymetrów długości, ale była głęboka, prawie do kości. I wciąż krwawiła. Zaczynała też ropieć. Krew przybrała kolor ciemnej czekolady.

Do diabła z nogą! Skoncentruj się na tym, jak wydostać się z tego bagna!

Zastanowił się, co musi zrobić po dotarciu do Brissago. Wiedział, że nie ma zbyt dużo czasu. Rój policjantów przed hotelem nie pozostawiał żadnych wątpliwości co do zaangażowania szwajcarskich organów ścigania. Za dzień lub dwa jego konta zostaną zamrożone. Międzynarodowy nakaz aresztowania z jego nazwiskiem mógł być wydany w każdej chwili. Kaiser już pewnie trafił za kratki. Kto wie, co powie policji?

Ogarnęło go dziwne zobojętnienie. Im dłużej myślał o swojej sytuacji, tym bardziej czuł się wolny. Straci inwestycje w Adler Bank, udziały w USB, a także dwadzieścia milionów w gotówce, które zdeponował w piątek. Ale przecież ojciec zawsze mawiał, że człowiek religijny nie może nigdy zbankrutować. Miłość Allaha czyni go bogatym. Po raz pierwszy w życiu w to uwierzył.

Pozostało mu najważniejsze: udane przeprowadzenie Chamsinu.

Wciągnął głęboko powietrze i uspokoił się. Ott obiecał przelać do południa na jego konto w USB osiemset milionów franków. Jeśli zdoła przesłać te pieniądze Marczence, zanim rozejdzie się wiadomość o jego ucieczce i aresztowaniu Kaisera, będzie mógł zostawić światu przynajmniej jedno trwałe dziedzictwo. Zniszczenie osady Ariel. Likwidację piętnastu tysięcy aroganckich Żydów.

Zerknął na zegarek. Za dwadzieścia dwunasta. Pomyślał o dwóch telefonach, które musi wykonać. Pamiętał numer Otta w USB i numer swojej bazy w Libanie. Potrzebował czasu tylko na dwie rozmowy.

Wyjrzał przez okno. Pomimo potwornego bólu w nodze uśmiechnął się.

Chamsin nie zginie!

Nick pędził fordem krętą drogą. Zastanawiał się, gdzie, do diabła, jest Brissago. Z mapy, którą znalazł w schowku, wynikało, że musi pokonać czterdzieści kilometrów. Jechał ponad pół godziny. Powinien już być na miejscu. Wziął gwałtownie ostry zakręt. Koła zaprotestowały, a silnik zawył. Omal nie przegapił białej tabliczki z napisem „Brissago" ze strzałką w lewo.

Skręcił przy następnym zjeździe. Droga zrobiła się węższa i opadała stromo aż do Lago Maggiore. Odkręcił szybę i wpuścił do środka świeżą bryzę znad jeziora. Powietrze było niemal ciepłe, a dzień – cichy. Idealnie, pomyślał. Cisza harmonizowała z jego obecnym stanem ducha. Skoncentrował się na odnalezieniu Mevleviego. Nie dopuszczał do siebie żadnych myśli o Sylvii czy o sobie. Nie myślał o ojcu. Napędzało go jedno uczucie: nienawiść do Alego Mevleviego.

Droga biegła przez tunel wiązów. Miasteczko Brissago zaczynało się za tunelem. Nick zwolnił i wjechał na główną ulicę. Wznosiły się przy niej niewielkie domy, wszystkie z czerwonymi dachówkami i bielonymi fasadami. Ulica była opustoszała. Minął piekarnię, kiosk i bank. Wszystkie były zamknięte. Przypomniał sobie, że w wielu mniejszych miasteczkach sklepy są zamknięte w poniedziałki do pierwszej po południu. Dzięki Bogu. W swoim doskonale skrojonym granatowym garniturze Mevlevi będzie się rzucał w oczy.

Brissago, powiedział Sprecher. Dwunasta. Główny plac.

Nick zerknął na zegarek. Zostało pięć minut. Dojechał do końca głównej ulicy, która dalej skręcała ostro w prawo. Z lewej strony ukazał się miejski rynek. Duży plac ze skromną fontanną na środku. Jeszcze skromniejszy kościółek stał po drugiej stronie placu, a obok niego – kawiarnia. Idealna dla tych, którzy potrzebowali czegoś mocniejszego od wina mszalnego. Za kościołem rozlewało się jezioro. Zwolnił, rozglądając się po placu za Paszą. Zauważył staruszkę spacerującą z psem. Przy fontannie siedziała dwójka dzieciaków z papierosami. Ani śladu Mevleviego.

Wjechał na żwirowy parking przy drodze pięćdziesiąt metrów dalej. Wysiadł z samochodu i zaczął iść w stronę placu. Byłby łatwym celem, gdyby Mevlevi go zauważył. Dziwne, ale w tym momencie nie dbał o to. Poruszał się jak w transie ze wzrokiem wbitym w szeroki plac. Mevlevi mógł jeszcze nie dojechać. Opuścił hotel ledwie dziesięć minut przed przybyciem Nicka. Nie czekał na niego samochód. Musiał więc albo ukraść jakieś auto, albo znaleźć taksówkę.

Dotarł do fontanny i się rozejrzał.

Spokojnie jak w grobie.

Podszedł do kościoła i otworzył masywne drewniane drzwi. Wszedł do środka i oparł się plecami o ścianę. Po kilku sekundach oczy przyzwyczaiły się do mroku. Spojrzał w stronę głównej nawy, żeby sprawdzić, czy Mevlevi nie siedzi w jednej z ławek. Pierwsze rzędy zajmowała garstka ubranych na czarno kobiet. Z zakrystii wyszedł ksiądz i poprawił na sobie szaty liturgiczne, przygotowując się do południowego nabożeństwa.

Wyszedł z kościoła. Osłaniając oczy przed słońcem, ruszył w prawo i zatrzymał się na rogu kościoła. Spojrzał na jezioro odległe o kilka kroków. Słaba południowa bryza marszczyła jego powierzchnię. Kilka łabędzi przepłynęło obok.

Postanowił, że stąd będzie obserwował rozwój wypadków na placu. Oparł się o mur i obejrzał przez ramię. W odległości dziesięciu kroków przy kościelnym murze stała budka telefoniczna. Przez plac przejechało białe volvo. Znów zerknął przez ramię. Zauważył, że w budce telefonicznej stoi jakiś mężczyzna odwrócony do niego plecami. Średniego wzrostu, o ciemnych włosach, w granatowym garniturze.

Nick zrobił krok w stronę budki. Mężczyzna odwrócił się i otworzył szeroko oczy.

Pasza.

Ali Mevlevi dotarł na główny plac w Brissago za dziesięć dwunasta. Podszedł do fontanny i rozejrzał się na wszystkie strony, spodziewając się ujrzeć twarz Khana. Zdał sobie sprawę, że jego asystent miał większy dystans do pokonania. Dodatkowy czas uszczęśliwił Mevleviego. Musiał znaleźć telefon i zadzwonić do Otta w Zurychu. Obszedł cały plac i już miał dać za wygraną, gdy przy kościele zauważył srebrną budkę z żółtym znakiem

PTT przyklejonym do szyby. Wszedł do niej i wybrał numer United Swiss Bank. Minęło kilka minut, zanim znaleziono wiceprezesa banku.

Mevlevi trzymał słuchawkę przy uchu, modląc się, żeby wiadomość o policyjnej akcji w Lugano nie dostała się jeszcze do Zurychu. Przekona się o tym, gdy usłyszy głos Otta.

– Mówi Ott, *Gutten Morgen*. – Ten sam co zwykle oficjalny ton. Niech Allahowi będą dzięki.

– Dzień dobry, Rudolfie. Mam nadzieję, że u ciebie wszystko w porządku – powiedział Mevlevi, siląc się na nonszalancki ton. Szwajcarzy potrafili wyczuć desperację na kilometr, nawet przez telefon. Mieli to we krwi.

– Pan Mevlevi, miło mi. Rozumiem, że dzwoni pan w sprawie pożyczki. Wszystko gotowe. Cała suma jest już na pańskim nowym koncie.

– Cudownie – rzucił Mevlevi. Uświadomił sobie, że nie obędzie się bez obowiązkowej paplaniny. – Jak wasz personel przyjął dzisiejsze oświadczenie Koniga?

Ott roześmiał się.

– Fatalnie, rzecz jasna. A czego się pan spodziewał? Od ósmej byłem na parkiecie. Wszyscy biją się o akcje USB. Zawodowcy uważają, że sprawa jest przesądzona.

– Przesądzona, Rudolfie – potwierdził stanowczo Mevlevi, dziwiąc się własnym zdolnościom wciskania kitu. – Rudi, miałem dzisiaj rano mały problem. Skradziono mi aktówkę. Możesz sobie wyobrazić, co w niej miałem. Wszystkie numery kont, numery telefonów, nawet komórkę. Musiałem się wyrwać temu potwornemu urzędnikowi, Wenkerowi, żeby zadzwonić.

– Oni rzeczywiście bywają potworni – przytaknął mu Ott.

– Rudi, zrób coś dla mnie – poprosił Mevlevi. – Chciałem z samego rana przelać koledze całą sumę, ale teraz nie mam numeru jego konta. Może gdybym podał mu mój numer i hasło, no wiesz, „pałac Ciragan", podałby dane o swoim koncie.

– Jak się nazywa?

– Marczenko. Dimitr Marczenko. Rosjanin.

– Dokąd trzeba będzie przelać pieniądze?

– Do Pierwszego Kazachskiego Banku w Ałma Acie. Zdaje się, że utrzymujecie z nimi kontakty. On poda wszystkie szczegóły.

– Skąd będziemy wiedzieć, że to on?

– Zaraz do niego zadzwonię. Podam mu hasło. Zapytajcie go o imię dziecka. Mały Joe.

– Mały Joe?

– Tak. I jeszcze jedno, Rudy. To pilny przelew. – Mevlevi nie śmiał powiedzieć nic więcej. Słyszał, jak Ott powtarza szczegóły przy zapisywaniu ich. Myśli Otta krążyły już wokół prezesostwa w nowym USB-Adler Bank. Nie mógł dopuścić, żeby drobne odejście od przyjętej procedury zrujnowało jego znakomite układy z nowym szefem.

– Nie widzę żadnego problemu… Ali. Niech pan Marczenko zadzwoni do mnie za parę minut, a ja już osobiście się tym zajmę.

Mevlevi podziękował mu i odwiesił słuchawkę. Wrzucił trzy pięciofrankowe monety i wybrał dziewięciocyfrowy numer. Czuł, jak szybciej bije mu serce. Teraz wystarczyło tylko podać generałowi numer konta i hasło.

Mevlevi usłyszał najpierw jeden sygnał, potem drugi. Odebrano. Rozkazał telefoniście, żeby natychmiast znalazł Marczenkę. Po dłuższej chwili usłyszał głos Rosjanina.

– Da? Mevlevi? To pan?

Mevlevi roześmiał się.

– Przepraszam, że musiał pan czekać, generale. Mieliśmy małą zmianę planu.

– Co?

– Nic poważnego, zapewniam pana. Cała suma jest już na moim koncie. Problem w tym, że zapodział mi się pański numer konta w Pierwszym Kazachskim Banku. Właśnie rozmawiałem o tym z moim bankiem w Zurychu. Chcieliby, żeby pan teraz do nich zadzwonił i podał informacje o swoim koncie. Będzie pan rozmawiał z Rudolfem Ottem, wiceprezesem banku. Poprosił mnie, żebym podał panu mój numer konta i hasło. Proszę się przedstawić i powiedzieć, że dziecko ma na imię Mały Joe. Wtedy natychmiast dokona przelewu.

Marczenko nie odzywał się przez chwilę.

– Jest pan pewien, że wszystko się zgadza?

– Musi mi pan zaufać.

– Dobrze. Zrobię, co mi pan każe. Ale nie zaprogramuję dziecka, dopóki pieniądze nie znajdą się na naszym rachunku. Czy to jasne?

Mevlevi odetchnął swobodniej. Udało się. A więc Chamsin zawieje. Uczucie triumfu rozgrzało go.

– Jasne. Ma pan coś do pisania?

– Da.

Mevlevi popatrzył w stronę jeziora. Co za przepiękny dzień! Uśmiechnięty obejrzał się w stronę placu.

Kilka kroków od budki stał Nicholas Neumann i patrzył prosto na niego.

Mevlevi spojrzał mu w oczy. Przez chwilę nie mógł sobie przypomnieć numeru konta uzyskanego w piątek w międzynarodowym funduszu powierniczym. Ale za moment numer był już wyraźnie wyryty w jego pamięci. Allah mu sprzyjał.

– Mój numer konta to cztery cztery siedem…

Nick otworzył drzwi budki telefonicznej. Chwycił Mevleviego za ramiona i pchnął na stalowo-szklaną ścianę. Wpadł do budki i zadał mu cios pięścią w brzuch. Pasza zgiął się wpół, słuchawka wypadła mu z ręki. Boże, jak wspaniale było dorwać się do tego potwora.

– Neumann – wychrypiał Mevlevi. – Daj mi słuchawkę. Potem pójdę z tobą. Obiecuję.

Grzmotnął Mevleviego w szczękę i poczuł, jak chrzęści mu knykieć. Pasza osunął się na podłogę. Jego ręce nadal szukały słuchawki.

– Poddaję się, Nicholas. Ale błagam cię, muszę porozmawiać z tym człowiekiem. Nie odwieszaj!

Nick złapał słuchawkę i przytknął ją do ucha. Usłyszał poirytowany głos:

– Jaki to numer? Podał mi pan tylko...

Mevlevi skulił się w kącie.

Nick spojrzał na niego i zobaczył starego przerażonego człowieka. Nie mógł go zabić. Zadzwoni po policję, wezwie Sterlinga Thorne'a.

– Błagam, Nicholas. Chciałbym dokończyć rozmowę. To tylko krótka chwilka.

Zanim Nick zdążył odpowiedzieć, Mevlevi rzucił się na niego. Trzymał w ręku mały zakrzywiony nóż. Zamachnął się do ciosu. Nick odskoczył do tyłu, odparował cios i przyszpilił rękę napastnika do szklanej ściany. Prawą ręką oplótł kabel telefoniczny wokół szyi Mevleviego. Mevlevi wytrzeszczył oczy, gdy kabel się zaciskał, ale wciąż nie puszczał noża. Wbił kolano w krocze Nicka. Sukinsyn łatwo się nie poddawał. Nick pociągnął wściekle za kabel, aż Mevlevi stracił kontakt z podłogą. Poczuł wyraźny trzask.

Mevlevi miał zmiażdżoną krtań i zatkany przełyk. Padł na kolana i mrugał wściekle powiekami, usiłując złapać oddech. Nóż zbieracza opium upadł z brzękiem na podłogę. Pasza przyłożył ręce do szyi, próbując zdjąć zaciśnięty kabel, ale Nick nie puszczał go. Mijały sekundy. Dziesięć, dwadzieścia. Nick przyglądał się umierającemu. Myślał tylko o jednym: żeby odebrać mu życie.

Nagle Mevlevi poderwał się. Wygiął plecy w łuk i w ostatnim szalonym paroksyzmie trzy razy uderzył głową o ścianę, tłukąc szkło. W końcu znieruchomiał.

Nick odplątał kabel i przytknął słuchawkę do ucha.

Usłyszał ten sam poirytowany głos:

– Jaki jest numer konta? Podał mi pan tylko trzy cyfry. A co z resztą? Panie Mev...

Nick odwiesił słuchawkę.

Kościelny dzwon wybił dwunastą.

Moammar-al-Khan przejechał powoli wypożyczonym białym volvo przez główny plac miasteczka, rozglądając się za swoim panem. Plac był pusty. Dostrzegł tylko grupkę starszych mężczyzn niedaleko jeziora. Sprawdził, która godzina. Punktualnie dwunasta. Modlił się, żeby Al-Mevleviemu udało się dotrzeć do Brissago. Bolało go, że jego pan znalazł się w takich opałach. Zdradzony przez bliską mu osobę, uciekał z tego kraju jak pospolity przestępca. Zachodni bezbożnicy nie znali sprawiedliwości!

Inshallah. Bóg jest wielki. Niech Al-Mevlevi będzie błogosławiony.

Zawrócił i jeszcze raz przejechał przez plac. Sunął dalej główną ulicą w nadziei, że zobaczy swego pana. Może Mevlevi źle zrozumiał jego instrukcje. Po dojechaniu do granicy miasteczka Khan postanowił zawrócić i zaparkować gdzieś przy placu. Stanie przy fontannie, żeby Al-Mevlevi nie przeoczył go po przyjeździe.

Sprawdził w lusterku wstecznym, czy nikt za nim nie jedzie. Droga była pusta. Zakręcił kierownicą i znowu przejechał przez miasteczko. Mijając plac, ponownie zwolnił, a nawet odkręcił szybę i wystawił głowę na zewnątrz. Nikogo nie zauważył. Dodał gazu i główną ulicą zbliżył się do żwirowego parkingu jakieś sto metrów dalej. Po drugiej stronie ulicy jakiś mężczyzna kuśtykał powoli w stronę parkingu. Khan spojrzał na niego. To był Nicholas Neumann.

Przeniósł wzrok na drogę przed sobą i uświadomił sobie, że Neumann go nie zauważył. Amerykanin powinien już nie żyć. Jeśli znalazł się tutaj, mogło to oznaczać tylko jedno: zna plan ucieczki przez granicę. Ale dlaczego przybył sam? Oczywiście – żeby zabić Al-Mevleviego.

Khan wjechał na parking. Stał tam tylko jeden samochód: czerwony ford cortina. Khan domyślił się, że należy do Amerykanina. Zaparkował volvo po przeciwnej stronie. Obserwował Neumanna w lusterku wstecznym i czekał, aż otworzy drzwi i wsiądzie do auta.

Nie potrzebował żadnych instrukcji, wiedział, co trzeba zrobić. Otworzył drzwi, wysiadł z wozu i ruszył ostrożnie po żwirowej nawierzchni. Na parking wjechał czarny mercedes i zaparkował obok volvo. Khan nie spuszczał z oczu forda. Jeśli są świadkowie, trudno. Ich też zabije. Rozpiął skórzaną kurtkę i sięgnął za pazuchę po broń. Poczuł zimną stal i uśmiechając się, pogłaskał kolbę. Wydłużył krok. Świat wokół niego skurczył się do wąskiego tunelu. Liczył się tylko Neumann na jego końcu. Wszystko inne było zamglone. Nieważne.

Neumann włączył silnik. Samochód zadrżał i wypuścił chmurę spalin z rury wydechowej.

Khan przyłożył lufę do szyby po stronie kierowcy.

Neumann spojrzał na pistolet. Nie poruszył się, tylko zdjął ręce z kierownicy.

Khan położył palec na spuście. Nie czuł kuli, która wywierciła mu dziurę w mózgu, odstrzeliwując całą prawą stronę czaszki. Osunął się na samochód, a potem na żwir. Martwy.

Nick patrzył, jak ciało zabójcy zwala się na okno, a potem osuwa na ziemię. Trzy metry za nim stał Sterling Thorne z pistoletem w dłoni.

Podszedł do samochodu, chowając broń do kabury.

Przez chwilę Nick siedział nieruchomo. Patrzył prosto przed siebie. Pomyślał, jak pięknie wygląda jezioro. Żył.

Thorne zapukał w okno i otworzył drzwi. Szczerzył zęby w uśmiechu.

– Neumann, beznadziejny z ciebie kłamca, nie ma co.

Rozdział 68

Nick dotarł do Kongresshaus o dziesiątej czterdzieści pięć, piętnaście minut przed planowanym rozpoczęciem walnego zgromadzenia. Sala mogąca pomieścić kilka tysięcy osób szybko się wypełniała. Reporterzy krążyli między rzędami, rozmawiając z maklerami, spekulantami i udziałowcami. Na wieść o tym, jakoby Wolfgang Kaiser utrzymywał bliskie stosunki z cieszącym się złą sławą bossem narkotykowym z Bliskiego Wschodu, wszyscy nadstawiali uszu, chcąc się dowiedzieć, kto teraz przejmie kontrolę nad United Swiss Bank. Nick nie miał żadnych złudzeń. Po fali przeprosin i obietnic poprawy biznes będzie się kręcił jak przedtem. Fakt, że Ali Mevlevi nie żyje i napływ heroiny do Europy przynajmniej chwilowo został ograniczony, nie pocieszał go zbytnio. Thorne mógł triumfować, ale zwycięstwo Nicka było niepełne. Wolfganga Kaisera nadal nie ujęto.

Nick podszedł do pierwszych rzędów i spojrzał na strumień napływających ludzi. Nikt nie zwracał na niego uwagi. Jego rola w całej aferze była nieznana – przynajmniej na razie. Zastanawiał się, czy Ott, Maeder i cała reszta przeprowadzą spotkanie, jakby wczoraj nie stało się nic nadzwyczajnego. Wyobraził sobie, co powiedziałby Peter Sprecher: „Ależ Nick, przecież naprawdę nie stało się nic nadzwyczajnego".

Nie wykluczał możliwości pojawienia się Kaisera. Czy prezes w ogóle brał pod uwagę ewentualność aresztowania? Pewnie nie. Pewnie wciąż wierzył, że nie zrobił nic złego.

Nick zauważył Sterlinga Thorne'a, który stał niedaleko wyjścia przeciwpożarowego z lewej strony sceny. Agent przechwycił jego spojrzenie i skinął głową. Wcześniej dał Nickowi poranne wydanie „Herald Tribune" z zaznaczonym krótkim artykułem na drugiej stronie. Artykuł ten, zatytułowany „Izraelskie odrzutowce rozprawiają się z partyzantami", informował, że zaatakowano gromadzących się przy izraelskiej granicy partyzantów, zwolenników libańskiej organizacji Hezbollah, i że zbombardowano ich bazę wśród wzgórz pod Bejrutem.

– To by było na tyle, jeśli chodzi o prywatną armię Mevleviego – skomentował Thorne z ironicznym uśmieszkiem.

Dopiero kiedy Nick zapytał go o broń jądrową, uśmiech zniknął, a Thorne wzruszył ramionami, jakby chciał powiedzieć: „Nigdy się nie dowiemy".

Przy dziesięciu fotelach w pierwszym rzędzie rozciągnięto żółty sznur. Na każdym z nich leżała biała karta z nazwiskiem. Sepp Zwicki, Rita Sutter i inni rezydenci czwartego piętra. Nick spojrzał w prawo i zauważył Sylvię Schon, która sunęła powoli przejściem między rzędami. Sprawdzała, ilu spośród jej cennych podwładnych bierze udział w spotkaniu. Nawet teraz wypełniała polecenia prezesa.

Podszedł do niej, a z każdym krokiem krew burzyła się w nim coraz bardziej. Był zły na siebie, ale przede wszystkim złościł się na Sylvię. Dla własnych korzyści igrała z jego życiem. Tego nie mógł jej wybaczyć.

– Dziwię się, że tu jesteś – powiedział. – Nie powinnaś pomagać prezesowi w zakupie biletu lotniczego na Wyspy Bahama? Właściwie myślałem, że już tam jesteś.

Sylvia próbowała się uśmiechnąć.

– Nick, przepraszam. Nie miałam pojęcia, że…

– Co się stało? – przerwał jej, nie mogąc znieść nieszczerych przeprosin. – Odkryłaś, że wyciągnięcie kogoś z hotelu jest dużo łatwiejsze niż wyciągnięcie go z kraju… zwłaszcza gdy szuka go cały świat? Może planujesz dołączyć do niego, kiedy cała afera trochę ucichnie?

Sylvia zmrużyła oczy, a jej twarz przybrała surowy wyraz. W tym momencie wszelkie uczucia, które mieli dla siebie, znikły na zawsze.

– Idź do diabła – syknęła. – To, że pomogłam prezesowi, nie znaczy, że uciekłabym z nim. Pomyliłam ci się z jakąś inną kobietą.

Nick znalazł wolne miejsce trzy rzędy od sceny i położył laskę na podłodze. Usiadł niezgrabnie, wyciągając nogę. Lekarze oczyścili i zszyli ranę na udzie. W najbliższym czasie nie będzie tańczył samby, ale przynajmniej mógł chodzić.

Światła przyciemniały. Rudolf Ott wstał i podszedł do podium. Ktoś z tylnych rzędów zawołał:

– Gdzie prezes?

Okrzyk ten podchwycili inni. Nick spojrzał na pierwszy rząd. Tylko jedno miejsce było puste. Nie przyszła Rita Sutter.

Ott położył przed sobą plik papierów, zdjął okulary i starannie je wytarł, czekając, aż umilkną krzyki. Poprawił mikrofon i bardzo głośno odchrząknął. Widownia uspokoiła się i po chwili salę wypełniła krępująca cisza.

Czekając na rozpoczęcie przemówienia Otta, Nick myślał o słowach Sylvii. „Pomyliłam ci się z jakąś inną kobietą". Zaczął się zastanawiać, gdzie jest Rita Sutter. Dlaczego nie bierze udziału w najważniejszym walnym zgromadzeniu w historii banku? Przypomniał sobie fotografię, na której Kaiser całuje dłoń Rity. Było to coś więcej niż wygłupy przed fotografem. Już wcześniej zastanawiał się, dlaczego Rita Sutter zadowala się pracą sekretarki Kaisera, choć najwyraźniej stać ją na znacznie więcej.

– Panie i panowie – odezwał się w końcu Ott – powinienem rozpocząć obrady od krótkiego powitania i podsumowania zeszłorocznej działalności banku. Jednak ostatnie wydarzenia zmuszają mnie do zerwania z tradycyjną procedurą. Mam dla państwa wiadomość szczególnej wagi.

Nick wyprostował się w fotelu, tak jak wszyscy zgromadzeni w wielkiej sali.

– Adler Bank nie zamierza wystawić swoich kandydatów do zarządu United Swiss Bank. W związku z tym mogę nominować wszystkich dotychczasowych członków na kolejną roczną kadencję.

Zebrani przyjęli te słowa głośnym aplauzem. Dziennikarze poderwali się z miejsc. Eksplodowała orgia lamp błyskowych.

A więc potwora pozbawiono kłów.

Nie podano żadnego wyjaśnienia, lecz Nick domyślał się przyczyn. Wszystkie akcje na koncie Ciragan Trading zostały na czas nieokreślony zamrożone przez biuro szwajcarskiego prokuratora federalnego. Adler Bank nie mógł wykorzystać swego upoważnienia do czasu, aż wyjaśniona zostanie kwestia ich przynależności. To zaś oznaczało, że przez następne kilka lat akcje te pozostaną bez prawa do głosowania. Gdy udowodni się, że należały do Alego Mevleviego, przemytnika heroiny i mordercy, już nieżyjącego, Adler Bank będzie się ubiegać o środki swego nieszczęsnego klienta w Sądzie Federalnym. Podobnie zrobi Agencja do Walki z Narkotykami i inne organizacje, które odegrały najmniejszą choćby rolę w poszukiwaniach Mevleviego. Decyzja o ostatecznym rozdysponowaniu akcji nie zostanie podjęta przez dziesięć lat. Do tego czasu United Swiss Bank mógł spać spokojnie.

Nick nie wstawał, tymczasem wszyscy wokół niego klaskali na stojąco. Przekonywał siebie, że też powinien być szczęśliwy. USB pozbył się Kaisera i Mevleviego. Bank pozostanie niezależny jak przez minione sto dwadzieścia pięć lat. Ochrona niezależności banku była chyba jego jedynym zwycięstwem.

Martin Maeder ściskał rękę Seppowi Zwickiemu. Ott chodził w tę i z powrotem po scenie, poklepując po plecach członków zarządu. Król nie żyje, niech żyje król, pomyślał Nick, przyglądając się pękatej postaci.

Spojrzał na puste miejsce Rity Sutter. Dlaczego nie przyszła?

„Pomyliłeś mnie z jakąś inną kobietą".

Olśniło go.

Wstał i ruszył w stronę przejścia. Musiał jak najszybciej dostać się do banku. Tam był Wolfgang Kaiser. Przedzierając się przez rozradowany tłum, analizował w myślach swoje wnioski. Kaiser nigdy nie przypuszczał, że stanie się zbiegiem. Mając do wyboru perspektywę wegetacji w szwajcarskim więzieniu lub ucieczkę do kraju, w którym trudno o ekstradycję, wybrałby to drugie. Nick był pewien, że prezes nie ucieknie, dopóki nie dowie się o ostatecznej przegranej Koniga w bitwie o miejsca w zarządzie USB. Był na to zbyt dumny. Przed wyjazdem musiał zabrać z banku pewne rzeczy – gotówkę, paszport, kto wie, co jeszcze. I właśnie teraz miał ku temu okazję. Bank był niemal pusty, zostało ledwie kilkanaście osób. I jedna bardzo obrotna asystentka.

Nick doszedł do końca rzędu i ruszył do wyjścia. Noga domagała się, żeby zwolnił. Zignorował ją i poruszał się jeszcze szybciej. Przeszedł przez wahadłowe drzwi do foyer, które pękało w szwach. W każdym rogu czaili się reporterzy, posyłając pilne depesze przez telefony komórkowe. Nick miał ochotę wrzasnąć, żeby zeszli mu z drogi, ale jakoś udało mu się powstrzymać i po minucie był już na zewnątrz. Zbiegł po szerokich granitowych schodach. Przy krawężniku czekała flota taksówek. Wskoczył do pierwszej z nich.

– United Swiss Bank – powiedział do kierowcy.

Trzy minuty później taksówka zatrzymała się przed szarym budynkiem. Nick zapłacił i wysiadł. Szybko pokonał schody i wpadł do holu.

Za kontuarem stał Hugo Brunner. Na widok Nicka pokręcił głową.

– Przykro mi, panie Neumann, ale dostałem wyraźne polecenie, żeby nie wpuszczać pana do banku – powiedział.

Nick wsparł się na lasce.

– Od kogo, Hugo? Od prezesa? Jest tutaj?

– Nie pańska sprawa. A teraz pozwoli pan…

Nick wyprostował się i rąbnął Brunnera w brzuch. Portier stracił oddech. Gdy zgiął się wpół, Nick wynagrodził go ciosem w podbródek. Brunner zwalił się ciężko na marmurową podłogę. Nick pochylił się i szybko wciągnął go za kontuar.

W „Cesarskim Szańcu" nie spotkał żywej duszy. W gabinetach po obu stronach korytarza paliły się światła, ale wszystkie były puste. Nick pokuśtykał w stronę sekretariatu prezesa. Podwójne drzwi do gabinetu były zamknięte.

Nick przyłożył do nich ucho i zaczął nasłuchiwać. Usłyszał jakiś szelest, a potem coś ciężkiego spadło na podłogę. Powoli nacisnął klamkę. Drzwi były zamknięte na klucz. Cofnął się o krok, pochylił i rzucił się na drzwi. Puściły i Nick wpadł do pokoju. Zatrzymał się kilka kroków przed Wolfgangiem Kaiserem.

Prezes miał poszarzałą ze zmęczenia twarz i cienie pod opuchniętymi oczami. Zwijał wyjęte właśnie z ozdobnej ramy płótno Renoira. Na kanapie obok leżała tekturowa tuba.

– Tylko tyle mogę zrobić – powiedział lekkim tonem. – Nie odłożyłem gotówki i podejrzewam, że zamrożono już moje konta. – Pomachał zwiniętym płótnem. – Gdybyś nie wiedział, należy do mnie, nie do banku.

– Wiem, że nie odważyłby się pan ukraść niczego z banku.

Kaiser wsunął płótno do tuby i założył plastikowe wieczko.

– Chyba powinienem ci podziękować za zabicie Mevleviego.

– Proszę bardzo – rzekł Nick. Koleżeński ton Kaisera zbił go z tropu. Przypomniał sobie, że jeszcze wczoraj ten sam człowiek chciał jego śmierci. – Gdzie Rita Sutter? Nie widziałem jej na walnym zgromadzeniu.

Kaiser roześmiał się.

– A więc stąd wiesz, że tu jestem? Sprytnie. Czeka na mnie na dole. Wjechaliśmy przez bramę od tyłu. Wpakowała mnie do bagażnika. Twierdziła, że tak będzie bezpieczniej.

– Powiedziałbym, że to ona jest sprytna.

Kaiser położył tubę na kanapie i pogładził końcówki wąsów.

– Nie masz pojęcia, jak się ucieszyłem, gdy postanowiłeś podjąć pracę w naszym banku. Wiem, byłem głupi, sądząc, że chcesz u nas zrobić karierę. Przez jakiś czas myślałem, że kiedyś zajmiesz moje miejsce. Nazwij to mrzonkami starego człowieka.

– Przyjechałem, żeby się dowiedzieć, dlaczego zginął mój ojciec. I dowiedziałem się. Zginął, aby pan mógł się wybić. Nie zasłużył na to.

– Było dokładnie odwrotnie. Potrzebowałem banku, żeby nadać memu życiu jakiś sens. Zawsze uważałem, że jest czymś większym od moich osobistych ambicji. A twój ojciec chciał kształtować bank na swoje podobieństwo.

– Na podobieństwo uczciwego człowieka?

Kaiser roześmiał się melancholijnie.

– Obaj byliśmy uczciwi. Tylko żyliśmy w nieuczciwych czasach. Na pewno potrafisz docenić to, co zrobiłem dla banku. Mamy prawie trzy tysiące pracowników. Bóg jeden wie, co by się stało, gdyby Alex przejął ster.

– Żyłby jeszcze, a oprócz niego Cerruti i Becker.

Kaiser zmarszczył brwi i westchnął.

– Może. Robiłem tylko to, co musiałem. Nie masz pojęcia, jaką presję wywierał na mnie Mevlevi.

Nick pomyślał, że ma o tym całkiem dobre pojęcie.

– Powinien był pan z nim walczyć.

– Nie mogłem.

– Bo jest pan słabym człowiekiem. Dlaczego nie ostrzegł pan mojego ojca, że Mevlevi chce go zabić?

– Ostrzegłem. I to nie raz. Nie wiedziałem, że sytuacja tak szybko wymknie się spod kontroli.

– Dobrze pan wiedział. Przymknął pan oczy, bo bez mojego ojca nie miał pan konkurentów do stanowiska prezesa banku.

Nick przyglądał mu się, czekając, aż odpłynie fala gniewu. Czyny tego człowieka miały tak wielki wpływ na jego życie. Śmierć ojca, dzieciństwo w rozjazdach, walka o wyrwanie się z nędzy, a kiedy mu się powiodło, decyzja o rzuceniu wszystkiego i przyjeździe do Szwajcarii. Gdyby chciał, mógł obarczyć go odpowiedzialnością za każdy postawiony przez siebie krok.

– Dlaczego? – zawołał. – Chcę lepszego powodu niż pańska cholerna kariera.

Kaiser pokręcił głową, a na jego twarzy odmalowało się współczucie.

– Nie rozumiesz, Nicholas? Nie miałem innego wyjścia. Kiedy obieramy jakiś kurs, jesteśmy zniewoleni. Ty, ja, twój ojciec. Wszyscy jesteśmy tacy sami, wierni sobie. Padamy ofiarą naszych charakterów.

– Nie – powiedział Nick. – Nie jesteśmy tacy sami. Różnimy się. I to bardzo. Pan wmówił sobie, że dla kariery warto poświęcić zasady. Niech mi pan zaproponuje dziesięć milionów dolarów i stanowisko prezesa, a ja i tak nie pozwolę panu opuścić tego budynku.

Kaiser ruszył naprzód z twarzą pociemniałą z gniewu. Podniósł rękę w geście protestu i otworzył usta jak do krzyku, ale z jego gardła nie wydobył się żaden dźwięk. Zrobił kilka kroków, po czym zwolnił, jakby zabrakło mu energii. Zgarbił się, podszedł do biurka i usiadł.

– Domyśliłem się, że po to tu przyszedłeś – powiedział zrezygnowanym tonem.

Nick spojrzał mu prosto w oczy.

– I miał pan rację.

Kaiser zdobył się na słaby uśmiech. Odsunął szufladę i wyjął ciemny rewolwer. Podniósł go wysoko, a potem opuścił i kciukiem napiął kurek.

– Nie martw się, Nicholas. Nie zrobię ci krzywdy, choć mam po temu mnóstwo powodów. To przez ciebie całe to zamieszanie, prawda? Zabawne, ale jest mi już wszystko jedno. Jesteś dobrym człowiekiem. Kiedyś wszyscy chcieliśmy być tacy jak ty.

Nick zbliżał się powoli do biurka. Obrócił laskę w ręku, zaciskając mocniej dłoń na jej gumowej rączce.

– Nie pozwolę panu tego zrobić – rzekł cicho. – Proszę odłożyć pistolet. To rozwiązanie dla tchórzy. Wie pan o tym.

– Naprawdę? A myślałem, że dla wojowników.

– Nie – powiedział Nick. – Pokonany wojownik pozwala, żeby wróg zadecydował o jego losie.

Kaiser przystawił lufę rewolweru do głowy.

– Nick, dobrze wiesz, że to ja jestem wrogiem.

W tym momencie w drzwiach rozległ się krzyk. Później Nick zdał sobie sprawę, że to Hugo Brunner wołał do Kaisera, żeby nie strzelał. Ale w tej chwili zarejestrował tylko odległy dźwięk, nie zwracając na niego większej uwagi. Rzucił się w stronę biurka, wymachując laską w nadziei, że dosięgnie ręki Kaisera. Laska stłukła lampę i odbiła się od komputera. Rozlęgł się huk wystrzału. Kaiser wywrócił się razem z krzesłem na ziemię. Nick padł na biurko i osunął się na podłogę.

Wolfgang Kaiser leżał bez ruchu kilka kroków dalej. Z rany w głowie płynęła obficie krew.

Nick przeklinał Kaisera za to, że tak łatwo się wywinął. Zasłużył, żeby spędzić resztę życia w szarej betonowej celi, żywić się wodnistą zupą i opłakiwać utratę wszystkiego, co było dla niego cenne.

Wtedy Kaiser kaszlnął. Jego głowa uniosła się lekko znad dywanu i po chwili opadła ciężko. Zamrugał oczami i westchnął, uświadamiając sobie, że wciąż żyje. Podniósł rękę do głowy, a kiedy ją odsunął, Nick zauważył, że kula wyżłobiła w skroni trzycalowy rowek. Tylko go zadrasnęła.

Dopełznął do Kaisera i wyrwał mu rewolwer. Nie zamierzał dawać prezesowi drugiej szansy.

– Stop! – krzyknął Hugo Brunner, gdy jego but stanął na nadgarstku Nicka. Przyklęknął i zabrał broń. – Dziękuję panu, panie Neumann – dodał życzliwszym tonem.

Nick spojrzał portierowi w oczy. Był pewien, że Brunner pomoże prezesowi w ucieczce. Ale choć raz się pomylił. Hugo pomógł mu wstać, wymamrotał coś o spuchniętej szczęce i zadzwonił na policję.

Nick usiadł na kanapie, zmęczony, lecz zadowolony. W oddali zabrzmiał przeszywający skowyt syreny, który stawał się coraz głośniejszy. Nick nigdy nie słyszał cudowniejszego dźwięku.

Niebo było zachmurzone. Z południa wiał silny wiatr, przynoszący pierwsze oznaki wiosny. Nick zatrzymał się na schodach banku i wciągnął głęboko powietrze. Myślał, że poczuje się szczęśliwy, wolny, ale w głębi serca pozostawało wrażenie, że musi gdzieś biec, kogoś zobaczyć. Nie mógł tylko sobie przypomnieć kogo. Po raz pierwszy od przyjazdu do ojczyzny ojca nie miał dokąd pójść. Żadnych pilnych spotkań. Był panem swojego czasu.

Na chodniku stał zaparkowany czarny mercedes. Sterling Thorne opuścił szybę. Szczerzył zęby w uśmiechu.

– Wsiadaj, Neumann. Podwiozę cię.

Nick podziękował i wsiadł do samochodu. Czekał na końcowy komentarz, że każdy dostał to, na co zasłużył, ale ten jeden raz Thorne siedział cicho. Samochód zjechał z chodnika i przez kilka minut nikt się nie odzywał. Nick wpatrywał się przez okno w niebo. Zauważył niebieską plamkę, ale wściekła szara chmura szybko ją zasłoniła. Thorne poruszył się i odwrócił do Nicka. Wciąż się uśmiechał.

– Powiedz, Neumann, gdzie w tym mieście możemy dostać porządnego hamburgera?

W środę rano Nick stał w sali odlotów na zuryskim lotnisku zapatrzony w wielką czarną tablicę z zestawieniem wszystkich rannych lotów. Przez ramię miał przewieszoną kurtkę. Jedna jedyna walizka stała obok niego na ziemi. Wspierając się na lasce, błądził oczami po nazwach docelowych miast: Frankfurt, Sztokholm, Mediolan. Spojrzał niżej na bardziej mu znane miejsca: Chicago, Nowy Jork, Los Angeles.

Tablica zaszumiała. Obracanie się setek aluminiowych płytek brzmiało jak tasowanie gigantycznej talii kart. W miejsce starych liter pojawiły się nowe, a każdy lot przeskoczył o pozycję wyżej, kilka minut bliżej startu.

Rozległ się komunikat:

– Lot numer 174 linii Swissair do Nowego Jorku. Pasażerów prosimy o przejście do wyjścia numer 62. – Komunikat powtórzono po niemiecku i włosku.

Nick wyjął z portfela białą kartkę. Rozłożył ją i przeczytał adres: Park Avenue 750 m. 16B. Uśmiechnął się. Jeśli Anna chce tego lata pojechać do Grecji, to tylko z nim. Pomyślał, że ceremonia na Akropolu mogłaby być całkiem sympatyczna. Spojrzał do góry na tablicę i odnalazł lot do Nowego Jorku. Zostało trzydzieści minut.